D1251671

Le Grand Livre de
Cuisine
Plaisir & Santé

Le Grand Livre de
Cuisine
Plaisir & Santé

Conseillère éditoriale

Anne SHEASBY

Sélection
Champagne
inc.

Édition originale 1997 au Royaume-Uni par
Lifetime distributors
sous le titre *The Ultimate Healthy Eating Cookbook*

© 1997, Anness Publishing Limited
© 1998, Manise, une marque des éditions Minerva (Genève, Suisse) pour la version française

Traduit de l'anglais par Hélène Varnoux, Anne Wagner et Founi Guiramand

Tous droits réservés. Toute représentation intégrale ou partielle de l'ouvrage,
par quelque procédé que ce soit, est strictement interdite sans l'autorisation écrite de l'éditeur.

ISBN : 2-84198-093-6
Dépôt légal : avril 1998
Imprimé en Chine

Éditrice : Joanna Lorenz
Responsable du projet : Linda Fraser
Maquette : Sara Kidd et Bill Mason
Photographies : Karl Adamson, Edward Allwright,
Steve Baxter, James Duncan, Armanda Heywood, Don Last,
Michael Michaels, Patrick McLeavy, Thomas Odulate, Peter Reilly
Recettes : Carla Capalbo, Laura Washburn, Stephen Wheeler,
Christine France, Shirley Gill, Roz Denny, Annie Nichols, Catherine Atkinson,
Maggie Pannell, Kit Chan, Sue Maggs et Christine Ingram
Conseil : Wendy Lee, Jane Stevenson, Elizabeth Wolf-Cohen,
Kit Chan, Kathryn Hawkins et Carla Capalbo
Stylisme : Blake Minton, Kirsty Rawlings, Fiona Tillett,
Hilary Guy, Thomas Odulate, Madeleine Brehaut et Jo Harris

Afin que cet ouvrage puisse être utilisé au Canada, nous avons conservé les mesures anglo-saxonnes.

Distribué par
Sélection Champagne Inc.
Montréal, Québec
(514) 595-3279

Sommaire

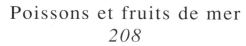

INTRODUCTION

Préparer des plats savoureux, et les déguster, constitue l'un des grands plaisirs de la vie. Il est normal d'apprécier la bonne cuisine mais, malheureusement pour notre santé, la gastronomie est trop souvent associée à l'emploi de beurre, huile, crème, fromage, et autres produits très riches en lipides.

Vous consommez tous les jours des lipides, sous une forme ou sous une autre. De fait, leur apport, en quantité raisonnable, est indispensable au maintien en bonne santé de votre organisme, mais rien ne vous empêche de réduire leur consommation au minimum nécessaire, en particulier en ce qui concerne les acides gras saturés. Première substance énergétique de votre alimentation, les lipides contribuent à la formation de graisses et doivent être brûlés par l'organisme. Sinon, vous grossissez. Un régime équilibré consistera donc à réduire votre consommation de lipides, sans que cela affecte pour autant celle des autres constituants indispensables à l'organisme (protéines, hydrates de carbone, sels minéraux, vitamines, etc.). En outre, en optant pour l'utilisation de produits allégés, en modifiant vos modes de préparation et de cuisson des aliments, vous parviendrez très aisément à réduire considérablement votre consommation de lipides et vous suivrez ainsi un régime alimentaire plus sain.

Comme vous vous en rendrez très vite compte à la lecture de cet ouvrage, surveiller sa consommation de lipides ne signifie nullement suivre un régime draconien et se priver de tout. Les chapitres d'introduction de ce livre vous fournissent des renseignements précieux sur les bases d'un régime alimentaire équilibré – on vous y décrit les cinq grands groupes d'aliments, en vous montrant comment les utiliser,

quotidiennement, pour répondre à vos besoins alimentaires. Vous sont également présentés tous les ingrédients allégés et le meilleur usage que vous pouvez en faire. Vous découvrirez comment cuire les aliments sans matières grasses, ou presque. Comment substituer au beurre et à la margarine, dans les plats sucrés, une purée de fruits (0 % de matières grasses). Ou comment remplacer certains ingrédients, trop riches en lipides, par d'autres mieux appropriés à un régime diététique. Comment réduire l'apport d'acides gras saturés des aliments. Enfin, une liste de « coupe-faim » savoureux, mais pauvres en lipides, vous est fournie.

Cet ouvrage propose plus de deux cents recettes que vous pourrez déguster seul, en famille ou entre amis. Chaque recette a été conçue de

manière à répondre à certaines exigences nutritionnelles, explicitées par un tableau. Les recettes sont toutes allégées, et donc à faible teneur en lipides (5 grammes au maximum par portion, voire moins). Enfin, vous serez sans doute étonné du large éventail de plats qui vous sont proposés : viandes et volailles au barbecue ou au four, pizzas et pâtes, ragoûts et sautés, légumes et plats végétariens complets, poissons et fruits de mer, pains savoureux, biscuits et gâteaux. Les recettes traditionnelles de la gastronomie ont ainsi été allégées, sans pour autant perdre de leur saveur et de leur attrait.

Légumes frais, légumes secs (à l'extrême gauche) et fruits frais (ci-contre et ci-dessus) sont des aliments parfaits pour un régime alimentaire équilibré et pauvre en lipides.

UN RÉGIME ALIMENTAIRE ÉQUILIBRÉ

Un régime alimentaire équilibré doit fournir à votre organisme tous les nutriments dont il a besoin pour se maintenir en bonne santé. Grâce à une consommation équilibrée des différents aliments à votre disposition, vous vous sentirez mieux, vous montrerez plus d'énergie et plus de résistance face à certaines maladies (obésité, troubles cardiaques, cancer, problèmes rénaux).

En optant pour une consommation diversifiée des aliments, vous fournissez à votre organisme les constituants indispensables (vitamines, sels minéraux, hydrates de carbone) à son bon fonctionnement. Cela vous permet aussi d'adopter un régime équilibré, en ingérant ni trop ni trop peu de certains aliments.

Les aliments sont répartis en cinq groupes (voir tableau ci-dessus). Dans un régime alimentaire équilibré, il est recommandé de consommer quantité de fruits, de légumes (au moins cinq fois par jour, sans compter les pommes de terre), de céréales, de pâtes, de riz et de poisson ; de réduire sensiblement sa consommation de viande, volailles et produits laitiers ; et de minimiser au maximum celle de graisses ou de sucre. Par ailleurs, on aura tout intérêt à remplacer, chaque fois que cela est possible, un aliment riche en lipides par son équivalent allégé.

LE RÔLE ET L'IMPORTANCE DES LIPIDES

Il ne s'agit nullement d'éliminer totalement les graisses de votre régime alimentaire. Les lipides fournissent en effet les constituants énergétiques nécessaires à l'organisme, ils sont une source de chaleur et de protection du corps. En outre, ils rendent souvent les aliments plus savoureux. Pour se sentir mieux, et perdre du poids si nécessaire, il suffit de réduire l'apport en lipides, et plus particulièrement en acides gras saturés.

Essayez de limiter votre consommation de lipides à 30 % des calories absorbées quotidiennement. Cela signifie que, pour un apport moyen de 2 000 calories, elle ne devra pas dépasser 600 calories. Dans la mesure où 1 g de lipides fournit 9 calories, votre prise quotidienne devra se limiter à 66,6 g de matières grasses. Quant à l'apport en acides gras saturés, il ne devra pas dépasser 10 % des calories.

LES CINQ GROUPES D'ALIMENTS PRINCIPAUX

● Fruits et légumes

● Riz, pommes de terre, pain, pâtes et autres céréales

● Viandes, volailles, poissons et autres protéines

● Lait et autres produits laitiers

● Aliments contenant des lipides ou du sucre

LES LIPIDES

Toutes les graisses contenues dans les aliments sont composées d'acides gras et de glycérine. Leurs propriétés varient en fonction de leurs différentes combinaisons.

Les lipides contiennent deux types d'acides gras – saturés et insaturés. Les acides gras insaturés se subdivisent eux-mêmes en acides gras poly-insaturés et mono-insaturés.

Tous les aliments contiennent un mélange de ces trois types d'acides gras, mais leur quantité est très variable d'un aliment à l'autre.

LES ACIDES GRAS SATURÉS

Tous les acides gras sont constitués de chaînes d'atomes de carbone. Chaque atome peut établir des liaisons avec

Ci-contre : En optant pour une consommation quotidienne des cinq groupes d'aliments principaux, vous fournirez à votre organisme les substances nécessaires à son bon fonctionnement.

d'autres atomes, ce qui permet aux acides gras d'acheminer les nutriments jusqu'aux cellules dans tout l'organisme. Lorsqu'ils n'ont pas la possibilité d'établir ces liaisons, ces atomes sont « saturés ». Ce qui explique que l'organisme connaisse des difficultés à transformer les acides gras en énergie, et se contente de les stocker sous forme de graisse.

Les acides gras saturés augmentent considérablement le taux de cholestérol dans le sang et, à terme, sont soupçonnés d'accroître les risques d'artériosclérose coronarienne. Il faut donc en réduire la consommation.

D'origine essentiellement animale, on les trouve dans la viande, les graisses, le beurre et le saindoux. Mais il existe aussi des acides gras saturés d'origine végétale, notamment dans les huiles de noix de coco et de palme et dans certaines margarines.

LES ACIDES GRAS POLY-INSATURÉS

Il existe deux types d'acides gras poly-insaturés, ceux d'origine végétale, contenus notamment dans l'huile de tournesol, la margarine allégée et les graines, et ceux fournis par les poissons gras, tels le hareng, le maquereau et les sardines. Ces deux acides gras sont liquides à température ambiante. En petites quantités, ils sont indispensables à une bonne santé et contribuent à abaisser, semble-t-il, le taux de cholestérol dans le sang.

LES ACIDES GRAS MONO-INSATURÉS

Les acides gras mono-insaturés auraient également un effet positif sur la réduction du taux de cholestérol dans le sang. Ce qui expliquerait pourquoi, dans certains pays méditerranéens, les maladies cardio-vasculaires sont beaucoup plus rares que dans les pays du Nord. On trouve ces acides dans l'huile d'olive, l'huile de colza, les amandes, les noisettes, les pignons de pin et les avocats.

Ci-dessus : Aliments contenant les trois principaux types de lipides présents dans la nourriture.

RÉDUIRE L'APPORT QUOTIDIEN DES LIPIDES ET DES ACIDES GRAS SATURÉS

Environ un quart des graisses que nous ingérons proviennent de la viande et des produits dérivés, un cinquième des produits laitiers et de margarine, tandis que le reste nous est apporté par les gâteaux, les biscuits et autres pâtisseries. Rien de plus facile, par conséquent, que de réduire votre consommation quotidienne de certains aliments, tels le beurre, les huiles, la margarine, la crème fraîche, le lait entier et le fromage. En revanche, vous devez aussi faire attention aux graisses « cachées ». Ce sont celles contenues dans les gâteaux, les biscuits et les noix. Même maigre, une viande rouge peut contenir jusqu'à 10 % de graisses.

En sachant discerner les aliments trop riches en lipides, et particulièrement en acides gras saturés, et en modifiant sensiblement votre nutrition, vous devriez parvenir à réduire considérablement votre consommation quotidienne de graisses. Chaque fois que c'est possible, optez pour des aliments allégés (lait, fromage, assaisonnement de salade) et ingérez un maximum d'aliments pauvres en lipides, tels les fruits et les légumes frais, ou riches en hydrates de carbone, comme les pâtes, le riz, le pain et les pommes de terre.

COMMENT RÉDUIRE SA CONSOMMATION QUOTIDIENNE DE LIPIDES ET D'ACIDES GRAS SATURÉS

Plusieurs méthodes sont à votre disposition pour réduire votre consommation quotidienne de lipides. Vous pouvez notamment suivre celle qui vous est fournie ci-dessous.

● RÉDUIRE – Beurre, margarine et acides gras saturés.

● REMPLACER PAR – Pâte à tartiner allégée ou margarine poly-insaturée. Si vous devez utiliser du beurre ou de la margarine ordinaire, assurez-vous qu'ils se sont suffisamment ramollis à la température ambiante et peuvent s'étaler au maximum. Mieux encore, employez uniquement des pâtes à tartiner maigres (0 % de matières grasses), des fromages allégés, des confitures à teneur en sucre réduite, pour vos tartines.

● RÉDUIRE – Viandes grasses, produits à haute teneur en lipides, comme les pâtés, les tourtes et les saucisses.

● REMPLACER PAR – Viandes maigres, comme le poulet, la dinde et la venaison. Utilisez les morceaux les plus maigres des viandes d'agneau, de bœuf et de porc. Retirez systématiquement la peau et la graisse avant la cuisson. Optez pour des saucisses et des produits carnés maigres ; privilégiez la consommation de poisson. Remplacez la viande par du tofu et autres produits dérivés (riches en protéines).
Pour faire les sauces, remplacez les jus de cuisson de la viande par du bouillon de légumes ou de bœuf allégé.

● RÉDUIRE – Produits laitiers, du type lait entier, crème fraîche, beurre, margarine ordinaire, yaourt nature entier et fromage à pâte dure.

● REMPLACER PAR – Lait demi-écrémé ou écrémé, yaourts maigres (0 % de matières grasses), fromage frais maigre, fromages à pâte molle maigres, fromages à pâte dure et crème fraîche allégés.

● RÉDUIRE – Matières grasses pour la cuisson, du type saindoux ou margarine ordinaire.

● REMPLACER PAR – Huiles poly-insaturées ou mono-insaturées (huiles d'olive, de tournesol ou de maïs).

● RÉDUIRE – Assaisonnements de salade ordinaires, mayonnaise, vinaigrette.

● REMPLACER PAR – Mayonnaise et assaisonnements allégés. Remplacez l'huile par du yaourt ou du fromage frais maigre.

● RÉDUIRE – Fritures.

● REMPLACER PAR – Méthodes de cuisson sans matières grasses, du type gril, micro-ondes, vapeur ou four. Cuisez vos aliments dans un wok avec un minimum d'huile.
Faites toujours rôtir ou griller viande et volaille à la broche.

● RÉDUIRE – Frites et pommes de terre sautées.

● REMPLACER PAR – Pâtes, couscous et riz, riches en hydrates de carbone. Privilégiez les pommes de terre au four ou à la vapeur.

● RÉDUIRE – Matières grasses à la cuisson.

● REMPLACER PAR – Cuisson sans matières grasses.
Utilisez des poêles à fond épais ou antiadhésif, afin que les aliments ne collent pas pendant la cuisson.
Utilisez des ingrédients à faible teneur en lipides pour la cuisson, du type jus de fruit, bouillon ou fumet dégraissé, vin ou bière.

● RÉDUIRE – En-cas trop riches en lipides, tels les chips, les fritures, les pâtisseries, les gâteaux au chocolat, les muffins, les beignets à la confiture, les crêpes et les biscuits secs ou fourrés.

● REMPLACER PAR – Fruits frais ou secs, gressins ou légumes frais grossièrement coupés en julienne.
Faites vous-même gâteaux et pains.
Si vous achetez vos pâtisseries et votre pain en boulangerie, veillez à choisir les moins riches en lipides.

MÉTHODES DE CUISSON

Il est très facile de cuire les aliments sans matières grasses – au gril, au four, au micro-ondes ou à la vapeur – ou de les remplacer, si nécessaire, par du bouillon, du vin ou du jus de fruit.

● Optez pour des poêles, cocottes et casseroles à fond épais, à fond antiadhésif, qui permettent de réduire au minimum l'utilisation de matières grasses pour cuire les aliments. Lorsque vous préparez des sauces à base de viande, du type sauce bolognaise, faites revenir la viande jusqu'à ce qu'elle prenne une teinte brun doré, puis jetez l'excédent de graisse contenue dans la poêle avant d'ajouter les autres ingrédients. Si vous avez besoin d'un peu d'huile, privilégiez une variété riche en acides gras insaturés, comme l'huile de maïs, de tournesol ou d'olive. Réduisez les quantités au minimum.

● Pour la cuisson des gâteaux au four, utilisez des moules antiadhésifs, qu'il n'est pas nécessaire de graisser au préalable, ou tapissez-les avec du papier sulfurisé.

● Lorsque vous faites cuire une volaille ou du poisson au four, éliminez le beurre ou l'huile nécessaire à leur cuisson en les enveloppant dans une feuille de papier aluminium ou sulfurisé, non sans incorporer une cuillerée de vin ou de jus de fruit, des fines herbes ou des épices avant de refermer la papillote.

● Inutile d'utiliser des matières grasses pour faire griller les aliments. S'ils ont tendance à sécher, badigeonnez-les légèrement avec un peu d'huile insaturée (huile de tournesol ou d'olive).

● Au micro-ondes, l'apport de matières grasses est généralement inutile. Pour la saveur et la présentation du plat, ajoutez des fines herbes ou des épices.

● Faire bouillir ou cuire à la vapeur les légumes, le poisson ou le poulet.

Ci-dessus : Faites l'acquisition d'ustensiles à revêtement antiadhésif qui rendent inutile l'utilisation de matières grasses pour la cuisson des aliments.

● N'hésitez pas à pocher le poulet, le poisson et les fruits dans du bouillon ou du sirop – une autre méthode qui permet d'éliminer les matières grasses.

● Faites braiser, à l'étouffée, les légumes et la viande dans un peu de bouillon dégraissé, du vin ou simplement de l'eau, auxquels vous ajouterez des fines herbes.

● Faites sauter les légumes dans un peu de bouillon dégraissé, du vin ou du jus de fruit, pour remplacer le beurre ou l'huile.

● Faites mijoter les légumes dans une casserole, à couvert, avec très peu d'eau, afin qu'ils cuisent dans leur propre jus.

● Faites mariner les aliments, tels la viande ou la volaille, dans un mélange d'alcool, de fines herbes ou d'épices, et de vinaigre ou de jus de fruit. Cela vous permettra d'attendrir la viande, tout en lui instillant saveur et couleur. De plus, vous pourrez utiliser la marinade pour la cuisson.

● Au moment de servir les légumes, comme les pommes de terre à la vapeur, les carottes ou les petits pois, résistez à la tentation d'ajouter une noix de beurre ou de margarine. Remplacez-la par des fines herbes ciselées ou des épices en poudre.

L'UTILISATION DES INGRÉDIENTS
À FAIBLE TENEUR EN LIPIDES

De nombreux aliments allégés sont aujourd'hui proposés dans tous les supermarchés, qu'il s'agisse de produits laitiers (lait, crème fraîche, yaourt, fromages à pâte molle ou dure, ou fromage frais), mais aussi de biscuits, de bonbons ou de chocolats ; d'assaisonnements de salade ou de mayonnaise ; de chips et d'en-cas ; de pâtes à tartiner ; sans oublier les nombreux desserts (crèmes glacées, mousse au chocolat, etc.) à l'intention de tous les gourmands.

D'autres aliments, tels les fruits et les légumes frais, les pâtes, le riz, les pommes de terre et le pain, contiennent naturellement peu de matières grasses. D'autres encore, comme la sauce de soja, le vin, le cidre, le xérès, le sucre, le miel, le sirop et la confiture, n'en contiennent pas du tout. En combinant tous ces aliments, on peut préparer des plats délicieux qui, de surcroît, offrent une faible teneur en lipides.

Certains produits allégés réagissent mieux que d'autres à la cuisson. Mais il est toujours possible d'en substituer certains à d'autres. Par ailleurs, l'utilisation d'ingrédients savoureux et colorés, mais dénués de matières grasses, comme les fines herbes et les épices, est à privilégier.

LA CUISSON DES PÂTES
À TARTINER

Les supermarchés offrent un vaste choix de pâtes à tartiner à teneur en lipides réduite, qui réagissent plus ou moins bien à la cuisson.

En règle générale, les variétés dont la teneur en matières grasses ne dépasse pas 20 % sont constituées d'une grande quantité d'eau et se prêtent très mal à la cuisson (elles ont tendance à se liquéfier et à se désagréger).

Les pâtes à tartiner dont la teneur en matières grasses avoisine 40 % conviennent bien à la cuisson. On peut notamment les utiliser pour la confection des gâteaux et des biscuits, des sauces, pour faire sauter les légumes à feu très doux ou pour le glaçage des pâtisseries. Elles s'étalent aussi très bien sur les tartines et sont d'une saveur agréable.

Les résultats obtenus à la cuisson avec des pâtes à tartiner sont parfois sensiblement différents de ceux obtenus en utilisant du beurre ou de la margarine.

Dans certaines recettes, le résultat est acceptable. Dans d'autres, ce sera une réussite. La pâte à choux, notamment, préparée avec de la pâte à tartiner allégée sera plus croustillante, mais aussi plus légère, que celle confectionnée tout au beurre selon la méthode traditionnelle. Il en va de même pour les gâteaux au fromage blanc, à base de biscuits écrasés. Là aussi, on aura tout intérêt à remplacer le beurre fondu par de la pâte à tartiner allégée.

Ne faites jamais cuire les pâtes à tartiner à feu vif. Elles ont tendance à se désagréger. Utilisez de préférence des poêles à fond épais, à feu doux, pour éviter que les aliments ne brûlent, n'attachent ou ne sautent, et remuez constamment. Il en va de même pour la préparation des sauces qu'il faut fouetter sans arrêt pendant la cuisson.

Les pâtes à tartiner allégées ne conviennent pas aux fritures, à la confection de la pâtisserie, notamment des gâteaux aux fruits, de certains biscuits, des sablés ou des crèmes au citron.

On peut également réduire la teneur en lipides des recettes, en particulier celle des gâteaux, en remplaçant les

Presque tous les produits laitiers sont disponibles aujourd'hui dans une version allégée.

matières grasses par une purée de fruits.

Cette méthode est valable pour les pains, pour certains biscuits et gâteaux roulés, pour les brownies et les crêpes épaisses, mais pas pour les pâtes.

Pour préparer de la compote de fruits secs, hachez 115 g (4 oz) de fruits secs, puis passez-les au mixeur avec cinq cuillerées à soupe d'eau jusqu'à l'obtention d'une purée onctueuse. Remplacez ensuite la quantité de matières grasses indiquée dans les recettes par la même quantité de compote. Celle-ci peut se garder au réfrigérateur pendant trois jours. Vous pouvez utiliser des fruits secs (pruneaux, abricots, pêches, pommes) ou les remplacer par de la purée de fruits frais (bananes mûres, pommes légèrement cuites) sans ajouter d'eau.

Ci-dessus : Sélection d'huiles et de pâtes à tartiner. Vérifiez toujours la teneur en matières grasses indiquée sur le paquet – pour la cuisson, elle ne doit pas dépasser 40 %.

COUPE-FAIM À TENEUR EN LIPIDES PLUS OU MOINS FAIBLE

Au lieu de vous précipiter sur le paquet de chips, de galettes bretonnes au beurre ou sur une plaquette de chocolat quand vous ressentez un petit creux, essayez plutôt de couper votre faim avec les aliments proposés ci-dessous.

● Un morceau de fruit ou de légume frais (pomme, banane ou carotte) – gardez-en des morceaux tout prêts enveloppés dans du film plastique au réfrigérateur.

● Morceaux de fruits ou de légumes frais – enfilez-les sur des cure-dents ou de petites baguettes en bambou.

● Une poignée de fruits secs mélangés (raisins, abricots, pommes). Leur consommation est recommandée aux enfants (au goûter, notamment, ou à la fin d'un repas).

● Fruits en boîte dans leur jus – servis avec une cuillerée à soupe de yaourt maigre.

● Un ou deux crackers – recouverts très légèrement de miel ou de confiture allégée.

● Un bol de céréales complètes ou de muesli, non sucré, servi avec un peu de lait écrémé.

● Un yaourt nature maigre ou du fromage frais.

● Une tranche de pain grillé avec de la confiture allégée.

● Pâte à tartiner sur du pain avec de l'extrait de levure.

TABLEAU DE LA COMPOSITION DES ALIMENTS EN LIPIDES ET EN CALORIES

Les chiffres fournis ci-dessus correspondent à 100 g (4 oz) de substances comestibles.

LÉGUMES

	Lipides (g)	Calories		Lipides (g)	Calories
Brocoli	0,9	33 kcal/138 kJ	Oignons	0,2	36 kcal/151 kJ
Chou	0,4	26 kcal/109 kJ	Petits pois	1,5	83 kcal/344 kJ
Carottes	0,3	35 kcal/146 kJ	Pommes de terre	0,2	75 kcal/318 kJ
Chou-fleur	0,9	34 kcal/142 kJ	Frites, faites maison	6,7	189 kcal/796 kJ
Courgettes	0,4	18 kcal/74 kJ	Chips, en paquet	12,4	239 kcal/1 001 kJ
Concombre	0,1	10 kcal/40 kJ	Frites congelées, au four	4,2	162 kcal/687 kJ
Champignons	0,5	13 kcal/55 kJ	Tomates	0,3	17 kcal/73 kJ

HARICOTS ET LÉGUMES SECS

	Lipides (g)	Calories		Lipides (g)	Calories
Germes de soja	1,8	116 kcal/494 kJ	Houmous	12,6	187 kcal/781 kJ
Haricots de Lima	0,5	77 kcal/327 kJ	Haricots rouges, en boîte	0,6	100 kcal/424 kJ
Pois chiches, en boîte	2,9	115 kcal/487 kJ	Lentilles rouges cuites	0,4	100 kcal/424 kJ

POISSONS ET FRUITS DE MER

	Lipides (g)	Calories		Lipides (g)	Calories
Filet de cabillaud, cru	0,7	80 kcal/337 kJ	Crevettes	0,9	99 kcal/418 kJ
Crabe, en boîte	0,5	77 kcal/326 kJ	Truite, grillée	5,4	135 kcal/565 kJ
Haddock, cru	0,6	81 kcal/345 kJ	Thon au naturel, en boîte	0,6	99 kcal/422 kJ
Limande-sole, crue	1,5	83 kcal/351 kJ	Thon à l'huile, en boîte	9,0	189 kcal/794 kJ

VIANDES ET CHARCUTERIE

	Lipides (g)	Calories		Lipides (g)	Calories
Poitrine salée	39,5	414 kcal/1 710 kJ	Filet de poulet, cru	1,1	106 kcal/449 kJ
Dinde fumée	1,0	99 kcal/414 kJ	Poulet, rôti	12,5	218 kcal/910 kJ
Bifteck haché, cru	16,2	225 kcal/934 kJ	Canard, filet, cru	6,5	137 kcal/575 kJ
Bifteck haché cru (10 % MG)	9,6	174 kcal/728 kJ	Canard rôti, viande,		
Rumsteck	10,1	174 kcal/726 kJ	gras et peau	38,1	423 kcal/1 750 kJ
Rosbif	4,1	125 kcal/526 kJ	Filet de dinde, cru	1,6	105 kcal/443 kJ
Côtelette d'agneau	8,3	209 kcal/872 kJ	Foie d'agneau	6,2	137 kcal/575 kJ
Épaule d'agneau	23,0	277 kcal/1 150 kJ	Pâté de porc	27,0	376 kcal/1 564 kJ
Filet de porc	4,0	123 kcal/519 kJ	Salami	45,2	491 kcal/2 031 kJ
Côtelette de porc	21,7	270 kcal/1 119 kJ	Friand	36,4	477 kcal/1 985 kJ

Informations tirées du livre *The Composition of Foods* (5ᵉ édition 1991).
Reproduites avec la permission de la Royal Society of Chemistry et du Controller of Her Majesty's Stationery Office.

PRODUITS LAITIERS, GRAISSES ET HUILES

	Lipides (g)	Calories		Lipides (g)	Calories
Crème épaisse	48,0	449 kcal/1 849 kJ	Yaourt nature	0,8	56 kcal/236 kJ
Crème liquide	19,1	198 kcal/817 kJ	Yaourt grec	9,1	115 kcal/477 kJ
Crème Chantilly	39, 3	373 kcal/1 539 kJ	Yaourt grec (maigre)	5,0	80 kcal/335 kJ
Crème fraîche	40,0	379 kcal/156 kJ	Beurre	81,7	737 kcal/3 031 kJ
Crème fraîche (15 %)	15,0	165 kcal/683 kJ	Margarine	81,6	739 kcal/3 039 kJ
Crème épaisse (allégée)	24,0	243 kcal/1 002 kJ	Pâte à tartiner	40,5	390 kcal/1 605 kJ
Lait écrémé	0,1	33 kcal/130 kJ	Pâte à tartiner (allégée)	25,0	273 kcal/1 128 kJ
Lait entier	3,9	66 kcal/275 kJ	Saindoux	99	891 kcal/3 663 kJ
Brie	26,9	319 kcal/1 323 kJ	Huile de maïs	99,9	899 kcal/3 696 kJ
Cheddar	34,4	412 kcal/1 708 kJ	Huile d'olive	99,9	899 kcal/3 696 kJ
Cheddar allégé	15,0	261 kcal/1 091 kJ	Huile de carthame	99,9	899 kcal/3 696 kJ
Fromage blanc	47,4	439 kcal/1 807 kJ	Œuf	10,8	147 kcal/612 kJ
Fromage frais	7,1	113 kcal/469 kJ	Jaune d'œuf	30,5	339 kcal/1 402 kJ
Fromage frais 0 %	0,2	58 kcal/247 kJ	Blanc d'œuf	trace	36 kcal/153 kJ
Fromage fondu au lait écrémé	0,0	74 kcal/313 kJ	Assaisonnement allégé	1,2	67 kcal/282 kJ
Édam	25,4	333 kcal/1 382 kJ	Vinaigrette	49,4	462 kcal/1 902 kJ
Feta	20,2	250 kcal/1 037 kJ	Mayonnaise	75,6	691 kcal/2 843 kJ
Parmesan	32,7	452 kcal/1 880 kJ	Mayonnaise allégée	28,1	288 kcal/1 188 kJ

CÉRÉALES, PÂTISSERIES ET CONSERVES

	Lipides (g)	Calories		Lipides (g)	Calories
Riz complet, cru	2,8	357 kcal/1 518 kJ	Biscuit digestif	20,9	471 kcal/1 978 kJ
Riz blanc, cru	3,6	383 kcal/1 630 kJ	Biscuit digestif (peu gras)	16,4	467 kcal/1 965 kJ
Pâtes ordinaires, crues	1,8	342 kcal/1 456 kJ	Sablé	26,1	498 kcal/2 087 kJ
Pâtes complètes, crues	2,5	324 kcal/1 379 kJ	Gâteau Madeira	16,9	393 kcal/1 652 kJ
Pain de seigle	2,0	218 kcal/927 kJ	Gâteau de Savoie	6,1	294 kcal/1 245 kJ
Pain blanc	1,9	235 kcal/1 002 kJ	Beignet à la confiture	14,5	336 kcal/1 414 kJ
Pain complet	2,5	215 kcal/914 kJ	Sucre blanc	0,3	94 kcal/1 680 kJ
Corn-flakes	0,7	360 kcal/1 535 kJ	Chocolat au lait	30,7	520kcal/2 177 kJ
Pain aux raisins	1,6	303 kcal/1 289 kJ	Chocolat noir	28	510 kcal/2 157 kJ
Muesli	5,9	363 kcal/1 540 kJ	Miel	0,0	288 kcal/1 229 kJ
Croissant	20,3	360 kcal/1 505 kJ	Crème de citron	5,0	283 kcal/1 198 kJ
Crêpe épaisse	26,6	484 kcal/2 028 kJ	Confiture	0,26	268 kcal/1 114 kJ

FRUITS, NOIX ET NOISETTES

	Lipides (g)	Calories		Lipides (g)	Calories
Pommes	0,1	47 kcal/199 kJ	Poires	0,1	40 kcal/169 kJ
Avocats	19,5	190 kcal/784 kJ	Amandes	55,8	612 kcal/2 534 kJ
Bananes	0,3	95 kcal/403 kJ	Noix du Brésil	68,2	682 kcal/2 813 kJ
Fruits secs	0,4	268 kcal/1 114 kJ	Noisettes	63,5	650 kcal/2 685 kJ
Pamplemousses	0,1	30 kcal/126 kJ	Pignons de pin	68,6	688 kcal/2 840 kJ
Oranges	0,1	37 kcal/158 kJ	Noix	68,5	688 kcal/2 837 kJ
Pêches	0,1	33 kcal/142 kJ	Beurre de cacahuète	53,7	623 kcal/2 581 kJ

SOUPES

Les soupes faites maison sont idéales en entrée
pour un dîner, ou comme plat principal au déjeuner.
Elles sont nourrissantes, légères et délicieuses
lorsqu'elles sont servies avec un morceau de pain frais.
De plus, le vaste choix de légumes frais généralement
proposé permet d'utiliser des ingrédients d'une
fraîcheur absolue. Vous trouverez dans ce chapitre tout
un choix de soupes – aux légumes, aux haricots ou aux
pâtes –, de la soupe de légumes à l'italienne, en passant
par le potage de tomate épicé ou la soupe de lentilles et
le chowder au haddock.

SOUPE PROVENÇALE À LA TOMATE

Les enfants seront particulièrement friands de cette soupe, surtout si vous y ajoutez des pâtes amusantes – alphabet ou petits animaux.

INGRÉDIENTS

Pour 4 personnes

1 cuillerée à soupe d'huile d'olive

700 g (1 1/2 lb) de tomates bien mûres

1 oignon moyen coupé en quatre

1 branche de céleri

1 gousse d'ail

50 cl (1 7/8 tasse) de bouillon de volaille

2 cuillerées à soupe de concentré de tomates

120 g (1/2 tasse) de petites pâtes

sel, poivre noir fraîchement moulu

quelques feuilles de coriandre ou de persil frais

1 Chauffez l'huile dans une casserole. Ajoutez les tomates, l'oignon, le céleri et l'ail. Couvrez et laissez mijoter à feu doux pendant 40 à 45 minutes, en remuant de temps en temps.

2 Versez la préparation dans le bol d'un mixer et réduisez en une purée lisse et homogène. Passez au chinois, puis reversez dans la casserole.

3 Incorporez le bouillon et le concentré de tomates, puis portez à ébullition. Ajoutez les pâtes et laissez mijoter pendant environ 8 minutes, jusqu'à ce que les pâtes soient bien cuites. Salez, poivrez selon votre goût. Parsemez de feuilles de coriandre ou de persil, et servez très chaud.

APPORT NUTRITIONNEL	
Par portion :	
Valeur énergétique	112 Cal ou 474 kJ
Lipides	3,61 g
Acides gras saturés	0,49 g
Cholestérol	0
Fibres	2,68 g

CRÈME DE CHAMPIGNONS AU CÉLERI ET À L'AIL

INGRÉDIENTS

Pour 4 personnes

450 g (3 tasses) de champignons taillés en petits morceaux

4 branches de céleri grossièrement hachées

3 gousses d'ail

3 cuillerées à soupe de vin blanc

90 cl (3 2/3 tasses) de bouillon de volaille

2 cuillerées à soupe de sauce worcester

1 cuillerée à café de noix muscade en poudre

sel, poivre noir fraîchement moulu

quelques feuilles de céleri

1 Dans une casserole, mettez les champignons, le céleri et l'ail. Ajoutez le vin. Couvrez, puis faites cuire à feu doux pendant 30 à 40 minutes, jusqu'à ce que les légumes soient tendres.

2 Ajoutez la moitié du bouillon, puis passez au mixer jusqu'à obtenir un mélange lisse et homogène. Reversez dans la casserole, puis ajoutez le reste de bouillon, la sauce worcester et la noix muscade.

3 Portez à ébullition, salez et poivrez. Servez chaud, décoré de feuilles de céleri.

APPORT NUTRITIONNEL	
Par portion :	
Valeur énergétique	48 Cal ou 200 kJ
Lipides	1,09 g
Acides gras saturés	0,11 g
Cholestérol	0
Fibres	1,64 g

SOUPE DE LÉGUMES À L'ITALIENNE

La réussite de cette soupe dépend de la qualité du bouillon. Mieux vaut utiliser un bouillon fait maison (avec des légumes frais) que des plaquettes de concentré.

INGRÉDIENTS

Pour 4 personnes

1 petite carotte
1 poireau jeune
1 branche de céleri
50 g (2 oz) de chou vert
90 cl (1 1/2 pt) de bouillon de légumes
1 feuille de laurier
115 g (4 oz) de haricots secs
25 g (1 oz) de pâtes à potage
sel et poivre noir
ciboulette fraîche ciselée, pour décorer

1 Coupez la carotte, le poireau et le céleri en julienne de 5 cm (2 po). Émincez très finement le chou.

APPORT NUTRITIONNEL

Par portion :	
Calories	69 kcal/288 kJ
Protéines	3,67 g
Lipides	0,71 g
Acides gras saturés	0,05 g
Fibres	2,82 g

2 Versez le bouillon avec la feuille de laurier dans une grande casserole et portez à ébullition. Ajoutez la carotte, le poireau et le céleri. Couvrez et laissez frémir pendant 6 minutes.

3 Incorporez le chou, les haricots et les pâtes. Remuez, puis laissez mijoter, à découvert, pendant encore 4 à 5 minutes. Les légumes et les pâtes doivent être cuits.

4 Retirez la feuille de laurier, puis salez et poivrez selon votre goût. Répartissez dans quatre assiettes à soupe et décorez avec de la ciboulette ciselée. Servez immédiatement.

SOUPE AU POULET ET AUX PÂTES

— INGRÉDIENTS —

Pour 4-6 personnes

90 cl (1 1/2 pt) de bouillon de poule
1 feuille de laurier
4 ciboules, émincées
225 g (8 oz) de têtes de champignons,
*   émincées*
115 g (4 oz) de blanc de poulet cuit
sel et poivre noir
50 g (2 oz) de pâtes
15 cl (1/4 pt) de vin blanc sec
1 cuillerée à soupe de persil frais ciselé

— APPORT NUTRITIONNEL —

Par portion :

Calories	126 kcal/529 kJ
Lipides	2,2 g
Acides gras saturés	0,6 g
Cholestérol	19 mg
Fibres	1,3 g

1 Versez le bouillon avec la feuille de laurier dans une casserole et portez à ébullition.

2 Ajoutez les ciboules et les champignons au bouillon.

3 Retirez la peau du blanc de poulet et coupez la viande en tranches fines avec un couteau bien aiguisé. Incorporez la viande à la soupe, puis salez et poivrez selon votre goût. Faites chauffer 2 à 3 minutes.

4 Incorporez les pâtes, couvrez et laissez mijoter pendant 7 à 8 minutes. Juste avant de servir, ajoutez le vin et le persil ciselé, faites chauffer encore 2 à 3 minutes, et assaisonnez selon votre goût.

SOUPE DE BETTERAVE AUX RAVIOLIS

INGRÉDIENTS

Pour 4-6 personnes

pâte pour les raviolis (voir page 68)
1 blanc d'œuf battu, pour glacer
farine
*1 petit oignon ou une échalote, finement
  haché*
2 gousses d'ail, écrasées
1 cuillerée à café de graines de fenouil
60 cl (1 pt) de bouillon de poule
225 g (8 oz) de betterave cuite
2 cuillerées à soupe de jus d'orange frais
feuilles de fenouil ou d'aneth, pour décorer
pain grillé, pour servir

Pour préparer la farce

*115 g (4 oz) de champignons, finement
  hachés*
1 petit oignon ou 1 échalote, finement haché
1-2 gousses d'ail, écrasées
1 cuillerée à café de thym frais
1 cuillerée à soupe de persil frais ciselé
6 cuillerées à soupe de mie de pain blanc
sel et poivre noir
1 bonne pincée de noix muscade

1 Passez tous les ingrédients de la farce au mixeur et versez le mélange dans un saladier.

APPORT NUTRITIONNEL

Par portion :	
Calories	358 kcal/1 504 kJ
Lipides	4,9 g
Acides gras saturés	1,0 g
Cholestérol	110 mg
Fibres	4,3 g

2 Partagez la pâte en deux portions et abaissez-les le plus finement possible. Étalez une des feuilles sur un moule à raviolis, puis remplissez chaque trou avec un peu de farce. Badigeonnez les bords de chaque ravioli avec un peu de blanc d'œuf. Couvrez avec l'autre rectangle de pâte et soudez les deux morceaux en séparant bien chaque ravioli. Transférez sur un torchon fariné et laissez reposer pendant 1 heure.

3 Faites cuire les raviolis dans une grande casserole d'eau bouillante salée, pendant 2 minutes, par petites portions, pour éviter qu'ils ne se collent les uns aux autres. Retirez-les avec une écumoire et plongez-les pendant 5 secondes dans un bol d'eau froide avant de les déposer sur un plat (vous pouvez préparer les raviolis plusieurs jours à l'avance, les couvrir avec du film plastique et les conserver au réfrigérateur).

4 Mettez l'oignon, l'ail et le fenouil dans une casserole avec 15 cl (1/4 pt) de bouillon. Portez à ébullition, couvrez et laissez mijoter pendant 5 minutes. Épluchez la betterave et coupez-la en petits dés (réservez 4 cuillerées à soupe pour décorer). Ajoutez le reste de la betterave à la soupe avec le bouillon restant et portez à ébullition.

5 Incorporez le jus d'orange et les raviolis cuits et laissez mijoter pendant 2 minutes. Versez dans des bols à soupe et décorez avec les dés de betterave réservés, les feuilles de fenouil ou d'aneth. Servez avec le pain grillé.

SOUPE DE TOMATE AUX LENTILLES ÉPICÉE

Pour 4 personnes

1 cuillerée à soupe d'huile de tournesol

1 oignon, finement haché

1-2 gousses d'ail, écrasées

*1 morceau de gingembre frais de 2,5 cm
(1 po), pelé et finement haché*

*1 cuillerée à café de graines de cumin,
écrasées*

*450 g (1 lb) de tomates mûres, pelées,
épépinées et concassées*

115 g (4 oz) de lentilles rouges

*1,2 litre (2 pt) de bouillon de légumes ou de
poule*

1 cuillerée à soupe de purée de tomates

sel et poivre noir

*yaourt naturel maigre (1 % de matières
grasses) et persil frais ciselé, pour
décorer (facultatif)*

1 Faites chauffer l'huile de tournesol dans
une casserole à fond épais, puis faites-y
revenir les oignons à feu doux pendant
5 minutes.

2 Incorporez l'ail, le gingembre et le cumin,
puis les tomates et les lentilles. Laissez
cuire à feu doux pendant encore 3 à 4 minutes.

3 Incorporez le bouillon et la purée de
tomates. Portez à ébullition, puis baissez le
feu et laissez mijoter, à feu doux, pendant
30 minutes environ. Les lentilles doivent être
bien molles. Salez et poivrez selon votre goût.

4 Réduisez la soupe en purée avec un mixeur.
Reversez dans la casserole propre et
réchauffez à feu doux. Servez dans des
assiettes chaudes. Si vous le souhaitez, vous
pouvez décorer avec une cuillère de yaourt et
de persil ciselé.

APPORT NUTRITIONNEL	
Par portion :	
Calories	165 kcal/695 kJ
Lipides	4 g
Acides gras saturés	0,5 g
Cholestérol	0

CHOWDER CRÉMEUX AU HADDOCK

Cette variante « légère » de la soupe au haddock traditionnelle combine les saveurs du poisson fumé, des légumes, des fines herbes et du lait. Pour réduire son apport calorique, on peut remplacer le lait par du bouillon de légumes ou du fumet. Elle est servie en entrée, voire comme plat principal, avec des croûtons de pain grillés et chauds.

INGRÉDIENTS

Pour 4-6 personnes

350 g (12 oz) de haddock
1 petit oignon, finement haché
1 feuille de laurier
4 grains de poivre noir
90 cl (1 1/2 pt) de lait écrémé
2 cuillerées à café de farine
200 g (7 oz) de grains de maïs en boîte
1 cuillerée à soupe de persil frais ciselé

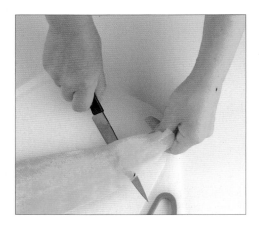

1 Ôtez la peau du poisson et mettez-le dans une grande casserole avec l'oignon, la feuille de laurier et les grains de poivre. Arrosez avec le lait.

2 Portez à ébullition, puis réduisez le feu et laissez mijoter à feu très doux pendant 12 à 15 minutes. Surveillez la cuisson pour que le poisson ne soit pas trop cuit.

3 Avec une écumoire, retirez le poisson et divisez-le en morceaux. Retirez la feuille de laurier et les grains de poivre noir.

4 Liez la farine avec deux cuillerées à café d'eau froide, puis ajoutez le mélange à la casserole. Portez à ébullition et laissez mijoter pendant 1 minute, le temps pour le bouillon d'épaissir.

5 Égouttez les grains de maïs et mettez-les dans la casserole avec les morceaux de poisson et le persil. Faites réchauffer à feu doux et servez.

ASTUCE

Cette soupe sera plus savoureuse si elle est préparée un jour à l'avance. Laissez-la refroidir, puis conservez-la au réfrigérateur. Faites-la réchauffer à feu doux. Elle ne doit surtout pas bouillir, le poisson se réduirait en miettes.

APPORT NUTRITIONNEL

Par portion	
Calories	200 kcal/840 kJ
Protéines	24,71 g
Lipides	1,23 g
Acides gras saturés	0,32 g

SOUPE DE TOMATES À LA CORIANDRE

Cette soupe merveilleusement parfumée est une recette idéale quand le temps presse et qu'il vous faut absolument une entrée très raffinée.

INGRÉDIENTS

Pour 4 personnes

700 g (1 1/2 lb) de petites tomates

2 cuillerées à soupe d'huile végétale

1 feuille de laurier

4 oignons nouveaux hachés

1 cuillerée à café de sel

1 gousse d'ail écrasée

1 cuillerée à café de poivre noir concassé

2 cuillerées à soupe de coriandre fraîche ciselée

75 cl (3 tasses) d'eau

1 cuillerée à café de maïzena

4 cuillerées à soupe de crème fraîche allégée

1 Pelez les tomates. Pour cela, plongez-les dans de l'eau bouillante pendant 30 secondes, puis jetez-les dans de l'eau froide. La peau se détache alors très facilement. Coupez les tomates en gros morceaux.

2 Faites chauffer l'huile dans une grande casserole. Ajoutez la feuille de laurier et les oignons, puis incorporez les tomates. Laissez cuire, en remuant de temps en temps, jusqu'à ce que les tomates soient bien ramollies.

3 Salez et poivrez, puis ajoutez l'ail, la coriandre et l'eau. Portez à ébullition, puis laissez mijoter pendant 15 minutes.

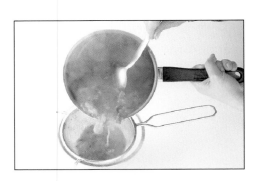

4 Diluez la maïzena dans un peu d'eau. Retirez la soupe du feu et passez-la au chinois.

5 Reversez la soupe dans la casserole, ajoutez la maïzena et portez à ébullition lentement, en remuant de temps en temps, pour faire épaissir.

6 Versez la soupe dans des assiettes creuses, et marbrez d'une cuillerée de crème fraîche avant de servir.

APPORT NUTRITIONNEL

Par portion :

Valeur énergétique	113 Cal ou 474 kJ
Lipides	7,16 g
Acides gras saturés	1,37 g
Cholestérol	2,80 mg

Soupe de maïs à la thaïlandaise

Une soupe extrêmement rapide et simple à préparer. Si vous utilisez des crevettes congelées, n'oubliez pas de les laisser décongeler avant de les ajouter à la soupe.

Ingrédients

Pour 4 personnes

1/2 cuillerée à café d'huile de sésame ou de tournesol

2 oignons nouveaux émincés

1 gousse d'ail écrasée

60 cl (2 1/2 tasses) de bouillon de volaille

450 g (15 oz) de crème de maïs (en boîte)

300 g (1 1/4 tasse) de crevettes cuites décortiquées

1 cuillerée à café de pâte de piment ou de sauce au piment (facultatif)

sel, poivre noir fraîchement moulu

quelques feuilles de coriandre fraîche

1 Faites chauffer l'huile dans une grande casserole à fond épais. Ajoutez les oignons et l'ail et faites-les revenir à feu moyen pendant 1 minute, sans les laisser roussir.

2 Ajoutez le bouillon de volaille, la crème de maïs, les crevettes et, éventuellement, la pâte de piment (ou la sauce).

3 Portez à ébullition, en remuant de temps en temps. Salez, poivrez selon votre goût. Servez aussitôt, parsemé de feuilles de coriandre fraîche.

NOTE
Si vous ne trouvez pas de crème de maïs, servez-vous de maïs ordinaire en boîte que vous travaillerez au mixer pendant quelques secondes pour obtenir une crème onctueuse, mais encore légèrement texturée.

Apport nutritionnel

Par portion :

Valeur énergétique	202 Cal ou 848 kJ
Lipides	3,01 g
Acides gras saturés	0,43 g
Cholestérol	45,56 mg
Fibres	1,60 g

SOUPE AUX ÉPINARDS ET AU FROMAGE DE SOJA

Cette soupe appétissante, d'une délicatesse extrême, est idéale pour contrebalancer les fortes saveurs d'un curry thaï.

INGRÉDIENTS

Pour 6 personnes

2 cuillerées à soupe de crevettes séchées
1 litre (1 3/4 pt) de bouillon de poule
225 g (8 oz) de fromage de soja frais,
 égoutté et coupé en petits dés
2 cuillerées à soupe de nuoc-mâm
poivre noir
350 g (12 oz) d'épinards frais,
 soigneusement lavés
2 ciboules finement émincées, pour décorer

1 Rincez les crevettes et égouttez-les. Mettez-les avec le bouillon dans une grande casserole et portez à ébullition.

2 Ajoutez le fromage de soja et laissez mijoter pendant 5 minutes. Assaisonnez avec le nuoc-mâm et le poivre selon votre goût.

3 Déchirez les épinards en petits morceaux et incorporez-les à la soupe. Laissez cuire encore 1 à 2 minutes.

4 Retirez du feu et décorez avec les ciboules.

APPORT NUTRITIONNEL

Par portion :

Calories	64 kcal/270 kJ
Lipides	225 g
Acides gras saturés	0,26 g
Cholestérol	25 mg
Fibres	1,28 g

ASTUCE

Un bouillon de poule fait maison ajoutera une saveur irremplaçable à vos soupes et potages. Préparez une quantité suffisante de bouillon : vous pourrez la conserver au congélateur.

Mettez 1,5 kg (3-3 1/2 lb) d'os de poule (avec viande) et 450 g (1 lb) d'os de porc (facultatif) dans une marmite. Mouillez avec 3 litres (5 pt) d'eau et portez doucement à ébullition. Si nécessaire, écumez la surface du bouillon. Ajoutez 2 tranches de gingembre frais, 2 gousses d'ail (facultatif), 2 branches de céleri, 4 ciboules, 2 branches de citronnelle, quelques brins de coriandre et 10 grains de poivre noir concassés. Réduisez à feu doux et laissez mijoter pendant 2 heures à 2 heures 30.

Retirez du feu et laissez refroidir, à découvert. Passez ensuite au tamis, pour retirer tout ce qui pourrait ôter au bouillon sa parfaite limpidité. Le bouillon se conserve très bien au congélateur. Retirez la graisse congelée à la surface au moment de vous en servir.

MINESTRONE AUX LÉGUMES

Pour 6-8 personnes

1 bonne pincée de pistils de safran
1 oignon, haché
1 poireau, haché
1 branche de céleri, hachée
2 carottes, coupées en petits dés
2-3 gousses d'ail, écrasées
60 cl (1 pt) de bouillon de poule
2 boîtes de tomates concassées
  (2 x 400 g/14 oz)
50 g (2 oz) de petits pois congelés
50 g (2 oz) de pâtes (anellini)
1 cuillerée à café de sucre en poudre
sel et poivre noir
1 cuillerée à soupe de persil frais ciselé
1 cuillerée à soupe de basilic frais ciselé

1 Faites tremper le safran dans une cuillerée à soupe d'eau. Laissez reposer pendant 10 minutes.

2 Pendant ce temps, mettez l'oignon, le poireau, le céleri, les carottes et l'ail dans une grande casserole. Mouillez avec le bouillon de poule, portez à ébullition, couvrez et laissez mijoter pendant 10 minutes environ.

3 Ajoutez les tomates en boîte, le safran avec l'eau et les petits pois congelés. Portez de nouveau à ébullition, puis incorporez les pâtes. Laissez mijoter encore 10 minutes. Les pâtes doivent être cuites.

4 Assaisonnez avec du sucre, du sel et du poivre selon votre goût. Au moment de servir, incorporez les fines herbes ciselées.

ASTUCE
Le safran n'est pas indispensable, mais il donnera à ce plat une saveur délicate et une belle couleur jaune-orangé.

APPORT NUTRITIONNEL	
Par portion :	
Calories	87 kcal/367 kJ
Lipides	0,7 g
Acides gras saturés	0,1 g
Cholestérol	0
Fibres	3,3 g

SOUPE ÉPAISSE AU MAÏS ET AUX PÂTES

Dans cette soupe consistante,
la dinde fumée, pauvre en calories,
remplace avantageusement le lard.
Elle peut aussi se préparer sans
viande.

INGRÉDIENTS

Pour 4 personnes

1 petit poivron vert
450 g (1 lb) de pommes de terre, pelées et
*   coupées en dés*
350 g (2 oz) de maïs en boîte ou congelés
1 oignon, haché
1 branche de céleri, hachée
1 bouquet garni (feuille de laurier, branches
*   de persil et de thym)*
60 cl (1 pt) de bouilllon de poule
30 cl (1/2 pt) de lait écrémé
sel et poivre noir
50 g (2 oz) de pâtes (petites coquilles)
huile pour friture
150 g (5 oz) de tranches de dinde fumée,
*   coupées en petits dés*
gressins, pour servir

1 Coupez le poivron vert en deux, retirez les
parties blanches et épépinez-le. Coupez la
chair en petits dés, couvrez avec de l'eau
bouillante et laissez reposer pendant 2 minutes.
Égouttez et rincez.

APPORT NUTRITIONNEL	
Par portion :	
Calories	215 kcal/904 kJ
Lipides	1,6 g
Acides gras saturés	0,3 g
Cholestérol	13 mg
Fibres	2,8 g

2 Mettez les pommes de terre dans une
casserole avec le maïs, l'oignon, le céleri, le
poivron vert et le bouquet garni. Mouillez avec
le bouillon. Portez à ébullition, couvrez et
laissez mijoter pendant 20 minutes.

3 Ajoutez le lait, puis salez et poivrez selon
votre goût. Réduisez la moitié de la soupe
en purée dans un mixeur, puis reversez dans la
casserole avec les pâtes. Laissez mijoter
pendant 10 minutes.

4 Faites frire les morceaux de dinde fumée
dans une poêle pendant 2 à 3 minutes.
Incorporez à la soupe. Salez et poivrez selon
votre goût, puis servez avec les gressins.

SOUPE DE POIVRONS ROUGES

Une soupe riche et légère, d'un rouge somptueux, à déguster en entrée ou pour un déjeuner léger. Pour un dîner plus élaboré, parsemez-la de petits croûtons grillés.

INGRÉDIENTS

Pour 4 à 6 personnes

1 cuillerée à café d'huile d'olive

1 gros oignon haché

4 poivrons rouges épépinés et
grossièrement hachés

1 gousse d'ail écrasée

1 petit piment rouge émincé

3 cuillerées à soupe de concentré de
tomates

1 l (3 3/4 tasses) de bouillon de volaille

jus et zeste finement râpé de 1 citron vert

sel, poivre noir fraîchement moulu

quelques rubans de zeste de citron vert

1 Dans une casserole, faites chauffer l'huile. Jetez-y l'oignon et les poivrons. Couvrez. Faites cuire à feu doux environ 5 minutes, en remuant de temps en temps.

2 Incorporez l'ail, puis le piment rouge et le concentré de tomates. Versez la moitié du bouillon et portez à ébullition. Couvrez et laissez mijoter 10 minutes.

3 Laissez refroidir légèrement, puis passez au mixer. Reversez dans la casserole, ajoutez le reste de bouillon puis le zeste et le jus de citron vert. Salez et poivrez selon votre goût.

4 Portez de nouveau à ébullition. Versez dans des assiettes creuses et parsemez de zestes de citron vert. Servez aussitôt.

APPORT NUTRITIONNEL

Par portion :

Valeur énergétique	87 Cal ou 366 kJ
Lipides	1,57 g
Acides gras saturés	0,12 g
Cholestérol	0
Fibres	3,40 g

SOUPE DE POULET AU LAIT DE NOIX DE COCO

Galanga, citronnelle et feuilles de lime kaffir offrent les saveurs aromatiques de cette soupe au lait de noix de coco.

INGRÉDIENTS

Pour 4-6 personnes

75 cl (1 1/4 pt) de lait de noix de coco
47,5 cl (6 fl oz) de bouillon de poule
4 branches de citronnelle, émiettées et hachées
1 morceau de galanga de 2,5 cm (1 po), finement haché
10 grains de poivre noir, écrasés
10 feuilles de lime kaffir, déchirées
300 g (11 oz) de poulet désossé, coupé en fines lanières
115 g (4 oz) de champignons
50 g de mini-épis de maïs
4 cuillerées à soupe de jus de citron vert
3 cuillerées à soupe de nuoc-mâm
2 piments frais, épépinés et hachés, ciboule ciselée et feuilles de coriandre, pour décorer

1 Dans une casserole, portez à ébullition le lait de noix de coco et le bouillon de poule. Ajoutez la citronnelle, le galanga, les grains de poivre noir et la moitié des feuilles de lime kaffir. Réduisez le feu et laissez mijoter, à feu doux, pendant 10 minutes.

2 Tamisez le bouillon dans une casserole. Remettez sur le feu, puis incorporez le poulet, les champignons et les mini-épis de maïs. Laissez mijoter pendant 5 à 7 minutes, jusqu'à ce que le poulet soit cuit.

3 Incorporez le jus de citron vert, le nuoc-mâm et le reste de feuilles de lime. Servez chaud, décoré de piment, de ciboule et de coriandre.

APPORT NUTRITIONNEL	
Par portion :	
Calories	125 kcal/528 kJ
Lipides	3,03 g
Acides gras saturés	1,06 g
Cholestérol	32,5 mg
Fibres	0,4 g

SOUPE PIQUANTE AUX CREVETTES

Cette traditionnelle soupe aux fruits de mer est l'une des plus populaires en Thaïlande.

INGRÉDIENTS

Pour 4-6 personnes

450 g (1 lb) de grosses crevettes
1 litre (1 3/4 pt) de bouillon de poule
3 branches de citronnelle
10 feuilles de lime kaffir, déchirées en deux
225 g (8 oz) de champignons crus, lavés et égouttés
3 cuillerées à soupe de nuoc-mâm
4,5 cl (2 fl oz) de jus de citron vert
2 cuillerées à soupe de ciboule ciselée
1 cuillerée à soupe de feuilles de coriandre
4 piments frais, épépinés et hachés
sel et poivre noir

1 Décortiquez les crevettes et réservez. Rincez les carapaces des crevettes et mettez-les dans une grande casserole avec le bouillon. Portez à ébullition.

2 Écrasez les branches de citronnelle avec le dos d'un couteau, puis ajoutez-les au bouillon avec la moitié des feuilles de lime. Laissez mijoter, à feu doux, pendant 5 à 6 minutes, jusqu'à ce que la citronnelle change de couleur et que le bouillon dégage un agréable parfum.

APPORT NUTRITIONNEL	
Par portion :	
Calories	49 kcal/209 kJ
Lipides	0,45 g
Acides gras saturés	0,07 g
Cholestérol	78,8 mg
Fibres	0,09 g

3 Tamisez le bouillon, reversez dans la casserole et remettez sur le feu. Ajoutez les champignons et les crevettes, et laissez cuire jusqu'à ce que les crevettes prennent une teinte rose. Incorporez le nuoc-mâm, le jus de citron vert, la ciboule, la coriandre, les piments et le reste des feuilles de lime. Rectifiez l'assaisonnement si nécessaire – il doit être à la fois aigre, salé, épicé et piquant.

SOUPE À LA BETTERAVE ET AUX OIGNONS ROUGES

Cette spectaculaire soupe rouge rubis fera merveille lors d'un dîner.

INGRÉDIENTS

Pour 6 personnes

2 cuillerées à soupe d'huile d'olive

350 g (12 oz) d'oignons rouges, émincés

2 gousses d'ail, écrasées

275 g (10 oz) de betterave cuite, coupée en julienne

1,2 litre (2 pt) de bouillon de légumes ou d'eau

50 g (2 oz) de pâtes cuites

2 cuillerées à soupe de vinaigre de framboise

sel et poivre

yaourt maigre (1 % de matières grasses) et ciboulette ciselée, pour décorer

ASTUCE

Vous pouvez remplacer les pâtes par de l'orge cuit si vous souhaitez donner à cette soupe une saveur de noisette.

1 Faites chauffer l'huile d'olive dans une cocotte, puis ajoutez l'oignon et l'ail.

2 Laissez cuire, à feu doux, pendant 20 minutes environ.

3 Ajoutez la betterave, le bouillon, les pâtes cuites et le vinaigre. Faites chauffer.

4 Rectifiez l'assaisonnement selon votre goût. Répartissez la soupe dans des assiettes, décorez avec une cuillerée de yaourt et parsemez de ciboulette ciselée. Servez très chaud.

APPORT NUTRITIONNEL	
Par portion :	
Calories	76 kcal/318 kJ
Lipides	2,01 g
Acides gras saturés	0,28 g
Cholestérol	0,33 g
Fibres	1,83 g

SOUPE AU CHOU-FLEUR ET AUX FLAGEOLETS

La saveur de cette soupe consistante est encore rehaussée par la présence quasi sucrée du fenouil.

INGRÉDIENTS

Pour 6 personnes

2 cuillerées à soupe d'huile d'olive
1 gousse d'ail, écrasée
1 oignon, haché
2 cuillerées à café de graines de fenouil
1 petit chou-fleur, divisé en petits bouquets
2 boîtes de flageolets de 400 g (14 oz), égouttés et rincés
1,2 litre (2 pt) de bouillon de légumes ou d'eau
sel et poivre noir
persil frais ciselé, pour décorer
tranches de baguette grillées, pour servir

1 Faites chauffer l'huile d'olive dans une cocotte. Ajoutez l'ail, l'oignon et le fenouil et faites cuire, à feu doux, pendant 5 minutes, le temps pour les oignons de fondre.

2 Ajoutez le chou-fleur, la moitié des flageolets et le bouillon (ou l'eau).

3 Portez à ébullition, puis réduisez le feu et laissez mijoter pendant 10 minutes. Le chou-fleur doit être cuit.

APPORT NUTRITIONNEL	
Par portion :	
Calories	194,3 kcal/822,5 kJ
Lipides	3,41 g
Acides gras saturés	0,53 g
Cholestérol	0
Fibres	7,85 g

4 Réduisez la soupe au mixeur en un mélange onctueux et lisse. Incorporez le reste des flageolets, salez et poivrez selon votre goût. Faites réchauffer et répartissez dans des assiettes. Parsemez de persil ciselé et servez accompagné de tranches de baguette grillées.

SOUPE DE MELON AU BASILIC

Cette délicieuse soupe glacée, rafraîchissante, est idéale en été. Elle est très peu calorique et a, de surcroît, l'avantage d'être très rapide à préparer – elle vous laissera profiter du soleil en toute quiétude !

INGRÉDIENTS

Pour 4-6 personnes

2 melons charentais
75 g de sucre en poudre
17,5 cl (6 fl oz) d'eau
le zeste finement râpé et le jus de 1 citron vert
3 cuillerées à soupe de basilic frais ciselé
feuilles de basilic frais, pour décorer

1 Coupez les melons en deux et épépinez-les. Avec une cuillère à melon, prélevez 20 à 24 petites boules de chair et réservez-les pour la décoration. Retirez le reste de la chair et mettez-la dans le bol du mixeur. Réservez.

2 Mettez le sucre, l'eau et le zeste de citron vert dans une petite casserole. Faites chauffer à feu doux, en remuant jusqu'à dissolution du mélange. Portez à ébullition et laissez frémir pendant 2 à 3 minutes. Retirez du feu et laissez refroidir légèrement. Versez la moitié du mélange dans le bol du mixeur avec la chair du melon. Réduisez en purée, en incorporant le sirop et le jus de citron vert.

3 Versez la soupe dans une jatte, ajoutez le basilic et mettez à glacer au réfrigérateur. Servez décoré de feuilles de basilic et de boules de melon.

APPORT NUTRITIONNEL

Par portion :

Calories	69 kcal/293,8 kJ
Lipides	0,14 g
Acides gras saturés	0
Cholestérol	0
Fibres	0,47 g

ASTUCE
Ajoutez le sirop en deux fois, car la quantité de sucre nécessaire dépendra de la saveur plus ou moins prononcée du melon.

Soupe de tomate glacée

Cette soupe, qui n'exige pas de cuisson, se prépare facilement en quelques minutes.

Ingrédients

Pour 6 personnes

*1,5 kg (3-3 1/2 lb) de tomates mûres, pelées,
    épépinées et grossièrement concassées*
4 gousses d'ail, écrasées
2 cuillerées à soupe de vinaigre balsamique
sel et poivre noir
4 tranches épaisses de pain complet
fromage frais maigre, pour décorer

1 Mettez les tomates dans le bol du mixeur avec l'ail et réduisez en purée.

2 Passez la purée au tamis pour éliminer les pépins. Incorporez le vinaigre balsamique, salez et poivrez selon votre goût. Mettez à glacer au réfrigérateur.

3 Faites légèrement griller le pain de chaque côté. Quand il est encore chaud, retirez la croûte et coupez les tranches en deux dans le sens de l'épaisseur. Placez le côté non grillé sur une planche, puis imprimez aux tranches un mouvement circulaire pour les rendre parfaitement lisses.

ASTUCE
Il est préférable d'utiliser des tomates bien mûres, savoureuses, pour réussir cette soupe.

4 Coupez chaque tranche en quatre triangles. Placez-les sur une grille et faites les griller jusqu'à ce qu'ils prennent une couleur dorée. Garnissez chaque assiette de soupe avec une cuillerée de fromage frais et servez accompagné des toasts.

Apport nutritionnel

Par portion :

Calories	111 kcal/475 kJ
Lipides	1,42 g
Acides gras saturés	0,39 g
Cholestérol	0,16 mg
Fibres	4,16 g

SOUPE DE POIS CASSÉS AUX COURGETTES

Une soupe riche et savoureuse, qui vous réconfortera un jour d'hiver glacial.

INGRÉDIENTS

Pour 4 personnes

480 g (1 7/8 tasse) de pois cassés jaunes
1 cuillerée à café d'huile de tournesol
1 oignon moyen finement haché
2 courgettes moyennes taillées en petits dés
1 l (3 3/4 tasses) de bouillon de volaille
1/2 cuillerée à café de curcuma en poudre
sel, poivre noir fraîchement moulu

1 Versez les pois cassés dans un saladier. Couvrez-les d'eau froide et faites-les tremper pendant plusieurs heures ou jusqu'au lendemain. Égouttez, rincez à l'eau froide, puis égouttez de nouveau.

2 Dans une casserole, mettez l'huile à chauffer et faites blondir l'oignon, en remuant de temps en temps. Réservez une poignée de courgettes, versez le reste dans la casserole. Faites cuire pendant 2 à 3 minutes, en remuant sans cesse.

3 Ajoutez le bouillon et le curcuma. Portez à ébullition. Baissez le feu, couvrez et laissez mijoter pendant 30 à 40 minutes. Salez et poivrez selon votre goût.

4 Lorsque la soupe est presque prête, portez à ébullition une grande casserole d'eau. Ajoutez le reste de courgettes et laissez cuire 1 à 2 minutes. Égouttez, incorporez à la soupe et servez chaud avec du pain grillé.

> **NOTE**
> Vous pouvez, pour une préparation plus rapide, remplacer les pois cassés par des lentilles roses, qu'il n'est pas nécessaire de faire tremper et qui cuisent très rapidement. Réduisez la quantité de bouillon si nécessaire.

APPORT NUTRITIONNEL

Par portion :

Valeur énergétique	174 Cal ou 730 kJ
Lipides	2,14 g
Acides gras saturés	0,54 g
Cholestérol	0
Fibres	3,43 g

SOUPE DE CAROTTES À LA CORIANDRE

Toutes les racines comestibles font d'excellentes soupes car elles sont faciles à réduire en purée. Elles dégagent une saveur qui se mêle bien à celle des fines herbes et des épices. Les carottes sont particulièrement tendres et vous permettront de réaliser cette soupe raffinée.

INGRÉDIENTS

Pour 6 personnes

2 cuillerées à soupe d'huile de tournesol
1 oignon, haché
1 branche de céleri, émincée, plus 2-3 hauts de branches feuillues
2 petites pommes de terre, coupées en petits morceaux
450 g (1 lb) de carottes nouvelles, coupées en fines rondelles
1 litre (1 3/4 pt) de bouillon de poule
2-3 cuillerées à café de coriandre moulue
1 cuillerée à soupe de coriandre fraîche ciselée
20 cl (7 fl oz) de lait demi-écrémé
sel et poivre noir

1 Faites chauffer l'huile dans une marmite ou une casserole à fond épais, et faites-y revenir l'oignon à feu doux pendant 3 à 4 minutes. Il doit être transparent mais ne pas dorer. Ajoutez le céleri émincé et les pommes de terre, laissez cuire pendant quelques minutes, puis incorporez les carottes. Faites revenir à feu doux pendant 3 à 4 minutes, en remuant fréquemment, puis couvrez. Réduisez encore le feu et laissez cuire pendant 10 minutes. Secouez de temps en temps la casserole ou remuez son contenu afin que les légumes ne collent pas au fond.

2 Ajoutez le bouillon, portez à ébullition et laissez mijoter encore 8 à 10 minutes, à demi couvert. Les carottes et les pommes de terre doivent être cuites.

3 Réservez 6 à 8 feuilles de céleri pour la décoration, puis hachez finement l'équivalent d'environ une cuillerée à soupe de céleri. Dans une petite casserole, faites griller la coriandre moulue pendant 1 minute, en remuant constamment. Réduisez le feu, incorporez le céleri haché et la coriandre fraîche, et laissez revenir pendant 1 minute. Réservez.

4 Passez le contenu de la casserole au mixeur et versez dans une casserole. Incorporez le lait, le mélange à la coriandre, salez et poivrez. Faites chauffer à feu doux, goûtez et rectifiez l'assaisonnement si nécessaire. Servez décoré avec les feuilles de céleri réservées.

APPORT NUTRITIONNEL	
Par portion :	
Calories	76,5 kcal/320 kJ
Lipides	3,2 g
Acides gras saturés	0,65 g
Cholestérol	2,3 mg
Fibres	2,2 g

ASTUCE
Pour obtenir une saveur plus piquante, ajoutez un peu de jus de citron frais avant de servir. Le contraste entre la soupe orangée et la garniture jaune-vert est un vrai régal pour les yeux comme pour le palais.

VELOUTÉ DE CHOU-FLEUR AUX NOIX

Grâce au chou-fleur, et malgré l'absence de crème fraîche, cette soupe savoureuse offre une consistance riche et onctueuse.

INGRÉDIENTS

Pour 4 personnes

1 chou-fleur moyen

50 cl (1 7/8 tasse) de bouillon de volaille ou de légumes

1 oignon moyen grossièrement haché

50 cl (1 7/8 tasse) de lait écrémé

3 cuillerées à soupe de cerneaux de noix concassés

sel, poivre noir fraîchement moulu

paprika et cerneaux de noix concassés

1 Débarrassez le chou-fleur de ses feuilles et détaillez-le en petits bouquets. Versez le bouillon dans une grande casserole. Ajoutez le chou-fleur et l'oignon.

2 Portez à ébullition, couvrez, puis laissez mijoter environ 15 minutes, jusqu'à ce que le chou-fleur soit tendre. Ajoutez le lait et les cerneaux concassés, puis travaillez au mixer jusqu'à obtenir une purée lisse et homogène.

3 Salez et poivrez selon votre goût. Portez de nouveau à ébullition. Parsemez de paprika et de cerneaux concassés. Servez.

APPORT NUTRITIONNEL

Par portion :

Valeur énergétique	166 Cal ou 699 kJ
Lipides	9,02 g
Acides gras saturés	0,88 g
Cholestérol	2,25 mg
Fibres	2,73 g

VELOUTÉ DE CAROTTES AU CURRY

INGRÉDIENTS

Pour 4 personnes

2 cuillerées à soupe d'huile de tournesol

1 cuillerée à soupe de curry en poudre

550 g (1 1/4 lb) de carottes coupées en rondelles

1 gros oignon haché

1 pomme à cuire coupée en cubes

90 cl (3 2/3 tasses) de bouillon de volaille

sel, poivre noir fraîchement moulu

yaourt nature maigre et julienne de carottes

APPORT NUTRITIONNEL

Par portion :

Valeur énergétique	114 Cal ou 477 kJ
Lipides	3,57 g
Acides gras saturés	0,43 g
Cholestérol	0,40 mg
Fibres	4,99 g

1 Dans une casserole, faites chauffer l'huile et revenir le curry pendant 2 à 3 minutes.

2 Ajoutez les carottes, l'oignon et la pomme. Mélangez bien. Couvrez.

3 Faites cuire à feu très doux 15 minutes environ, en secouant la casserole de temps en temps, jusqu'à ce que les légumes soient tendres. Versez la préparation dans le bol d'un mixer. Ajoutez la moitié du bouillon et travaillez jusqu'à obtenir un mélange lisse et homogène.

4 Reversez dans la casserole et ajoutez le reste du bouillon. Portez à ébullition. Salez et poivrez selon votre goût. Marbrez d'une cuillerée de yaourt et parsemez de julienne de carottes. Servez très chaud.

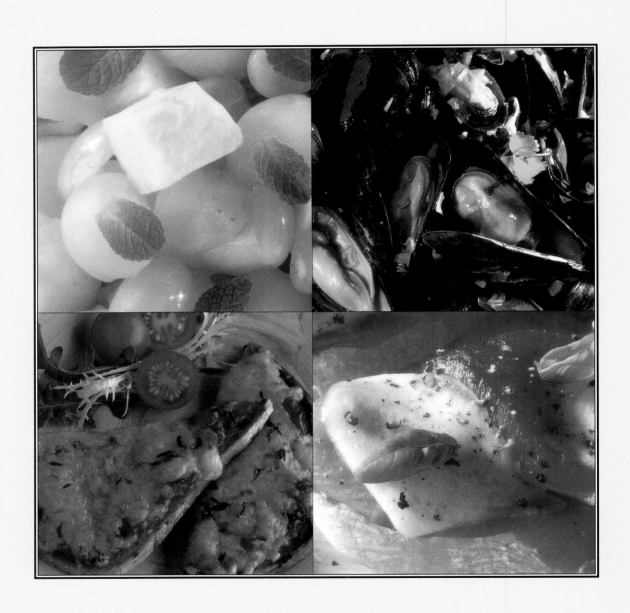

ENTRÉES ET EN-CAS

Les entrées très saines, faciles et rapides à préparer, font un délicieux début de repas. Elles ne doivent pas être trop nourrissantes, car elles ne sont qu'une mise en appétit pour le plat léger qui va suivre. Choisissez parmi notre sélection de recettes alléchantes, incluant des cocktails de fruits rafraîchissants, tel le melon au pamplemousse et à la menthe, et des terrines de légumes ou des sauces d'accompagnement comme le guacamole aux crudités. Des en-cas ou des plats faciles et rapides sont servis idéalement avec des tranches épaisses de pain chaud et croustillant, pour un déjeuner ou un dîner à la fois léger et nourrissant. Vous en trouverez un choix varié, comme les pâtes aux coquilles Saint-Jacques, les toasts au fromage et au chutney ou les pizzas aux poivrons et au jambon de Parme

SALADE DE MELON, ANANAS ET RAISINS

Cette salade légère, rafraîchissante, sans apport de sucre ou de lipides, est parfaite pour le petit déjeuner ou pour composer un brunch.

INGRÉDIENTS

Pour 4 personnes

1/2 melon

225 g (8 oz) d'ananas frais ou en boîte dans son jus

225 g (8 oz) de grains de raisin blanc, épépinés, coupés en deux

12 cl (4 fl oz) de jus de raisin blanc

feuilles de menthe fraîche, pour décorer

1 Retirez les pépins du melon et, avec une cuillère à melon, prélevez de petites boules de la même taille.

ASTUCE
Un melon est mûr lorsqu'il dégage un agréable parfum à travers la peau. Utilisez un fruit à chair ferme, du type Galia ou charentais.

2 Avec un couteau bien aiguisé, retirez la peau de l'ananas. Coupez le fruit en morceaux.

3 Mélangez tous les fruits dans un saladier en verre et arrosez avec le jus de raisin. Si vous utilisez de l'ananas en boîte, égouttez-le soigneusement et n'ajoutez à la salade que la quantité nécessaire de jus, pour éviter qu'elle ne soit trop sucrée.

4 Si vous ne servez pas immédiatement, couvrez et mettez à glacer au réfrigérateur. Servez décoré de feuilles de menthe.

APPORT NUTRITIONNEL

Par portion :

Calories	95 kcal/395 kJ
Lipides	0,5 g
Acides gras saturés	0
Cholestérol	0

SALADE DE PAMPLEMOUSSES À L'ORANGE

La saveur douce-amère du Campari se marie bien avec celle des agrumes. En raison de la présence d'alcool, mieux vaut ne pas servir cette salade à des enfants.

INGRÉDIENTS

Pour 4 personnes

3 cuillerées à soupe de sucre en poudre
4 cuillerées à soupe de Campari
2 cuillerées à soupe de jus de citron
4 pamplemousses
5 oranges
4 brins de menthe fraîche, pour décorer

APPORT NUTRITIONNEL	
Par portion :	
Calories	196 kcal/822 kJ
Lipides	5,9 g
Acides gras saturés	2,21 g
Cholestérol	66,37 mg
Fibres	1,6 g

1 Portez 15 cl (5 fl oz) d'eau à ébullition dans une petite casserole. Ajoutez le sucre et laissez frémir jusqu'à dissolution. Laissez refroidir, puis ajoutez le Campari et le jus de citron. Mettez à glacer au réfrigérateur.

ASTUCE
Lorsque vous achetez des agrumes, choisissez des fruits à la peau brillante, qui semblent peser lourd pour leur taille.

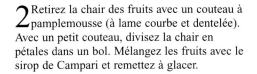

2 Retirez la chair des fruits avec un couteau à pamplemousse (à lame courbe et dentelée). Avec un petit couteau, divisez la chair en pétales dans un bol. Mélangez les fruits avec le sirop de Campari et remettez à glacer.

3 Répartissez la salade dans quatre assiettes et décorez avec un brin de menthe fraîche.

CAVIAR D'AUBERGINES AUX POIVRONS ROUGES

Servez ce délicieux caviar d'aubergines et de poivrons rouges grillés sur un lit de laitue, avec des toasts croustillants.

INGRÉDIENTS

Pour 4 personnes

3 aubergines

2 poivrons rouges

5 gousses d'ail

1 1/2 cuillerée à café de baies roses en saumure, égouttées et broyées

2 cuillerées à soupe de coriandre ou de persil frais hachés

APPORT NUTRITIONNEL

Par portion :	
Valeur énergétique	70 Cal ou 292 kJ
Lipides	1,32 g
Acides gras saturés	0
Cholestérol	0
Fibres	5,96 g

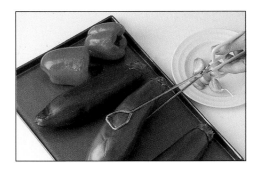

1 Préchauffez le four à 200 °C (400 °F). Disposez les aubergines, les poivrons et les gousses d'ail sur une tôle, et enfournez. Après 10 minutes, enlevez les gousses d'ail, et retournez les aubergines et les poivrons. Remettez au four.

2 Épluchez soigneusement les gousses d'ail et mettez-les dans le bol d'un mixer.

3 Vingt minutes plus tard, sortez du four les poivrons noircis et boursouflés et mettez-les à refroidir sur une assiette.

4 Dix minutes après, sortez les aubergines. Coupez-les en deux et prélevez la pulpe dans une passoire au-dessus d'un grand bol. Pressez la pulpe avec le dos d'une cuillère pour en éliminer les jus amers.

5 Ajoutez la pulpe d'aubergine à l'ail dans le bol du mixer. Réduisez en une purée lisse. Versez dans un grand saladier.

6 Pelez et hachez les poivrons rouges, et incorporez-les au mélange d'aubergines. Ajoutez les baies roses et la coriandre ou le persil hachés, et servez aussitôt.

TORTILLAS AU CONCOMBRE ET AUX GERMES DE LUZERNE

Les tortillas à la farine de blé sont extrêmement simples à préparer soi-même. Servies avec une salsa fraîche et croquante, elles sont absolument délicieuses en entrée ou pour un repas léger.

INGRÉDIENTS

Pour 4 personnes
300 g (2 tasses) de farine tamisée
1 pincée de sel
3 cuillerées à soupe d'huile d'olive
12 à 15 cl (1/2-2/3 tasse) d'eau tiède
quelques quartiers de citron vert

Pour la salsa
1 oignon rouge finement haché
1 piment rouge épépiné et finement haché
2 cuillerées à soupe d'aneth ou de coriandre frais hachés
1/2 concombre pelé et grossièrement haché
300 g (2 tasses) de germes de luzerne

Pour la mousse d'avocat
1 gros avocat bien mûr pelé et dénoyauté
jus de 1 citron vert
2 cuillerées à soupe de fromage de chèvre frais
1 pincée de paprika

1 Dans un bol, mélangez tous les ingrédients de la salsa. Réservez.

2 Préparez la mousse. Placez l'avocat, le jus de citron vert et le fromage de chèvre dans le bol d'un mixer. Réduisez en un mélange lisse et homogène. Versez dans un grand bol et recouvrez d'un film étirable. Saupoudrez de paprika juste avant de servir.

3 Préparez les tortillas. Versez la farine et le sel dans le bol d'un mixer, ajoutez l'huile et travaillez. Incorporez l'eau au fur et à mesure, jusqu'à obtenir une pâte bien ferme. Posez la pâte sur un plan fariné et pétrissez-la pour la rendre parfaitement homogène.

4 Divisez la pâte en huit parts. Pétrissez chaque part pour façonner une boule. Abaissez avec un rouleau pour former des ronds d'environ 20 cm de diamètre.

APPORT NUTRITIONNEL	
Par portion :	
Valeur énergétique	395 Cal ou 1 659 kJ
Lipides	20,17 g
Acides gras saturés	1,69 g
Cholestérol	4,38 mg
Fibres	4,15 g

5 Faites chauffer une poêle à fond épais non graissée. Faites cuire les tortillas une par une pendant environ 30 secondes de chaque côté. Posez les tortillas cuites sur un torchon propre et continuez pour obtenir huit tortillas.

6 Nappez chaque tortilla d'une cuillerée de mousse d'avocat. Surmontez de salsa et roulez la tortilla. Disposez sur une assiette décorée de quartiers de citron vert et servez aussitôt.

NOTE
En épluchant l'avocat, veillez à gratter la pulpe vert foncé qui reste attachée à la peau. C'est elle qui donne à la mousse sa merveilleuse couleur.

MELON AU PAMPLEMOUSSE ET À LA MENTHE

Le melon est un hors-d'œuvre très
apprécié. Dans cette recette, la
saveur du melon Galia se mêle
agréablement à celle du
pamplemousse et d'un assaisonnement
à la moutarde et au vinaigre. Utilisée
comme décoration et assaisonnement,
la menthe vient encore rehausser ce
bouquet d'arômes.

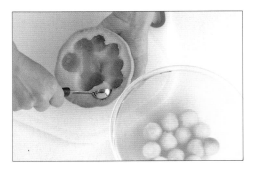

1 Coupez le melon en deux et retirez les
pépins avec une cuillère. Avec une cuillère à
melon, prélevez délicatement la chair.

2 Avec un petit couteau bien aiguisé,
pelez les pamplemousses et éliminez
soigneusement les parties blanches.
Prélevez les pétales en maintenant les
fruits au-dessus d'un saladier pour
récupérer le jus.

INGRÉDIENTS

Pour 4 personnes

*1 petit melon Galia, d'environ 1 kg
(2 1/4 lb)*
2 pamplemousses roses
1 pamplemousse blanc
1 cuillerée à café de moutarde de Dijon
*1 cuillerée à café de vinaigre de framboise
ou de xérès*
1 cuillerée à café de miel liquide
*1 cuillerée à soupe de menthe fraîche
ciselée*
brins de menthe fraîche, pour décorer

APPORT NUTRITIONNEL

Par portion :

Calories	97 kcal/409 kJ
Protéines	2,22 g
Lipides	0,63 g
Acides gras saturés	0
Fibres	3,05 g

3 Dans une jatte, mélangez en battant au
fouet la moutarde, le vinaigre, le miel, la
menthe ciselée et le jus de pamplemousse.
Ajoutez les boules de melon et les
pamplemousses et mélangez bien.

4 Mettez à glacer au réfrigérateur 30 minutes.
Répartissez la salade dans quatre assiettes
et servez décoré de brins de menthe.

GUACAMOLE AUX CRUDITÉS

L'avocat, traditionnellement utilisé pour confectionner ce plat, est remplacé ici par des petits pois. Moins riche en calories et en lipides, cette variante n'en perd pas pour autant son goût savoureux.

INGRÉDIENTS

Pour 4-6 personnes

350 g (12 oz) de petits pois décongelés
1 gousse d'ail, écrasée
2 ciboules, hachées
1 cuillerée à café de zeste et de jus de citron vert
1/2 cuillerée à café de cumin
1 pointe de sauce Tabasco
1 cuillerée à soupe de mayonnaise allégée
sel et poivre noir
2 cuillerées à soupe de coriandre (ou persil) fraîche ciselée
1 pincée de paprika et des rondelles de citron vert, pour décorer

Pour les crudités

6 carottes nouvelles
2 branches de céleri
1 pomme Starking delicious
1 poire
1 cuillerée à soupe de jus de citron vert ou jaune
6 mini-épis de maïs

2 Incorporez la coriandre ciselée (ou le persil) et passez le tout au mixeur pendant encore quelques secondes. Versez le mélange dans un saladier, couvrez avec du film plastique et mettez à glacer au réfrigérateur pendant 30 minutes.

3 Pelez les carottes. Coupez les branches de céleri en deux dans le sens de la longueur, puis en fine julienne, de la même longueur que les carottes. Coupez la poire et la pomme en quartiers. Évidez-les, coupez-les en tranches épaisses, puis trempez-les dans le jus de citron. Disposez-les avec les mini-épis de maïs sur une assiette.

APPORT NUTRITIONNEL	
Par portion :	
Calories	110 kcal/460 kJ
Protéines	6,22 g
Lipides	2,29 g
Acides gras saturés	0,49 g
Fibres	6,73 g

ASTUCE
Servez le guacamole accompagné de pain pitta à la farine complète chaud.

1 Mettez les petits pois, l'ail, la ciboule, le zeste et le jus de citron vert, le cumin, la sauce Tabasco, la mayonnaise, le sel et le poivre dans le bol du mixeur et réduisez en purée lisse.

4 Saupoudrez le guacamole de paprika et décorez avec des rondelles de citron vert présentées en torsades.

TZATZIKI

Le tzatziki est une salade de concombre à la grecque, à la menthe et à l'ail. Elle est généralement servie avec de l'agneau grillé et du poulet, mais peut aussi accompagner des crudités.

INGRÉDIENTS

Pour 4 personnes

1 concombre
1 cuillerée à café de sel
3 cuillerées à soupe de menthe fraîche
ciselée, plus quelques brins pour décorer
1 gousse d'ail, écrasée
1 cuillerée à café de sucre en poudre
20 cl (7 fl oz) de yaourt à la grecque
maigre

1 Pelez le concombre. Réservez-en un morceau pour la décoration et coupez le reste en deux dans le sens de la longueur. Épépinez les deux moitiés avec une cuillère, puis coupez-les en tranches fines et mélangez-les avec le sel. Laissez dégorger pendant une vingtaine de minutes. Le sel adoucira le concombre et le rendra plus moelleux.

> ASTUCE
> Si vous disposez de peu de temps, ne faites pas dégorger le concombre dans le sel. Il sera alors plus croquant et légèrement plus amer.

2 Dans un bol, mélangez la menthe, l'ail, le sucre et le yaourt, en réservant quelques brins de menthe pour la décoration.

3 Rincez le concombre dans une passoire sous l'eau froide pour éliminer le sel. Égouttez soigneusement et mélangez au yaourt. Décorez avec la fleur de concombre (voir photo) et/ou la menthe. Servez froid.

APPORT NUTRITIONNEL

Par portion :

Calories	41,5 kcal/174,5 kJ
Lipides	0,51 g
Acides gras saturés	0,25 g
Cholestérol	2 mg
Fibres	0,2 g

SALSA DE TOMATES AUX PIMENTS VERTS

Ce dip peut servir à accompagner n'importe quel plat. Il est préférable de le préparer vingt-quatre heures à l'avance.

INGRÉDIENTS

Pour 4 personnes

1 échalote, pelée et coupée en deux
2 gousses d'ail, pelées
1 poignée de feuilles de basilic frais
500 g (1 1/4 lb) de tomates mûres
1 cuillerée à soupe d'huile d'olive
2 piments verts
sel et poivre noir

1 Mettez l'échalote et l'ail dans le bol du mixeur avec le basilic frais, puis hachez très finement le tout.

2 Coupez les tomates en deux et ajoutez-les dans le bol du mixeur. Mélangez bien tout en hachant grossièrement les tomates.

3 Le mixeur toujours en marche, incorporez peu à peu l'huile d'olive. Salez et poivrez selon votre goût.

> **ASTUCE**
> La sauce est meilleure en été, lorsque les tomates sont plus savoureuses. En hiver, vous pouvez utiliser des tomates en boîte.

4 Coupez les piments dans le sens de la longueur et épépinez-les. Émincez très finement les moitiés de piments et incorporez-les à la sauce tomate. Servez à température ambiante.

APPORT NUTRITIONNEL

Par portion :

Calories	28 kcal/79 kJ
Lipides	0,47 g
Acides gras saturés	0,13 g
Cholestérol	0
Fibres	1,45 g

PETITS SOUFFLÉS D'ÉPINARDS AU FROMAGE

───── INGRÉDIENTS ─────

Pour 6 personnes

300 g (1 tasse) d'épinards cuits hachés
175 g (3/4 tasse) de fromage blanc maigre
1 cuillerée à café de noix muscade en
poudre
sel, poivre noir fraîchement moulu
2 blancs d'œufs
2 cuillerées à soupe de parmesan râpé

1 Préchauffez le four à 210 °C (425 °F).
Badigeonnez d'huile six ramequins.

2 Dans un bol, mélangez les épinards et le
fromage blanc. Ajoutez la noix muscade,
salez et poivrez selon votre goût.

3 Dans un autre bol, montez les blancs
d'œufs en neige ferme. Incorporez-les
délicatement à la préparation d'épinards avec
une spatule ou une grande cuillère en bois.
Répartissez la préparation dans les ramequins
et lissez la partie supérieure.

4 Parsemez de parmesan et posez les
ramequins sur une tôle. Faites cuire au four
pendant 15 à 20 minutes, jusqu'à ce que les
soufflés aient bien gonflé et doré. Servez
aussitôt.

───── APPORT NUTRITIONNEL ─────

Par portion :	
Valeur énergétique	47 Cal ou 195 kJ
Lipides	1,32 g
Acides gras saturés	0,52 g
Cholestérol	2,79 mg
Fibres	0,53 g

COURGETTES FARCIES AU CITRON

───── INGRÉDIENTS ─────

Pour 4 personnes

4 courgettes (environ 180 g chacune)
1 cuillerée à café d'huile de tournesol
1 gousse d'ail écrasée
1 cuillerée à café de citronnelle en poudre
zeste finement râpé et jus de 1/2 citron
180 g (3/4 tasse) de riz long grain cuit
180 g (6 oz) de tomates cerises coupées en
deux
2 cuillerées à soupe de noix de cajou
grillées
sel, poivre noir fraîchement moulu
quelques brins de thym

1 Préchauffez le four à 200 °C (400 °F).
Coupez les courgettes en deux dans le sens
de la longueur et videz-les aux trois quarts de
leur pulpe. Faites blanchir les fonds de
courgette pendant 1 minute, puis égouttez.

2 Hachez finement la pulpe de courgette et
mettez-la dans une casserole avec l'huile et
l'ail. Laissez cuire à feu moyen en remuant,
jusqu'à ce que la pulpe soit tendre mais non
roussie.

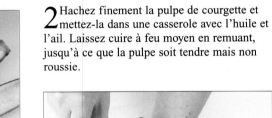

3 Incorporez la citronnelle, le zeste et le jus
de citron, le riz, les tomates et les noix de
cajou. Salez et poivrez. Garnissez les fonds de
courgette de ce mélange. Disposez-les sur une
tôle et couvrez d'une feuille d'aluminium.

4 Laissez cuire au four pendant 25
à 30 minutes, et servez chaud sur un plat
décoré de brins de thym.

───── APPORT NUTRITIONNEL ─────

Par portion :	
Valeur énergétique	126 Cal ou 530 kJ
Lipides	5,33 g
Acides gras saturés	0,65 g
Cholestérol	0
Fibres	2,31 g

TACOS AU THON

Les tacos sont délicieux et rapides à préparer – mais attention, mangez-les à deux mains, sinon gare...!

———— INGRÉDIENTS ————

Pour 8 tacos

8 galettes à tacos

*420 g (14 oz) de haricots rouges en boîte
 égouttés*

120 g (1/2 tasse) de fromage frais maigre

1/2 cuillerée à café de sauce au piment

2 oignons nouveaux émincés

*1 cuillerée à café de menthe fraîche
 hachée*

1/2 petite laitue ciselée

450 g (15 oz) de thon au naturel égoutté

*175 g (3/4 tasse) de fromage allégé râpé
 (du type cheddar)*

8 tomates cerises coupées en quartiers

quelques brins de menthe

1 Passez les galettes au four pendant quelques minutes, pour les rendre croustillantes.

2 Écrasez légèrement les haricots avec une fourchette, puis incorporez le fromage frais, la sauce au piment, les oignons et la menthe.

3 Fourrez les galettes avec la laitue ciselée, les haricots et le thon. Ajoutez le fromage et servez aussitôt avec les tomates et un brin de menthe.

APPORT NUTRITIONNEL	
Par portion :	
Valeur énergétique	147 Cal ou 615 kJ
Lipides	2,42 g
Acides gras saturés	1,13 g
Cholestérol	29,69 mg
Fibres	2,41 g

ROBES DE POMMES DE TERRE SAUCE CAJUN

Avec cette recette, nul besoin de faire frire les peaux de pomme de terre, il suffit de les passer au gril pour les rendre somptueusement croustillantes.

———— INGRÉDIENTS ————

Pour 2 personnes

2 grosses pommes de terre

12 cl (1/2 tasse) de yaourt nature maigre

1 gousse d'ail écrasée

1 cuillerée à café de concentré de tomates

*1/2 cuillerée à café de pâte au piment vert
 (ou 1/2 petit piment vert haché)*

1/4 cuillerée à café de sel au céleri

sel, poivre noir fraîchement moulu

1 Faites cuire les pommes de terre au four ou au micro-ondes jusqu'à ce qu'elles soient bien tendres. Coupez-les en deux et prélevez la pulpe, en laissant une mince couche adhérer à la peau.

2 Recoupez en deux chaque fond de pomme de terre, et posez tous les fonds sur une grande tôle.

3 Passez au gril 4 à 5 minutes, jusqu'à ce que les peaux soient bien croustillantes. Mélangez tous les ingrédients de la sauce cajun et servez avec les robes de pomme de terre.

APPORT NUTRITIONNEL	
Par portion :	
Valeur énergétique	202 Cal ou 847 kJ
Lipides	0,93 g
Acides gras saturés	0,34 g
Cholestérol	2,30 mg
Fibres	3,03 g

MELON AUX FRAISES DES BOIS

Ce hors-d'œuvre coloré, délicieusement parfumé, est idéal pour commencer un repas plutôt riche, car il est pratiquement dépourvu de lipides. Cette recette utilise plusieurs variétés de melon dont les saveurs se mêlent subtilement à celle des fraises des bois. On peut remplacer les fraises des bois par des fraises ou des framboises.

INGRÉDIENTS

Pour 4 personnes

1 melon cantaloup ou charentais
1 melon Galia
900 g (2 lb) de pastèque
175 g (6 oz) de fraises des bois
4 brins de menthe fraîche, pour décorer

APPORT NUTRITIONNEL

Par portion :

Calories	42,5 kcal/178,6 kJ
Lipides	0,32 g
Acides gras saturés	0
Cholestérol	0
Fibres	1,09 g

2 Épépinez les moitiés de melons et de pastèque avec une cuillère.

3 Avec une cuillère à melon, prélevez de petites boules dans la chair des melons et de la pastèque. Mélangez-les dans un grand saladier et mettez-les à glacer au réfrigérateur pendant au moins 1 heure.

5 Décorez chaque coupe avec un brin de menthe et servez immédiatement.

ASTUCE

Lorque les melons sont bien mûrs, la peau s'enfonce légèrement lorsqu'on appuie avec le doigt et ils dégagent un délicieux parfum. Si vous ne trouvez pas l'une des variétés de melon, ou même la pastèque, vous pouvez acheter deux ou trois melons de la même variété. La salade ne sera plus aussi colorée, mais tout aussi rafraîchissante.

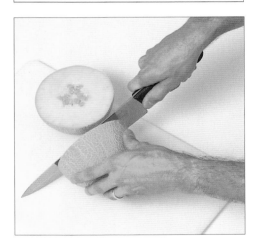

1 Avec un grand couteau, coupez les melons et la pastèque en deux.

4 Ajoutez les fraises des bois et mélangez délicatement. Répartissez dans quatre coupes en verre.

MOULES AUX HERBES À LA THAÏLANDAISE

Encore un plat simple à préparer.
La citronnelle donne une saveur
rafraîchissante aux moules.

Pour 6 personnes

*1 kg (2 1/4 lb) de moules, soigneusement
nettoyées et ébarbées*

2 brins de citronnelle, finement hachées

4 échalotes, hachées

*4 feuilles de lime kaffir, grossièrement
déchirées*

2 piments rouges, hachés

1 cuillerée à soupe de nuoc-mâm

2 cuillerées à soupe de jus de citron vert

*2 ciboules ciselées et des feuilles de
coriandre, pour décorer*

1 Mettez tous les ingrédients, à l'exception de
la ciboule et de la coriandre, dans une
grande cocotte et remuez vigoureusement.

2 Couvrez et laissez cuire pendant 5 à
7 minutes, en remuant la casserole de temps
en temps, jusqu'à l'ouverture des moules. Jetez
les mollusques restés fermés.

3 Transférez les moules dans un plat de
service.

4 Décorez les moules avec de la ciboule et
des feuilles de coriandre. Servez
immédiatement.

Par portion :	
Calories	56 kcal/238 kJ
Lipides	1,22 g
Acides gras saturés	0,16 g
Cholestérol	0,32 g
Fibres	27 g

PÂTES AUX COQUILLES SAINT-JACQUES

Le fromage frais maigre, assaisonné de moutarde, d'ail et de fines herbes, remplace avantageusement la crème fraîche pour accompagner les pâtes.

INGRÉDIENTS

Pour 4 personnes

12 cl (4 fl oz) de fromage frais maigre
2 cuillerées à café de moutarde de Meaux
2 gousses d'ail, écrasées
2-3 cuillerées à soupe de jus de citron vert
4 cuillerées à soupe de persil frais ciselé
2 cuillerées à soupe de ciboulette ciselée
sel et poivre noir
350 g (12 oz) de tagliatelles à l'encre
12 grosses coquilles Saint-Jacques
4 cuillerées à soupe de vin blanc
15 cl (1/4 pt) de fumet
quartiers de citron vert et brins de persil, pour décorer

1 Pour préparer la sauce, mélangez le fromage frais, la moutarde, l'ail, le jus de citron vert, le persil et la ciboulette dans un saladier. Salez et poivrez selon votre goût.

2 Faites cuire les pâtes *al dente* dans une grande marmite d'eau salée. Égouttez soigneusement.

3 Coupez les coquilles Saint-Jacques en deux. Conservez le corail. Versez le vin et le fumet dans une casserole et faites chauffer jusqu'à ce que le mélange commence à frissonner. Ajoutez les coquilles Saint-Jacques et faites cuire à feu très doux pendant 3 à 4 minutes (ne les faites pas trop cuire, elles durciraient).

ASTUCE

Les tagliatelles noires, à l'encre de calamar, sont vendues dans les épiceries ou les traiteurs italiens. On peut les remplacer par des pâtes d'autres couleurs, un mélange de pâtes vertes et blanches par exemple.

4 Retirez les coquilles Saint-Jacques. Faites réduire le vin et le fumet de moitié, puis incorporez la sauce au fromage frais dans la casserole. Faites réchauffer à feu doux, puis remettez les coquilles Saint-Jacques dans la casserole et laissez cuire pendant 1 minute. Versez sur les pâtes et décorez avec les quartiers de citron vert et le persil.

APPORT NUTRITIONNEL

Par portion :

Calories	368 kcal/1 561 kJ
Lipides	4,01 g
Acides gras saturés	0,98 g
Cholestérol	99 mg
Fibres	1,91 g

Salade de figues, pommes et dattes fraîches

La saveur des figues et des dattes se combine avec un rare bonheur à celle des pommes. Pour lier ces différents parfums, on peut ajouter quelques amandes et, pour réduire la richesse de cette salade, remplacer le massepain par deux autres cuillerées à soupe de yaourt nature (0 %) ou de fromage frais maigre.

Ingrédients

Pour 4 personnes

6 grosses pommes
le jus de 1/2 citron
175 g (6 oz) de dattes fraîches
25 g (1 oz) de massepain blanc
1 cuillerée à café d'eau de fleur d'oranger
4 cuillerées à soupe de yaourt nature (maigre)
4 figues vertes ou violettes
4 amandes grillées

1 Évidez les pommes. Coupez-les en tranches fines, puis en julienne. Arrosez avec le jus de citron pour éviter qu'elles ne noircissent.

Apport nutritionnel

Par portion :	
Calories	255 kcal/876,5 kJ
Lipides	4,98 g
Acides gras saturés	1,05 g
Cholestérol	2,25 mg
Fibres	1,69 g

2 Dénoyautez les dattes, émincez finement la chair, puis mélangez à la julienne de pommes.

3 Ramollissez le massepain avec l'eau de fleur d'oranger et mélangez délicatement le tout avec le yaourt.

Astuce
Pour renforcer l'arôme de l'amande, vous pouvez ajouter quelques gouttes d'essence d'amande au mélange au yaourt. Lorsque vous achetez des figues, choisissez des fruits fermes, non abîmés ou tachés, dont la chair s'enfonce légèrement sous la pression du doigt sans être molle.

4 Empilez la julienne de pommes et les dattes au centre de quatre assiettes. Retirez la queue des figues, puis coupez partiellement les fruits en quatre et ouvrez-les en appuyant sur la base entre le pouce et l'index.

5 Disposez une figue au centre de chaque assiette. Décorez avec une cuillerée de yaourt et une amande grillée.

TOASTS AU FROMAGE ET AU CHUTNEY

Un simple toast tartiné de fromage peut se transformer en un délicieux hors-d'œuvre lorsqu'il est accompagné de salade aux tomates cerises ou de laitue.

INGRÉDIENTS

Pour 4 personnes

4 tranches de pain complet épaisses
85 g (3 1/2 oz) de cheddar, râpé
1 cuillerée à café de thym
sel et poivre noir
2 cuillerées à soupe de chutney
salade, pour servir

1 Faites légèrement griller les tranches de pain de chaque côté.

2 Mélangez le fromage et le thym. Salez et poivrez selon votre goût.

APPORT NUTRITIONNEL

Par portion :

Calories	157,2 kcal/664,25 kJ
Lipides	4,24 g
Acides gras saturés	1,99 g
Cholestérol	9,25 mg
Fibres	2,41 g

3 Étalez le chutney sur le pain, puis répartissez le fromage entre les quatre tranches.

4 Remettez les tranches de pain sur le gril et laissez cuire jusqu'à ce que le fromage commence à dorer et à faire des bulles. Coupez chaque tranche en deux, en diagonale, et servez immédiatement cette entrée originale accompagnée d'une salade.

> **ASTUCE**
> Vous pouvez remplacer le cheddar par un fromage allégé, moins riche en matières grasses.

PIZZAS AU POIVRON ET AU JAMBON DE PARME

Les saveurs de ces pizzas très faciles à
réaliser sont irremplaçables.

INGRÉDIENTS

Pour 4 personnes

1/2 miche de pain ciabatta
1 poivron rouge, grillé et pelé
1 poivron jaune, grillé et pelé
4 tranches de jambon de Parme, coupé en
*   grosses lanières*
50 g (2 oz) de mozzarella allégée
poivre noir
petites feuilles de basilic, pour décorer

APPORT NUTRITIONNEL

Par portion :	
Calories	93 kcal/395 kJ
Lipides	3,25 g
Acides gras saturés	1,49 g
Cholestérol	14 mg
Fibres	1 g

1 Coupez le pain en quatre grosses tranches
et faites-les dorer.

2 Coupez les poivrons grillés en fines
lanières, et disposez-les sur les tranches de
pain avec les morceaux de jambon de Parme.
Faites préchauffer le gril.

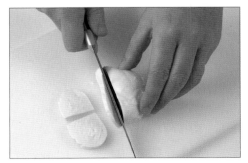

3 Coupez la mozzarella en tranches fines et
disposez-les sur les tartines, puis
saupoudrez généreusement de poivre noir
moulu. Faites griller pendant 2 à 3 minutes.

4 Décorez avec des feuilles de basilic et
servez immédiatement.

PITAS AU POULET ET AU CHOU ROUGE

Les pitas sont pratiques pour de simples collations ou pour un pique-nique ; on peut les fourrer de mille et une bonnes choses.

───── INGRÉDIENTS ─────

Pour 4 personnes

1/4 de chou rouge finement ciselé

1 petit oignon rouge émincé

2 radis rouges coupés en fines rondelles

1 pomme rouge pelée, épépinée et râpée

1 cuillerée à soupe de jus de citron

3 cuillerées à soupe de fromage frais maigre

sel, poivre noir fraîchement moulu

1 blanc de poulet cuit sans peau (environ 180 g [6 oz])

4 grands pitas ou 8 petits

persil frais haché

1 Ôtez la côte centrale des feuilles de chou, puis ciselez finement les feuilles avec un grand couteau effilé. Dans un saladier, mettez le chou et ajoutez l'oignon, les radis, la pomme et le jus de citron.

2 Incorporez le fromage frais. Salez et poivrez. Coupez le blanc de poulet en fines lamelles, puis incorporez-le au mélange de chou jusqu'à ce qu'il soit bien enrobé de fromage frais.

3 Faites légèrement chauffer les pitas, puis incisez-les avec la pointe d'un couteau. Fourrez les pitas, puis parsemez de persil haché.

NOTE

S'il vous faut préparer les pitas plus d'une heure à l'avance, tapissez l'intérieur d'une feuille de laitue bien croquante avant de fourrer.

───── APPORT NUTRITIONNEL ─────

Par portion :

Valeur énergétique	232 Cal ou 976 kJ
Lipides	2,61 g
Acides gras saturés	0,76 g
Cholestérol	24,61 mg
Fibres	2,97 g

Salade de truite fumée

Les salades sont idéales pour un repas léger et équilibré. Savourez ce délicieux mariage de laitue croquante, de truite fumée, de pommes de terre nouvelles tièdes et de raifort à la crème.

Ingrédients

Pour 4 personnes

680 g (1 1/2 lb) de pommes de terre
4 filets de truite fumée
120 g (4 oz) de salade mélangée
sel, poivre noir fraîchement moulu
4 tranches de pain de seigle, coupées en bâtonnets

Pour la vinaigrette

4 cuillerées à soupe de raifort à la crème
4 cuillerées à soupe d'huile d'arachide
1 cuillerée à soupe de vinaigre de vin blanc
2 cuillerées à café de graines de carvi

Apport nutritionnel

Par portion :	
Valeur énergétique	487 Cal ou 2 044 kJ
Lipides	22,22 g
Acides gras saturés	4,10 g
Cholestérol	52,10 mg
Fibres	3,50 g

2 Ôtez la peau des filets de truite et retirez les arêtes avec les doigts ou une pince à épiler.

4 Effeuillez les filets de truite et coupez les pommes de terre en deux. Disposez-les ensemble sur le lit de laitue, avec les bâtonnets de seigle. Salez et poivrez selon votre goût. Servez aussitôt.

1 Pelez ou frottez les pommes de terre. Mettez-les dans une grande casserole remplie d'eau froide. Portez à ébullition et laissez mijoter environ 20 minutes.

3 Préparez la vinaigrette. Mettez tous les ingrédients dans un bocal hermétique. Secouez vigoureusement. Salez et poivrez les feuilles de laitue, puis enrobez-les de vinaigrette. Répartissez sur quatre assiettes.

> **NOTE**
> Pour ne pas avoir à laver la salade, achetez-la prête à l'emploi dans un sachet. Saler et poivrez les feuilles de salade plutôt que la vinaigrette elle-même, la préparation sera plus raffinée.

RISSOLES DE SAUMON

Servez ces savoureuses petites rissoles telles quelles pour une collation, ou avec un bol de sauce tomate fraîche en hors-d'œuvre.

INGRÉDIENTS

Pour 12 rissoles

100 g (3 1/2 oz) de saumon rose ou rouge en boîte

1 cuillerée à soupe de coriandre fraîche hachée

4 oignons nouveaux finement hachés

4 feuilles de pâte à filo

un peu d'huile de tournesol

quelques oignons nouveaux et des feuilles de laitue

NOTE

La pâte à filo se dessèche rapidement. Il faut donc, pour la conserver, la recouvrir d'un torchon légèrement humide ou d'un film étirable.

---

1 Préchauffez le four à 200 °C (400 °F). Graissez légèrement une tôle à four. Égouttez le saumon, ôtez-en la peau et les arêtes. Mettez-le dans un grand bol.

2 Effeuillez le saumon avec une fourchette. Ajoutez la coriandre et les oignons et mélangez bien.

3 Posez une feuille de pâte à filo sur un plan de travail, et badigeonnez-la légèrement d'huile. Surmontez-la d'une autre feuille de pâte. Découpez en six carrés d'environ 10 cm de côté. Faites de même avec le reste de pâte, jusqu'à obtenir douze carrés.

4 Déposez une cuillerée de saumon sur chaque carré. Badigeonnez d'huile les bords de la pâte, puis fermez la rissole et pressez légèrement pour souder. Disposez sur la tôle et laissez cuire 12 à 15 minutes, jusqu'à ce que les rissoles soient bien dorées. Servez chaud, avec quelques feuilles de laitue parsemées d'oignons nouveaux finement ciselés.

APPORT NUTRITIONNEL

Par portion :

Valeur énergétique	25 Cal ou 107 kJ
Lipides	1,16 g
Acides gras saturés	0,23 g
Cholestérol	2,55 mg
Fibres	0,05 g

TARTELETTES AU FROMAGE ET AUX TOMATES

Ces savoureuses tartelettes sont plus faciles à réaliser qu'elles n'en ont l'air. Elles sont délicieuses à la sortie du four.

INGRÉDIENTS

Pour 4 personnes

2 feuilles de pâte à filo

1 blanc d'œuf

120 g (1/2 tasse) de fromage blanc maigre

sel, poivre noir fraîchement moulu

1 poignée de feuilles de basilic

3 petites tomates coupées en rondelles

1 Préchauffez le four à 200 °C (400 °F). Badigeonnez légèrement de blanc d'œuf les feuilles de pâte. Découpez seize carrés d'environ 10 cm de côté.

2 Posez deux carrés de pâte dans huit moules à tartelette. Déposez du fromage blanc dans les huit moules. Salez, poivrez et surmontez de feuilles de basilic.

3 Posez les rondelles de tomate sur les tartelettes, vérifiez l'assaisonnement et faites cuire pendant 10 à 12 minutes, jusqu'à obtenir une belle couleur dorée. Servez chaud.

APPORT NUTRITIONNEL

Par portion :

Valeur énergétique	50 Cal ou 210 kJ
Lipides	0,33 g
Acides gras saturés	0,05 g
Cholestérol	0,29 mg
Fibres	0,25 g

CHAMPIGNONS CHINOIS

Le tofu est un aliment riche en protéines et à très faible teneur en matières grasses.

Il est donc très utile pour des entrées ou des collations rapides et nourrissantes.

INGRÉDIENTS

Pour 4 personnes

8 gros champignons à large chapeau

3 oignons nouveaux émincés

1 gousse d'ail écrasée

2 cuillerées à soupe de sauce d'huîtres

300 g (10 oz) de tofu mariné, coupé en petits dés

210 g (7 oz) de maïs en boîte égoutté

2 cuillerées à café d'huile de sésame

sel, poivre noir fraîchement moulu

1 Préchauffez le four à 200 °C (400 °F). Coupez les pieds des champignons et émincez-les finement. Mélangez-les avec les oignons nouveaux, l'ail et la sauce d'huîtres.

2 Incorporez les dés de tofu mariné et le maïs. Salez et poivrez. Avec une cuillère, farcissez les chapeaux de champignons avec cette préparation.

3 Badigeonnez les bords des champignons avec de l'huile de sésame. Disposez dans un plat allant au four et faites cuire pendant 12 à 15 minutes, jusqu'à ce que les champignons soient juste tendres. Servez aussitôt.

> **NOTE**
> Vous pouvez, si vous le préférez, remplacer la sauce d'huîtres par une sauce de soja légère.

APPORT NUTRITIONNEL

Par portion :

Valeur énergétique	137 Cal ou 575 kJ
Lipides	5,60 g
Acides gras saturés	0,85 g
Cholestérol	0
Fibres	1,96 g

RŒSTI AU RIZ SAUVAGE ET PURÉE DE CAROTTES

Le rœsti est un plat suisse traditionnel. Ici, le goût de noisette du riz sauvage et la purée de carottes en relèvent subtilement la saveur et la couleur.

INGRÉDIENTS

Pour 6 personnes

120 g (1/2 tasse) de riz sauvage
900 g (2 lb) de grosses pommes de terre
3 cuillerées à soupe d'huile de noix
1 cuillerée à café de graines de moutarde jaunes
1 oignon grossièrement râpé et égoutté
2 cuillerées à soupe de thym frais
sel, poivre noir fraîchement moulu
quelques légumes

Pour la purée de carottes

360 g (12 oz) de carottes pelées et coupées en grosses rondelles
écorce pelée et jus de 1 grosse orange

APPORT NUTRITIONNEL

Par portion :

Valeur énergétique	246 Cal ou 1 035 kJ
Lipides	8,72 g
Acides gras saturés	0,78 g
Cholestérol	0
Fibres	3,80 g

1 Préparez la purée. Mettez les carottes dans une casserole. Recouvrez d'eau froide et ajoutez deux morceaux d'écorce d'orange. Portez à ébullition et laissez cuire environ 10 minutes, jusqu'à ce que les carottes soient tendres. Égouttez soigneusement et jetez l'écorce d'orange.

2 Passez au mixer avec 4 cuillerées à soupe de jus d'orange. Remettez dans la casserole.

3 Dans une autre casserole, versez le riz sauvage. Recouvrez-le d'eau froide. Portez à ébullition et laissez cuire pendant 30 à 40 minutes, jusqu'à ce que le riz commence à se fendiller, mais résiste encore sous la dent. Égouttez.

4 Brossez les pommes de terre. Mettez-les dans une grande casserole et recouvrez-les d'eau froide. Portez à ébullition et laissez cuire pendant 10 à 15 minutes, jusqu'à ce qu'elles soient tendres. Égouttez bien et laissez tiédir. Une fois les pommes de terre tièdes, pelez-les et écrasez-les grossièrement dans un saladier. Ajoutez le riz cuit.

5 Dans une poêle, faites chauffer 2 cuillerées à soupe d'huile de noix. Ajoutez les graines de moutarde. Lorsqu'elles commencent à éclater, ajoutez l'oignon et laissez cuire à petit feu environ 5 minutes. Incorporez au mélange de pommes de terre et de riz. Ajoutez le thym et remuez soigneusement. Salez et poivrez.

6 Faites chauffer le reste d'huile dans la poêle. Versez-y le mélange de pommes de terre. Pressez fortement, puis faites rissoler environ 10 minutes, jusqu'à obtenir une belle galette dorée. Faites glisser le rœsti sur une assiette et remettez-le dans la poêle, mais sur l'autre face. Laissez cuire 10 minutes encore. Servez avec la purée de carottes réchauffée.

> NOTE
> Pour une entrée plus recherchée, préparez des rœsti individuels garnis d'une julienne de légumes.

CAVIAR D'AUBERGINES AUX GRAINES DE TOURNESOL

INGRÉDIENTS

Pour 4 personnes

1 grosse aubergine

1 gousse d'ail écrasée

1 cuillerée à soupe de jus de citron

2 cuillerées à soupe de graines de tournesol

3 cuillerées à soupe de yaourt nature maigre

1 poignée de coriandre ou de persil frais

sel, poivre noir fraîchement moulu

quelques olives noires

bâtonnets de crudités

1 Coupez l'aubergine en deux dans le sens de la longueur. Posez les deux morceaux, faces intérieures, sur une plaque. Passez au gril très chaud pendant 15 à 20 minutes, jusqu'à ce que la peau ait noirci et que la pulpe soit tendre. Laissez refroidir quelques minutes.

2 Prélevez la pulpe et mettez-la dans le bol d'un mixer. Ajoutez l'ail, le jus de citron, les graines de tournesol et le yaourt. Réduisez en une purée lisse et homogène.

3 Hachez grossièrement la coriandre ou le persil. Incorporez. Salez et poivrez, puis mettez dans un saladier. Décorez avec des olives et servez avec des bâtonnets de crudités.

APPORT NUTRITIONNEL

Par portion :

Valeur énergétique	71 Cal ou 298 kJ
Lipides	4,51 g
Acides gras saturés	0,48 g
Cholestérol	0,45 mg
Fibres	2,62 g

DIPS AUX DEUX POIVRONS

Préparez ces dips aux couleurs éclatantes pour vos crudités – ensemble, ils apportent toute la gaieté du soleil méditerranéen.

INGRÉDIENTS

Pour 4 à 6 personnes

2 poivrons rouges moyens coupés en deux et épépinés

2 poivrons jaunes moyens coupés en deux et épépinés

2 gousses d'ail

2 cuillerées à soupe de jus de citron

4 cuillerées à café d'huile d'olive

30 g (1/2 tasse) de chapelure fraîche

sel, poivre noir fraîchement moulu

crudités variées

1 Mettez les poivrons dans deux casseroles distinctes avec une gousse d'ail pelée. Ajoutez juste assez d'eau pour couvrir.

2 Portez à ébullition, couvrez, puis laissez mijoter pendant 15 minutes, jusqu'à ce que les poivrons soient bien tendres. Égouttez, laissez refroidir, puis travaillez au mixer séparément, en ajoutant la moitié du jus de citron et de l'huile d'olive dans chaque bol.

3 Incorporez la moitié de la chapelure dans chaque mélange. Salez et poivrez selon votre goût. Servez les dips avec un choix de crudités.

APPORT NUTRITIONNEL

Par portion :

Valeur énergétique	103 Cal ou 432 kJ
Lipides	3,70 g
Acides gras saturés	0,47 g
Cholestérol	0
Fibres	2,77 g

BLINIS AU SAUMON FUMÉ

Ces petites crêpes sont faciles à préparer et idéales pour une entrée raffinée, garnies de saumon fumé, de basilic frais et de pignons grillés.

INGRÉDIENTS

Pour 12 à 16 blinis

12 cl (1/2 tasse) de lait écrémé
150 g (1 tasse) de farine à levure
  incorporée
1 œuf
2 cuillerées à soupe de pistou
sel, poivre noir fraîchement moulu
un peu d'huile végétale
20 cl (7/8 tasse) de crème fraîche allégée
90 g (3 oz) de saumon fumé
1 cuillerée à soupe de pignons grillés
12 à 16 brins de basilic

APPORT NUTRITIONNEL

Par portion :

Valeur énergétique	116 Cal ou 485 kJ
Lipides	7,42 g
Acides gras saturés	2,40 g
Cholestérol	39,58 mg
Fibres	0,34 g

1 Dans un saladier, versez la moitié du lait. Ajoutez la farine, l'œuf et le pistou. Salez et poivrez. Mélangez bien pour obtenir une consistance lisse et homogène.

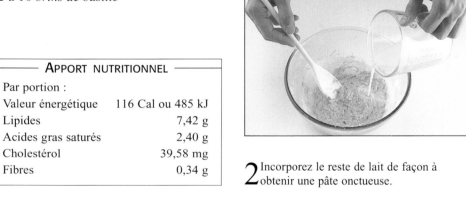

2 Incorporez le reste de lait de façon à obtenir une pâte onctueuse.

3 Dans une grande poêle chauffée à feu moyen et badigeonnée d'un peu d'huile, déposez des cuillerées de pâte en petits tas séparés. Laissez cuire environ 30 secondes pour que les blinis commencent à gonfler, puis retournez brièvement. Continuez de même avec le reste de la pâte.

4 Disposez les blinis sur un plat. Nappez-les d'une cuillerée de crème fraîche.

5 Coupez le saumon fumé en fines lamelles et disposez-le sur les blinis.

6 Parsemez chaque blini de quelques pignons et décorez avec un brin de basilic frais.

> **NOTE**
> Si vous ne servez pas aussitôt, recouvrez les blinis d'un torchon et gardez au chaud dans un four préchauffé à 120 °C (275 °F).

BLINIS AU SARRASIN

INGRÉDIENTS

Pour 4 personnes

*1 cuillerée à café de levure boulangère
 superactive*
25 cl (1 tasse) de lait écrémé
50 g (1/3 tasse) de farine de sarrasin
50 g (1/3 tasse) de farine de blé
2 cuillerées à café de sucre en poudre
1 pincée de sel
1 œuf séparé
huile végétale
quelques poignées de cresson

Pour la mousse d'avocat

1 gros avocat
80 g (1/3 tasse) de ricotta maigre
jus de 1 citron vert
poivre noir concassé

Pour la betterave marinée

240 g (8 oz) de betteraves pelées
3 cuillerées à soupe de jus de citron vert
une poignée de ciboulette ciselée

1 Dans un saladier, mélangez la levure et le lait. Incorporez les farines, le sucre, une pincée de sel et le jaune d'œuf. Couvrez avec un torchon et laissez reposer environ 40 minutes. Montez le blanc en neige très ferme et incorporez-le délicatement à la pâte.

2 Dans une poêle chauffée à feu moyen et badigeonnée d'un peu d'huile, versez une louche de pâte pour confectionner un blini de 10 cm de diamètre. Laissez cuire de chaque côté pendant 2 à 3 minutes. Continuez avec le reste de la pâte pour obtenir huit blinis.

3 Préparez la mousse d'avocat. Coupez l'avocat en deux et dénoyautez-le. Pelez, puis placez la pulpe dans un mixer avec la ricotta et le jus de citron vert. Travaillez jusqu'à obtenir un mélange onctueux.

4 Préparez la betterave marinée. Taillez la chair de betterave en fine julienne. Mélangez avec le jus de citron vert. Pour servir, nappez chaque blini d'une cuillerée de mousse d'avocat et décorez avec des grains de poivre concassés. Présentez sur une assiette avec du cresson et de la betterave marinée parsemée de ciboulette.

APPORT NUTRITIONNEL

Par portion :

Valeur énergétique	304 Cal ou 1 277 kJ
Lipides	16,56 g
Acides gras saturés	2,23 g
Cholestérol	56,30 mg
Fibres	3,30 g

NOTE
Pour un repas de fête, servez avec un verre de vodka glacée.

GALETTE DE POMMES DE TERRE AUX ÉPINARDS

Une confection onctueuse de pommes de terre, d'épinards et de fines herbes pour un savoureux dîner.

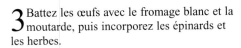

--------- INGRÉDIENTS ---------

Pour 6 personnes

900 g (2 lb) de grosses pommes de terre

450 g (1 lb) d'épinards frais

2 œufs

30 cl (1 1/4 tasse) de fromage blanc maigre

1 cuillerée à soupe de moutarde à l'ancienne

1 bol de fines herbes hachées (ciboulette, persil, cerfeuil, oseille)

sel, poivre noir fraîchement moulu

salade mélangée

1 Préchauffez le four à 180 °C (350 °F). Posez une feuille de papier sulfurisé sur le fond d'un moule à gâteau profond, de 22 cm de diamètre. Placez les pommes de terre dans une casserole remplie d'eau froide. Portez à ébullition et laissez cuire environ 10 minutes. Égouttez bien et laissez tiédir avant de couper les pommes de terre en rondelles fines.

2 Lavez soigneusement les épinards à l'eau froide. Placez-les dans une casserole sans les essorer. Couvrez. Laissez cuire, en remuant une fois, jusqu'à ce que les épinards fondent. Égouttez soigneusement dans une passoire et pressez pour éliminer le restant de liquide. Hachez finement.

APPORT NUTRITIONNEL	
Par portion :	
Valeur énergétique	255 Cal ou 1 072 kJ
Lipides	9,13 g
Acides gras saturés	4,28 g
Cholestérol	81,82 mg
Fibres	3,81 g

3 Battez les œufs avec le fromage blanc et la moutarde, puis incorporez les épinards et les herbes.

4 Disposez de manière concentrique une première couche de pommes de terre dans le fond du moule à gâteau. Étalez sur les pommes de terre une cuillerée de la préparation d'épinards. Recommencez l'opération, en salant et poivrant au fur et à mesure, jusqu'à ce qu'il ne reste plus de pommes de terre ni d'épinards.

5 Couvrez le moule d'une feuille d'aluminium et posez-le dans un plat.

6 Versez de l'eau dans le plat jusqu'à mi-hauteur du moule. Faites cuire au four pendant 45 à 50 minutes. Servez chaud ou froid avec une salade mélangée.

TARTINES GRILLÉES DE TOMATES AU PISTOU

Le pistou que l'on achète dans le commerce est riche en matières grasses, mais il apporte une telle saveur qu'on peut l'utiliser en très petites quantités, comme ici avec ces délicieuses tartines grillées.

INGRÉDIENTS

Pour 2 personnes

2 tranches épaisses de pain croustillant
3 cuillerées à soupe de fromage blanc ou
   de fromage frais maigres
2 cuillerées à café de pistou rouge ou vert
1 grosse tomate bien ferme
1 oignon rouge
sel, poivre noir fraîchement moulu

1 Faites griller les tranches de pain sous un gril chaud, en les retournant une fois, jusqu'à ce qu'elles soient bien dorées des deux côtés. Laissez refroidir.

2 Dans un bol, mélangez le fromage blanc et le pistou jusqu'à obtenir une consistance lisse et homogène. Étalez en couche épaisse sur chaque tranche.

3 Coupez la tomate et l'oignon rouge en rondelles fines avec un grand couteau effilé.

4 Disposez les rondelles sur chaque tranche de pain en les faisant se chevaucher. Salez et poivrez. Posez les tartines sur une plaque et réchauffez-les au gril. Servez aussitôt.

NOTE
Tous les types de pain croustillant conviennent pour cette recette. Le pain italien à l'huile d'olive et le pain de campagne sont toutefois les plus savoureux pour ces tartines.

APPORT NUTRITIONNEL

Par portion :	
Valeur énergétique	177 Cal ou 741 kJ
Lipides	2,41 g
Acides gras saturés	0,19 g
Cholestérol	0,23 mg
Fibres	2,20 g

CROÛTE AUX CHAMPIGNONS

La riche saveur des champignons est ici relevée par quelques traits de sauce worcester.

INGRÉDIENTS

Pour 2 à 4 personnes

1/2 baguette (environ 25 cm)
2 cuillerées à café d'huile d'olive
270 g (9 oz) de champignons à large chapeau, coupés en quatre
2 cuillerées à café de sauce worcester
2 cuillerées à café de jus de citron
2 cuillerées à soupe de lait écrémé
3 cuillerées à soupe de ciboulette fraîche ciselée
sel, poivre noir fraîchement moulu

1 Préchauffez le four à 200 °C (400 °F). Coupez la baguette en deux dans le sens de la longueur. Avec un couteau effilé, enlevez la mie du centre tout en laissant un bord épais autour de la croûte.

2 Badigeonnez le pain avec un peu d'huile. Posez les baguettes sur une tôle et passez au four pendant 6 à 8 minutes, jusqu'à ce qu'elles soient dorées et croustillantes.

3 Mettez les champignons dans une petite casserole. Ajoutez la sauce worcester, le jus de citron et le lait. Faites mijoter environ 5 minutes, jusqu'à ce que la majeure partie du liquide se soit évaporée.

4 Retirez du feu, puis ajoutez 2 cuillerées à soupe de ciboulette. Salez et poivrez. Avec une cuillère, farcissez les croûtes et servez chaud, parsemé de ciboulette ciselée.

APPORT NUTRITIONNEL	
Par portion :	
Valeur énergétique	324 Cal ou 1 361 kJ
Lipides	6,40 g
Acides gras saturés	1,27 g
Cholestérol	0,30 mg
Fibres	3,07 g

PAN BAGNA AUX SARDINES

Une petite collation ou un pique-nique léger, savoureux et riche en aliments sains – sardines, laitue, tomates !

INGRÉDIENTS

Pour 2 personnes

2 petits pains complets
130 g (4 1/2 oz) de sardines à l'huile d'olive
4 feuilles de salade très fraîche
1 grosse tomate coupée en rondelles
jus de 1/2 citron
sel, poivre noir fraîchement moulu

1 Ouvrez les pains avec un couteau effilé. Égouttez l'huile des sardines dans un petit bol, puis badigeonnez chaque face intérieure de pain avec un peu de cette huile.

2 Coupez les sardines en petits morceaux. Sur chaque tranche inférieure, posez une feuille de salade, une ou deux rondelles de tomate et quelques morceaux de sardine. Arrosez d'un peu de jus de citron. Salez et poivrez.

3 Recouvrez de l'autre moitié de pain et pressez légèrement. Servez aussitôt.

APPORT NUTRITIONNEL

Par portion :

Valeur énergétique	248 Cal ou 1 042 kJ
Lipides	8,51 g
Acides gras saturés	1,86 g
Cholestérol	32,50 mg
Fibres	3,01 g

NOTE

Vous pouvez remplacer les sardines par du thon à l'huile, ou bien encore essayer des maquereaux à l'huile, et poivrer généreusement.

SCOTCH EGGS

Cette version allégée des scotch
eggs traditionnels est délicieuse
pour un pique-nique. Si vous ne
trouvez pas de chair à saucisse mi-
grasse, achetez des saucisses
maigres de porc ou de dinde dont
vous ôterez la peau.

INGRÉDIENTS

Pour 3 scotch eggs

*5 cuillerées à soupe de persil haché et de
ciboulette ciselée mélangés*
12 cl (1/2 tasse) de fromage blanc maigre
sel, poivre noir fraîchement moulu
450 g (1 lb) de chair à saucisse mi-grasse
120 g (1/2 tasse) de flocons d'avoine
salade de laitue et tomates

1 Préchauffez le four à 200 °C (400 °F).
Mélangez les fines herbes et le fromage,
salez et poivrez. Avec cette préparation,
façonnez trois boulettes de taille égale.

2 Divisez la chair à saucisse en trois parts.
Aplatissez pour former des galettes rondes
d'environ 1,5 cm d'épaisseur.

3 Enveloppez de chair à saucisse chaque
boulette au fromage, en pressant légèrement
pour que le fromage soit bien enrobé. Versez
les flocons d'avoine dans une assiette. Roulez
soigneusement les boulettes dans les flocons
d'avoine pour bien les recouvrir.

4 Disposez les boulettes sur une tôle,
enfournez et laissez cuire 30 à 35 minutes,
jusqu'à ce qu'elles soient bien dorées. Servez
chaud ou froid, avec de la salade de laitue et de
tomates.

APPORT NUTRITIONNEL

Par portion :

Valeur énergétique	352 Cal ou 1 476 kJ
Lipides	15,94 g
Acides gras saturés	0,29 g
Cholestérol	66,38 mg
Fibres	3,82 g

PIPERADE AU PANACHÉ DE POIVRONS

INGRÉDIENTS

Pour 4 personnes

2 cuillerées à soupe d'huile d'olive
1 oignon haché
1 poivron rouge
1 poivron vert
4 tomates pelées et concassées
1 gousse d'ail écrasée
2 gros œufs battus avec 1 cuillerée
   à soupe d'eau
poivre noir fraîchement moulu
4 tranches épaisses de pain complet grillé

1 Dans une grande poêle, faites chauffer l'huile et mettez l'oignon à revenir doucement. Il faut qu'il dore sans brunir.

2 Débarrassez de leurs graines les deux poivrons et émincez-les finement. Ajoutez-les à l'oignon dans la poêle, et faites revenir à feu doux 5 minutes encore. Incorporez les tomates et l'ail, assaisonnez avec le poivre noir, et laissez encore cuire 5 minutes.

3 Battez les œufs avec l'eau et versez le mélange sur les légumes dans la poêle. Faites cuire 2 à 3 minutes en remuant de temps en temps. Il faut que la piperade épaississe jusqu'à prendre la consistance d'œufs brouillés. Servez sans attendre sur les tranches de pain complet grillé.

ASTUCE

Choisissez des œufs dont la boîte porte la date d'emballage, afin d'être sûr de leur fraîcheur. Ne remuez pas trop la piperade quand elle cuit, elle deviendrait caoutchouteuse.

APPORT NUTRITIONNEL

Par portion :

Valeur énergétique	310 kcal ou 1 300 kJ
Lipides	14,5 g
Acides gras saturés	3 g
Cholestérol	231 mg

NAANS AU POULET

INGRÉDIENTS

Pour 4 personnes

4 petits naans

*3 cuillerées à soupe de yaourt nature
   maigre*

1 1/2 cuillerée à café de garam masala

1 cuillerée à café de piment en poudre

1 cuillerée à café de sel

3 cuillerées à soupe de jus de citron

*1 cuillerée à soupe de coriandre fraîche
   hachée*

1 piment vert haché

*450 g (1 lb) de poulet sans peau désossé,
   coupé en petits cubes*

*1 cuillerée à soupe d'huile de tournesol
   (facultatif)*

8 rondelles d'oignon

2 tomates coupées en quatre

1/2 chou blanc ciselé

Garniture

quartiers de citron

2 petites tomates coupées en deux

salade mélangée

feuilles de coriandre fraîche

1 Coupez en deux chaque naan pour en faire une poche. Réservez.

2 Mélangez le yaourt, le garam masala, le piment en poudre, le sel, le jus de citron, la coriandre et le piment vert. Versez cette marinade sur les morceaux de poulet et laissez macérer 1 heure environ.

3 Préchauffez ensuite le gril à très forte température, puis baissez à feu moyen. Disposez le poulet dans un plat à gratin et faites-le griller pendant 15 à 20 minutes, jusqu'à ce qu'il soit bien tendre et cuit de part et d'autre. Retournez les morceaux au moins deux fois. Arrosez d'huile pendant la cuisson s'il le faut.

4 Sortez du gril et fourrez chaque naan de morceaux de poulet. Ajoutez les rondelles d'oignon, les tomates et le chou. Servez aussitôt avec les différentes garnitures.

> NOTE
> Servez-vous de naans tout prêts, que l'on peut trouver dans les épiceries asiatiques ou certains supermarchés.

APPORT NUTRITIONNEL

Par portion :

Valeur énergétique	364 Cal ou 1 529 kJ
Lipides	10,85 g
Acides gras saturés	3,01 g
Cholestérol	65,64 mg

TIKKA DE POULET

INGRÉDIENTS

Pour 6 personnes

*450 g (1 lb) de poulet désossé sans peau,
   haché ou coupé en cubes*

*1 morceau de racine de gingembre frais
   haché*

1 gousse d'ail écrasée

1 cuillerée à café de piment en poudre

1/4 cuillerée à café de curcuma

1 cuillerée à café de sel

20 cl (2/3 tasse) de yaourt nature maigre

4 cuillerées à soupe de jus de citron

*1 cuillerée à soupe de coriandre fraîche
   ciselée*

1 cuillerée à soupe d'huile de tournesol

Garniture

1 petit oignon coupé en rondelles

quartiers de citron vert

salade mélangée

feuilles de coriandre fraîche

1 Dans un saladier, mélangez soigneusement les morceaux de poulet, le gingembre, l'ail, le piment en poudre, le curcuma, le sel, le yaourt, le jus de citron et la coriandre. Laissez mariner au moins 2 heures.

2 Disposez les morceaux de poulet sur une plaque ou dans un plat à gratin garnis d'une feuille d'aluminium. Badigeonnez d'huile.

3 Préchauffez le gril à température moyenne. Faites griller le poulet pendant 15 à 20 minutes, jusqu'à ce qu'il soit bien tendre, en retournant les morceaux et en les badigeonnant de marinade deux ou trois fois. Servez avec les différentes garnitures.

> NOTE
> Ce tikka de poulet est un plat indien rapide et simple à préparer. Il peut être servi en entrée, mais peut également constituer un plat unique pour 4 personnes.

APPORT NUTRITIONNEL

Par portion :

Valeur énergétique	131 Cal ou 552 kJ
Lipides	5,50 g
Acides gras saturés	1,47 g
Cholestérol	44,07 mg

TORTILLA DE COURGETTE ET POMME DE TERRE

INGRÉDIENTS

Pour 4 personnes

450 g (1 lb) de pommes de terre pelées et
coupées en petits dés
2 cuillerées à soupe d'huile d'olive
1 oignon finement haché
1 gousse d'ail écrasée
2 courgettes finement émincées
2 cuillerées à soupe d'estragon frais ciselé
2 gros œufs battus
sel et poivre noir fraîchement moulu

APPORT NUTRITIONNEL

Par portion :

Valeur énergétique	265 kcal ou 1 100 kJ
Lipides	14,5 g
Acides gras saturés	3 g
Cholestérol	231 mg

1 Mettez à cuire les pommes
de terre dans de l'eau bouillante
salée pendant 5 minutes.

2 Faites chauffer l'huile dans une grande poêle que vous pourrez ensuite
mettre au four. Ajoutez
l'oignon et faites-le revenir doucement
3 à 4 minutes. Il faut qu'il devienne
souple. Ajoutez les pommes de terre, l'ail
et les courgettes. Faites cuire
encore 5 minutes à peu près en remuant
de temps en temps pour que les pommes
de terre n'attachent pas et dorent bien.
Les courgettes doivent devenir tendres.

3 Battez les œufs, incorporez-leur l'estragon, et assaisonnez avec
le sel et le poivre. Versez les œufs sur le
mélange de légumes dans la poêle, et
faites cuire à feu moyen pour que le dessous de la tortilla coagule. En même
temps, faites chauffer le gril du four.

4 Mettez la poêle sous le gril
du four et laissez cuire quelques
minutes pour que le dessus de
la tortilla coagule aussi. Coupez
en parts, et servez à même la poêle.

POMMES DE TERRE EN ROBE DES CHAMPS GARNIES

Le basilic s'utilise généralement pour
assaisonner les pâtes, mais il fait aussi
merveille dans les préparations à base
de riz ou pommes de terre et
accommode parfaitement les
féculents. Ici, il relève le yogourt que
l'on servira sur des pommes de terre
cuites au four dans leur robe,
agrémentées de poulet.

INGRÉDIENTS

Pour 4 personnes

4 pommes de terre non pelées, piquées
avec une fourchette
2 blancs de poulet
25 cl (1 tasse) de yogourt nature maigre
1 cuillerée à soupe de sauce basilic
du basilic frais pour garnir

1 Préchauffez le four à 200 °C
(400 °F) pour y faire cuire les
pommes de terre 1 h 15 environ. Il faut
qu'elles soient tendres quand vous les
piquerez avec la pointe d'un couteau.

2 À peu près 20 minutes avant la fin
de la cuisson des pommes de terre,
faites cuire les morceaux de poulet en
gardant la peau, afin que la chair ne
sèche pas. Pour cela mettez-les au four à
côté des pommes de terre, ou bien sur un
gril à feu modéré.

3 Battez le yogourt et le basilic.
Quand les pommes de terre sont
cuites, ouvrez-les au milieu. Ôtez
la peau des morceaux de poulet.

4 Émincez le poulet, remplissez-en les
pommes de terre, et nappez avec la
sauce au basilic.

APPORT NUTRITIONNEL

Par portion :

Valeur énergétique	310 Cal ou 1 295 kJ
Lipides	5,5 g
Acides gras saturés	1,5 g
Cholestérol	35,5 mg

PÂTES, PIZZAS, LÉGUMES SECS ET GRAINES

Les pâtes ou les légumes secs sont par nature pauvres
en matières grasses et riches en hydrates de carbone,
mais ils sont souvent accompagnés de sauces grasses.
Pourtant, des recettes légères peuvent être
très appétissantes. En voici de délicieuses,
comme les fusilli à la truite fumée ou les spaghettis aux
haricots pimentés, la salade de semoule de blé
à la menthe ou le ragoût aux haricots épicés.

◆ ◆ ◆

TAGLIATELLES AUX CHAMPIGNONS

Pour 4 personnes

1 petit oignon, finement haché

2 gousses d'ail, écrasées

15 cl (1/4 pt) de bouillon de légumes

225 g (8 oz) de champignons frais mélangés
  (chanterelles, mousserons, lactaires,
  girolles, etc.)

4 cuillerées à soupe de vin blanc ou rouge

2 cuillerées à café de purée de tomates

1 cuillerée à soupe de sauce de soja

1 cuillerée à café de thym frais

2 cuillerées à soupe de persil frais ciselé,
  plus quelques brins pour décorer

sel et poivre noir

225 g (8 oz) de tomates séchées au soleil
  (on les trouve dans les épiceries
  italiennes)

225 g (8 oz) de tagliatelles aux herbes

copeaux de parmesan, pour servir
  (facultatif)

1 Mettez l'oignon et l'ail dans une casserole avec le bouillon, couvrez et laissez cuire pendant 5 minutes.

APPORT NUTRITIONNEL	
Par portion :	
Calories	241 kcal/1 010 kJ
Lipides	2,4 g
Acides gras saturés	0,7 g
Cholestérol	45 g
Fibres	3 g

2 Ajoutez les champignons (coupés en quartiers, émincés, ou entiers, selon leur taille), le vin, la purée de tomates et la sauce de soja. Couvrez et faites cuire 5 minutes.

3 Découvrez la casserole et laissez bouillir jusqu'à ce que le liquide de cuisson ait réduit de moitié. Incorporez les fines herbes, salez et poivrez selon votre goût.

4 Faites cuire les pâtes *al dente* dans une grande casserole d'eau bouillante salée, selon les indications portées sur le paquet. Égouttez-les soigneusement et mélangez-les délicatement aux champignons. Servez décoré avec du persil et du parmesan (facultatif).

PASTA PRIMAVERA

On peut mélanger les légumes printaniers les plus variés pour réaliser ce délicieux plat de pâtes.

INGRÉDIENTS

Pour 4 personnes

225 g (8 oz) de pointes d'asperges, coupées en deux

115 g (4 oz) de mange-tout, épluchés

115 g (4 oz) de mini-épis de maïs

225 g (8 oz) de carottes nouvelles entières, épluchées

1 petit poivron rouge, épépiné et coupé en petits morceaux

8 ciboules, émincées

225 g (8 oz) de torchiettis

15 cl (1/4 pt) de cottage-cheese maigre

15 cl (1/4 pt) de yaourt maigre

1 cuillerée à soupe de jus de citron

1 cuillerée à soupe de persil ciselé

1 cuillerée à soupe de ciboulette ciselée

sel et poivre noir

lait écrémé (facultatif)

pain aux tomates séchées au soleil (on les trouve dans les épiceries italiennes), pour servir

1 Dans une casserole d'eau bouillante salée, faites cuire les pointes d'asperges pendant 3 à 4 minutes. Ajoutez les mange-tout à mi-cuisson. Égouttez et rincez sous l'eau froide pour éviter qu'ils ne ramollissent trop.

2 Faites cuire les mini-épis de maïs, les carottes, le poivron rouge et les ciboules selon la même méthode. Égouttez et rincez.

3 Faites cuire les pâtes *al dente* dans une grande casserole d'eau bouillante salée, selon les indications portées sur le paquet. Égouttez soigneusement.

4 Avec un mixeur, réduisez le cottage-cheese, le yaourt, le jus de citron, le persil, la ciboulette en sauce onctueuse et lisse. Salez et poivrez selon votre goût. Liquéfiez la sauce, si nécessaire, avec du lait écrémé. Versez dans une grande casserole avec les pâtes et les légumes, faites chauffer à feu doux et remuez délicatement. Servez immédiatement, accompagné de pain à la tomate séchée.

APPORT NUTRITIONNEL	
Par portion :	
Calories	320 kcal/1 344 kJ
Lipides	3,1 g
Acides gras saturés	0,4 g
Cholestérol	3 mg
Fibres	6,2 g

Penne et aubergines sauce menthe

Dans cette superbe variante du pistou italien traditionnel, le basilic est remplacé par de la menthe.

Ingrédients

Pour 4 personnes

2 grosses aubergines
1 pincée de sel
500 g environ (5 tasses) de penne
60 g (1/2 tasse) de cerneaux de noix

Pour la sauce menthe

1 petit bol de menthe fraîche
1/2 bol de persil plat
60 g (1/2 tasse) de cerneaux de noix
100 g (1/2 tasse) de parmesan finement
  râpé
2 gousses d'ail
3 cuillerées à soupe d'huile d'olive
sel, poivre noir fraîchement moulu

Apport nutritionnel

Par portion :

Valeur énergétique	777 Cal ou 2 364 kJ
Lipides	38,11 g
Acides gras saturés	6,29 g
Cholestérol	10 mg
Fibres	8,57 g

1 Coupez les aubergines en tranches d'épaisseur moyenne dans le sens de la longueur.

2 Coupez-les de nouveau transversalement pour obtenir de courts bâtonnets.

3 Dans une passoire, saupoudrez-les de sel et laissez-les dégorger pendant 30 minutes au-dessus d'une assiette. Rincez bien à l'eau froide et égouttez.

4 Préparez la sauce menthe. Mettez tous les ingrédients sauf l'huile dans le bol d'un mixer. Travaillez jusqu'à obtenir une pâte lisse et homogène. Sans cesser de mixer, versez lentement l'huile en filet. Salez et poivrez selon votre goût.

5 Dans une casserole d'eau bouillante, jetez les penne et laissez cuire pendant 8 minutes, jusqu'à ce qu'elles soient al dente. Ajoutez les aubergines et faites cuire 3 minutes encore.

6 Égouttez bien. Mélangez les penne avec la moitié de la sauce menthe et des cerneaux de noix. Nappez du reste de sauce et parsemez de noix. Servez aussitôt.

TAGLIATELLES AUX PETITS POIS ET AUX FÈVES

La douce saveur des petits légumes
est ici relevée par une sauce
superbement onctueuse.

INGRÉDIENTS

Pour 4 personnes

1 cuillerée à soupe d'huile d'olive

1 gousse d'ail écrasée

6 oignons nouveaux émincés

*240 g (1 tasse) de petits pois frais ou
surgelés (décongelés)*

360 g (12 oz) de petites asperges

*2 cuillerées à soupe de sauge fraîche
hachée et quelques feuilles de sauge
entières*

zeste finement râpé de 2 citrons

*40 cl (1 2/3 tasse) de bouillon de légumes
ou d'eau*

*360 g (1 2/3 tasse) de graines de fèves
fraîches ou surgelées (décongelées)*

450 g (1 lb) de tagliatelles

*4 cuillerées à soupe de yaourt nature
maigre*

APPORT NUTRITIONNEL

Par portion :

Valeur énergétique	509 Cal ou 2 139 kJ
Lipides	6,75 g
Acides gras saturés	0,95 g
Cholestérol	0,60 mg
Fibres	9,75 g

1 Dans une cocotte, faites chauffer l'huile. Ajoutez l'ail et les oignons et faites revenir pendant 2 à 3 minutes.

2 Ajoutez les petits pois et un tiers des asperges, puis la sauge, le zeste de citron et le bouillon ou l'eau. Laissez mijoter environ 10 minutes. Passez au mixer jusqu'à obtenir un mélange lisse et homogène.

3 Entre-temps, émondez les fèves.

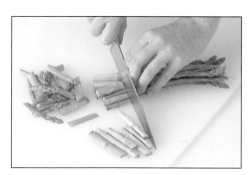

4 Coupez en petits tronçons le reste d'asperges en retirant les bouts fibreux. Plongez-les dans de l'eau bouillante pendant environ 2 minutes.

5 Faites cuire les tagliatelles jusqu'à ce qu'elles soient al dente. Égouttez bien.

6 Ajoutez à la sauce les asperges cuites et les fèves. Réchauffez. Incorporez le yaourt. Dressez les tagliatelles sur un plat et nappez avec la sauce. Décorez avec quelques feuilles de sauge et servez aussitôt.

> NOTE
> Les petits pois et les fèves surgelés sont proposés ici pour gagner du temps, mais ce plat est encore plus délicieux avec des légumes frais de saison.

MACARONIS À LA DINDE ET AU FROMAGE

Variante légère et savoureuse du traditionnel gratin de pâtes au fromage, auquel on a ajouté ici des tranches de dinde pour en enrichir encore la saveur. Servez accompagné de pain ciabatta chaud et d'une salade mélangée.

APPORT NUTRITIONNEL	
Par portion :	
Calories	152 kcal/637 kJ
Lipides	2,8 g
Acides gras saturés	0,7 g
Cholestérol	12 mg
Fibres	1,1 g

INGRÉDIENTS

Pour 4 personnes

1 oignon moyen, émincé
15 cl (1/4 pt) de bouillon de légumes ou de poule
2 cuillerées à soupe de margarine allégée
3 cuillerées à soupe de farine
30 cl (1/2 pt) de lait écrémé
sel et poivre noir
50 g (2 oz) de cheddar allégé râpé
1 cuillerée à café de moutarde
225 g (8 oz) de macaronis à cuisson rapide
4 tranches de dinde fumée, coupées en deux
2 à 3 tomates fermes, coupées en rondelles
quelques feuilles de basilic frais
1 cuillerée à soupe de parmesan râpé

1 Mettez l'oignon et le bouillon dans une poêle. Portez à ébullition, en remuant de temps en temps, et laissez cuire de 5 à 6 minutes, jusqu'à réduction complète du bouillon. L'oignon doit être transparent. Réservez.

2 Mettez la margarine, la farine et le lait dans une casserole. Salez et poivrez. Faites chauffer en fouettant jusqu'à l'obtention d'une sauce homogène. Retirez du feu et incorporez le fromage, la moutarde et l'oignon.

3 Faites cuire les macaronis dans une grande casserole d'eau bouillante salée, selon les indications portées sur le paquet. Faites préchauffer le gril. Égouttez soigneusement les pâtes et incorporez-les à la sauce. Transférez le tout dans un plat à four creux.

4 Disposez les tranches de dinde et les tomates, en les faisant se chevaucher, sur le gratin de pâtes. Décorez avec des feuilles de basilic, saupoudrez de parmesan et faites légèrement griller.

PÂTES AUX TOMATES ET AU THON

INGRÉDIENTS

Pour 4 personnes

1 oignon moyen, finement haché
1 branche de céleri, finement hachée
1 poivron rouge, épépiné et coupé en dés
1 gousse d'ail, écrasée
15 cl (1/4 pt) de bouillon de poule
400 g (14 oz) de tomates concassées
1 cuillerée à soupe de purée de tomates
2 cuillerées à café de sucre en poudre
1 cuillerée à soupe de basilic frais ciselé
1 cuillerée à soupe de persil frais ciselé
sel et poivre noir
450 g (1 lb) d'oreillettes
400 g (14 oz) de thon en boîte, égoutté
2 cuillerées à soupe de câpres, égouttées

1 Mettez l'oignon, le céleri, le poivron rouge et l'ail dans une casserole. Mouillez avec le bouillon, portez à ébullition et laissez cuire pendant 5 minutes. Le bouillon doit réduire presque entièrement.

2 Ajoutez les tomates, la purée de tomates, le sucre et les fines herbes. Salez et poivrez selon votre goût et portez à ébullition. Laissez mijoter pendant 30 minutes, en remuant de temps en temps, jusqu'à épaississement de la sauce.

3 Pendant ce temps, faites cuire les pâtes *al dente* dans une grande casserole d'eau bouillante salée, selon les indications portées sur le paquet. Égouttez soigneusement et transférez dans un plat de service chaud.

ASTUCE
Vous pouvez remplacer tomates et fines herbes fraîches par des tomates en boîte et une à deux cuillerées à café de fines herbes séchées.

4 Divisez le thon en morceaux et incorporez-le à la sauce avec les câpres. Faites réchauffer pendant 1 à 2 minutes, versez sur les pâtes, remuez doucement et servez immédiatement.

APPORT NUTRITIONNEL

Par portion :

Calories	369 kcal/1 549 kJ
Lipides	2,1 g
Acides gras saturés	0,4 g
Cholestérol	34 mg
Fibres	4 g

SPAGHETTIS AUX HERBES DE PROVENCE

──────── INGRÉDIENTS ────────

Pour 4 personnes

2 grosses poignées d'herbes aromatiques
*   fraîches hachées (persil, basilic, thym)*
2 gousses d'ail écrasées
4 cuillerées à soupe de pignons grillés
4 cuillerées à soupe d'huile d'olive
360 g (12 oz) de spaghettis
4 cuillerées à soupe de parmesan râpé
sel, poivre noir fraîchement moulu
quelques feuilles de basilic

NOTE

Il faut que les spaghettis soient cuits al dente, légèrement fermes sous la dent. S'ils cuisent trop longtemps, ils deviennent pâteux.

---

1 Mettez les herbes, l'ail et la moitié des pignons dans le bol d'un mixer. Travaillez, en incorporant lentement l'huile d'olive, jusqu'à ce que vous obteniez une pâte épaisse.

2 Cuisez les spaghettis à l'eau bouillante salée pendant environ 8 minutes, jusqu'à ce qu'ils soient al dente. Égouttez-les.

── APPORT NUTRITIONNEL ──	
Par portion :	
Valeur énergétique	694 Cal ou 2 915 kJ
Lipides	42,01 g
Acides gras saturés	6,80 g
Cholestérol	7,50 mg
Fibres	3,18 g

3 Versez la sauce aux herbes dans le fond d'un grand saladier chaud. Ajoutez les spaghettis et le parmesan. Mélangez bien pour que les pâtes s'imprègnent de la sauce. Parsemez du reste de pignons et de quelques feuilles de basilic. Servez aussitôt.

OMELETTES AUX PETITS LÉGUMES

──────── INGRÉDIENTS ────────

Pour 3 à 4 personnes

2 œufs
1 à 2 cuillerées à soupe de ciboulette
*   finement ciselée*
sel, poivre noir fraîchement moulu
2 cuillerées à soupe d'huile d'arachide
1 gousse d'ail hachée
1 petit morceau de racine de gingembre
*   frais haché*
2 branches de céleri émincées
2 carottes grossièrement râpées
2 petites courgettes grossièrement râpées
4 oignons nouveaux émincés
1 botte de radis coupés en rondelles fines
200 g (1 1/3 tasse) de germes de soja
1/4 de tête de chou chinois ciselé
1 cuillerée à soupe d'huile de sésame

1 Dans un bol, battez ensemble les œufs et la ciboulette. Salez et poivrez. Dans une poêle, faites chauffer 1 cuillerée à café d'huile d'arachide. Versez juste assez d'œuf battu pour couvrir le fond de la poêle. Laissez cuire 1 à 2 minutes, puis retournez l'omelette et faites cuire 1 minute encore.

2 Posez l'omelette sur une assiette, puis préparez de la même façon plusieurs omelettes avec le reste d'œufs battus. Ajoutez un peu d'huile dans la poêle s'il le faut. Roulez les omelettes et coupez-les en tranches fines. Réservez au chaud dans le four à basse température.

3 Chauffez le reste d'huile dans un wok ou une grande poêle. Ajoutez l'ail et le gingembre. Faites revenir pendant quelques secondes en remuant sans cesse, pour parfumer l'huile.

4 Ajoutez le céleri, les carottes et les courgettes. Faites revenir environ 1 minute, en tournant constamment. Ajoutez les radis, les germes de soja, les oignons nouveaux et le chou chinois, et continuez la cuisson encore 2 à 3 minutes, sans cesser de remuer. Les légumes doivent être tendres, mais encore croquants. Arrosez les légumes de quelques gouttes d'huile de sésame et mélangez délicatement.

5 Servez les légumes aussitôt, surmontés de tranches d'omelette à la ciboulette.

── APPORT NUTRITIONNEL ──	
Par portion :	
Valeur énergétique	188 Cal ou 788 kJ
Lipides	13,30 g
Acides gras saturés	2,76 g
Cholestérol	146,30 mg
Fibres	3,85 g

Salade de fusillis au crabe

Le yaourt maigre est idéal pour cet assaisonnement relevé.

Ingrédients

Pour 6 personnes

350 g (12 oz) de fusillis

1 petit poivron rouge, épépiné et finement haché

2 boîtes de chair de crabe de 175 g (6 oz), égouttée

115 g (4 oz) de tomates cerises, coupées en deux

1/4 de concombre, coupé en deux, épépiné et émincé en lamelles

sel et poivre noir

1 cuillerée à soupe de jus de citron

30 cl (1/2 pt) de yaourt maigre

2 branches de céleri, finement hachées

2 cuillerées à café de crème de raifort

1/2 cuillerée à café de paprika

1/2 cuillerée à café de moutarde de Dijon

2 cuillerées à soupe de tomates en pickle doux ou de chutney

basilic frais, pour décorer

1 Faites cuire les pâtes *al dente* dans une grande casserole d'eau bouillante salée, selon les indications portées sur le paquet. Égouttez et rincez soigneusement sous l'eau froide.

2 Dans un bol, couvrez le hachis de poivron d'eau bouillante et laissez reposer pendant 1 minute. Égouttez, rincez sous l'eau froide et séchez avec du papier absorbant.

Apport nutritionnel	
Par portion :	
Calories	305 kcal/1 283 kJ
Lipides	2,5 g
Acides gras saturés	0,5 g
Cholestérol	43 mg
Fibres	2,9 g

3 Égouttez la chair de crabe et vérifiez soigneusement qu'il ne reste pas de morceaux de carapace. Mettez le crabe dans un saladier avec les moitiés de tomates et le concombre. Salez, poivrez et arrosez de jus de citron.

4 Pour préparer l'aissaisonnement, incorporez le poivron rouge au yaourt, avec le céleri, le raifort, le paprika, la moutarde et les tomates en pickle (ou le chutney). Mélangez les pâtes et l'assaisonnement et transférez le tout dans un plat de service. Ajoutez le crabe sur le dessus et décorez avec le basilic.

FUSILLIS À LA TRUITE FUMÉE

INGRÉDIENTS

Pour 4-6 personnes

2 carottes, coupées en julienne

1 poireau, coupé en julienne

*2 branches de céleri, coupées en
    julienne*

*15 cl (1/4 pt) de bouillon de légumes ou de
    fumet*

*225 g (8 oz) de filets de truite fumée,
    dépiautés et coupés en lanières*

200 g (7 oz) de fromage blanc maigre

*15 cl (1/4 pt) de vin blanc moyennement
    doux ou de fumet*

sel et poivre noir

*1 cuillerée à soupe d'aneth ou de fenouil
    frais ciselé*

225 g (8 oz) de fusillis

brins d'aneth, pour décorer

1 Mettez les carottes, le poireau et le céleri
dans une casserole. Mouillez avec le
bouillon et portez à ébullition. Laissez cuire
pendant 4 à 5 minutes, jusqu'à la presque
complète évaporation du bouillon. Les légumes
doivent être cuits. Retirez du feu et ajoutez la
truite fumée.

2 Pour préparer la sauce, mettez le fromage
blanc et le vin (ou le fumet) dans une
casserole, faites chauffer et remuez en
fouettant jusqu'à l'obtention d'une crème
onctueuse. Salez et poivrez. Ajoutez l'aneth
(ou le fenouil).

4 Remettez les pâtes dans la casserole avec la
sauce, mélangez doucement et transférez le
tout dans un plat de service. Recouvrez avec
les légumes et la truite. Servez immédiatement
décoré de brins d'aneth.

APPORT NUTRITIONNEL	
Par portion :	
Calories	339 kcal/1 422 kJ
Lipides	4,7 g
Acides gras saturés	0,8 g
Cholestérol	57 mg
Fibres	4,1 g

3 Faites cuire les pâtes *al dente* dans une
grande casserole d'eau bouillante salée,
selon les indications portées sur le paquet.
Égouttez soigneusement.

ASTUCE
Il est préférable de fouetter la sauce
pendant sa préparation pour obtenir un
mélange parfaitement onctueux. On peut
remplacer la truite par du saumon fumé.

TABOULÉ AU FENOUIL

Un plat rafraîchissant et savoureux qui nous vient directement du Moyen-Orient, parfait pour un déjeuner d'été. Servez avec quelques feuilles de salade et des pitas.

INGRÉDIENTS

Pour 4 personnes

200 g (1 1/4 tasse) de boulgour
2 bulbes de fenouil
1 petit piment rouge égrené et haché
1 branche de céleri émincée
2 cuillerées à soupe d'huile d'olive
zeste finement râpé et jus de 2 citrons
6 à 8 oignons nouveaux hachés
6 cuillerées à soupe de menthe fraîche
*   finement ciselée*
6 cuillerées à soupe de persil frais
*   finement ciselé*
1 grenade épépinée
sel, poivre noir fraîchement moulu

APPORT NUTRITIONNEL

Par portion :

Valeur énergétique	188 Cal ou 791 kJ
Lipides	4,67 g
Acides gras saturés	0,62 g
Cholestérol	0
Fibres	2,17 g

1 Versez le boulgour dans un grand bol. Couvrez-le d'eau froide. Laissez-le tremper pendant 30 minutes.

3 Coupez en deux les bulbes de fenouil. Émincez-les avec un couteau effilé.

2 Égouttez au travers d'une passoire, en pressant avec le dos d'une cuillère pour éliminer l'excédent d'eau.

4 Mélangez tous les autres ingrédients avec le boulgour et le fenouil. Salez et poivrez. Couvrez et laissez reposer pendant 30 minutes avant de servir.

> NOTE
> Le fenouil offre une saveur anisée très particulière. Choisissez toujours des bulbes bien ronds, qui vont du vert pâle au blanc. Évitez les bulbes vert foncé. Le fenouil est disponible toute l'année.

COUSCOUS AUX LÉGUMES

Un merveilleux mariage de légumes doux et d'épices, pour réchauffer une soirée d'hiver.

INGRÉDIENTS

Pour 4 à 6 personnes

quelques stigmates de safran

3 cuillerées à soupe d'eau bouillante

1 cuillerée à soupe d'huile d'olive

1 oignon rouge émincé

2 gousses d'ail

1 ou 2 piments rouges épépinés et émincés

1/2 cuillerée à café de gingembre en poudre

1/2 cuillerée à café de cannelle en poudre

420 g (14 oz) de tomates concassées en conserve

30 cl (1 1/4 tasse) de bouillon de légumes ou d'eau

4 carottes pelées et coupées en rondelles

2 navets pelés et coupés en dés

450 g (1 lb) de patates douces pelées et coupées en dés

160 g (2/3 tasse) de raisins secs

2 courgettes coupées en rondelles

420 g (14 oz) de pois chiches en conserve égouttés et rincés

3 cuillerées à soupe de persil frais haché

3 cuillerées à soupe de coriandre fraîche hachée

500 g (4 tasses) de coucous à cuisson rapide

1 Faites tremper le safran dans une coupelle d'eau bouillante.

2 Faites chauffer l'huile dans une grande casserole ou une cocotte. Ajoutez l'oignon, l'ail et les piments. Faites cuire à feu doux environ 5 minutes.

3 Ajoutez le gingembre et la cannelle. Continuez de cuire à feu doux pendant 1 à 2 minutes.

4 Ajoutez les tomates, le bouillon ou l'eau, le safran et son liquide, les carottes, les navets, les patates douces et les raisins secs. Couvrez. Laissez mijoter 25 minutes.

5 Ajoutez les courgettes, les pois chiches, le persil et la coriandre. Continuez la cuisson encore 10 minutes.

6 Entre-temps, préparez le couscous en respectant le mode d'emploi indiqué sur le paquet. Servez avec les légumes.

APPORT NUTRITIONNEL

Par portion :

Valeur énergétique	570 Cal ou 2 393 kJ
Lipides	7,02 g
Acides gras saturés	0,83 g
Cholestérol	0
Fibres	10,04 g

NOTE

On peut préparer un bouillon de légumes avec toutes sortes de légumes crus, parfois même avec les feuilles extérieures de choux, de laitue et d'autres légumes verts, mais aussi avec des pelures de carottes, des poireaux et des navets.

CAMPANELLES ÉPICÉES AUX CREVETTES

Cette sauce légère aux crevettes accompagne à merveille un plat de pâtes. À vous de doser la quantité de piment selon votre goût.

INGRÉDIENTS

Pour 4-6 personnes

225 g (8 oz) de grosses crevettes, cuites et décortiquées
1-2 gousses d'ail, écrasées
le zeste finement râpé de 1 citron
1 cuillerée à soupe de jus de citron
1/4 cuillerée à café de piment en pâte ou 1 grosse pincée de piment en poudre
1 cuillerée à soupe de sauce de soja
sel et poivre noir
150 g (5 oz) de tranches de dinde fumée
1 échalote ou 1 petit oignon, finement haché
4 cuillerées à soupe de vin blanc sec
225 g (8 oz) de campanelles
4 cuillerées à soupe de fumet
4 tomates fermes mais mûres, pelées, épépinées et concassées
2 cuillerées à soupe de persil frais ciselé

APPORT NUTRITIONNEL

Par portion :	
Calories	331 kcal/1 388 kJ
Lipides	2,9 g
Acides gras saturés	0,6 g
Cholestérol	64 mg
Fibres	3,2 g

ASTUCE

Pour gagner du temps, on peut mélanger les crevettes et les ingrédients de la marinade la veille, les couvrir et les laisser reposer toute la nuit au réfrigérateur.

1 Dans un grand saladier, mélangez les crevettes avec l'ail, le zeste et le jus de citron, le piment en pâte (ou en poudre) et la sauce de soja. Salez et poivrez, couvrez et laissez mariner pendant au moins 1 heure.

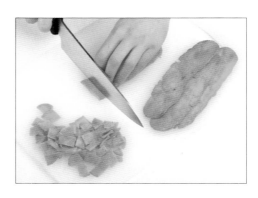

2 Faites griller les tranches de dinde, puis coupez-les en petits dés.

3 Mettez l'échalote (ou l'oignon) et le vin blanc dans une casserole. Portez à ébullition, couvrez et laissez cuire pendant 2 à 3 minutes. Le vin doit réduire de moitié et l'échalote avoir fondu.

4 Faites cuire les pâtes *al dente* dans une grande casserole d'eau bouillante salée, selon les indications portées sur le paquet. Égouttez soigneusement.

5 Avant de servir, mettez les crevettes avec la marinade dans une grande poêle, portez à ébullition à feu vif, puis ajoutez la truite fumée et le fumet. Faites chauffer pendant 1 minute.

6 Ajoutez les pâtes, les tomates et le persil. Remuez et servez immédiatement.

SPAGHETTIS AUX HARICOTS PIMENTÉS

Une variante végétarienne, nourrissante et idéale comme plat principal.

INGRÉDIENTS

Pour 6 personnes

1 oignon, finement haché
1-2 gousses d'ail, écrasées
1 gros piment vert, épépiné et haché
15 cl (1/4 pt) de bouillon de légumes
400 g (14 oz) de tomates en boîte,
 concassées
2 cuillerées à soupe de purée de tomates
12 cl (4 fl oz) de vin rouge
1 cuillerée à café d'origan séché
sel et poivre noir
400 g (14 oz) de flageolets
200 g (7 oz) de haricots verts en boîte,
 coupés en tronçons
400 g (14 oz) de haricots rouges en boîte,
 égouttés
400 g (14 oz) de pois chiches, égouttés
450 g (1 lb) de spaghettis

APPORT NUTRITIONNEL	
Par portion :	
Calories	431 kcal/1 811 kJ
Lipides	3,6 g
Acides gras saturés	0,2 g
Cholestérol	0
Fibres	9,9 g

1 Pour préparer la sauce, mettez l'oignon, l'ail et le piment dans une casserole avec le bouillon. Portez à ébullition et laissez cuire pendant 5 minutes.

2 Ajoutez les tomates, la purée de tomates, le vin, l'origan, du sel et du poivre. Portez à ébullition, couvrez et laissez mijoter pendant 20 minutes.

3 Faites cuire les flageolets dans une casserole d'eau bouillante salée pendant 5 à 6 minutes. Égouttez-les soigneusement.

4 Incorporez tous les haricots et les pois chiches à la sauce, et laissez mijoter encore 10 minutes. Pendant ce temps, faites cuire les pâtes *al dente* dans une grande casserole d'eau bouillante salée, selon les indications portées sur le paquet. Égouttez soigneusement. Transférez les pâtes dans un plat de service ou des assiettes individuelles et recouvrez avec de la sauce aux haricots.

ASTUCE
Rincez soigneusement les haricots à l'eau froide pour les dessaler au maximum et égouttez-les bien avant usage.

SALADE DE NOUILLES À L'ANANAS ET AU GINGEMBRE

Cette appétissante salade de nouilles mêle des saveurs exotiques qui charmeront vos convives. Idéale pour un buffet estival.

INGRÉDIENTS

Pour 4 personnes

275 g (10 oz) de nouilles

1/2 ananas, pelé, évidé et coupé en tranches de 4 cm (1 1/2 po)

3 cuillerées à soupe de cassonade

4 cuillerées à soupe de jus de citron vert

4 cuillerées à soupe de lait de noix de coco

2 cuillerées à soupe de nuoc-mâm

2 cuillerées à soupe de racine de gingembre frais, râpé

2 gousses d'ail, finement hachées

poivre noir

1 mangue ou 2 pêches mûres, coupées en petits dés

2 ciboules, finement émincées, 2 piments rouges, épépinés et hachés, plus quelques feuilles de menthe, pour décorer

APPORT NUTRITIONNEL

Par portion :

Calories	350 kcal/1 487 kJ
Lipides	4,49 g
Acides gras saturés	0,05 g
Cholestérol	0
Fibres	3,13 g

ASTUCE

Pour cette recette, vous pouvez utiliser des tranches d'ananas en boîte, dans leur jus. Vous pouvez aussi remplacer l'ail frais par une cuillerée à café d'ail séché. Choisissez des mangues bien mûres, à la peau lisse, sans tache, et qui s'enfonce légèrement sous la pression du pouce.

1 Faites cuire les nouilles dans une grande casserole d'eau bouillante salée, selon les indications portées sur le paquet. Égouttez-les, puis rincez à l'eau froide et égouttez-les une nouvelle fois.

3 Mélangez le jus de citron vert, le lait de noix de coco et le nuoc-mâm dans un saladier. Ajoutez le reste de cassonade, le gingembre et l'ail. Fouettez et poivrez. Incorporez les nouilles et l'ananas.

2 Placez les tranches d'ananas dans un plat à four, saupoudrez avec 2 cuillerées à soupe de cassonade et faites griller pendant 5 minutes. Les tranches doivent être bien dorées. Laissez un peu refroidir et coupez en petits morceaux.

4 Ajoutez la mangue (ou les pêches) et remuez vigoureusement. Parsemez de ciboule, de piment et de feuilles de menthe avant de servir.

PÂTES AUX POIS CHICHES

—— INGRÉDIENTS ——

Pour 4 personnes

1 cuillerée à café d'huile d'olive
1 petit oignon finement haché
1 gousse d'ail écrasée
1 branche de céleri finement hachée
450 g (15 oz) de pois chiches en conserve
  égouttés
25 cl (1 tasse) de sauce tomate
350 g (2 tasses) de pâtes
sel, poivre noir fraîchement moulu
1 petite poignée de persil frais haché

1 Dans une poêle, faites chauffez l'huile. Ajoutez l'oignon, l'ail et le céleri, et faites blondir. Incorporez les pois chiches et la sauce tomate. Couvrez, puis laissez mijoter environ 15 minutes.

2 Cuisez les pâtes à l'eau bouillante et légèrement salée, jusqu'à ce qu'elles soient al dente. Égouttez, puis mélangez à la sauce. Salez et poivrez selon votre goût. Parsemez de persil haché. Servez aussitôt.

—— APPORT NUTRITIONNEL ——

Par portion :

Valeur énergétique	374 Cal ou 1 570 kJ
Lipides	4,44 g
Acides gras saturés	0,32 g
Cholestérol	0
Fibres	6,41 g

PIZZA AUX POIVRONS

—— INGRÉDIENTS ——

Pour 2 grandes pizzas

Pour la pâte

600 g (4 tasses) de farine
1 pincée de sel
1 sachet de levure boulangère
40 cl (1 1/2 tasse) environ d'eau chaude

Pour la garniture

1 oignon émincé
2 cuillerées à café d'huile d'olive
2 gros poivrons rouges et 2 poivrons
  jaunes égrenés et coupés en fines
  lamelles
1 gousse d'ail écrasée
420 g (14 oz) de tomates en boîte
sel, poivre noir fraîchement moulu
8 olives noires dénoyautées, coupées
  en deux

1 Préparez la pâte. Tamisez la farine et le sel dans un saladier. Incorporez la levure, puis juste assez d'eau chaude pour obtenir une pâte molle.

2 Malaxez pendant 5 minutes et façonnez une boule. Couvrez et laissez reposer environ 1 heure. La pâte doit doubler de volume.

—— APPORT NUTRITIONNEL ——

Par portion :

Valeur énergétique	965 Cal ou 4 052 kJ
Lipides	9,04 g
Acides gras saturés	1,07 g
Cholestérol	0
Fibres	14,51 g

3 Faites blondir l'oignon dans l'huile, puis incorporez les poivrons, l'ail et les tomates. Couvrez et laissez mijoter pendant 30 minutes, jusqu'à absorption du liquide. Salez et poivrez selon votre goût.

4 Préchauffez le four à 230 °C (450 °F). Coupez la pâte en deux. Aplatissez chaque moitié en un cercle d'environ 28 cm de diamètre sur une tôle légèrement huilée. Relevez légèrement les bords.

5 Étalez le mélange de poivrons et de tomates. Parsemez d'olives noires. Enfournez pendant 15 à 20 minutes. Servez chaud ou froid, avec une salade.

CAMPANELLE À LA SAUCE AUX POIVRONS

Les poivrons jaunes grillés sont ici délicieux dans une sauce douce et onctueuse.

INGRÉDIENTS

Pour 4 personnes

2 poivrons jaunes coupés en deux
120 g (1/2 tasse) de fromage de chèvre frais maigre
120 g (1/2 tasse) de ricotta maigre
sel, poivre noir fraîchement moulu
500 g environ (5 tasses) de campanelle
60 g (1/4 tasse) d'amandes grillées effilées

APPORT NUTRITIONNEL

Par portion :

Valeur énergétique	529 Cal ou 2 221 kJ
Lipides	11,18 g
Acides gras saturés	0,88 g
Cholestérol	9,04 mg
Fibres	5,69 g

1 Préchauffez le gril. Faites griller les poivrons jusqu'à ce que la peau soit noircie et boursouflée. Laissez-les refroidir. Pelez et égrenez.

NOTE
Coupez toujours la tige des poivrons, ôtez-en les côtes et les pépins.

2 Mettez les poivrons dans le bol d'un mixer. Ajoutez le fromage de chèvre et la ricotta. Réduisez en purée lisse et homogène. Salez, et poivrez généreusement.

3 Cuisez les pâtes al dente en respectant le mode d'emploi indiqué sur le paquet. Égouttez bien.

4 Versez les pâtes dans la sauce. Parsemez d'amandes grillées. Servez aussitôt.

SALADE DE LENTILLES AU CHOU

Une délicieuse salade tiède, plat unique si vous la servez avec du pain de campagne grillé.

INGRÉDIENTS

Pour 4 à 6 personnes

300 g (1 1/4 tasse) de lentilles vertes

1 1/2 l (6 tasses) d'eau froide

1 gousse d'ail

1 feuille de laurier

1 petit oignon pelé et piqué de 2 clous de girofle

1 cuillerée à soupe d'huile d'olive

1 oignon rouge émincé

2 gousses d'ail écrasées

1 cuillerée à soupe de thym frais

500 g (3 3/4 tasses) de chou ciselé

zeste finement râpé et jus de 1 citron

1 cuillerée à soupe de vinaigre de framboise

sel, poivre noir fraîchement moulu

APPORT NUTRITIONNEL

Par portion :

Valeur énergétique	228 Cal ou 959 kJ
Lipides	4,38 g
Acides gras saturés	0,44 g
Cholestérol	0
Fibres	8,09 g

1 Rincez les lentilles. Plongez-les dans une marmite d'eau froide. Ajoutez la gousse d'ail, la feuille de laurier et l'oignon piqué de clous de girofle. Portez à ébullition et laissez cuire pendant environ 10 minutes. Baissez le feu. Couvrez. Laissez frémir doucement pendant 15 à 20 minutes. Égouttez. Ôtez l'oignon, l'ail et la feuille de laurier.

2 Faites chauffer l'huile dans une cocotte. Ajoutez-y l'oignon rouge, l'ail et le thym. Faites revenir pendant 5 minutes.

3 Ajoutez le chou et continuez la cuisson encore 3 à 5 minutes, jusqu'à ce qu'il soit tout juste cuit mais encore croquant.

4 Incorporez les lentilles cuites, le zeste et le jus de citron, puis le vinaigre de framboise. Salez et poivrez selon votre goût. Servez.

> **NOTE**
> Il existe plusieurs variétés de chou : blanc, rouge, vert, cabus. Le chou blanc convient parfaitement à la préparation des salades : choisissez-le bien ferme, évitez ceux dont les feuilles sont racornies.

TAGLIATELLES À LA SAUCE MILANAISE

INGRÉDIENTS

Pour 4 personnes

1 oignon, finement haché
1 branche de céleri, finement hachée
1 poivron rouge, épépiné et coupé en dés
1-2 gousses d'ail, écrasées
15 cl (1/4 pt) de bouillon de légumes ou de
*   poule*
400 g (14 oz) de tomates en boîte
1 cuillerée à soupe de purée de tomates
2 cuillerées à café de sucre en poudre
1 cuillerée à café de fines herbes séchées
sel et poivre noir
350 g (12 oz) de tagliatelles
115 g (4 oz) de champignons, émincés
4 cuillerées à soupe de vin blanc sec
115 g (4 oz) de jambon cuit maigre, coupé
*   en dés*
1 cuillerée à soupe de persil frais ciselé,
*   pour décorer*

1 Mettez l'oignon, le céleri, le poivron et l'ail dans une casserole. Mouillez avec le bouillon, portez à ébullition et laissez cuire pendant 5 minutes.

ASTUCE
Pour réduire encore la teneur en calories et en lipides, remplacez le jambon par des épis de maïs ou des bouquets de brocolis.

2 Ajoutez les tomates, la purée de tomates, le sucre et les fines herbes. Salez et poivrez. Portez à ébullition et laissez mijoter pendant 30 minutes en remuant de temps en temps, jusqu'à épaississement de la sauce.

3 Faites cuire les pâtes *al dente* dans une grande casserole d'eau bouillante salée, selon les indications portées sur le paquet. Égouttez soigneusement.

4 Mettez les champignons dans une casserole, arrosez-les avec le vin blanc, couvrez et laissez cuire pendant 3 à 4 minutes. Les champignons doivent être cuits mais encore tendres et avoir entièrement absorbé le vin.

5 Incorporez les champignons et le jambon à la sauce tomate. Faites réchauffer à feu doux.

6 Transférez les pâtes dans un plat de service chaud et recouvrez de sauce. Décorez avec du persil.

APPORT NUTRITIONNEL

Par portion :

Calories	405 kcal/1 700 kJ
Lipides	3,5 g
Acides gras saturés	0,8 g
Cholestérol	17 mg
Fibres	4,5 g

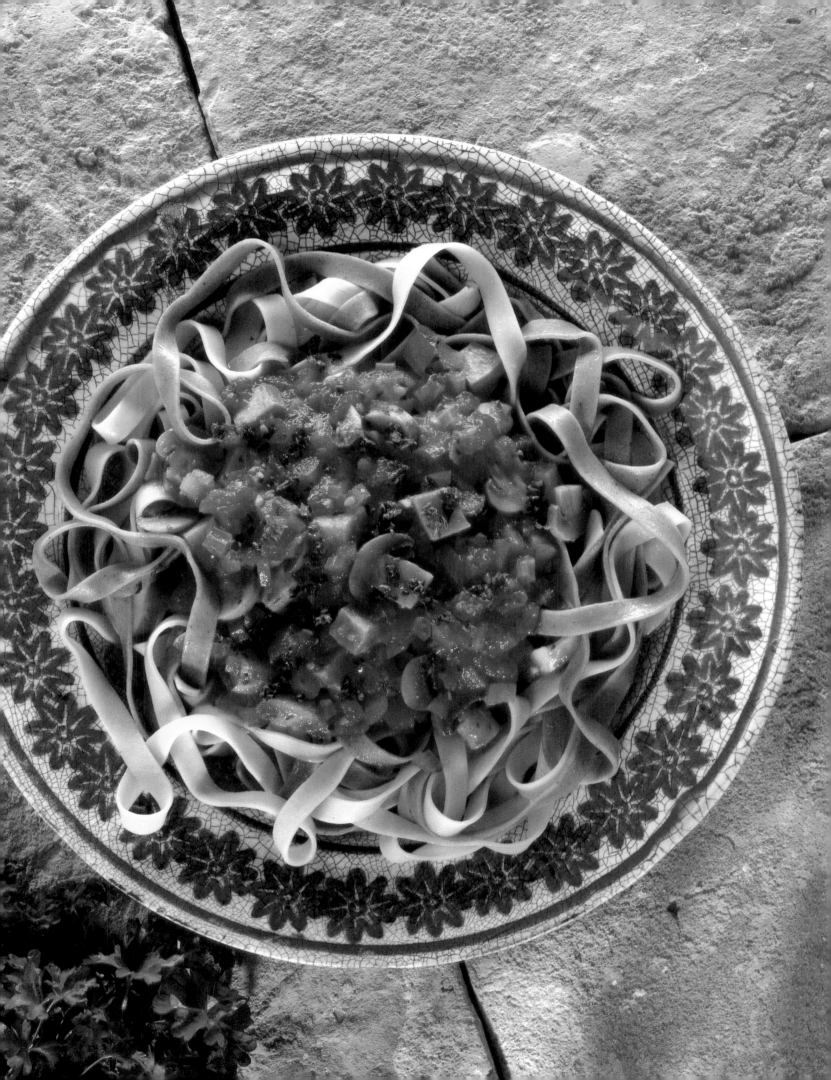

HARICOTS AU CITRON ET AU GINGEMBRE

INGRÉDIENTS

Pour 4 personnes

2 cuillerées à soupe de racine de
  gingembre frais grossièrement hachée
3 gousses d'ail grossièrement hachées
25 cl (1 tasse) d'eau froide
1 cuillerée à soupe d'huile de tournesol
1 gros oignon émincé
1 piment rouge épépiné et finement haché
1 pincée de poivre de Cayenne
2 cuillerées à café de cumin en poudre
1 cuillerée à café de coriandre en poudre
1/2 cuillerée à café de curcuma en poudre
2 cuillerées à soupe de jus de citron
6 cuillerées à soupe de coriandre fraîche
  hachée
420 g (14 oz) de haricots cornille en
  conserve égouttés et rincés
420 g (14 oz) de haricots blancs en
  conserve égouttés et rincés
420 g (14 oz) de haricots rouges en
  conserve égouttés et rincés
sel, poivre noir fraîchement moulu
pain de campagne grillé

1 Dans le bol d'un mixer, mettez le gingembre, l'ail et 4 cuillerées à soupe d'eau froide. Travaillez pendant 1 à 2 minutes, jusqu'à ce que vous obteniez un mélange lisse et homogène.

2 Faites chauffer l'huile dans une casserole. Ajoutez l'oignon et le piment rouge. Laissez cuire à feu doux environ 5 minutes.

3 Ajoutez le poivre de Cayenne, le cumin, la coriandre moulue et le curcuma. Faites revenir en remuant sans cesse pendant 1 minute.

4 Incorporez la pâte à l'ail et au gingembre, et laissez cuire encore 1 minute.

5 Ajoutez le reste d'eau, le jus de citron et la coriandre fraîche. Remuez bien et portez à ébullition. Couvrez hermétiquement. Faites cuire environ 5 minutes.

6 Ajoutez les haricots et faites cuire quelques minutes de plus. Salez et poivrez. Servez avec du pain grillé.

APPORT NUTRITIONNEL	
Par portion :	
Valeur énergétique	281 Cal ou 1 180 kJ
Lipides	4,30 g
Acides gras saturés	0,42 g
Cholestérol	0
Fibres	10,76 g

SALADE DE NOUILLES AUX CACAHUÈTES

Une délicieuse salade d'inspiration asiatique, riche en légumes croquants et relevée d'une sauce de soja. Les cacahuètes chaudes et les nouilles froides s'accordent parfaitement.

INGRÉDIENTS

Pour 4 personnes

360 g (12 oz) de nouilles aux œufs

2 carottes pelées et taillées en fine julienne

1/2 concombre pelé et taillé en dés

120 g (4 oz) de céleri-rave pelé et taillé en fine julienne

6 oignons nouveaux émincés

8 châtaignes d'eau en conserve égouttées et émincées

300 g (2 tasses) de germes de soja

quelques petits piments verts, l'un d'eux haché

2 cuillerées à soupe de graines de sésame

200 g (1 tasse) de cacahuètes

Pour la sauce

1 cuillerée à soupe de sauce de soja

1 cuillerée à soupe de sauce de soja légère

1 cuillerée à soupe de miel liquide

1 cuillerée à soupe de vin de riz ou de sherry sec

1 cuillerée à soupe d'huile de sésame

3 Dans un saladier, mélangez les nouilles aux légumes.

5 Posez les graines de sésame et les cacahuètes sur deux tôles séparées. Faites griller pendant 5 minutes. Sortez les graines de sésame et continuez la cuisson des cacahuètes pendant 5 minutes.

6 Parsemez chaque assiette avec les graines de sésame et les cacahuètes. Décorez de piments verts. Servez aussitôt.

1 Préchauffez le four à 200 °C (400 °F). Portez à ébullition une grande casserole d'eau froide. Jetez-y les nouilles et faites-les cuire en respectant le mode d'emploi indiqué sur le paquet.

2 Égouttez, puis rafraîchissez à l'eau froide. Égouttez de nouveau.

4 Préparez la sauce. Mélangez tous les ingrédients dans un bol. Versez sur la salade de nouilles et de légumes. Répartissez la salade sur quatre assiettes.

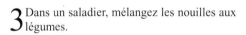

APPORT NUTRITIONNEL	
Par portion :	
Valeur énergétique	634 Cal ou 2 664 kJ
Lipides	28,10 g
Acides gras saturés	4,03 g
Cholestérol	0
Fibres	5,33 g

SPAGHETTIS À LA BOLOGNAISE

─── INGRÉDIENTS ───

Pour 8 personnes

1 oignon, haché

2-3 gousses d'ail, écrasées

30 cl (1/2 pt) de bouillon de bœuf ou de poule

450 g (1 lb) de bœuf ou de dinde très maigre, émincé

2 boîtes de tomates concassées de 400 g (14 oz) chacune

1 cuillerée à café de basilic séché

1 cuillerée à café d'origan séché

4 cuillerées à soupe de purée de tomates

450 g (1 lb) de champignons, coupés en quartiers, puis émincés

15 cl (1/4 pt) de vin rouge

sel et poivre noir

450 g (1 lb) de spaghettis

─── APPORT NUTRITIONNEL ───

Par portion :	
Calories	312 kcal/1 350 kJ
Lipides	4,1 g
Acides gras saturés	1,3 g
Cholestérol	33 mg
Fibres	2,7 g

1 Mettez l'oignon et l'ail dans une casserole avec la moitié du bouillon. Portez à ébullition et laissez cuire pendant 5 minutes, jusqu'à réduction complète du bouillon.

ASTUCE
Faire sauter des légumes dans du bouillon, en remplacement de l'huile, est une bonne méthode pour réduire l'apport en calories et en lipides. Choisissez des cubes de bouillon allégé.

2 Ajoutez la dinde (ou le bœuf) et faites cuire pendant 5 minutes, en brisant la viande avec une fourchette. Incorporez les tomates, les fines herbes et la purée de tomates. Portez à ébullition, couvrez et laissez mijoter 1 heure.

3 Pendant ce temps, faites cuire les champignons dans une casserole avec le vin pendant 5 minutes environ. Une fois le vin évaporé, ajoutez les champignons à la viande, salez et poivrez selon votre goût.

4 Faites cuire les pâtes dans une grande casserole d'eau bouillante salée, de 8 à 12 minutes. Égouttez-les soigneusement et servez recouvert de la sauce à la viande.

PENNES À LA RATATOUILLE

Pour 6 personnes

1 petite aubergine

2 courgettes, coupées en fines rondelles

sel et poivre noir

200 g (7 oz) de tofu ferme, coupé en dés

3 cuillerées à soupe de sauce de soja

1 gousse d'ail, écrasée

2 cuillerées à café de graines de sésame

1 petit poivron rouge, épépiné et coupé en lanières

1 oignon, finement haché

1-2 gousses d'ail, écrasées

15 cl (1/4 pt) de bouillon de légumes

3 tomates mûres, bien fermes, pelées, épépinées et coupées en quartiers

1 cuillerée à soupe de fines herbes ciselées

225 g (8 oz) de pennes

1 Lavez l'aubergine et coupez-la en petits dés. Disposez-les dans une cocotte, ajoutez les courgettes, saupoudrez de sel et laissez dégorger pendant 30 minutes.

3 Mettez l'oignon, l'ail et le poivre dans une casserole avec le bouillon. Portez à ébullition, couvrez et laissez cuire pendant 5 minutes. Découvrez, et continuez à faire bouillir jusqu'à évaporation complète du bouillon. Ajoutez les tomates et les fines herbes, faites cuire encore 3 minutes, puis incorporez l'aubergine et les courgettes soigneusement rincées. Salez et poivrez selon votre goût.

4 Pendant ce temps, faites cuire les pâtes *al dente* dans une grande casserole d'eau bouillante salée, selon les indications portées sur le paquet. Égouttez-les soigneusement. Faites préchauffer le gril. Mélangez les pâtes avec les légumes et le tofu. Transférez le tout dans un plat à four et faites griller jusqu'à ce que légumes et pâtes soient légèrement dorés. Servez immédiatement.

2 Mélangez le tofu avec la sauce de soja, l'ail et les graines de sésame. Couvrez et laissez mariner pendant 30 minutes.

ASTUCE
Le tofu est riche en protéines, mais fade. En le faisant mariner au moins 30 minutes avec des condiments, vous le rendrez beaucoup plus savoureux.

APPORT NUTRITIONNEL	
Par portion :	
Calories	208 kcal/873 kJ
Lipides	3,7 g
Acides gras saturés	0,05 g
Cholestérol	0
Fibres	3,9 g

FARFALLES AUX POIVRONS AIGRES-DOUX

Un plat savoureux et coloré, peu calorique, que l'on peut servir à midi ou le soir.

INGRÉDIENTS

Pour 4 personnes

3 poivrons (1 jaune, 1 orange, 1 rouge)
1 gousse d'ail, écrasée
2 cuillerées à soupe de câpres
2 cuillerées à soupe de raisins secs
1 cuillerée à café de moutarde de Meaux
le zeste et le jus de 1 citron vert
1 cuillerée à café de miel liquide
2 cuillerées à soupe de coriandre fraîche ciselée
sel et poivre noir
225 g (8 oz) de farfalles (papillons)
copeaux de parmesan, pour servir (facultatif)

1 Coupez les poivrons en quatre et retirez les graines et les parties blanches. Mettez les quartiers de poivrons dans une casserole d'eau bouillante et laissez cuire de 10 à 15 minutes. Lorsqu'ils sont cuits, égouttez-les et rincez-les soigneusement sous l'eau froide, puis pelez-les et coupez la chair en fines lanières.

2 Mettez l'ail, les câpres, les raisins secs, la moutarde, le zeste et le jus de citron, le miel, la coriandre, une pincée de sel et de poivre dans un saladier. Mélangez le tout vigoureusement au fouet.

3 Faites cuire les pâtes *al dente* dans une grande casserole d'eau bouillante salée. Égouttez soigneusement.

4 Remettez les pâtes dans la casserole, puis ajoutez les poivrons et l'assaisonnement. Faites chauffer à feu doux, en mélangeant bien. Transférez dans un plat de service chaud et servez accompagné de parmesan, selon votre goût.

APPORT NUTRITIONNEL	
Par portion :	
Calories	268 kcal/1 125 kJ
Lipides	2,0 g
Acides gras saturés	0,5 g
Cholestérol	1,3 mg
Fibres	4,3 g

PENNES AUX POIS CHICHES

Ce plat délicieux et léger est également très rapide à préparer. La qualité des tomates et des pois chiches en boîte est telle que vous n'aurez aucune difficulté à les transformer en quelques minutes en une sauce savoureuse pour accompagner vos pâtes. Vous pouvez remplacer les penne par d'autres pâtes de votre choix.

INGRÉDIENTS

Pour 6 personnes

450 g (1 lb) de pennes
1 cuillerée à soupe d'huile d'olive
1 oignon, finement émincé
1 poivron rouge, épépiné et coupé en fines lanières
400 g (4 oz) de tomates en boîte, concassées
425 g (15 oz) de pois chiches en boîte
2 cuillerées à soupe de vermouth sec (facultatif)
1 cuillerée à café d'origan séché
1 feuille de laurier
2 cuillerées à soupe de câpres
sel et poivre noir
origan frais, pour servir

ASTUCE
Vous pouvez utiliser indifféremment des pâtes fraîches ou sèches. Quel que soit votre choix, faites-les cuire dans une casserole suffisamment grande pour qu'elles ne collent pas. Il faut compter 2 à 4 minutes de cuisson pour les pâtes fraîches, de 8 à 12 minutes pour les pâtes en paquet. De préférence, faites-les cuire *al dente*, ni trop dures, ni trop cuites.

APPORT NUTRITIONNEL

Par portion :

Calories	268 kcal/1 125 kJ
Lipides	2,0 g
Acides gras saturés	0,5 g
Cholestérol	1,3 mg
Fibres	4,3 g

1 Faites cuire les pâtes dans une grande casserole d'eau bouillante salée, selon les indications portées sur le paquet. Pendant ce temps, faites chauffer l'huile dans une grande casserole et faites-y revenir l'oignon et le poivron, à feu doux, pendant 5 minutes environ, en remuant de temps en temps.

2 Incorporez les tomates, les pois chiches avec l'eau de la boîte, le vermouth (facultatif), l'origan, le laurier et les câpres, et remuez vigoureusement.

3 Salez et poivrez, puis portez à ébullition et laissez mijoter une dizaine de minutes. Retirez la feuille de laurier et incorporez les pâtes égouttées. Faites réchauffer et servez bien chaud, décoré d'origan.

PENNE AUX BROCOLIS

INGRÉDIENTS

Pour 4 personnes

400 g (3 1/4 tasses) de penne

450 g (1 lb) de brocolis détaillés en petits bouquets

2 cuillerées à soupe de bouillon

1 gousse d'ail écrasée

1 petit piment rouge émincé ou 1/2 cuillerée à café de sauce au piment

4 cuillerées à soupe de yaourt nature maigre

sel, poivre noir fraîchement moulu

2 cuillerées à soupe de pignons ou de noix de cajou grillés

1 Jetez les pâtes dans une casserole d'eau bouillante légèrement salée, puis portez de nouveau à ébullition. Placez les brocolis dans un panier percé au-dessus de la casserole. Couvrez et faites cuire pendant 8 à 10 minutes, jusqu'à ce que pâtes et brocolis soient cuits al dente. Égouttez.

2 Faites chauffer le bouillon. Ajoutez l'ail écrasé et le piment ou la sauce au piment. Remuez pendant 2 à 3 minutes à feu doux.

3 Incorporez les brocolis, les pâtes et le yaourt. Salez et poivrez selon votre goût. Parsemez de pignons ou de noix de cajou. Servez aussitôt.

APPORT NUTRITIONNEL

Par portion :

Valeur énergétique	403 Cal ou 1 695 kJ
Lipides	7,87 g
Acides gras saturés	0,89 g
Cholestérol	0,60 mg
Fibres	5,83 g

JAMBALAYA À L'ANTILLAISE

INGRÉDIENTS

Pour 6 personnes

4 cuisses de poulet sans peau coupées en dés

1 gros poivron vert égrené et coupé en fines lamelles

3 branches de céleri émincées

4 oignons nouveaux émincés

environ 5 cl (1/4 tasse) de bouillon de volaille

420 g (14 oz) de tomates en conserve

1 cuillerée à café de cumin en poudre

1 cuillerée à café de toute-épice

1/2 cuillerée à café de poivre de Cayenne

1 cuillerée à café de thym séché

320 g (1 1/2 tasse) de riz long grain

200 g (7 oz) de crevettes cuites décortiquées

sel, poivre noir fraîchement moulu

1 Dans une poêle, faites dorer le poulet sans matière grasse, en remuant de temps en temps.

2 Ajoutez le poivron, le céleri et les oignons, puis 1 cuillerée à soupe de bouillon. Laissez cuire quelques minutes, puis ajoutez les tomates, les épices et le thym.

3 Incorporez le riz et le reste de bouillon. Couvrez. Laissez cuire environ 20 minutes, en remuant de temps en temps, jusqu'à ce que le riz soit tendre. Ajoutez du bouillon si nécessaire.

4 Ajoutez les crevettes. Salez et poivrez. Servez chaud avec une salade très fraîche.

APPORT NUTRITIONNEL

Par portion :

Valeur énergétique	282 Cal ou 1 185 kJ
Lipides	3,37 g
Acides gras saturés	0,85 g
Cholestérol	51,33 mg
Fibres	1,55 g

PAPPARDELLES À LA SAUCE PROVENÇALE

INGRÉDIENTS

Pour 4 personnes

2 petits oignons rouges
15 cl (1/4 pt) de bouillon de légumes
1-2 gousses d'ail, écrasées
4 cuillerées à soupe de vin rouge
2 courgettes, coupées en petits bâtonnets
1 poivron jaune, épépiné et coupé en fines lanières
400 g (14 oz) de tomates en boîte
2 cuillerées à café de thym frais
1 cuillerée à café de sucre en poudre
sel et poivre noir
350 g de pappardelles
thym frais et 6 olives noires, dénoyautées et grossièrement hachées, pour servir

APPORT NUTRITIONNEL

Par portion :

Calories	369 kcal/1 550 kJ
Lipides	2,5 g
Acides gras saturés	0,4 g
Cholestérol	0
Fibres	4,3 g

1 Épluchez et coupez les oignons en huit morceaux, en partant de la racine pour éviter qu'ils ne se défassent à la cuisson. Mettez-les dans une casserole avec le bouillon et l'ail, portez à ébullition et laissez mijoter pendant 5 minutes.

2 Ajoutez le vin rouge, les courgettes, le poivron jaune, les tomates, le thym, le sucre, salez et poivrez selon votre goût. Portez à ébullition et laissez cuire, à feu doux, pendant 5 à 7 minutes, en remuant la casserole de temps en temps, pour bien recouvrir les légumes avec la sauce. (Ne faites pas trop cuire les légumes, ils doivent rester légèrement fermes.)

3 Faites cuire les pâtes *al dente* dans une grande casserole d'eau bouillante salée, selon les indications portées sur le paquet. Égouttez soigneusement.

4 Transférez les pâtes dans des assiettes chaudes et recouvrez de légumes. Décorez de thym frais et d'olives noires.

PRÉPARATION DES PÂTES

Sur un plan de travail, tamisez 200 g / 7 oz de farine. Ajoutez une pincée de sel et faites un puits au milieu. Cassez deux œufs dans le puits avec 10 ml / 2 cuillerées à café d'eau froide. Avec une fourchette, battez doucement les œufs en intégrant peu à peu la farine pour faire une pâte épaisse. Quand le mélange devient trop ferme pour utiliser la fourchette, continuez à malaxer à la main. Pétrissez 5 minutes jusqu'à ce que la pâte soit souple, puis enveloppez dans du film alimentaire et laissez reposer 20 à 30 minutes, avant de rouler et découper.

SPAGHETTIS À LA CARBONARA

Vous trouverez ici une variante plus légère de cette illustre recette. Dinde fumée et fromage blanc remplacent en effet les traditionnels bacon et œuf.

INGRÉDIENTS

Pour 4 personnes

150 g (5 oz) de tranches de dinde fumée
huile pour friture
1 oignon de grosseur moyenne, haché
1-2 gousses d'ail, écrasées
15 cl (1/4 pt) de bouillon de poule
15 cl (1/4 pt) de vin blanc sec
200 g (7 oz) de fromage blanc maigre
sel et poivre noir
450 g (1 lb) de spaghettis parfumés au
*   piment et à l'ail*
2 cuillerées à soupe de persil frais ciselé
copeaux de parmesan, pour servir

1 Émincez les tranches de dinde en fines lanières. Faites frire dans une poêle de 2 à 3 minutes. Ajoutez l'oignon, l'ail et le bouillon. Portez à ébullition, couvrez et laissez mijoter pendant 5 minutes environ.

> ASTUCE
> À défaut de spaghettis parfumés au piment et à l'ail, vous pouvez utiliser des pâtes ordinaires et ajoutez, à l'étape 4, une petite quantité de piment et d'ail.

2 Mouillez avec le vin et faites bouillir jusqu'à ce que le liquide ait réduit de moitié. Incorporez le fromage blanc au fouet. Salez et poivrez.

3 Pendant ce temps, faites cuire les spaghettis *al dente* dans une grande casserole d'eau bouillante salée, selon les indications portées sur le paquet. Égouttez soigneusement.

4 Remettez les spaghettis dans la casserole avec la sauce et le persil, remuez bien et servez immédiatement avec des petits morceaux de parmesan.

APPORT NUTRITIONNEL

Par portion :

Calories	500 kcal/2 102 kJ
Lipides	3,3 g
Acides gras saturés	0,5 g
Cholestérol	21 mg
Fibres	4 g

RIZ PARFUMÉ À LA THAÏLANDAISE

Un merveilleux riz, doux et moelleux, parfumé à la citronnelle fraîche et odorante.

INGRÉDIENTS

Pour 4 personnes

un peu de citronnelle

2 citrons verts

300 g (1 1/3 tasse) de riz basmati brun

1 cuillerée à soupe d'huile d'olive

1 oignon haché

1 petit morceau de racine de gingembre frais, pelé et finement haché

1 1/2 cuillerée à café de grains de coriandre

1 1/2 cuillerée à café de graines de cumin

90 cl (3 2/3 tasses) de bouillon de légumes

4 cuillerées à soupe de coriandre fraîche hachée

quelques quartiers de citron vert

NOTE

On peut, pour cette recette, se servir d'autres variétés de riz – basmati blanc ou long grain. Adaptez les temps de cuisson.

1 Hachez finement la citronnelle. Ôtez le zeste des citrons verts.

2 Rincez le riz à l'eau froide. Égouttez-le dans une passoire.

3 Faites chauffer l'huile dans une cocotte. Ajoutez l'oignon, les épices, la citronnelle et les zestes. Faites revenir pendant 2 à 3 minutes.

4 Versez le riz. Faites revenir pendant une minute, puis ajoutez le bouillon. Portez à ébullition. Baissez le feu et couvrez. Laissez frémir doucement environ 30 minutes, puis vérifiez le riz. S'il est encore ferme sous la dent, couvrez de nouveau la casserole et faites cuire 3 à 5 minutes de plus. Retirez la casserole du feu.

5 Incorporez la coriandre fraîche, aérez les grains, couvrez et laissez reposer au chaud pendant 10 minutes. Servez décoré de quartiers de citron vert.

APPORT NUTRITIONNEL

Par portion :

Valeur énergétique	259 Cal ou 1 087 kJ
Lipides	5,27 g
Acides gras saturés	0,81 g
Cholestérol	0
Fibres	1,49 g

RISOTTO AU POTIRON ET AUX PISTACHES

Un mariage raffiné de riz moelleux doré et de potiron, dont on peut accentuer la couleur en utilisant un peu plus de safran.

INGRÉDIENTS

Pour 4 personnes

1 1/4 l (5 tasses) de bouillon de légumes ou d'eau

quelques stigmates de safran

2 cuillerées à soupe d'huile d'olive

1 oignon haché

2 gousses d'ail écrasées

1 kg environ (2 lb) de potiron pelé, égrené et taillé en cubes

480 g (2 tasses) de riz rond italien

20 cl (7/8 tasse) de vin blanc sec

1 cuillerée à soupe de parmesan finement râpé

120 g (1/2 tasse) de pistaches

3 cuillerées à soupe d'origan frais ciselé, plus quelques feuilles

sel, poivre noir fraîchement moulu et noix muscade

APPORT NUTRITIONNEL

Par portion :

Valeur énergétique	630 Cal ou 2 646 kJ
Lipides	15,24 g
Acides gras saturés	2,66 g
Cholestérol	3,75 mg
Fibres	2,59 g

1 Portez à ébullition le bouillon ou l'eau. Baissez à feu doux. Prélevez une louche de liquide et versez-la dans un bol. Ajoutez les stigmates de safran et laissez tremper.

2 Faites chauffer l'huile dans une casserole ou une cocotte. Ajoutez l'oignon et l'ail, et laissez blondir environ 5 minutes. Ajoutez le potiron et le riz. Faites cuire quelques minutes, jusqu'à ce que le riz devienne transparent.

3 Versez le vin et portez à ébullition. Lorsque le vin est absorbé, ajoutez un quart du bouillon ou de l'eau, ainsi que les stigmates de safran et leur liquide d'infusion. Laissez cuire en remuant, jusqu'à absorption du liquide.

4 Versez le bouillon ou l'eau, par louches successives, en laissant le riz absorber le liquide avant d'en ajouter. Remuez sans cesse.

5 Faites cuire le riz pendant 25 à 30 minutes, jusqu'à ce qu'il soit cuit al dente. Incorporez le parmesan. Couvrez et laissez reposer pendant 5 minutes.

6 Incorporez les pistaches, ainsi que l'origan. Salez et poivrez selon votre goût. Saupoudrez d'un peu de noix muscade. Servez parsemé de quelques feuilles d'origan.

> **NOTE**
> Ici, c'est le riz rond italien qui donne au risotto son agréable consistance crémeuse.

BAGUETTE-PIZZA AU JAMBON ET AUX FRUITS

La baguette est idéale pour confectionner des pizzas originales. Pour gagner du temps, vous pouvez utiliser de la garniture à pizza, toute prête, et cuire les pizzas sous le gril, pour faire fondre le fromage, au lieu de les mettre au four.

INGRÉDIENTS

Pour 4 personnes

1 baguette
30 cl (1/2 pt) de sauce tomate
75 g (3 oz) de jambon cuit maigre, émincé
4 tranches d'ananas en boîte, égouttées et coupées en morceaux
1/2 petit poivron vert, épépiné et coupé en fines lanières
sel et poivre noir
50 g (2 oz) de cheddar vieux maigre

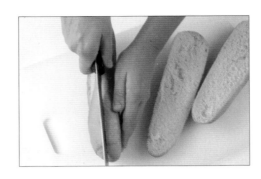

1 Faites préchauffer le four à 200 °C (400 °F). Coupez la baguette en deux, dans le sens de la longueur, puis faites griller le côté coupé jusqu'à ce qu'il soit bien doré et croustillant.

> **ASTUCE**
> Vous pouvez remplacer le jambon par du poulet cuit, des crevettes décortiquées ou du thon.

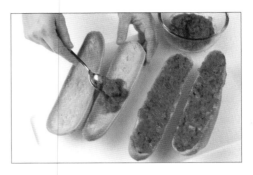

2 Étalez la sauce tomate sur les moitiés de baguette.

3 Coupez le jambon en lamelles et disposez-les sur la baguette avec les morceaux d'ananas et de poivron vert. Salez et poivrez selon votre goût.

4 Râpez le fromage et parsemez-en le dessus des pizzas. Faites cuire au four de 15 à 20 minutes, jusqu'à ce qu'elles soient bien dorées.

APPORT NUTRITIONNEL	
Par portion :	
Calories	111 kcal/468,5 kJ
Lipides	3,31 g
Acides gras saturés	1,63 g
Cholestérol	18,25 mg
Fibres	0,79 g

SALADE DE SEMOULE DE BLÉ À LA MENTHE

INGRÉDIENTS

Pour 4 personnes

250 g (9 oz) de semoule de blé concassé

4 tomates

4 petites courgettes, coupées en fines rondelles

4 ciboules, émincées

8 abricots séchés, prêts à cuire, hachés

40 g (1 1/2 oz) de raisins secs

le jus de 1 citron

2 cuillerées à soupe de jus de tomate

3 cuillerées à soupe de menthe fraîche ciselée

1 gousse d'ail, écrasée

sel et poivre noir

brins de menthe fraîche, pour décorer

1 Versez la semoule de blé dans un saladier. Recouvrez d'eau bouillante pour qu'elle dépasse de 2,5 cm (1 po) le niveau de la semoule. Laissez tremper 30 minutes, égouttez, et éliminez l'excédent d'eau en pressant la semoule dans un torchon.

2 Pendant ce temps, plongez les tomates dans l'eau bouillante pendant 1 minute, puis dans l'eau froide. Pelez-les, coupez-les en deux, épépinez-les et hachez grossièrement la chair.

3 Incorporez les tomates, les courgettes, la ciboule, les abricots et les raisins secs à la semoule.

4 Mettez les jus de citron et de tomate, la menthe, la gousse d'ail, une pincée de sel et de poivre dans un bol, et mélangez vigoureusement le tout en fouettant avec une fourchette. Versez sur la salade et mélangez bien. Mettez à rafraîchir au réfrigérateur pendant au moins 1 heure. Servez décoré d'un brin de menthe.

APPORT NUTRITIONNEL

Par portion :

Calories	293 kcal/1 231 kJ
Lipides	1,69 g
Acides gras saturés	0,28 g
Fibres	2,25 g

HARICOTS ROUGES AU PAIN DE MAÏS

Ce plat utilise habilement les textures contrastées des haricots, des légumes et du pain de maïs.

— INGRÉDIENTS —

Pour 4 personnes

225 g (8 oz) de haricots rouges
1 feuille de laurier
1 gros oignon, finement haché
1 gousse d'ail, écrasée
2 branches de céleri, hachées
1 cuillerée à café de cumin en poudre
1 cuillerée à café de piment en poudre
400 g (14 oz) de tomates concassées en boîte
1 cuillerée à soupe de purée de tomates
1 cuillerée à café de fines herbes séchées
1 cuillerée à soupe de jus de citron
1 poivron jaune, épépiné et coupé en dés
sel et poivre noir
salade mélangée, pour servir

Pour le pain de maïs

175 g (6 oz) de farine de maïs
1 cuillerée à soupe de farine complète
1 cuillerée à café de levure chimique
sel
1 œuf, battu
17,5 cl (6 fl oz) de lait écrémé

1 Faites tremper les haricots pendant toute une nuit dans l'eau froide. Égouttez et rincez bien. Versez 1 litre (3/4 pt) d'eau dans une grande casserole à fond épais, ajoutez les haricots et la feuille de laurier, et faites bouillir pendant 10 minutes. Baissez le feu, couvrez et laissez mijoter pendant 35 à 40 minutes. Les haricots doivent être cuits.

APPORT NUTRITIONNEL	
Par portion :	
Calories	399 kcal/1 675 kJ
Protéines	22,86 g
Lipides	4,65 g
Acides gras saturés	0,86 g
Fibres	11,59 g

2 Ajoutez l'oignon, l'ail, le céleri, le cumin, le piment, les tomates, la purée de tomates et les fines herbes séchées. Laissez mijoter encore pendant 10 minutes, à demi couvert.

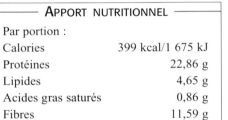

3 Incorporez le jus de citron, le poivron jaune, salez et poivrez. Laissez mijoter encore 8 à 10 minutes, en remuant de temps en temps, jusqu'à ce que les légumes soient juste cuits. Retirez la feuille de laurier et versez le mélange dans une grande cocotte.

4 Faites préchauffer le four à 220 °C (425 °C). Pour préparer le pain de maïs, versez la farine de maïs, la farine complète, la levure et une pincée de sel dans un saladier, puis mélangez bien le tout. Faites un puits au centre et déposez-y l'œuf et le lait. Mélangez et versez sur les haricots. Faites cuire au four pendant 20 minutes. Servez chaud accompagné d'une salade mélangée.

RAGOÛT DE HARICOTS ÉPICÉS

Pour 4 personnes

225 g (8 oz) de champignons

1 cuillerée à soupe d'huile de tournesol

2 oignons émincés

1 gousse d'ail, écrasée

1 cuillerée à soupe de vinaigre de vin

400 g (15 oz) de tomates concassées en boîte

1 cuillerée à soupe de purée de tomates

1 cuillerée à soupe de sauce Worcestershire

1 cuillerée à soupe de moutarde de Meaux

1 cuillerée à soupe de cassonade

25 cl (8 fl oz) de bouillon de légumes

400 g (14 oz) de haricots rouges, égouttés

400 g (14 oz) de flageolets, égouttés

1 feuille de laurier

75 g (3 1/2 oz) de raisins secs

sel et poivre noir

persil frais ciselé, pour décorer

1 Nettoyez les champignons, puis émincez-les finement. Réservez.

2 Faites chauffer l'huile dans une grande casserole ou une cocotte. Ajoutez les oignons et l'ail et faites cuire à feu doux, pendant 10 minutes.

3 Ajoutez le reste des ingrédients, à l'exception des champignons, du sel et du poivre. Portez à ébullition, puis baissez le feu et laissez mijoter pendant 10 minutes.

4 Incorporez les champignons et laissez mijoter encore 10 minutes. Salez et poivrez selon votre goût. Transférez dans des assiettes chaudes et parsemez de persil.

APPORT NUTRITIONNEL	
Par portion :	
Calories	280 kcal/1 175 kJ
Lipides	4,5 g
Acides gras saturés	0,5 g
Cholestérol	0

RIZ À LA TOMATE

Un plat unique, très savoureux, pour rassasier petits et grands.

INGRÉDIENTS

Pour 4 personnes

2 cuillerées à soupe d'huile de maïs
1/2 cuillerée à café de graines d'oignon
1 oignon émincé
2 tomates coupées en rondelles
1 poivron rouge ou jaune haché
1 cuillerée à café de racine de gingembre
  râpée
1 gousse d'ail écrasée
1 cuillerée à café de piment en poudre
2 cuillerées à soupe de coriandre fraîche
  ciselée
1 pomme de terre taillée en dés
1 1/2 cuillerée à café de sel
120 g (1/2 tasse) de petits pois surgelés
480 g (2 tasses) de riz basmati rincé
75 cl (3 tasses) d'eau

APPORT NUTRITIONNEL	
Par portion :	
Valeur énergétique	351 Cal ou 1 475 kJ
Lipides	6,48 g
Acides gras saturés	0,86 g
Cholestérol	0

1 Dans une poêle, faites chauffer l'huile et revenir les graines d'oignon. Ajoutez l'oignon émincé et faites-le doucement blondir pendant environ 5 minutes.

2 Ajoutez les neuf ingrédients suivants. Faites revenir pendant 5 minutes encore, en remuant constamment.

3 Ajoutez le riz et faites-le revenir pendant une minute, sans cesser de remuer.

4 Versez l'eau. Portez à ébullition, puis baissez à feu modéré. Couvrez. Laissez cuire pendant 12 à 15 minutes. Laissez le riz reposer 5 minutes, puis servez.

RIZ AUX CHAMPIGNONS ET AUX PETITS POIS

Pour ce délicieux plat de riz, utilisez de tout petits champignons de Paris et des petits pois extrafins.

INGRÉDIENTS

Pour 6 personnes

600 g de riz basmati
2 cuillerées à soupe d'huile végétale
1/2 cuillerée à café de graines de cumin
  noir
2 gousses de cardamome noire
2 bâtons de cannelle
3 gousses d'ail émincées
1 cuillerée à café de sel
1 tomate coupée en rondelles
160 g (2/3 tasse) de champignons de Paris
100 g environ (1/3 tasse) de petits pois
  extrafins
90 cl (3 2/3 tasses) d'eau

APPORT NUTRITIONNEL	
Par portion :	
Valeur énergétique	297 Cal ou 1 246 kJ
Lipides	4,34 g
Acides gras saturés	0,49 g
Cholestérol	0

2 Dans une poêle de taille moyenne, faites chauffer l'huile. Ajoutez les épices, l'ail et le sel.

3 Ajoutez les rondelles de tomate et les champignons. Faites revenir pendant 2 à 3 minutes en remuant sans cesse.

4 Incorporez délicatement le riz et les petits pois.

5 Ajoutez l'eau. Portez à ébullition. Baissez le feu, couvrez et laissez cuire encore 15 à 20 minutes.

1 Lavez le riz au moins deux fois. Réservez-le dans une passoire.

LASAGNES AUX ÉPINARDS

Un plat végétarien que même les amateurs de viande trouveront délicieux. Si le temps presse, servez-vous d'épinards surgelés.

INGRÉDIENTS

Pour 4 personnes

1 kg (2 lb) d'épinards frais

30 cl (1 1/4 tasse) de bouillon de légumes ou de volaille

1 oignon moyen finement haché

1 gousse d'ail écrasée

120 g (3/4 tasse) de noisettes

2 cuillerées à soupe de basilic frais ciselé

6 feuilles de lasagne

420 g (14 oz) de tomates concassées en conserve

25 cl (1 tasse) de fromage frais maigre

1 poignée de persil haché

quelques noisettes effilées

1 Préchauffez le four à 200 °C (400 °F). Lavez les épinards. Mettez-les dans une casserole sans les essorer. Faites cuire à feu soutenu pendant 2 minutes. Égouttez bien.

2 Dans une grande casserole, faites chauffer deux cuillerées à soupe de bouillon. Ajoutez l'oignon et l'ail, et faites-les fondre. Incorporez les épinards, les noisettes et le basilic.

3 Dans un grand plat à gratin, rangez couche par couche les épinards, les lasagnes et les tomates. Mouillez avec le reste du bouillon. Nappez la couche supérieure de fromage frais.

4 Faites cuire pendant environ 45 minutes, jusqu'à ce le gratin soit bien doré. Servez chaud, décoré de lignes de persil haché et de noisettes.

> **NOTE**
> La saveur des noisettes est encore plus accentuée lorsqu'elles sont grillées. Posez-les sur une tôle et faites-les rôtir à four moyen, ou au gril bien chaud, jusqu'à ce qu'elles soient légèrement dorées.

APPORT NUTRITIONNEL	
Par portion :	
Valeur énergétique	365 Cal ou 1 532 kJ
Lipides	17 g
Acides gras saturés	1,46 g
Cholestérol	0,50 mg
Fibres	8,16 g

CALZONE

Pour 4 calzone

600 g (4 tasses) de farine
1 pincée de sel
1 sachet de levure boulangère superactive
environ 35 cl (1 1/2 tasse) d'eau chaude

Pour la farce

1 cuillerée à café d'huile d'olive
1 oignon rouge moyen émincé
3 courgettes moyennes (360 g [12 oz] au
*   total) coupées en rondelles*
2 grosses tomates coupées en dés
200 g environ (1 tasse) de mozzarella
*   coupée en dés*
1 cuillerée à soupe d'origan frais haché
sel, poivre noir fraîchement moulu
un peu de lait écrémé

1 Préparez la pâte. Tamisez la farine et le sel dans une terrine. Incorporez la levure. Ajoutez juste assez d'eau pour obtenir une pâte molle.

2 Pétrissez pendant 5 minutes et façonnez une boule. Couvrez et laissez reposer au chaud pendant environ 1 heure, ou jusqu'à ce que la pâte ait doublé de volume.

3 Entre-temps, préparez la farce. Faites chauffer l'huile dans une poêle. Faites-y rissoler l'oignon et les courgettes pendant 3 à 4 minutes. Retirez du feu. Ajoutez les tomates, le fromage et l'origan. Salez et poivrez.

4 Préchauffez le four à 220 °C (425 °F). Pétrissez légèrement la pâte et divisez-la en quatre parts. Abaissez chaque part sur un plan légèrement fariné pour former quatre cercles d'environ 20 cm de diamètre. Déposez un quart de farce sur chaque demi-cercle.

5 Badigeonnez les bords de calzone avec du lait. Repliez pour bien enfermer la farce. Pressez fermement pour souder. Badigeonnez de lait.

6 Posez les calzone sur une tôle légèrement graissée. Enfournez pendant 15 à 20 minutes. Servez chaud ou froid.

APPORT NUTRITIONNEL	
Par portion :	
Valeur énergétique	544 Cal ou 2 285 kJ
Lipides	10,93 g
Acides gras saturés	5,49 g
Cholestérol	24,42 mg
Fibres	5,09 g

PURÉE DE HARICOTS À LA CHICORÉE

La saveur légèrement amère de la chicorée et de l'endive s'harmonise parfaitement avec celle de la purée de haricots. Pour l'assaisonnement, on peut remplacer l'huile de noix par de l'huile d'olive.

ASTUCE
On peut également utiliser des germes de soja ou des fèves.

INGRÉDIENTS

Pour 4 personnes

400 g (14 oz) de flageolets en boîte
3 cuillerées à soupe de fromage frais maigre
le zeste râpé et le jus de 1 grosse orange
1 cuillerée à soupe de romarin frais finement ciselé
4 endives
2 cœurs de chicorée, de grosseur moyenne
2 cuillerées à soupe d'huile de noix
morceaux de zeste d'orange, pour décorer (facultatif)

1 Égouttez les haricots, rincez-les et égouttez-les de nouveau. Réduisez-les en purée dans le mixeur avec le fromage frais, le zeste et le jus d'orange et le romarin. Réservez.

2 Coupez les endives en deux dans le sens de la longueur.

3 Coupez les cœurs de chicorée en huit. Faites préchauffer le gril.

4 Mettez les endives et la chicorée dans un plat à four, puis badigeonnez-les avec l'huile de noix. Faites griller 2 à 3 minutes. Servez accompagné de la purée de haricots et décoré de zeste d'orange.

APPORT NUTRITIONNEL	
Par portion :	
Calories	103 kcal/432 kJ
Lipides	6,22 g
Acides gras saturés	1,54 g
Cholestérol	0,4 g
Fibres	6,73 g

SAUCE BOLOGNAISE AUX LENTILLES

Riche en protéines, cette sauce accompagne très bien les pâtes ou les légumes, mais peut aussi servir à la confection de gâteaux.

INGRÉDIENTS

Pour 6 personnes

3 cuillerées à soupe d'huile d'olive
1 oignon, haché
2 gousses d'ail, écrasées
2 carottes, grossièrement râpées
2 branches de céleri, hachées
115 g (4 1/2 oz) de lentilles rouges
400 g (14 oz) de tomates concassées en
  boîte
2 cuillerées à soupe de purée de tomates
45 cl (3/4 pt) de bouillon
1 cuillerée à soupe de marjolaine fraîche
  ciselée, ou 1 cuillerée à café de
  marjolaine séchée
sel et poivre noir

1 Faites chauffer l'huile dans une grande casserole, puis faites-y revenir, à feu doux, l'oignon, l'ail, les carottes et le céleri pendant 5 minutes.

APPORT NUTRITIONNEL

Par portion :	
Calories	103 kcal/432 kJ
Lipides	2,19 g
Acides gras saturés	0,85 g
Fibres	2,15 g

2 Ajoutez les lentilles, les tomates, la purée de tomates, le bouillon et la marjolaine. Salez et poivrez selon votre goût.

3 Portez le mélange à ébullition, puis couvrez à demi et laissez mijoter pendant 20 minutes, jusqu'à épaississement de la sauce.

ASTUCE
Pour obtenir une sauce plus légère, vous pouvez réduire la quantité d'huile d'olive, voire la remplacer par un peu de bouillon, et faire cuire les légumes, à feu doux, dans une poêle.

Biryani végétarien

Ce plat exotique composé d'ingrédients de consommation courante sera apprécié des végétariens comme des carnivores. Très pauvre en lipides, il offre cependant un mélange de saveurs qui séduira les gastronomes.

Ingrédients

Pour 4-6 personnes

175 g (6 oz) de riz à longs grains
2 clous de girofle
graines de 2 cosses de cardamome
45 cl (3/4 pt) de bouillon de légumes
2 gousses d'ail
1 petit oignon, grossièrement haché
1 cuillerée à café de cumin
1 cuillerée à café de coriandre en poudre
1/2 cuillerée à café de curcuma en poudre
1/2 cuillerée à café de piment en poudre
sel et poivre noir
1 grosse pomme de terre, pelée et coupée en dés
2 carottes, coupées en rondelles
1/2 chou-fleur, divisé en bouquets
50 g (2 oz) de haricots verts, coupés en tronçons de 2,5 cm (1 po)
2 cuillerées à soupe de coriandre fraîche ciselée
2 cuillerées à soupe de jus de citron vert
brins de coriandre fraîche, pour décorer

Apport nutritionnel	
Par portion :	
Calories	175 kcal/737 kJ
Protéines	3,66 g
Lipides	0,78 g
Acides gras saturés	0,12 g
Fibres	0,58 g

Astuce
Vous pouvez utiliser d'autres légumes. Courgettes, brocolis, navets et patates douces, entre autres, constituent d'excellents choix.

4 Faites préchauffer le four à 180 °C (350 °F). Transvasez la pâte épicée dans une cocotte allant au four et faites cuire à feu doux, pendant 2 minutes, en remuant de temps en temps.

2 Réduisez le feu, couvrez et laissez mijoter pendant 20 minutes. Le riz doit avoir complètement absorbé le bouillon.

5 Ajoutez la pomme de terre, les carottes, le chou-fleur, les haricots verts et 6 cuillerées à soupe d'eau. Couvrez et laissez cuire, à feu doux, encore 12 minutes, en remuant de temps en temps. Incorporez la coriandre ciselée.

1 Mettez le riz, les clous de girofle et les graines de cardamome dans une grande casserole à fond épais. Mouillez avec le bouillon et portez à ébullition.

3 Pendant ce temps, mettez les gousses d'ail, l'oignon, les graines de cumin, la coriandre, le curcuma, le piment en poudre, le sel et le poivre dans le bol du mixeur avec 2 cuillerées à soupe d'eau. Réduisez le tout en une pâte onctueuse.

6 Retirez les clous de girofle et versez le riz sur les légumes. Arrosez avec le jus de citron vert. Couvrez et laissez cuire au four pendant 25 minutes (les légumes doivent être cuits). Détachez les grains du riz avec une fourchette avant de servir et décorez avec un brin de coriandre fraîche.

RIZ AU LAIT DE NOIX DE COCO

Une variante délicieuse du simple riz bouilli. Vous pouvez utiliser du riz blanc ou du riz complet.

INGRÉDIENTS

Pour 6 personnes

450 g (1 lb) de riz à longs grains
25 cl (8 fl oz) d'eau
47,5 cl (16 fl oz) de lait de noix de coco
1/2 cuillerée à café de sel
2 cuillerées à soupe de sucre en poudre
morceaux de noix de coco fraîche, pour
    décorer

1 Lavez le riz dans l'eau froide jusqu'à ce que celle-ci soit parfaitement limpide. Mettez l'eau, le lait de noix de coco, le sel et le sucre dans une casserole à fond épais ou dans une cocotte.

> **ASTUCE**
> Le lait de noix de coco est vendu en boîte, en bouteille, ou encore en poudre qu'il faut mélanger à de l'eau. Dans ce cas, respectez les dosages indiqués sur le paquet.

2 Ajoutez le riz, couvrez et portez à ébullition. Réduisez le feu et laissez mijoter pendant 15 à 20 minutes environ. Le riz doit être cuit et bien tendre (sans être collant).

3 Éteignez le feu et laissez le riz reposer dans la cocotte pendant encore 5 à 10 minutes.

4 Séparez les grains du riz avec des baguettes ou une fourchette. Servez décoré avec des morceaux de noix de coco.

APPORT NUTRITIONNEL	
Par portion :	
Calories	322,5 kcal/1 371 kJ
Lipides	2,49 g
Acides gras saturés	1,45 g
Cholestérol	0
Fibres	0,68 g

RIZ JASMIN

Un riz parfaitement cuit constitue l'accompagnement léger idéal à de nombreux plats de légumes.

INGRÉDIENTS

Pour 6 personnes

450 g (1 lb) de riz à longs grains
75 cl (1 1/4 pt) d'eau froide
1/2 cuillerée à café de sel

APPORT NUTRITIONNEL

Par portion :

Calories	270,8 kcal/1 152 kJ
Lipides	0,75 g
Acides gras saturés	0
Cholestérol	0
Fibres	0,37 g

ASTUCE

Un autocuiseur électrique spécial pour le riz offre l'avantage de le cuire et de le garder chaud. Il en existe des modèles très divers, de toutes les tailles. Le meilleur est représenté par un modèle dans lequel le riz ne colle jamais, très cher, mais qui mérite cette dépense si vous consommez souvent du riz.

1 Lavez le riz dans l'eau froide jusqu'à ce que celle-ci soit parfaitement limpide.

2 Versez le riz dans une casserole à fond épais ou dans une cocotte, puis mouillez avec l'eau et salez. Portez à ébullition à gros bouillons, à découvert, à feu vif.

3 Remuez et réduisez à feu doux. Couvrez et laissez mijoter jusqu'à 20 minutes. Le riz doit avoir complètement absorbé l'eau de cuisson. Retirez du feu et laissez reposer pendant 10 minutes.

4 Découvrez et remuez délicatement le riz avec des baguettes ou une fourchette pour en séparer les grains.

TAGLIATELLES AU BASILIC ET AUX NOISETTES

Les noisettes, moins riches en matières grasses que les noix, conviennent parfaitement à ce pistou allégé.

INGRÉDIENTS

Pour 4 personnes

2 gousses d'ail écrasées

150 g (1 tasse) de feuilles de basilic

40 g (1/4 tasse) de noisettes

20 cl (7/8 tasse) de fromage blanc maigre

240 g (8 oz) de tagliatelles ou 450 g (1 lb)
*   de tagliatelles fraîches*

sel, poivre noir fraîchement moulu

1 Mettez l'ail, le basilic, les noisettes et le fromage dans le bol d'un mixer. Travaillez jusqu'à ce que vous obteniez une pâte épaisse.

2 Faites cuire les tagliatelles dans une grande casserole d'eau bouillante légèrement salée, jusqu'à ce qu'elles soient al dente. Égouttez bien.

3 Versez la sauce sur les pâtes chaudes. Remuez bien jusqu'à ce qu'elle fonde. Poivrez et servez très chaud.

APPORT NUTRITIONNEL

Par portion :

Valeur énergétique	274 Cal ou 1 155 kJ
Lipides	5,05 g
Acides gras saturés	0,43 g
Cholestérol	0,50 mg
Fibres	2,14 g

SPAGHETTIS À LA TOMATE ET AU THON

Un plat vite fait et délicieux, que l'on peut préparer avec toutes sortes de pâtes.

INGRÉDIENTS

Pour 4 personnes

240 g (8 oz) de spaghettis

420 g (14 oz) de tomates concassées en
*   conserve*

1 gousse d'ail écrasée

450 g (15 oz) de thon au naturel en boîte
*   émietté*

1/2 cuillerée à café de sauce au piment
*   (facultatif)*

4 olives noires dénoyautées et hachées

sel, poivre noir fraîchement moulu

> NOTE
> Si vous trouvez du thon frais, prenez-en 450 g (1 lb). Coupez-le en petits cubes et ajoutez-le comme au paragraphe 3. Laissez mijoter pendant 6 à 8 minutes, puis ajoutez la sauce au piment, les olives et les pâtes.

1 Faites cuire les spaghettis jusqu'à ce qu'ils soient al dente. Égouttez bien et réservez au chaud.

2 Dans la même casserole, mettez les tomates et l'ail. Portez à ébullition. Laissez mijoter à découvert pendant 2 à 3 minutes.

3 Ajoutez le thon, la sauce au piment (si vous le souhaitez), les olives et les spaghettis. Réchauffez bien. Salez et poivrez. Servez chaud.

APPORT NUTRITIONNEL

Par portion :

Valeur énergétique	306 Cal ou 1 288 kJ
Lipides	2,02 g
Acides gras saturés	0,37 g
Cholestérol	48,45 mg
Fibres	2,46 g

Pilaf de boulgour aux lentilles

Le boulgour est une céréale extrêmement facile à cuisiner. On peut l'utiliser dans la plupart des recettes à la place du riz, pour des plats froids ou chauds.

Ingrédients

Pour 4 personnes

1 cuillerée à café d'huile d'olive
1 gros oignon émincé
2 gousses d'ail écrasées
1 cuillerée à café de coriandre en poudre
1 cuillerée à café de cumin en poudre
1 cuillerée à café de curcuma en poudre
1/2 cuillerée à café de toute-épice
300 g (1 1/4 tasse) de boulgour
environ 90 cl (3 2/3 tasses) de bouillon ou d'eau
300 g (1 1/2 tasse) de champignons de Paris coupés en fines lamelles
160 g (2/3 tasse) de lentilles vertes
sel, poivre noir fraîchement moulu et poivre de Cayenne

1 Faites chauffer l'huile dans une sauteuse. Ajoutez l'oignon, l'ail et les épices. Faites revenir pendant 1 minute en remuant.

2 Incorporez le boulgour. Laissez cuire environ 2 minutes, en remuant, jusqu'à ce qu'il ait blondi. Ajoutez le bouillon ou l'eau, les champignons et les lentilles.

3 Laissez mijoter à feu très doux de 25 à 30 minutes, jusqu'à ce que le boulgour et les lentilles soient cuits et le liquide absorbé. Ajoutez du liquide si nécessaire.

4 Salez et poivrez selon votre goût. Servez chaud.

NOTE
Les lentilles vertes peuvent être cuisinées sans trempage préalable, car elles cuisent rapidement et ne se brisent pas. Mais si vous avez le temps, faites-les tremper, cela raccourcira encore le temps de cuisson.

Apport nutritionnel

Par portion :

Valeur énergétique	325 Cal ou 1 367 kJ
Lipides	2,80 g
Acides gras saturés	0,33 g
Cholestérol	0
Fibres	3,61 g

TIMBALES DE COUSCOUS À LA MENTHE

Le couscous est une fine semoule de blé dur. Généralement cuite à la vapeur, on la sert avec une viande riche ou un ragoût de légumes. Il est ici parfumé à la menthe et façonné en petites timbales. Vous le servirez en accompagnement d'un plat de viande ou de poisson.

INGRÉDIENTS

Pour 6 personnes

300 g (1 1/4 tasse) de couscous

50 cl (2 tasses) de bouillon bouillant

1 cuillerée à soupe de jus de citron

2 tomates taillées en dés

2 cuillerées à soupe de menthe fraîche hachée

sel, poivre noir fraîchement moulu

1 cuillerée à soupe d'huile

quelques brins de menthe fraîche

1 Versez le couscous dans une terrine. Couvrez-le de bouillon bouillant. Couvrez la terrine et laissez reposer 30 minutes, jusqu'à ce que les grains soient tendres et le liquide absorbé.

2 Incorporez le jus de citron, puis les tomates et la menthe hachée. Salez et poivrez.

3 Badigeonnez d'huile l'intérieur de quatre timbales ou moules. Remplissez-les de couscous en pressant bien. Réfrigérez pendant plusieurs heures.

4 Démoulez et servez froid. Ou bien couvrez et réchauffez dans un four tiède ou au micro-ondes, puis démoulez et servez chaud, décoré de brins de menthe.

NOTE

La plupart des couscous sont aujourd'hui précuits. Ils peuvent donc être préparés comme dans cette recette. Certaines qualités, toutefois, demandent une cuisson préalable à la vapeur. Vérifiez bien les conseils de cuisson indiqués sur le paquet.

APPORT NUTRITIONNEL

Par portion :	
Valeur énergétique	95 Cal ou 397 kJ
Lipides	0,53 g
Acides gras saturés	0,07 g
Cholestérol	0
Fibres	0,29 g

CRÊPES AUX GRAINS DE MAÏS

Ces petites crêpes croustillantes sont délicieuses pour un repas léger, servies avec une belle salade verte.

INGRÉDIENTS

Pour 4 personnes (environ 12 crêpes)

150 g (1 tasse) de farine à levure incorporée

1 blanc d'œuf

15 cl (2/3 tasse) de lait écrémé

200 g (7 oz) de grains de maïs en boîte égouttés

sel, poivre noir fraîchement moulu

1 cuillerée à soupe d'huile

chutney à la tomate

2 Salez et poivrez la pâte. Ajoutez le reste de maïs.

1 Dans le bol d'un mixer, versez la farine, le blanc d'œuf, le lait et la moitié des grains de maïs. Travaillez jusqu'à ce que vous obteniez un mélange lisse et homogène.

3 Faites chauffer une poêle légèrement enduite d'huile. Déposez quelques cuillerées de pâte et faites cuire jusqu'à ce que la crêpe soit prise. Retournez et faites cuire l'autre côté jusqu'à ce qu'il soit bien doré. Servez chaud avec du chutney à la tomate.

APPORT NUTRITIONNEL

Par portion :	
Valeur énergétique	162 Cal ou 680 kJ
Lipides	0,89 g
Acides gras saturés	0,14 g
Cholestérol	0,75 mg
Fibres	1,49 g

POLENTA À LA TOMATE

INGRÉDIENTS

Pour 4 personnes

90 cl (3 2/3 tasses) de bouillon

300 g (1 1/4 tasse) de polenta (farine de maïs)

4 cuillerées à soupe de sauge fraîche finement ciselée

sel, poivre noir fraîchement moulu

1 cuillerée à café d'huile d'olive

2 grosses tomates coupées en rondelles

1 cuillerée à soupe de parmesan râpé

1 Portez le bouillon à ébullition dans une grande casserole. Jetez-y la polenta en pluie en remuant constamment.

2 Baissez à feu modéré et continuez de remuer environ 5 minutes, jusqu'à ce la polenta commence à se détacher des parois de la casserole. Incorporez la sauge. Salez et poivrez. Versez la polenta dans un plat peu profond légèrement enduit d'huile. Étalez en une couche lisse. Laissez refroidir.

3 Préchauffez le four à 200 °C (400 °F). Avec un couteau effilé, découpez la polenta tiède en vingt-quatre carrés.

4 Dans un plat à gratin enduit d'un peu d'huile, disposez les carrés de polenta et les rondelles de tomates de manière à ce qu'ils se chevauchent. Parsemez de parmesan et enfournez environ 20 minutes, jusqu'à obtenir une belle couleur dorée. Servez chaud.

APPORT NUTRITIONNEL

Par portion :	
Valeur énergétique	200 Cal ou 842 kJ
Lipides	3,80 g
Acides gras saturés	0,77 g
Cholestérol	1,88 mg
Fibres	1,71 g

GÂTEAU DE RIZ AU CITRON ET AUX FINES HERBES

Un riz tout à fait surprenant, que l'on peut servir comme plat principal ou en accompagnement. Il est délicieux aussi froid, pour un pique-nique.

INGRÉDIENTS

Pour 4 personnes

1 petit poireau émincé
60 cl (2 1/2 tasses) de bouillon de volaille
240 g (1 tasse) de riz rond
zeste finement râpé de 1 citron
2 cuillerées à soupe de ciboulette fraîche hachée
2 cuillerées à soupe de persil frais haché
175 g (3/4 tasse) de mozzarella taillée en dés
sel, poivre noir fraîchement moulu
quelques brins de persil
quelques quartiers de citron

1 Préchauffez le four à 200 °C (400 °F). Badigeonnez légèrement d'huile un moule à gâteau rond et profond, à fond escamotable.

2 Dans une grande casserole, faites cuire le poireau à feu modéré dans 3 cuillerées à soupe de bouillon, en remuant bien. Ajoutez le riz et le reste de bouillon.

3 Portez à ébullition. Couvrez. Baissez le feu et laissez mijoter, en remuant de temps en temps, environ 20 minutes ou jusqu'à absorption complète du bouillon.

4 Incorporez le zeste de citron, les herbes et le fromage. Salez et poivrez. Versez dans le moule, couvrez d'une feuille d'aluminium et enfournez pendant 30 à 35 minutes, jusqu'à obtenir une belle couleur dorée. Démoulez. Servez découpé, décoré de persil et de quartiers de citron.

NOTE
Pour cette recette, choisissez de préférence un riz rond italien pour risotto. Il faut en général le rincer avant de le faire cuire.

APPORT NUTRITIONNEL	
Par portion :	
Valeur énergétique	280 Cal ou 1 176 kJ
Lipides	6,19 g
Acides gras saturés	2,54 g
Cholestérol	12,19 mg
Fibres	0,90 g

RIZ AUX DEUX GRAINES ET AUX ÉPICES

Un riz aux saveurs subtiles qui remplace agréablement le riz nature ! À servir avec des currys ou des viandes grillées. Le riz basmati convient parfaitement à ce plat, mais vous pouvez aussi utiliser un riz long grain ordinaire.

INGRÉDIENTS

Pour 4 personnes

1 cuillerée à café d'huile de tournesol
1/2 cuillerée à café de curcuma en poudre
6 gousses de cardamome écrasées
1 cuillerée à café de grains de coriandre concassés
1 gousse d'ail écrasée
240 g (1 tasse) de riz basmati
40 cl (1 2/3 tasse) de bouillon
12 cl (1/2 tasse) de yaourt nature
1 cuillerée à soupe de graines de tournesol grillées
1 cuillerée à soupe de graines de sésame grillées
sel, poivre noir fraîchement moulu
quelques feuilles de coriandre fraîche

1 Dans une poêle, faites chauffer l'huile. Ajoutez les épices et l'ail et faites revenir environ 1 minute, en remuant sans cesse.

2 Ajoutez le riz et le bouillon. Portez à ébullition. Couvrez et laissez mijoter environ 15 minutes.

3 Incorporez le yaourt, ainsi que les graines de tournesol et de sésame. Salez et poivrez. Servez chaud, parsemé de quelques feuilles de coriandre.

APPORT NUTRITIONNEL

Par portion :

Valeur énergétique	243 Cal ou 1 022 kJ
Lipides	5,50 g
Acides gras saturés	0,73 g
Cholestérol	1,15 mg
Fibres	0,57 g

NOTE
Les graines de tournesol et de sésame, très riches en minéraux, peuvent être utilisées pour parfumer de nombreux plats. Un court passage au four en améliore sensiblement l'arôme.

VIANDES

Il existe une très grande variété de morceaux de viande
maigre. Choisissez-les pour préparer des plats délicieux et peu
caloriques. Vous trouverez dans ce chapitre des recettes
de plats principaux légers et tentants, aux saveurs originales.
Essayez donc la salade de bœuf à la thaïlandaise, ou les kebabs
aux feuilles de menthe pour un déjeuner d'été *al fresco*. Pour
des repas de fête, choisissez le ragoût de veau, le satay de porc
indonésien ou la venaison à la sauce aux airelles. Si vous avez
une famille à nourrir, vous trouverez bon nombre de recettes
savoureuses et faciles à préparer, depuis le rôti de porc en
demi-croûte jusqu'aux keftas au bacon, ou encore les hamburgers
aux champignons.

SALADE DE BŒUF À LA THAÏLANDAISE

Une salade originale à la viande de bœuf, assaisonnée de piment et de citron vert.

INGRÉDIENTS

Pour 6 personnes

75 g (3 oz) de bifteck dans l'aloyau
1 oignon rouge, finement émincé
1/2 concombre, coupé en fine julienne
1 brin de citronnelle finement ciselé
2 cuillerées à soupe de ciboules ciselées
le jus de 2 citrons verts
1-2 cuillerées à soupe de nuoc-mâm
2-4 piments rouges, finement hachés, coriandre fraîche, cresson de moutarde chinois et feuilles de menthe, pour décorer

APPORT NUTRITIONNEL	
Par portion :	
Calories	101 kcal/424 kJ
Lipides	3,8 g
Acides gras saturés	1,7 g
Cholestérol	33,4 mg
Fibres	0,28 g

ASTUCE

Vous pouvez aussi utiliser des biftecks dans le rumsteak ou le filet. Choisissez de la viande très maigre, d'excellente qualité, et retirez tout morceau de graisse éventuel.

1 Faites griller les biftecks juste à point, puis laissez-les reposer pendant 10 à 15 minutes.

2 Lorsque les biftecks sont froids, émincez-les en tranches fines et mettez-les dans un saladier.

3 Ajoutez l'oignon, le concombre et la citronnelle.

4 Incorporez la ciboule. Assaisonnez avec le jus de citron vert et le nuoc-mâm en remuant bien. Servez à température ambiante, ou glacé, décoré de piments, de coriandre, de cresson de moutarde chinois et de menthe.

RAGOÛT DE VEAU

Voici une recette légère idéale, que
l'on soit seul ou entre amis, car elle
est délicieuse et rapide à préparer.

INGRÉDIENTS

Pour 4 personnes

375 g (12 oz) de filet de veau
1 cuillerée à soupe d'huile d'olive
10-12 petits oignons, entiers
1 poivron jaune, épépiné et coupé en
* huit morceaux*
1 poivron rouge ou orange, épépiné et coupé
* en huit morceaux*
3 tomates, pelées et coupées en quartiers
4 feuilles de basilic frais
2 cuillerées à soupe de Martini ou de xérès
sel et poivre noir

APPORT NUTRITIONNEL

Par portion :

Calories	158 kcal/665,5 kJ
Lipides	4,97 g
Acides gras saturés	1,14 g
Cholestérol	63 mg
Fibres	2,5 g

1 Dégraissez la viande, si nécessaire, et
coupez-la en dés. Faites chauffer l'huile
dans une poêle et faites-y revenir les morceaux
de veau et les oignons, à feu doux, jusqu'à ce
qu'ils soient bien dorés.

2 Ajoutez les poivrons et les tomates. Laissez
revenir encore pendant 4 à 5 minutes.

> **ASTUCE**
> On peut remplacer le veau par du filet de
> bœuf ou de porc, et les oignons par des
> échalotes.

3 Incorporez la moitié des feuilles de basilic,
grossièrement hachées (conservez l'autre
moitié pour la décoration), le Martini ou le
xérès, salez et poivrez. Laissez cuire, en
remuant fréquemment, pendant 10 minutes. La
viande doit être bien tendre.

4 Parsemez avec le reste de feuilles de basilic
et servez chaud.

VENAISON À LA SAUCE AUX AIRELLES

Les steaks de venaison (chair comestible du gros gibier – cerf, sanglier, etc.) vendus tout préparés ont l'avantage d'être à la fois très peu gras et parfaits pour préparer un plat original. Servis avec une sauce aux airelles, du porto et du gingembre, ils composeront un plat succulent aux saveurs rares.

INGRÉDIENTS

Pour 4 personnes

1 orange

1 citron

75 g (3 oz) d'airelles fraîches ou congelées

1 cuillerée à café de racine de gingembre fraîche, râpée

1 branche de thym, plus quelques autres pour décorer

1 cuillerée à café de moutarde de Dijon

4 cuillerées à soupe de gelée de groseilles

15 cl (1/4 pt) de porto

2 cuillerées à café d'huile de tournesol

4 tranches de venaison de 90 g (3 1/2 oz) chacune

2 échalotes, finement hachées

sel et poivre noir

purée de pommes de terre et brocolis, pour servir

APPORT NUTRITIONNEL

Par portion :

Calories	250 kcal/5 kJ
Lipides	4,39 g
Acides gras saturés	1,13 g
Cholestérol	50 mg
Fibres	1,59 g

ASTUCE

Lorsque vous faites revenir la venaison, souvenez-vous que plus la cuisson est courte meilleure sera la viande. Elle doit en effet être cuite à point, et jamais au-delà, de peur qu'elle ne se transforme en véritable « semelle ». Si vous aimez la viande très cuite, laissez-la reposer quelques minutes dans le four (à très basse température) après cuisson.

1 Prélevez les zestes de la moitié de l'orange et de la moitié du citron avec un épluche-légumes, puis coupez-les en très fine julienne.

2 Faites blanchir les zestes dans une casserole d'eau bouillante pendant 5 minutes. Égouttez-les et rafraîchissez-les à l'eau froide.

3 Pressez les jus de l'orange et du citron, puis versez-les dans une petite casserole. Ajoutez les airelles, le gingembre, le thym, la moutarde, la gelée de groseilles et le porto. Laissez cuire à feu doux jusqu'à ce que la gelée de groseilles ait fondu.

4 Portez la sauce à ébullition, en remuant de temps en temps, puis couvrez la casserole et réduisez le feu. Laissez cuire à feu doux pendant 15 minutes environ. Les airelles doivent être juste cuites.

VARIANTE

Vous pouvez remplacer les airelles fraîches par des groseilles. Incorporez-les à la sauce en fin de cuisson avec les zestes d'orange et de citron.

---

5 Faites chauffer l'huile dans une poêle à fond épais, ajoutez les steaks de venaison et laissez cuire à feu vif pendant 2 à 3 minutes.

6 Retournez les steaks et incorporez les échalotes. Laissez cuire la viande pendant encore 2 à 3 minutes, selon que vous l'aimez plutôt saignante ou à point.

7 Juste avant la fin de la cuisson, arrosez avec la sauce et ajoutez les zestes de citron et d'orange.

8 Laissez la sauce bouillonner pendant quelques secondes afin qu'elle épaississe un peu, puis retirez le thym. Salez et poivrez selon votre goût.

9 Transférez les steaks dans des assiettes chaudes et arrosez avec la sauce. Décorez de branches de thym et servez accompagné de purée de pommes de terre et de brocolis.

TIMBALES DE PORC AU CÉLERI

Moins riches en matières grasses qu'elles n'en ont l'air, et économiques en viande, ces timbales plairont particulièrement aux enfants.

INGRÉDIENTS

Pour 4 personnes

1 cuillerée à café d'huile de tournesol
190 g (1 1/4 tasse) de farine
1 blanc d'œuf
25 cl (1 tasse) de lait écrémé
12 cl (1/2 tasse) d'eau
360 g (12 oz) de porc maigre haché
2 branches de céleri finement hachées
3 cuillerées à soupe de flocons d'avoine
2 cuillerées à soupe de ciboulette ciselée
1 cuillerée à soupe de sauce worcester
sel, poivre noir fraîchement moulu

1 Préchauffez le four à 220 °C (425 °F). Badigeonnez douze moules à tartelette d'un peu d'huile.

2 Versez la farine dans un saladier. Creusez un puits, ajoutez le blanc d'œuf et le lait et incorporez en battant vigoureusement. Ajoutez l'eau et continuez de battre jusqu'à obtenir une pâte lisse et légèrement écumeuse.

3 Dans une terrine, mélangez soigneusement le porc haché, le céleri, les flocons d'avoine, la ciboulette et la sauce worcester. Salez et poivrez. Façonnez douze boulettes et posez-les dans les moules à tartelette.

4 Faites cuire pendant 10 minutes, puis sortez du four et versez rapidement la pâte dans les moules. Remettez au four pendant 20 à 25 minutes, jusqu'à ce que la pâte ait gonflé et doré. Servez chaud avec un jus de viande léger et des légumes frais.

APPORT NUTRITIONNEL

Par portion :

Valeur énergétique	344 Cal ou 1 443 kJ
Lipides	9,09 g
Acides gras saturés	2,70 g
Cholestérol	61,62 mg
Fibres	2,37 g

HAMBURGERS AUX CHAMPIGNONS

Rien ne vaut un savoureux
hamburger maison dont vous pouvez
contrôler la richesse en graisses
– ici, la viande hachée est mélangée
à des champignons pour un meilleur
apport en fibres.

INGRÉDIENTS

Pour 4 personnes

1 petit oignon haché
300 g (2 tasses) de champignons de Paris
450 g (1 lb) de bœuf maigre haché
60 g (1 tasse) de chapelure fraîche
1 cuillerée à café d'herbes aromatiques
1 cuillerée à soupe de concentré de
*   tomates*
sel, poivre noir fraîchement moulu
un peu de farine

1 Dans le bol d'un mixer, hachez finement
l'oignon et les champignons. Ajoutez la
viande, la chapelure, les herbes et le concentré
de tomates. Salez et poivrez selon votre goût.
Travaillez pendant quelques secondes, jusqu'à
ce que le mélange soit homogène mais pas trop
lisse.

2 Façonnez huit à dix boulettes. Puis, les
mains farinées, aplatissez-les en forme de
steaks ronds.

3 Faites rissoler les hamburgers des
deux côtés dans une poêle, ou au gril chaud,
pendant environ 12 à 15 minutes. Servez avec
une feuille de salade et de la moutarde dans de
petits pains à hamburger ou des pitas.

NOTE
Le hachis est friable, servez-vous
donc d'une spatule pour retourner les
hamburgers afin qu'ils ne se brisent
pas pendant la cuisson.

APPORT NUTRITIONNEL

Par portion :

Valeur énergétique	196 Cal ou 822 kJ
Lipides	5,90 g
Acides gras saturés	2,21 g
Cholestérol	66,37 mg
Fibres	1,60 g

CURRY D'AGNEAU AUX LENTILLES

Un délicieux curry peu gras, mais riche en protéines.

INGRÉDIENTS

Pour 4 personnes

8 tranches désossées de gigot maigre (au total, environ 550 g [1 1/4 lb])
1 oignon moyen haché
2 carottes moyennes coupées en dés
1 branche de céleri hachée
1 cuillerée à soupe de pâte de curry
2 cuillerées à soupe de concentré de tomates
50 cl (2 tasses) de bouillon de volaille
240 g (1 tasse) de lentilles vertes
sel, poivre noir fraîchement moulu
quelques feuilles de coriandre fraîche
riz cuit

1 Dans une grande poêle, faites dorer des deux côtés les tranches de gigot sans matière grasse.

2 Ajoutez les légumes et laissez cuire environ 2 minutes. Incorporez la pâte de curry, le concentré de tomates, le bouillon et les lentilles.

3 Portez à ébullition, couvrez et laissez mijoter environ 30 minutes, jusqu'à ce que la viande soit bien tendre. Ajoutez du bouillon s'il le faut. Salez et poivrez. Parsemez de feuilles de coriandre. Servez avec du riz.

APPORT NUTRITIONNEL

Par portion :

Valeur énergétique	375 Cal ou 1 575 kJ
Lipides	13,03 g
Acides gras saturés	5,34 g
Cholestérol	98,75 mg
Fibres	6,11 g

BRAISÉ DE PORC AUX ABRICOTS

Un plat simple, mais dont la riche couleur dorée et la saveur parfumée égaieront vos dîners d'hiver.

INGRÉDIENTS

Pour 4 personnes

4 côtes de porc maigre
1 oignon moyen émincé
2 poivrons jaunes épépinés et coupés en fines lamelles
2 cuillerées à café de curry en poudre
1 cuillerée à soupe de farine
25 cl (1 tasse) de bouillon de volaille
120 g (2/3 tasse) d'abricots secs
2 cuillerées à soupe de moutarde à l'ancienne
sel, poivre noir fraîchement moulu

1 Dégraissez les côtes de porc. Faites-les dorer dans une grande poêle à fond épais.

2 Ajoutez l'oignon et les poivrons, puis faites cuire pendant 5 minutes à feu modéré en remuant. Ajoutez le curry et la farine.

3 Versez le bouillon, en remuant toujours, puis ajoutez les abricots et la moutarde. Couvrez. Laissez mijoter pendant 25 à 30 minutes, jusqu'à ce que les côtes soient bien tendres. Salez et poivrez. Servez chaud avec du riz ou des pommes de terre à l'eau.

APPORT NUTRITIONNEL

Par portion :

Valeur énergétique	289 Cal ou 1 213 kJ
Lipides	10,03 g
Acides gras saturés	3,23 g
Cholestérol	82,80 mg
Fibres	4,86 g

PORC CAMPAGNARD AUX RISSOLES PERSILLÉES

Un plat complet, chaleureux et savoureux.

INGRÉDIENTS

Pour 4 personnes

*450 g (1 lb) d'épaule de porc désossée,
    coupée en dés*
1 petit céleri-rave coupé en dés
2 carottes coupées en rondelles
2 navets coupés en rondelles
2 poireaux émincés
2 branches de céleri émincées
90 cl (3 2/3 tasses) de bouillon de bœuf
*2 cuillerées à soupe de concentré de
    tomates*
2 cuillerées à soupe de persil frais haché
50 g (1/4 tasse) d'orge perlé
*sel au céleri, poivre noir fraîchement
    moulu*

Pour les rissoles

150 g (1 tasse) de farine
1 cuillerée à café de levure chimique
sel, poivre noir fraîchement moulu
*6 cuillerées à soupe de fromage frais
    maigre*
3 cuillerées à soupe de persil frais haché

1 Préchauffez le four à 180 °C (350 °F). Dans une poêle, faites dorer les morceaux de porc sans matière grasse.

2 Ajoutez les légumes et laissez cuire à feu modéré en remuant, jusqu'à ce qu'ils aient pris une légère coloration. Mettez dans une cocotte. Incorporez le bouillon, le concentré de tomates, le persil et l'orge perlé.

3 Salez et poivrez. Couvrez. Faites cuire au four pendant 1 heure à 1 heure et quart, jusqu'à ce que le porc et les légumes soient bien tendres.

4 Confectionnez les rissoles. Tamisez la farine et la levure. Salez et poivrez. Incorporez le fromage frais et le persil avec suffisamment d'eau froide pour obtenir une pâte molle. Abaissez avec un rouleau à pâtisserie jusqu'à obtenir une épaisseur d'environ 1,5 cm, et découpez en douze à seize triangles.

5 Sortez la cocotte du four et relevez la température à 220 °C (425 °F).

6 Disposez les triangles sur le porc dans la cocotte, de manière à ce qu'ils chevauchent. Laissez cuire pendant 15 à 20 minutes, jusqu'à ce qu'ils aient bien gonflé et doré.

APPORT NUTRITIONNEL

Par portion :

Valeur énergétique	461 Cal ou 1 936 kJ
Lipides	10,55 g
Acides gras saturés	3,02 g
Cholestérol	77,85 mg
Fibres	9,44 g

ÉMINCÉ DE BŒUF À L'ORANGE ET AU GINGEMBRE

Les émincés sautés à la chinoise constituent l'une des meilleures méthodes de cuisson avec un minimum de matières grasses. Ils sont également très rapides à préparer, mais il vous faut toujours choisir une viande tendre.

INGRÉDIENTS

Pour 4 personnes

450 g (1 lb) de bœuf (filet, entrecôte ou rumsteck) coupé en lamelles

zeste finement râpé et jus de 1 orange

1 cuillerée à soupe de sauce de soja

1 cuillerée à café de maïzena

1 petit morceau de racine de gingembre finement haché

2 cuillerées à café d'huile de sésame

1 grosse carotte taillée en julienne

2 oignons nouveaux émincés

1 Dans un saladier, arrosez les lamelles de bœuf du jus d'orange et ajoutez le zeste. Si possible, laissez macérer au moins 30 minutes.

2 Égouttez et réservez la marinade. Enrobez la viande avec la sauce de soja, la maïzena et le gingembre.

3 Dans un wok ou une grande poêle, faites chauffer l'huile. Ajoutez la viande et faites-la sauter pendant 1 minute jusqu'à obtenir une légère coloration. Ajoutez la carotte et laissez cuire encore 2 à 3 minutes.

4 Ajoutez les échalotes et la marinade réservée. Faites cuire, en remuant, jusqu'à ce que la préparation commence à frémir et à épaissir. Servez chaud avec des vermicelles de riz ou du riz nature.

APPORT NUTRITIONNEL

Par portion :	
Valeur énergétique	175 Cal ou 730 kJ
Lipides	6,81 g
Acides gras saturés	2,31 g
Cholestérol	66,37 mg
Fibres	0,67 g

TOURTE D'AGNEAU À LA GRECQUE

——— INGRÉDIENTS ———

Pour 4 personnes

1 cuillerée à soupe d'huile de tournesol
450 g (1 lb) d'agneau maigre haché
1 oignon moyen émincé
1 gousse d'ail écrasée
420 g (14 oz) de tomates en boîte
2 cuillerées à soupe de menthe hachée
1 cuillerée à café de noix muscade en
   poudre
sel, poivre noir fraîchement moulu
360 g (12 oz) de jeunes feuilles d'épinards
300 g (10 oz) de pâte à filo
1 cuillerée à café de graines de sésame

1 Préchauffez le four à 200 °C (400 °F). Badigeonnez légèrement d'huile une tourtière de 20 cm de diamètre.

2 Dans une poêle, faites dorer l'agneau et l'oignon sans matière grasse. Ajoutez l'ail, les tomates, la menthe et la noix muscade. Salez et poivrez. Portez à ébullition en remuant. Laissez mijoter, en remuant de temps en temps, jusqu'à évaporation de la majeure partie du liquide.

3 Lavez les épinards et ôtez-en les côtes. Faites-les cuire sans les essorer, pendant 2 à 3 minutes, jusqu'à ce qu'ils fondent.

4 Badigeonnez légèrement d'huile chaque feuille de pâte à filo. Posez les feuilles sur le fond de la tourtière en faisant se chevaucher les couches. Laissez suffisamment de pâte sur les bords pour pouvoir recouvrir la tourte.

5 Remplissez la tourtière de viande et d'épinards. Recouvrez la tourte en rabattant l'excédent de pâte et en le plissant légèrement. Parsemez de graines de sésame et faites cuire au four pendant 25 à 30 minutes, jusqu'à ce que la tourte soit dorée et croustillante. Servez chaud avec une salade ou des légumes.

APPORT NUTRITIONNEL	
Par portion :	
Valeur énergétique	444 Cal ou 1 865 kJ
Lipides	15,36 g
Acides gras saturés	5,51 g
Cholestérol	88,87 mg
Fibres	3 g

RÔTI DE PORC EN DEMI-CROÛTE

——— INGRÉDIENTS ———

Pour 4 personnes

1,350 kg (3 lb) d'échine de porc maigre
1 pomme à couteau pelée et sans trognon
45 g (3/4 tasse) de chapelure fraîche
2 cuillerées à soupe de noisettes
   concassées
1 cuillerée à soupe de moutarde de Dijon
1 cuillerée à soupe de ciboulette ciselée

1 S'il le faut, dégraissez le rôti, en ne laissant qu'une mince couche de gras.

2 Préchauffez le four à 220 °C (425 °F). Posez la viande sur une grille dans une lèchefrite. Enveloppez-la d'une feuille d'aluminium et enfournez pour 1 heure environ. Baissez alors la température du four à 180 °C (350 °F).

3 Mélangez la pomme râpée, la chapelure, les noisettes, la moutarde et la ciboulette. Salez et poivrez. Retirez la feuille d'aluminium et tartinez le rôti de ce mélange sur sa face grasse.

4 Remettez au four pendant 45 à 60 minutes, ou jusqu'à ce que les sucs soient transparents. Servez en tranches arrosées du jus de cuisson.

APPORT NUTRITIONNEL	
Par portion :	
Valeur énergétique	367 Cal ou 1 540 kJ
Lipides	18,73 g
Acides gras saturés	5,19 g
Cholestérol	129,38 mg
Fibres	1,50 g

AUBERGINES FARCIES À L'AGNEAU

INGRÉDIENTS

Pour 4 personnes

2 aubergines
2 cuillerées à soupe d'huile de tournesol
1 oignon émincé
1 morceau de racine de gingembre haché
1 cuillerée à café de piment en poudre
1 gousse d'ail écrasée
1 pincée de curcuma
1 cuillerée à café de coriandre en poudre
1 cuillerée à café de sel
1 tomate hachée
360 g (12 oz) d'agneau maigre haché
1 poivron vert grossièrement haché
1 poivron rouge grossièrement haché
2 cuillerées à soupe de coriandre hachée

Garniture

1/2 oignon émincé
2 tomates cerises coupées en quartiers
quelques feuilles de coriandre fraîche

APPORT NUTRITIONNEL

Par portion :

Valeur énergétique	239 Cal ou 1 003 kJ
Lipides	13,92 g
Acides gras saturés	4,36 g
Cholestérol	67,15 mg

1 Partagez les aubergines en deux dans le sens de la longueur. Évidez chaque moitié de sa pulpe sans entamer la peau. Disposez les fonds d'aubergines dans un plat à gratin légèrement graissé.

2 Dans une casserole, faites chauffer une cuillerée à soupe d'huile. Faites blondir l'oignon. Incorporez graduellement le gingembre, le piment en poudre, l'ail, le curcuma et la coriandre en poudre. Salez. Ajoutez la tomate, baissez le feu et faites revenir en remuant pendant 5 minutes.

3 Préchauffez le four à 180 °C (350 °F). Incorporez la viande hachée à la préparation de tomate. Faites revenir à feu modéré en remuant constamment pendant 7 à 10 minutes.

4 Ajoutez les poivrons et la coriandre fraîche, et mélangez bien.

5 Farcissez les fonds d'aubergines de cet appareil. Badigeonnez les bords d'aubergine avec le reste d'huile. Faites cuire au four pendant 20 à 25 minutes, jusqu'à ce que les aubergines et la farce soient bien cuites et dorées.

6 Présentez très chaud avec la garniture, accompagné de salade verte ou de riz nature.

NOTE

Pour une occasion particulière, les mini-aubergines donnent à ce plat un aspect particulièrement appétissant. Utilisez quatre mini-aubergines avec leur queue et suivez la recette ci-dessus. Réduisez le temps de cuisson s'il le faut. On peut également remplacer les aubergines par de grosses tomates ou des courgettes.

SAUTÉ DE BŒUF AUX HARICOTS VERTS

Ce plat parfumé au curry est une délicieuse variante d'une recette indienne traditionnelle.

INGRÉDIENTS

Pour 4 personnes

300 g (10 oz) de haricots verts très fins, coupés en petits morceaux

2 cuillerées à soupe d'huile de tournesol

1 oignon émincé

1 morceau de racine de gingembre haché

1 gousse d'ail écrasée

1 cuillerée à café de piment en poudre

1 pincée de curcuma

2 tomates hachées

1 1/4 cuillerée à café de sel

450 g (1 lb) de bœuf maigre coupé en cubes

125 cl (5 tasses) d'eau

1 poivron rouge coupé en fines lamelles

1 cuillerée à soupe de coriandre hachée

2 piments verts hachés

1 Faites cuire les haricots verts à l'eau bouillante salée environ 5 minutes. Égouttez et réservez.

2 Dans une grande casserole, faites chauffer l'huile. Ajoutez l'oignon et faites-le blondir.

3 Mélangez le gingembre, l'ail, le piment en poudre, le curcuma et les tomates hachées. Salez. Incorporez à l'oignon et faites revenir en remuant sans cesse pendant 5 à 7 minutes.

4 Ajoutez la viande et faites revenir encore quelques minutes sans cesser de remuer. Versez l'eau, portez à ébullition, puis baissez le feu. Couvrez et laissez mijoter pendant 45 à 60 minutes, jusqu'à ce que l'eau se soit presque complètement évaporée et que la viande soit tendre.

5 Ajoutez les haricots verts dans la casserole. Mélangez bien.

6 Ajoutez enfin le poivron rouge, la coriandre fraîche et les piments verts hachés. Laissez cuire encore 7 à 10 minutes, en remuant de temps en temps. Servez chaud avec des chapatis indiens.

APPORT NUTRITIONNEL

Par portion :

Valeur énergétique	241 Cal ou 1 012 kJ
Lipides	11,60 g
Acides gras saturés	2,89 g
Cholestérol	66,96 mg

HAMBURGERS MEXICAINS

Rien ne vaut la saveur et la qualité d'un hamburger fait maison. Celui-ci, préparé à la mexicaine, est délicatement parfumé au cumin et à la coriandre fraîche.

INGRÉDIENTS

Pour 4 hamburgers

4 épis de maïs

150 g (1 tasse) de chapelure de pain rassis

6 cuillerées à soupe de lait écrémé

1 petit oignon finement haché

1 cuillerée à café de cumin en poudre

1/2 cuillerée à café de poivre de Cayenne

1/2 cuillerée à café de sel au céleri

3 cuillerées à soupe de coriandre fraîche hachée

900 g (2 lb) de bœuf maigre haché

4 petits pains à hamburger aux graines de sésame

4 cuillerées à soupe de mayonnaise allégée

feuilles de 1/2 batavia, chicorée frisée ou romaine

4 rondelles de tomate

sel, poivre noir fraîchement moulu

1 grand sachet de chips au maïs

1 Faites cuire les épis de maïs dans une grande casserole d'eau bouillante, pendant environ 15 minutes.

2 Dans un saladier, mettez la chapelure, le lait, l'oignon, le cumin, le poivre de Cayenne, le sel au céleri et la coriandre fraîche. Mélangez bien.

3 Ajoutez la viande hachée, et malaxez jusqu'à obtenir un mélange homogène.

4 Divisez la préparation en quatre boulettes. Aplatissez-les sous un film étirable.

5 Préchauffez le gril à température modérée. Faites griller les hamburgers.

6 Ouvrez les petits pains et faites-les griller. Tartinez chaque face intérieure de mayonnaise. Sur chaque tranche inférieure, posez la viande avec une feuille de salade et une rondelle de tomate. Salez et poivrez selon votre goût. Servez avec des chips au maïs et les épis de maïs.

APPORT NUTRITIONNEL

Par portion :

Valeur énergétique	563 Cal ou 2 363 kJ
Lipides	18,82 g
Acides gras saturés	5,55 g
Cholestérol	133,20 mg

PORC À LA GREMOLATA

La gremolata est une délicieuse sauce italienne faite d'ail, de citron et de persil, qui relève parfaitement la saveur du porc.

INGRÉDIENTS

Pour 4 personnes

2 cuillerées à soupe d'huile d'olive

4 tranches d'épaule de porc maigre désossée (environ 180 g [6 oz]) chacune

1 oignon haché

2 gousses d'ail écrasées

2 cuillerées à soupe de concentré de tomates

420 g (14 oz) de tomates concassées en boîte

16 cl (2/3 tasse) de vin blanc sec

bouquet garni

3 filets d'anchois égouttés et hachés

sel, poivre noir fraîchement moulu

quelques feuilles de salade

Pour la gremolata

3 cuillerées à soupe de persil frais haché

zeste râpé de 1/2 citron

zeste râpé de 1 citron vert

1 gousse d'ail hachée

1 Dans une grande cocotte, faites chauffer l'huile. Ajoutez les tranches de porc et faites-les dorer des deux côtés. Retirez la viande de la cocotte et réservez.

2 Mettez l'oignon dans la cocotte et faites-le blondir. Ajoutez l'ail et laissez cuire 1 à 2 minutes. Incorporez le concentré de tomates, les tomates concassées et le vin. Ajoutez le bouquet garni. Portez à ébullition, puis laissez cuire à feu vif pendant 3 à 4 minutes pour réduire le liquide de cuisson et le lier légèrement.

3 Remettez le porc dans la cocotte. Couvrez et faites cuire environ 30 minutes. Incorporez les anchois.

4 Couvrez de nouveau et laissez cuire encore 15 minutes, ou jusqu'à ce que le porc soit parfaitement tendre. Pour confectionner la gremolata, mélangez le persil, les zestes de citron et de citron vert et l'ail.

5 Retirez les tranches de porc de la cocotte et jetez le bouquet garni. Faites réduire la sauce à feu vif si vous ne la trouvez pas suffisamment épaisse. Salez et poivrez selon votre goût.

6 Remettez le porc dans la cocotte et parsemez de gremolata. Couvrez. Faites cuire encore 5 minutes. Servez aussitôt avec quelques feuilles de salade.

APPORT NUTRITIONNEL

Par portion :	
Valeur énergétique	267 Cal ou 1 121 kJ
Lipides	13,39 g
Acides gras saturés	3,43 g
Cholestérol	69 mg
Fibres	2,06 g

SAUTÉ D'AGNEAU MÉDITERRANÉEN

Les saveurs parfumées de l'été méditerranéen se marient ici pour un repas simple et délicieux.

INGRÉDIENTS

Pour 4 personnes

8 côtelettes d'agneau maigre

1 oignon moyen émincé

2 poivrons rouges épépinés et coupés en fines lamelles

420 g (14 oz) de tomates en boîte

1 gousse d'ail écrasée

3 cuillerées à soupe de basilic frais

2 cuillerées à soupe d'olives noires hachées

sel, poivre noir fraîchement moulu

1 Dégraissez les côtelettes. Faites-les dorer sans matière grasse dans une poêle.

2 Ajoutez l'oignon et les poivrons. Laissez cuire pendant quelques minutes, en remuant, puis ajoutez les tomates, l'ail et le basilic.

3 Couvrez. Laissez mijoter 20 minutes environ, jusqu'à ce que l'agneau soit bien tendre. Incorporez les olives, salez et poivrez. Servez chaud avec des pâtes.

APPORT NUTRITIONNEL

Par portion :

Valeur énergétique	224 Cal ou 939 kJ
Lipides	10,17 g
Acides gras saturés	4,32 g
Cholestérol	79 mg
Fibres	2,48 g

KEFTAS AU BACON

Ces petites keftas sont délicieuses pour un barbecue d'été, servies avec une belle salade.

INGRÉDIENTS

Pour 4 personnes

240 g (8 oz) de poitrine de porc maigre (bacon) grossièrement hachée

60 g (1 tasse) de chapelure fraîche

2 oignons nouveaux hachés

1 cuillerée à soupe de persil frais haché

zeste finement râpé de 1 citron

1 blanc d'œuf

poivre noir fraîchement moulu

1 pincée de paprika

zeste de citron et quelques feuilles de persil

1 Mettez la poitrine de porc dans le bol d'un mixer. Ajoutez la chapelure, les oignons, le persil, le zeste de citron et le blanc d'œuf. Poivrez. Travaillez jusqu'à obtenir un hachis fin et homogène.

2 Façonnez huit boulettes ovales autour de brochettes en bois ou en bambou.

3 Saupoudrez les keftas de paprika et passez-les sous un gril chaud ou au barbecue pendant 8 à 10 minutes, en les retournant de temps en temps, pour qu'elles soient bien cuites et dorées. Parsemez de zeste de citron et de feuilles de persil. Servez chaud avec du riz au citron et de la salade.

APPORT NUTRITIONNEL

Par portion :

Valeur énergétique	128 Cal ou 538 kJ
Lipides	4,70 g
Acides gras saturés	1,61 g
Cholestérol	10,13 mg
Fibres	1,33 g

SAUCISSES AUX HARICOTS ROUGES ET AUX RAVIOLIS

Il n'est pas nécessaire, dans un régime allégé en matières grasses, de s'interdire totalement les saucisses de porc. Mais il faut bien les choisir. Si vous n'en trouvez pas qui soient mi-grasses, prenez des saucisses de dinde.

INGRÉDIENTS

Pour 4 personnes

450 g (1 lb) de saucisses mi-grasses

1 oignon moyen émincé

1 poivron vert épépiné et coupé en dés

1 petit piment rouge émincé ou
  1/2 cuillerée à café de sauce au piment

420 g (14 oz) de tomates concassées en
  boîte

25 cl (1 tasse) de bouillon de bœuf

450 g (15 oz) de haricots rouges en boîte,
  égouttés

sel, poivre noir fraîchement moulu

Pour les raviolis

375 g (2 1/2 tasses) de farine

2 cuillerées à café de levure chimique

25 cl (1 tasse) de fromage blanc

1 Dans une poêle, faites cuire les saucisses sans matière grasse, jusqu'à ce qu'elles soient bien dorées. Ajoutez l'oignon et le poivron. Incorporez le piment, les tomates et le bouillon. Portez à ébullition.

APPORT NUTRITIONNEL

Par portion :

Valeur énergétique	574 Cal ou 2 409 kJ
Lipides	13,09 g
Acides gras saturés	0,15 g
Cholestérol	52,31 mg
Fibres	9,59 g

2 Couvrez. Laissez mijoter doucement pendant 15 à 20 minutes. Ajoutez les haricots rouges et portez à ébullition.

3 Préparez les raviolis. Tamisez ensemble la farine et la levure. Ajoutez suffisamment d'eau pour obtenir une pâte ferme. Abaissez finement et découpez seize à dix-huit ronds à l'aide d'une forme de 7,5 cm de diamètre.

4 Déposez une petite cuillerée de fromage blanc sur chaque rond et repliez le ravioli en pressant bien les bords de pâte. Disposez les raviolis sur les saucisses dans la poêle, couvrez et laissez mijoter pendant 10 à 12 minutes, jusqu'à ce que les raviolis aient gonflé. Servez chaud.

GIGOT D'AGNEAU PRINTANIER

INGRÉDIENTS

Pour 6 personnes

*1 gigot maigre d'environ 1,5 kg
(3-3 1/2 lb)*
1 cuillerée à café de piment en poudre
1 gousse d'ail écrasée
1 cuillerée à café de coriandre en poudre
1 cuillerée à café de cumin en poudre
1 cuillerée à café de sel
2 cuillerées à café de noix de coco râpée
2 cuillerées à café d'amandes en poudre
3 cuillerées à soupe de yaourt maigre
2 cuillerées à soupe de jus de citron
2 cuillerées à soupe de raisins secs blonds
2 cuillerées à soupe d'huile de maïs

Garniture

salade mélangée
feuilles de coriandre fraîche
2 tomates coupées en rondelles
1 grosse carotte taillée en julienne
quartiers de citron

APPORT NUTRITIONNEL

Par portion :	
Valeur énergétique	197 Cal ou 825 kJ
Lipides	11,96 g
Acides gras saturés	4,70 g
Cholestérol	67,38 mg

4 Versez la préparation du mixer dans le bol d'épices, avec l'huile de maïs. Mélangez bien. Enrobez le gigot de cet appareil.

5 Enveloppez le gigot avec la feuille d'aluminium et posez-le sur une plaque. Faites cuire au four pendant 1 heure et demie.

2 Dans un grand bol, mélangez le piment, l'ail, la coriandre, le cumin et le sel.

1 Préchauffez le four à 180 °C (350 °F). Dégraissez le gigot, rincez-le et séchez-le avec du papier absorbant. Réservez sur une feuille d'aluminium suffisamment grande pour envelopper le gigot.

3 Avec un mixer, travaillez la noix de coco, la poudre d'amandes, le yaourt, le jus de citron et les raisins secs jusqu'à obtenir un mélange lisse et homogène.

6 Sortez le gigot du four, ouvrez la feuille d'aluminium et, avec le dos d'une cuillère, étalez de nouveau le mélange épicé sur la viande. Remettez au four, à découvert, pendant encore 45 minutes, ou jusqu'à ce que le gigot soit cuit selon votre goût. Coupez en tranches et servez avec la garniture.

Hachis Parmentier d'agneau

Un plat délicieux à partager en famille.

──────── Ingrédients ────────

Pour 4 personnes

*700 g (1 1/2 lb) de pommes de terre
    coupées en dés*

2 cuillerées à soupe de lait écrémé

*1 cuillerée à soupe de moutarde à
    l'ancienne*

450 g (1 lb) d'agneau maigre haché

1 oignon haché

2 branches de céleri émincées

2 carottes taillées en dés

16 cl (2/3 tasse) de bouillon de bœuf

4 cuillerées à soupe de flocons d'avoine

1 cuillerée à soupe de sauce worcester

*2 cuillerées à soupe de romarin frais
    haché*

sel, poivre noir fraîchement moulu

1 Faites cuire les pommes de terre à l'eau bouillante salée jusqu'à ce qu'elles soient tendres. Égouttez et réduisez en purée jusqu'à obtenir une préparation homogène. Incorporez le lait et la moutarde. Entre-temps, préchauffez le four à 200 °C (400 °F).

2 Aérez l'agneau haché avec une fourchette et faites-le légèrement dorer dans une poêle sans matière grasse. Ajoutez l'oignon, le céleri et les carottes. Laissez cuire pendant 2 à 3 minutes, en remuant de temps en temps.

3 Incorporez le bouillon et les flocons d'avoine. Portez à ébullition, puis ajoutez la sauce worcester et le romarin. Salez et poivrez selon votre goût.

4 Transvasez la préparation dans un plat à gratin de 1,8 l. Nappez d'une couche de purée sans lisser. Faites cuire au four pendant 30 à 35 minutes, jusqu'à ce que le hachis soit bien doré. Servez chaud avec des légumes frais.

──────── **Apport nutritionnel** ────────

Par portion :

Valeur énergétique	422 Cal ou 1 770 kJ
Lipides	12,41 g
Acides gras saturés	5,04 g
Cholestérol	89,03 mg
Fibres	5,07 g

SATAY DE PORC INDONÉSIEN

En Indonésie, ces délicieuses brochettes se vendent dans la rue. Une recette simple et vite préparée.

——— INGRÉDIENTS ———

Pour 4 personnes

480 g (2 tasses) de riz long grain
1 pincée de sel
450 g (1 lb) de filet de porc maigre
2 citrons verts coupés en quartiers
1 piment rouge
salade verte

Pour la sauce aux cacahuètes

1 cuillerée à soupe d'huile de tournesol
1 petit oignon haché
1 gousse d'ail écrasée
1/2 cuillerée à café de sauce au piment
  rouge
1 cuillerée à soupe de sucre en poudre
2 cuillerées à soupe de sauce de soja
2 cuillerées à soupe de jus de citron ou de
  citron vert
1/2 cuillerée à café de pâte d'anchois
  (facultatif)
4 cuillerées à soupe de beurre de
  cacahuète lisse

1 Dans une grande casserole, couvrez le riz d'un litre d'eau bouillante salée. Remuez et portez à ébullition. Baissez à feu doux et laissez mijoter 15 minutes environ, jusqu'à ce que le liquide ait été absorbé. Retirez du feu, couvrez et laissez reposer pendant 5 minutes.

2 Coupez le porc en lamelles. Enfilez la viande en zigzag sur seize brochettes en bambou.

3 Préparez la sauce. Faites chauffer l'huile à feu très doux dans une casserole. Ajoutez l'oignon et faites-le blondir pendant 3 à 4 minutes. Ajoutez les cinq ingrédients suivants et, éventuellement, la pâte d'anchois. Mélangez bien. Laissez mijoter 1 ou 2 minutes, puis incorporez délicatement le beurre de cacahuète.

4 Disposez les brochettes sur une tôle. Arrosez-les d'un tiers de la sauce. Faites griller pendant 6 à 8 minutes en retournant une fois. Présentez sur un lit de riz décoré de citron vert et de piment. Servez avec le reste de sauce et la salade verte.

> **NOTE**
> Le satay indonésien peut être préparé avec de la viande de bœuf, du poulet ou des crevettes. Il sera toujours délicieux.

APPORT NUTRITIONNEL	
Par portion :	
Valeur énergétique	689 Cal ou 2 895 kJ
Lipides	21,07 g
Acides gras saturés	4,95 g
Cholestérol	77,62 mg
Fibres	1,39 g

CÔTES DE PORC À L'AIGRE-DOUX

Une sauce aigre-douce qui s'accorde parfaitement avec le porc.

Pour 4 personnes

1 pamplemousse rose

4 côtes de porc maigre désossées

3 cuillerées à soupe de gelée de groseilles

poivre noir fraîchement moulu

APPORT NUTRITIONNEL	
Par portion :	
Valeur énergétique	215 Cal ou 904 kJ
Lipides	8,40 g
Acides gras saturés	3,02 g
Cholestérol	20,25 mg
Fibres	0,81 g

1 Avec un couteau bien effilé, pelez et épépinez le pamplemousse. Découpez-le soigneusement en quartiers, en recueillant le jus dans un bol.

2 Dans une poêle, faites sauter les côtes de porc de chaque côté, sans matière grasse, jusqu'à ce qu'elles soient bien cuites et dorées.

3 Ajoutez le jus de pamplemousse et la gelée de groseilles. Mélangez bien jusqu'à ce que cette dernière ait fondu. Ajoutez les quartiers de pamplemousse, poivrez. Servez chaud avec des légumes frais.

RAGOÛT DE BŒUF JAMAÏCAIN

Si vous ne trouvez pas de potiron, utilisez d'autres types de courges ou du céleri-rave. Cette recette peut facilement être doublée – ou même triplée – pour un dîner entre amis.

Pour 4 personnes

450 g (1 lb) de bœuf à braiser coupé en dés

1 petit potiron pelé et taillé en dés

1 oignon moyen haché

1 poivron vert coupé en lamelles

1 cuillerée à soupe de paprika

2 gousses d'ail écrasées

1 morceau de racine de gingembre haché

420 g (14 oz) de tomates concassées en boîte

240 g (1 tasse) de mini-épis de maïs

25 cl (1 tasse) de bouillon de bœuf

450 g (15 oz) de pois chiches en boîte égouttés

450 g (15 oz) de haricots rouges en boîte égouttés

sel, poivre noir fraîchement moulu

1 Dans une grande cocotte, faites revenir la viande sans matière grasse, en remuant bien pour en saisir les jus intérieurs.

2 Ajoutez le potiron, l'oignon et le poivron. Laissez cuire 2 minutes encore. Ajoutez alors le paprika, l'ail et le gingembre.

3 Incorporez les tomates, le maïs et le bouillon. Portez à ébullition. Couvrez et laissez mijoter pendant 40 à 45 minutes, jusqu'à ce que la viande soit bien tendre. Ajoutez les pois chiches et les haricots. Réchauffez bien. Salez et poivrez selon votre goût. Servez chaud avec du couscous ou du riz.

APPORT NUTRITIONNEL	
Par portion :	
Valeur énergétique	357 Cal ou 1 500 kJ
Lipides	8,77 g
Acides gras saturés	2,11 g
Cholestérol	66,37 mg
Fibres	10,63 g

GIGOT D'AGNEAU AU CUMIN ET À L'AIL

Le cumin en poudre et l'ail confèrent à l'agneau la merveilleuse saveur de la cuisine moyen-orientale. Vous pouvez cependant, si vous le préférez, préparer une marinade plus simple avec de l'huile, du citron et des fines herbes.

INGRÉDIENTS

Pour 6 personnes

1 gigot d'agneau maigre (environ 2 kg [4-4 1/2 lb])

4 cuillerées à soupe d'huile d'olive

2 cuillerées à soupe de cumin en poudre

4 à 6 gousses d'ail écrasées

sel, poivre noir fraîchement moulu

quelques brins de coriandre et quartiers de citron

riz cuit aux raisins secs et aux amandes grillées

1 Demandez à votre boucher de vous préparer un gigot désossé, dénervé et dégraissé. Aplatissez la viande jusqu'à obtenir une épaisseur régulière. Incisez franchement la chair avec la pointe d'un couteau.

2 Dans un grand bol, mélangez l'huile, le cumin et l'ail. Poivrez. Arrosez le gigot de cette marinade et frottez vigoureusement pour qu'elle s'introduise dans les entailles. Couvrez et laissez mariner jusqu'au lendemain.

3 Préchauffez le four à 200 °C (400 °F). Étalez le gigot sur la grille d'une lèchefrite, la peau en dessous. Salez. Faites rôtir pendant 45 à 60 minutes, jusqu'à ce que la viande soit dorée et croustillante à l'extérieur, mais encore rose à l'intérieur.

4 Sortez du four et laissez reposer quelques minutes. Découpez en tranches diagonales et servez avec du riz aux raisins secs et aux amandes grillées. Décorez l'assiette de feuilles de coriandre et de quartiers de citron.

APPORT NUTRITIONNEL	
Par portion :	
Valeur énergétique	387 Cal ou 1 624 kJ
Lipides	24,42 g
Acides gras saturés	8,72 g
Cholestérol	144,83 mg
Fibres	0,14 g

NOTE
Le gigot peut être cuit au barbecue. Dans ce cas, enfilez-le sur deux longues brochettes et faites-le griller sur une braise bien chaude pendant 20 à 25 minutes de chaque côté.

KEBABS AUX FEUILLES DE MENTHE

L'agneau relevé par une marinade aux saveurs méditerranéennes est toujours délicieux. Vous pouvez également faire griller ces brochettes au barbecue et les déguster dans le jardin, sous un ciel étoilé.

INGRÉDIENTS

Pour 4 personnes

30 cl (1 1/4 tasse) de yaourt nature maigre
1/2 gousse d'ail écrasée
1 bonne pincée de safran en poudre
2 cuillerées à soupe de menthe hachée
2 cuillerées à soupe de miel
3 cuillerées à soupe d'huile d'olive
sel, poivre noir fraîchement moulu
650 g environ (1 1/2 lb) de gigot d'agneau
*   maigre*
1 aubergine
2 petits oignons rouges coupés en quatre
quelques feuilles de salade
quelques branches de menthe fraîche
pita chaud

NOTE

Si vous vous servez de brochettes en bambou, n'oubliez pas de les faire tremper préalablement dans de l'eau froide, afin qu'elles ne brûlent pas. Toutes les viandes maigres et peu épaisses comme l'agneau et le poulet cuisent parfaitement au barbecue. La viande doit toujours mariner avant la cuisson, le plus longtemps possible.

2 Dégraissez l'agneau et coupez-le en cubes de 2 à 3 cm. Ajoutez-le à la marinade et remuez bien pour l'enrober. Faites mariner pendant au moins 4 heures.

4 Préchauffez le gril. Retirez l'agneau de la marinade. Enfilez les cubes d'agneau sur des brochettes. Intercalez des cubes d'aubergine et des quartiers d'oignon. Faites cuire les brochettes pendant 10 à 12 minutes, en les faisant pivoter de temps en temps et en les arrosant de quelques gouttes de marinade. Servez sur un lit de salade, parsemé de feuilles de menthe, avec du pita chaud.

1 Dans un plat peu profond, mélangez le yaourt, l'ail, le safran, la menthe, le miel et l'huile. Poivrez.

3 Taillez l'aubergine en cubes de 2 à 3 cm. Faites-la blanchir dans de l'eau bouillante salée pendant 1 à 2 minutes. Égouttez bien.

APPORT NUTRITIONNEL

Par portion :	
Valeur énergétique	484 Cal ou 2 032 kJ
Lipides	30,35 g
Acides gras saturés	12,54 g
Cholestérol	143,06 mg
Fibres	2,05 g

Sauté de porc aux pêches

Ingrédients

Pour 4 personnes

480 g (2 tasses) de riz long grain

1 l (4 tasses) de bouillon de volaille

*4 côtes ou filets de porc maigre d'environ
    200 g (7 oz) chacun*

2 cuillerées à soupe d'huile végétale

2 cuillerées à soupe de rhum ambré

1 petit oignon haché

3 grosses pêches bien mûres

*1 cuillerée à soupe de poivre vert en
    grains*

*1 cuillerée à soupe de vinaigre de vin
    blanc*

Apport nutritionnel

Par portion :	
Valeur énergétique	679 Cal ou 2 852 kJ
Lipides	16,09 g
Acides gras saturés	3,98 g
Cholestérol	89,70 mg
Fibres	1,84 g

1 Versez le riz dans une grande casserole. Couvrez-le de 80 cl de bouillon de volaille. Remuez et portez à ébullition. Baissez le feu et laissez mijoter à découvert environ 15 minutes. Retirez du feu, couvrez et laissez reposer 5 minutes. Salez et poivrez la viande. Badigeonnez-la avec une cuillerée à soupe d'huile. Dans une grande poêle, faites revenir environ 12 minutes, en retournant une fois.

2 Transférez la viande sur un plat préalablement chauffé. Débarrassez la poêle de son excédent de graisse et remettez-la sur le feu. Laissez le dépôt brunir, puis déglacez avec le rhum. Versez le contenu de la poêle sur la viande. Couvrez et réservez au chaud. Essuyez la poêle.

3 Faites chauffer le reste d'huile végétale et blondir l'oignon.

4 Plongez les pêches dans de l'eau bouillante. Pelez-les, coupez-les en tranches et jetez les noyaux.

5 Ajoutez les pêches et les grains de poivre à l'oignon dans la poêle. Laissez cuire pendant 3 à 4 minutes.

6 Ajoutez le reste de bouillon de volaille et laissez mijoter pendant quelques minutes. Remettez le porc et les jus de viande dans la poêle. Arrosez de vinaigre, salez et poivrez selon votre goût. Servez le porc et les pêches avec le riz et décorez avec des feuilles de persil.

> **NOTE**
> Les pêches doivent être bien mûres pour cette recette. On peut se servir de pêches en conserve.

RAGOÛT D'AGNEAU À LA TURQUE

Les pois chiches et les amandes apportent à ce robuste ragoût un croquant léger et délicieux.

INGRÉDIENTS

Pour 4 personnes

1 grosse aubergine taillée en cubes
sel, poivre noir fraîchement moulu
2 cuillerées à soupe d'huile de tournesol
1 oignon haché
1 gousse d'ail écrasée
1 cuillerée à café de cannelle en poudre
3 clous de girofle entiers
450 g (1 lb) de gigot d'agneau maigre désossé et coupé en cubes
420 g (14 oz) de tomates concassées en boîte
120 g (2/3 tasse) d'abricots secs
120 g (4 oz) de pois chiches en boîte égouttés
1 cuillerée à café de miel liquide
couscous
1 poignée de persil frais haché
2 cuillerées à soupe d'amandes concassées, revenues dans un peu d'huile

1 Mettez les cubes d'aubergine dans une passoire. Saupoudrez de sel et laissez dégorger pendant 30 minutes. Dans une cocotte, faites chauffer l'huile, ajoutez l'oignon et l'ail et faites revenir environ 5 minutes.

NOTE

Les légumes secs sont riches en protéines et en vitamines : les pois chiches ne font pas exception à cette règle. On peut adapter cette recette en les remplaçant par des pois cassés ou des lentilles.

2 Incorporez la cannelle et les clous de girofle. Faites revenir 1 à 2 minutes. Ajoutez l'agneau et laissez cuire encore 5 à 6 minutes, en remuant de temps en temps, jusqu'à ce que la viande soit bien dorée.

3 Rincez, égouttez et séchez l'aubergine. Ajoutez dans la cocotte et faites cuire environ 3 minutes, en remuant bien. Ajoutez les tomates, 30 cl d'eau et les abricots. Salez et poivrez. Portez à ébullition, couvrez et laissez mijoter à petit feu pendant 45 minutes.

4 Incorporez les pois chiches et le miel, et laissez cuire 15 à 20 minutes encore, jusqu'à ce que l'agneau soit bien tendre. Servez le ragoût accompagné de couscous mélangé à un peu de persil haché et décoré d'amandes.

APPORT NUTRITIONNEL	
Par portion :	
Valeur énergétique	360 Cal ou 1 512 kJ
Lipides	17,05 g
Acides gras saturés	5,46 g
Cholestérol	88,87 mg
Fibres	6,16 g

VOLAILLES ET GIBIER

Les volailles et le gibier s'intègrent parfaitement dans un régime sain et équilibré car leur chair contient généralement très peu d'acides gras saturés. Le poulet, parce qu'il s'accommode de mille manières et qu'il est peu coûteux, convient bien à la cuisine familiale. La dinde, dont on trouve maintenant tout un choix de morceaux prédécoupés, offre une variation au poulet, et la dinde hâchée peut remplacer le bœuf ou l'agneau, dans des hâchis Parmentier ou des plats de pâtes farcies. Le gibier et le canard conviennent aux repas de fête : essayez donc le canard laqué aux graines de sésame, ou le lapin au cidre.
Vous trouverez dans ce chapitre d'autres préparations alléchantes comme le poulet au gingembre, la pastitzia de dinde et le poulet, carottes et poireaux en papillotes.

POULET AU BARBECUE

INGRÉDIENTS

Pour 4 ou 8 personnes

8 petits morceaux de poulet

2 citrons verts, coupés en quartiers,

   2 piments rouges, finement émincés, et

   2 brins de citronnelle, pour décorer

riz, pour servir

Pour la marinade

2 brins de citronnelle ciselés

1 morceau de gingembre frais de 2,5 cm

   (1 po)

6 gousses d'ail

4 échalotes

1/2 botte de coriandre

1 cuillerée à soupe de sucre de palme

12 cl (4 fl oz) de lait de noix de coco

2 cuillerées à soupe de nuoc-mâm

2 cuillerées à soupe de sauce de soja

ASTUCE

Ne mangez pas la peau du poulet – elle ne sert qu'à préserver l'humidité de la chair pendant la cuisson. Le lait de noix de coco constitue une bonne base pour les sauces ou les marinades, car il est pauvre en calories et en lipides.

APPORT NUTRITIONNEL	
Par portion :	
Calories	106 kcal/449 kJ
Lipides	2,05 g
Acides gras saturés	1,10 g
Cholestérol	1,10 mg
Fibres	109 g

1 Pour préparer la marinade, versez tous les ingrédients dans le bol du mixeur et réduisez en une sauce onctueuse et lisse.

2 Mettez les morceaux de poulet dans un plat, arrosez avec la marinade et laissez reposer dans un endroit frais pendant au moins 4 heures, voire toute la nuit.

3 Faites préchauffer le four à 200 °C (400 °F). Mettez les morceaux de poulet sur le gril. Badigeonnez-les avec la marinade et laissez cuire au four pendant 20 à 30 minutes. Le poulet doit être cuit et avoir pris une couleur brun doré. Retournez les morceaux à mi-cuisson et badigeonnez-les de nouveau avec la marinade.

4 Décorez de quartiers de citrons verts, de piments rouges finement émincés et de branches de citronnelle. Servez accompagné de riz.

BROCHETTES DE POULET TANDOORI

Originaire des plaines du Pendjab, au pied de l'Himalaya, ce plat est traditionnellement cuit dans un four en terre appelé *tandoor,* d'où son nom.

INGRÉDIENTS

Pour 4 personnes

4 blancs de poulet dépiautés et désossés
(d'environ 130 g [3 1/2 oz] chacun)
1 cuillerée à soupe de jus de citron
3 cuillerées à soupe de pâte tandoori
3 cuillerées à soupe de yaourt nature
maigre
1 gousse d'ail, écrasée
2 cuillerées à soupe de coriandre fraîche
ciselée
sel et poivre noir
1 petit oignon, coupé en quartiers et séparés
en couches
1 cuillerée à café d'huile, pour badigeonner
brins de coriandre fraîche, pour décorer
riz palao et pain naan, pour servir

3 Badigeonnez les oignons avec un peu d'huile, mettez les brochettes sur le gril et laissez cuire de 10 à 12 minutes, en les retournant une fois.

4 Décorez les brochettes avec la coriandre et servez immédiatement avec du riz palao et du pain naan.

APPORT NUTRITIONNEL

Par portion :

Calories	215,7 kcal/911,2 kJ
Lipides	4,2 g
Acides gras saturés	0,27 g
Cholestérol	122 mg
Fibres	0,22 g

1 Coupez les filets de poulet en dés, mettez-les dans un bol, puis ajoutez le jus de citron, la pâte tandoori, le yaourt, l'ail, la coriandre. Salez et poivrez selon votre goût. Couvrez et laissez mariner au réfrigérateur pendant 2 à 3 heures.

2 Faites préchauffer le gril à feu vif. Enfilez les morceaux de viande sur quatre brochettes en alternant avec des morceaux d'oignon.

ASTUCE
Utilisez des cuisses de poulet désossées, dépiautées et coupées en morceaux, ou des filets de dinde, moins chers et tout aussi pauvres en lipides.

Poulet, carottes et poireaux en papillotes

Ces papillotes, pour le moins originales, sont très faciles et rapides à préparer. Vous pourrez même les congeler et les utiliser quand bon vous semblera.

Ingrédients

Pour 4 personnes

4 blancs de poulet, désossés et dépiautés
sel et poivre noir
2 petits poireaux, émincés
2 carottes, râpées
2 olives noires, dénoyautées et hachées
1 gousse d'ail, écrasée
4 filets d'anchois, coupés en deux dans le
   sens de la longueur
olives noires et fines herbes, pour décorer

1 Faites préchauffer le four à 200 °C (400 °F). Salez et poivrez le poulet.

2 Coupez quatre carrés de papier sulfurisé d'environ 23 cm (9 po) de côté. Répartissez les poireaux de manière égale entre les quatre carrés. Mettez un morceau de poulet sur les poireaux.

3 Mélangez les carottes, les olives et l'ail. Salez et poivrez. Répartissez le mélange sur les morceaux de poulet. Ajoutez un ou deux filets d'anchois sur chaque morceau.

4 Refermez soigneusement chaque paquet, en vous assurant que les bords sont bien scellés. Faites cuire au four pendant 20 minutes et servez chaud, dans le papier, décoré d'olives noires et de fines herbes.

Apport nutritionnel

Par portion :

Calories	154 kcal/651 kJ
Lipides	2,37 g
Acides gras saturés	0,45 g
Cholestérol	78,75 mg
Fibres	2,1 g

Astuce

La viande de poulet désossée, dépiautée, est pauvre en lipides et représente une excellente source de protéines. Les petits filets de dinde conviennent aussi parfaitement à la préparation de ce plat savoureux.

POULET ET LÉGUMES FRITS À LA THAÏLANDAISE

INGRÉDIENTS

Pour 4 personnes

*1 brin de citronnelle (ou le zeste de
    1/2 citron)*
*1 morceau de gingembre frais de 1 cm
    (1/2 po)*
1 grosse gousse d'ail
2 cuillerées à soupe d'huile de tournesol
275 g de blanc de poulet, finement émincé
*1/2 poivron rouge, épépiné et coupé en fines
    lanières*
*1/2 poivron vert, épépiné et coupé en fines
    lanières*
4 ciboules, hachées
2 carottes moyennes, coupées en julienne
115 g (4 oz) de haricots verts très fins
*25 g (1 oz) de cacahuètes, légèrement
    écrasées*
2 cuillerées à soupe de sauce d'huître
1 pincée de sucre
sel et poivre noir
feuilles de coriandre, pour décorer

APPORT NUTRITIONNEL

Par portion :

Calories	106 kcal/449 kJ
Lipides	2,05 g
Acides gras saturés	1,10 g
Cholestérol	1,10 mg
Fibres	109 g

1 Émincez très finement la citronnelle ou le zeste de citron. Pelez et hachez le gingembre et l'ail. Faites chauffer l'huile dans une poêle, à feu vif. Ajoutez la citronnelle, le gingembre et l'ail et faites frire pendant 30 secondes. Le mélange doit être brun doré.

2 Ajoutez le poulet et faites frire pendant 2 minutes. Puis incorporez tous les légumes et faites frire encore 4 à 5 minutes, jusqu'à ce que le poulet soit cuit et les légumes *al dente*.

3 Pour finir, incorporez les cacahuètes, la sauce d'huître, le sucre. Salez et poivrez selon votre goût. Laissez frire encore 1 minute pour bien mélanger les saveurs. Servez immédiatement, parsemé de feuilles de coriandre et accompagné de riz.

ASTUCE
Vous pouvez rendre ce plat un peu plus piquant en augmentant la quantité de racine de gingembre.

Filets de canard en salade

Avec cette salade aux filets de canard mélangés à des pâtes, des fruits et des légumes – le tout légèrement assaisonné – vous impressionnerez certainement vos invités.

Ingrédients

Pour 6 personnes

2 filets de canard, désossés
sel et poivre noir
1 cuillerée à café de graines de coriandre, écrasées
350 g (12 oz) de rigatoni ou de penne
15 cl (1/4 pt) de jus d'orange frais
1 cuillerée à soupe de jus de citron
2 cuillerées à café de miel liquide
1 échalote, émincée
1 gousse d'ail, écrasée
1 branche de céleri, hachée
75 g (3 oz) de cerises séchées
3 cuillerées à soupe de porto
1 cuillerée à soupe de menthe fraîche ciselée, plus quelques brins, 2 cuillerées à soupe de coriandre fraîche ciselée, plus quelques brins, pour décorer
1 pomme, coupée en dés
2 oranges, divisées en pétales

ASTUCE
Choisissez des filets de canard sans peau, pour réduire l'apport en calories et en lipides. Concassez vous-même vos épices, telles les graines de coriandre, juste avant usage pour obtenir des saveurs plus intenses. Les épices en poudre perdent très vite leur arôme.

2 Faites cuire les pâtes *al dente* dans une grande casserole remplie d'eau bouillante salée, selon les instructions du paquet. Égouttez-les soigneusement et rincez sous le robinet d'eau froide. Laissez-les refroidir.

1 Dépiautez et dégraissez les filets de canard, puis salez-les, poivrez-les et frottez-les avec les graines de coriandre. Faites préchauffer le gril et faites griller les filets pendant 10 minutes de chaque côté. Enveloppez-les dans une feuille de papier aluminium et laissez-les reposer pendant 20 minutes.

3 Pour préparer l'assaisonnement, mettez le jus d'orange, le jus de citron, le miel, l'échalote, l'ail, le céleri, les cerises, le porto, la menthe et la coriandre fraîche dans un saladier, puis mélangez au fouet. Laissez mariner pendant 30 minutes.

4 Émincez très finement les filets de canard (le cœur doit être rosé).

5 Mettez les pâtes dans un grand saladier, puis ajoutez l'assaisonnement, les dés de pomme et les morceaux d'orange. Remuez bien pour recouvrir les pâtes. Transférez la salade sur un plat de service avec les tranches de canard et décorez avec quelques brins de coriandre et de menthe ciselés.

APPORT NUTRITIONNEL	
Par portion :	
Calories	348 kcal/1 460 kJ
Lipides	3,8 g
Acides gras saturés	0,9 g
Cholestérol	55 mg
Fibres	3 g

CURRY DE POULET AUX LENTILLES ET AUX ÉPINARDS

Dans cette recette, la sauce moyennement épicée est épaissie avec des lentilles et non des oignons frits dans du ghee (beurre clarifié), comme cela se pratique traditionnellement.

INGRÉDIENTS

Pour 4-6 personnes

75 g (3 oz) de lentilles rouges
2 cuillerées à soupe de poudre de curry
2 cuillerée à café de coriandre en poudre
1 cuillerée à café de graines de cumin
47,5 cl (16 fl oz) de bouillon de légumes
8 cuisses de poulet, dépiautées
225 g (8 oz) d'épinards frais hachés, ou décongelés, et soigneusement égouttés
1 cuillerée à soupe de coriandre fraîche ciselée
sel et poivre noir
brins de coriandre fraîche, pour décorer
riz basmati blanc ou complet et pappadums grillés, pour servir

1 Rincez les lentilles sous l'eau froide. Mettez-les dans une grande casserole à fond épais avec le curry et la coriandre en poudre, les graines de cumin et le bouillon.

2 Portez à ébullition, puis baissez le feu. Couvrez et laissez mijoter à feu doux pendant 10 minutes.

APPORT NUTRITIONNEL

Par portion :

Calories	152 kcal/640 kJ
Lipides	4,9 g
Acides gras saturés	1,3 g
Sucre	0
Fibres	2,6 g

ASTUCE
Très riches en fibres, les lentilles ajoutent couleur et texture à ce plat.

3 Ajoutez le poulet et les épinards. Couvrez de nouveau et laissez mijoter à feu doux pendant encore 40 minutes ou plus, jusqu'à ce que le poulet soit bien cuit.

4 Incorporez la coriandre ciselée, salez et poivrez selon votre goût. Servez décoré avec la coriandre fraîche et accompagné de riz et de pappadums grillés.

GÂTEAU DE DINDE AUX PÂTES

INGRÉDIENTS

Pour 4 personnes

275 g (10 oz) de dinde, émincée

150 g (5 oz) de tranches de dinde fumée, hachées

1-2 gousses d'ail, écrasées

1 oignon, finement haché

2 carottes, coupées en dés

2 cuillerées à soupe de purée de tomates

30 cl (1/2 pt) de bouillon de poule

sel et poivre noir

225 g (8 oz) de rigatoni ou de penne

2 cuillerées à soupe de parmesan, râpé

1 Faites brunir la dinde dans une casserole qui n'attache pas, en brisant les plus gros morceaux avec une cuillère de bois, jusqu'à ce que la viande prenne une couleur brun doré.

2 Ajoutez le hachis de dinde fumée, l'ail, l'oignon, les carottes, la purée de tomates, le bouillon, salez et poivrez. Portez à ébullition, couvrez et laissez mijoter 1 heure.

3 Faites préchauffer le four à 180 °C (350 °F). Faites cuire les pâtes *al dente* dans une grande casserole remplie d'eau bouillante salée, selon les instructions du paquet. Égouttez-les soigneusement et mélangez-les à la sauce à la dinde.

ASTUCE

Vous pouvez remplacer la dinde par du poulet ou du bœuf très maigre, finement émincé.

4 Transférez le tout dans un plat à four creux et parsemez de parseman râpé. Faites cuire au four pendant 20 à 30 minutes jusqu'à ce que le dessus soit légèrement grillé.

APPORT NUTRITIONNEL

Par portion :

Calories	391 kcal/1 641 kJ
Lipides	4,9 g
Acides gras saturés	2,2 g
Cholestérol	60 mg
Fibres	3,5 g

JAMBALAYA

Une superbe idée pour accommoder les restes de viande : le jambalaya est un plat robuste et simple à préparer.

INGRÉDIENTS

Pour 4 personnes

3 cuillerées à soupe d'huile végétale

1 oignon haché

1 branche de céleri hachée

1/2 poivron rouge haché

480 g (2 tasses) de riz long grain

1 l (4 tasses) de bouillon de volaille

1 cuillerée à soupe de concentré de tomates

3 ou 4 traits de tabasco

240 g (8 oz) de poulet rôti froid désossé sans peau ou de porc maigre, coupés en tranches fines

120 g (4 oz) de saucisse cuite (chorizo, par exemple) coupée en rondelles fines

60 g (1/4 tasse) de petits pois surgelés

1 Dans une casserole, faites chauffer l'huile. Ajoutez l'oignon, le céleri et le poivron rouge. Faites rissoler à feu doux jusqu'à ce que les légumes soient tendres.

> **NOTE**
> Le jambalaya est tout aussi délicieux avec des restes de poisson et de crustacés.

2 Ajoutez le riz, le bouillon de volaille, le concentré de tomates et le tabasco. Laissez mijoter environ 10 minutes.

3 Incorporez la viande froide, la saucisse et les petits pois. Faites mijoter 5 minutes. Sortez du feu et couvrez. Laissez reposer pendant 5 minutes avant de servir.

APPORT NUTRITIONNEL	
Par portion :	
Valeur énergétique	699 Cal ou 2 936 kJ
Lipides	25,71 g
Acides gras saturés	7,2 g
Cholestérol	65,46 mg
Fibres	1,95 g

POULET GRILLÉ SALSA

Une délicieuse recette mexicaine, bien épicée et débordant de riches saveurs fruitées, qui rappelle la cuisine tex-mex.

INGRÉDIENTS

Pour 4 personnes

4 blancs de poulet sans os ni peau (environ 180 g [6 oz]) chacun)

1 pincée de sel au céleri et de poivre de Cayenne

2 cuillerées à soupe d'huile végétale

1 poignée de coriandre fraîche

chips au maïs

Pour la salsa

300 g (10 oz) de pastèque

180 g (6 oz) de melon

1 petit oignon rouge

1 ou 2 piments verts

2 cuillerées à soupe de jus de citron vert

4 cuillerées à soupe de coriandre fraîche hachée

1 pincée de sel

APPORT NUTRITIONNEL

Par portion :

Valeur énergétique	263 Cal ou 1 106 kJ
Lipides	10,72 g
Acides gras saturés	2,82 g
Cholestérol	64,50 mg
Fibres	0,72 g

3 Préparez la salsa. Épluchez et épépinez melon et pastèque. Détaillez-les en dés dans un bol.

5 Ajoutez le jus de citron vert et la coriandre hachée. Salez. Versez la salsa dans un grand bol.

6 Disposez les morceaux de poulet sur une assiette et parsemez-les de brins de coriandre. Servez avec la salsa et une poignée de chips au maïs.

1 Préchauffez le gril à température modérée. Incisez profondément les blancs de poulet pour réduire le temps de cuisson.

2 Assaisonnez le poulet de sel au céleri et de poivre de Cayenne. Badigeonnez-le d'huile et faites-le griller pendant environ 15 minutes.

4 Hachez finement l'oignon. Fendez en deux les piments verts (en jetant les graines, d'où vient leur feu) et hachez-les. Mélangez au melon et à la pastèque.

NOTE
Pour donner une couleur vraiment « tex-mex » à votre plat, faites cuire le poulet au barbecue et savourez-le à l'ombre d'un arbre !

COQUELETS À LA MAROCAINE

INGRÉDIENTS

Pour 4 personnes

360 g (1 1/2 tasse) de riz long grain cuit
1 petit oignon haché
zeste finement râpé et jus de 1 citron
2 cuillerées à soupe de menthe hachée
3 cuillerées à soupe d'abricots secs
*   hachés*
2 cuillerées à soupe de yaourt nature
2 cuillerées à café de curcuma en poudre
2 cuillerées à café de cumin en poudre
sel, poivre noir fraîchement moulu
2 coquelets d'environ 450 g (1 lb) chacun
rondelles de citron et brins de menthe

1 Préchauffez le four à 200 °C (400 °F). Mélangez le riz, l'oignon, le zeste de citron, la menthe et les abricots secs. Incorporez la moitié du jus de citron, du yaourt, du curcuma et du cumin. Salez et poivrez.

2 Farcissez les coquelets du mélange de riz, par l'ouverture du cou. Tout excédent de farce peut être servi séparément. Posez les coquelets sur la grille d'une lèchefrite.

3 Mélangez le reste de jus de citron, de yaourt, de curcuma et de cumin. Badigeonnez les coquelets de ce mélange. Couvrez-les d'une feuille d'aluminium et faites-les rôtir pendant 30 minutes.

4 Enlevez la feuille d'aluminium et laissez cuire au four encore 15 minutes, jusqu'à ce que la peau soit bien dorée et les jus parfaitement clairs.

5 Coupez les coquelets en deux avec un couteau effilé ou des ciseaux à volaille, et servez avec le riz réservé. Décorez les assiettes de rondelles de citron et de menthe fraîche.

APPORT NUTRITIONNEL	
Par portion :	
Valeur énergétique	219 Cal ou 919 kJ
Lipides	6,02 g
Acides gras saturés	1,87 g
Cholestérol	71,55 mg
Fibres	1,12 g

POULET AU GINGEMBRE

INGRÉDIENTS

Pour 4 personnes

2 cuillerées à soupe de jus de citron
2 cuillerées à soupe de sucre en poudre
*   roux*
1 cuillerée à café de racine de gingembre
*   râpée*
2 cuillerées à café de sauce de soja
poivre noir fraîchement moulu
8 cuisses de poulets sans peau

APPORT NUTRITIONNEL	
Par portion :	
Valeur énergétique	162 Cal ou 679 kJ
Lipides	5,58 g
Acides gras saturés	1,84 g
Cholestérol	73 mg
Fibres	0,08 g

1 Mélangez le jus de citron, le sucre, le gingembre et la sauce de soja. Poivrez.

2 Avec un couteau effilé, incisez les cuisses de poulet en trois endroits sur leur partie la plus épaisse. Enrobez-les de la marinade.

3 Faites cuire le poulet au gril ou au barbecue, en le retournant de temps en temps et en le badigeonnant de marinade, jusqu'à ce que tous les morceaux soient bien dorés et que les jus soient clairs. Servez sur un lit de laitue avec du pain croustillant.

ÉMINCÉ DE POULET À L'AIGRE-DOUX

Pour 4 personnes

300 g (10 oz) de nouilles chinoises aux œufs

2 cuillerées à soupe d'huile de tournesol

3 oignons nouveaux hachés

1 gousse d'ail écrasée

1 petit morceau de racine de gingembre pelé et râpé

1 cuillerée à café de paprika

1 cuillerée à café de coriandre en poudre

3 blancs de poulet émincés

150 g (1 tasse) de pois gourmands épluchés

190 g (1 1/4 tasse) de mini-épis de maïs

400 g (2 3/4 tasses) de germes de soja

1 cuillerée à soupe de maïzena

3 cuillerées à soupe de sauce de soja

3 cuillerées à soupe de jus de citron

1 cuillerée à soupe de sucre en poudre

3 cuillerées à soupe de coriandre fraîche ou d'oignons nouveaux hachés

1 Portez à ébullition une grande casserole d'eau salée. Jetez-y les nouilles et faites-les cuire en respectant les conseils de cuisson inscrits sur le paquet. Égouttez et couvrez.

2 Faites chauffer l'huile dans un wok. Ajoutez les oignons, couvrez et laissez cuire à feu doux. Incorporez l'ail, le gingembre, le paprika, la coriandre en poudre et le poulet. Faites revenir en remuant sans cesse pendant 3 à 4 minutes.

3 Ajoutez les pois gourmands, les épis de maïs et les germes de soja. Couvrez et étuvez brièvement. Ajoutez les nouilles.

4 Dans un bol, mélangez la maïzena, la sauce de soja, le jus de citron et le sucre. Versez dans le wok et laissez mijoter quelques secondes pour épaissir. Servez chaud parsemé de coriandre fraîche ou d'oignons nouveaux hachés.

APPORT NUTRITIONNEL	
Par portion :	
Valeur énergétique	528 Cal ou 2 218 kJ
Lipides	15,44 g
Acides gras saturés	2,32 g
Cholestérol	48,38 mg
Fibres	2,01 g

NOTE
Les couvercles de wok sont encombrants et souvent difficiles à ranger dans une petite cuisine. Vous pouvez les remplacer par du papier sulfurisé découpé en rond, posé sur la surface des aliments pour empêcher que les jus ne s'évaporent.

Lorsque vous faites revenir à la chinoise, n'oubliez pas de surveiller de près les temps de cuisson, qui doivent être très courts pour ne pas détruire les saveurs. Les aliments doivent rester croquants. La forte chaleur utilisée avec cette méthode de cuisson permet de préserver les jus naturels des légumes, surtout si ceux-ci sont frais.

POULET AUX NOIX DE CAJOU

INGRÉDIENTS

Pour 4 personnes

2 oignons

*2 cuillerées à soupe de concentré de
tomates*

140 g (2/3 tasse) de noix de cajou

1 1/2 cuillerée à café de garam masala

1 gousse d'ail écrasée

1 cuillerée à café de piment en poudre

1 cuillerée à soupe de jus de citron

1 pincée de curcuma

1 cuillerée à café de sel

*1 cuillerée à soupe de yaourt nature
maigre*

2 cuillerées à soupe d'huile de maïs

*1 cuillerée à soupe de coriandre fraîche
hachée*

1 cuillerée à soupe de raisins secs blonds

*450 g (1 lb) de poulet sans os ni peau,
coupé en cubes*

200 g (1 tasse) de champignons de Paris

30 cl (1 1/4 tasse) d'eau

quelques brins de coriandre

APPORT NUTRITIONNEL

Par portion :	
Valeur énergétique	280 Cal ou 1 176 kJ
Lipides	14,64 g
Acides gras saturés	2,87 g
Cholestérol	64,84 mg

3 Travaillez pendant 1 à 1 minute et demie, jusqu'à obtenir un mélange lisse et homogène.

4 Dans une casserole, faites chauffer l'huile. Baissez à feu modéré, puis versez la préparation du mixer.

5 Faites revenir ce mélange pendant environ 2 minutes, en baissant encore le feu si nécessaire.

7 Ajoutez les champignons, versez l'eau et portez à ébullition. Couvrez. Laissez mijoter sur feu très doux 10 minutes environ. Vérifiez que le poulet est bien cuit et la sauce suffisamment épaisse. Laissez cuire un peu plus longtemps s'il le faut. Servez décoré d'un brin de coriandre.

1 Coupez les oignons en quartiers. Mettez-les dans le bol d'un mixer et travaillez pendant 1 minute environ.

2 Ajoutez à l'oignon les neuf ingrédients suivants.

6 Ajoutez la coriandre fraîche, les raisins secs et le poulet. Continuez de faire revenir en remuant sans cesse pendant 1 minute.

COUSCOUS AU POULET

Le couscous peut facilement remplacer le riz dans de nombreux plats.

INGRÉDIENTS

Pour 4 personnes

480 g (2 tasses) de semoule à couscous

1 l (4 tasses) d'eau bouillante

1 cuillerée à café d'huile d'olive

420 g (14 oz) de poulet sans os ni peau, coupé en cubes

1 poivron jaune épépiné et coupé en fines lamelles

2 grosses courgettes coupées en rondelles épaisses

1 petit piment vert émincé ou 1 cuillerée à café de sauce au piment

1 grosse tomate coupée en dés

450 g (15 oz) de pois chiches en conserve rincés

sel, poivre noir fraîchement moulu

quelques brins de coriandre ou de persil

1 Versez le couscous dans un saladier. Couvrez-le d'eau bouillante. Couvrez et laissez reposer pendant 30 minutes.

2 Dans une grande poêle, faites chauffer l'huile. Faites dorer le poulet en remuant bien, puis baissez le feu.

3 Ajoutez le poivron, les courgettes et le piment (ou la sauce au piment). Laissez cuire environ 10 minutes, jusqu'à ce que les légumes soient tendres.

4 Incorporez la tomate et les pois chiches, puis le couscous. Salez et poivrez selon votre goût. Réchauffez à feu modéré en remuant doucement. Servez décoré de quelques brins de coriandre ou de persil.

APPORT NUTRITIONNEL

Par portion :

Valeur énergétique	363 Cal ou 1 525 kJ
Lipides	8,09 g
Acides gras saturés	1,68 g
Cholestérol	57 mg
Fibres	4,38 g

GRATIN DE DINDE AUX HARICOTS ROUGES

INGRÉDIENTS

Pour 4 personnes

1 aubergine coupée en fines rondelles

1 cuillerée à soupe d'huile d'olive

450 g (1 lb) de blanc de dinde en dés

1 oignon moyen haché

420 g (14 oz) de tomates concassées en boîte

450 g (15 oz) de haricots rouges en boîte égouttés

1 cuillerée à soupe de paprika

1 cuillerée à soupe de thym frais haché

1 cuillerée à café de sauce au piment

35 cl (1 1/2 tasse) de yaourt nature

1/2 cuillerée à café de noix muscade râpée

1 Préchauffez le four à 190 °C (375 °F). Mettez les rondelles d'aubergine dans une passoire et saupoudrez-les de sel.

2 Laissez dégorger pendant 30 minutes. Rincez et séchez. Dans une grande poêle badigeonnée d'un peu d'huile, faites sauter les rondelles par petites quantités, des deux côtés, jusqu'à ce qu'elles soient bien dorées.

3 Retirez l'aubergine de la poêle. Ajoutez la dinde et l'oignon et faites légèrement dorer. Incorporez les tomates, les haricots, le paprika, le thym et la sauce au piment. Salez et poivrez selon votre goût. Dans un grand bol, mélangez le yaourt et la noix muscade.

4 Dans un plat à gratin, disposez la viande et les rondelles d'aubergine en couches alternées, en finissant par l'aubergine. Nappez de yaourt et faites cuire au four pendant 50 à 60 minutes.

APPORT NUTRITIONNEL

Par portion :

Valeur énergétique	370 Cal ou 1 555 kJ
Lipides	13,72 g
Acides gras saturés	5,81 g
Cholestérol	66,5 mg
Fibres	7,38 g

Poulet masala

On peut servir ces morceaux de poulet froids avec de la salade et du riz, ou chauds avec une mousseline de pommes de terre.

Ingrédients

Pour 6 personnes

12 cuisses de poulet sans peau
6 cuillerées à soupe de jus de citron
1 cuillerée à café de racine de gingembre râpée
1 gousse d'ail écrasée
1 cuillerée à café de piment rouge séché broyé
1 cuillerée à café de sel
1 cuillerée à café de sucre en poudre roux
2 cuillerées à soupe de miel liquide
2 cuillerées à soupe de coriandre hachée
1 piment vert haché
2 cuillerées à soupe d'huile de tournesol
1 piment coupé en fines rondelles

1 Piquez les cuisses de poulet avec une fourchette. Rincez, séchez et réservez dans un saladier.

2 Dans un autre saladier, mélangez le jus de citron, le gingembre, l'ail, le piment rouge broyé, le sel, le sucre et le miel.

3 Plongez les cuisses de poulet dans cette préparation et enrobez-les bien. Laissez mariner 45 minutes environ.

4 Préchauffez le gril à température modérée. Ajoutez la coriandre et le piment vert haché au poulet dans sa marinade. Disposez dans un plat à gratin.

5 Versez le reste de marinade sur le poulet et badigeonnez-le d'huile avec un pinceau.

6 Faites griller les cuisses de poulet de 15 à 20 minutes, en les retournant et en les arrosant de temps en temps, jusqu'à ce qu'elles soient bien cuites et dorées.

7 Disposez sur un plat de service et parsemez de rondelles de piment. Servez aussitôt.

Apport nutritionnel	
Par portion :	
Valeur énergétique	189 Cal ou 795 kJ
Lipides	9,20 g
Acides gras saturés	2,31 g
Cholestérol	73 mg

POULET TANDOORI

Une recette indienne traditionnelle, que l'on fait normalement cuire dans un four en terre cuite appelé tandoor. Bien que nos fours actuels ne permettent pas de retrouver l'authentique saveur du tandoor, cette version du poulet tandoori est délicieuse.

―――――― INGRÉDIENTS ――――――

Pour 4 personnes

4 quarts de poulet sans peau

6 cl (1/4 tasse) de yaourt nature maigre

1 cuillerée à café de garam masala

1 cuillerée à café de racine de gingembre râpée

1 gousse d'ail écrasée

1 cuillerée à café de piment en poudre

1 pincée de curcuma

1 cuillerée à café de coriandre en poudre

1 cuillerée à soupe de jus de citron

1 cuillerée à café de sel

quelques gouttes de colorant alimentaire rouge (facultatif)

2 cuillerées à soupe d'huile de maïs

Pour la garniture

salade mélangée

rondelles de citron vert

piments

quartiers de tomates

1 Rincez et séchez les quarts de poulet. Entaillez chaque morceau en deux endroits. Posez sur une assiette et réservez.

2 Mélangez le yaourt, le garam masala, le gingembre, l'ail, le piment en poudre, le curcuma, la coriandre, le jus de citron, le sel, le colorant rouge (si vous le souhaitez) et l'huile. Fouettez afin que les ingrédients se mêlent parfaitement.

3 Nappez les morceaux de poulet de ce mélange et laissez mariner environ 3 heures.

4 Préchauffez le four à 250 °C (475 °F). Disposez les morceaux de poulet dans un plat à gratin.

5 Faites cuire pendant 20 à 25 minutes, jusqu'à ce que le poulet soit bien cuit de tous côtés et doré.

6 Sortez du four. Disposez sur un plat et servez décoré de feuilles de salade, de citron vert, de piments et de tomates.

―――――― APPORT NUTRITIONNEL ――――――

Par portion :

Valeur énergétique	242 Cal ou 1 018 kJ
Lipides	10,64 g
Acides gras saturés	2,74 g
Cholestérol	81,90 mg

PASTITZIA À LA DINDE

La pastitzia grecque traditionnelle est un plat riche et gras, à base de bœuf haché. Elle est ici beaucoup plus légère et tout aussi savoureuse.

INGRÉDIENTS

Pour 4 à 6 personnes

450 g (1 lb) de dinde maigre hachée

1 gros oignon finement haché

4 cuillerées à soupe de concentré de tomates

25 cl (1 tasse) de vin rouge ou de bouillon

1 cuillerée à café de cannelle en poudre

sel, poivre noir fraîchement moulu

500 g (2 1/4 tasses) de macaronis

30 cl (1 1/4 tasse) de lait écrémé

2 cuillerées à soupe de margarine au tournesol

3 cuillerées à soupe de farine

1 cuillerée à café de noix muscade râpée

2 tomates coupées en rondelles

4 cuillerées à soupe de chapelure fraîche

salade verte

1 Préchauffez le four à 220 °C (425 °F). Dans une poêle, faites dorer la dinde et l'oignon haché sans matière grasse, en remuant de temps en temps.

2 Incorporez le concentré de tomates, le vin rouge ou le bouillon et la cannelle. Salez et poivrez. Couvrez et laissez mijoter pendant 5 minutes.

3 Faites cuire les macaronis dans de l'eau bouillante salée. Égouttez-les soigneusement. Dans un plat à gratin, disposez les macaronis et la viande en couches successives.

4 Dans une casserole, mettez le lait, la margarine et la farine. Fouettez à feu modéré jusqu'à obtenir une crème lisse et homogène. Ajoutez la noix muscade. Salez et poivrez selon votre goût.

5 Nappez de cette sauce les pâtes et la viande. Disposez les rondelles de tomate sur le plat. Parsemez en quadrillé avec de la chapelure.

6 Faites cuire au four de 30 à 35 minutes, jusqu'à obtenir un gratin bien doré et frémissant. Servez chaud avec de la salade verte.

APPORT NUTRITIONNEL

Par portion :

Valeur énergétique	566 Cal ou 2 382 kJ
Lipides	8,97 g
Acides gras saturés	1,76 g
Cholestérol	57,06 mg
Fibres	4,86 g

POULET À LA TOSCANE

Ce plat robuste et savoureux offre
tous les parfums de la campagne
toscane. Le vin peut être remplacé
par du bouillon de volaille.

INGRÉDIENTS

Pour 4 personnes

8 cuisses de poulet sans peau
1 cuillerée à café d'huile d'olive
1 oignon moyen émincé
2 poivrons rouges épépinés et coupés en
*   fines lamelles*
1 gousse d'ail écrasée
30 cl (1 1/4 tasse) de tomates en purée
15 cl (2/3 tasse) de vin blanc sec
1 gros brin d'origan frais ou 1 cuillerée à
*   café d'origan séché*
sel, poivre noir fraîchement moulu
420 g (14 oz) de haricots blancs en boîte
*   égouttés*
3 cuillerées à soupe de chapelure fraîche

1 Dans une grande poêle, faites dorer le
poulet dans l'huile. Retirez de la poêle et
réservez au chaud. Dans la même poêle, faites
revenir l'oignon et les poivrons sans les laisser
roussir. Incorporez l'ail.

2 Ajoutez le poulet, les tomates, le vin et
l'origan. Salez et poivrez selon votre goût.
Portez à ébullition, puis couvrez
soigneusement.

APPORT NUTRITIONNEL

Par portion :	
Valeur énergétique	248 Cal ou 1 045 kJ
Lipides	7,53 g
Acides gras saturés	2,06 g
Cholestérol	73 mg
Fibres	4,03 g

3 Baissez le feu et laissez mijoter doucement,
en remuant de temps en temps, pendant 30
à 35 minutes, jusqu'à ce que le poulet soit bien
tendre et ses jus parfaitement clairs.

4 Incorporez les haricots et laissez mijoter
encore 5 minutes. Parsemez de chapelure et
passez au gril chaud pour obtenir une belle
couleur dorée.

CANARD LAQUÉ AUX GRAINES DE SÉSAME

Le canard est une viande grasse. On peut toutefois, avec ce type de cuisson, se débarrasser d'une grande partie du gras cuit. Si vous enlevez complètement la peau, la viande risque d'être trop sèche. Pour un repas de fête, choisissez les magrets. Ils coûtent plus cher mais sont délicieux.

INGRÉDIENTS

Pour 4 personnes

4 cuisses ou magrets de canard
2 cuillerées à soupe de sauce de soja
*   légère*
3 cuillerées à soupe de miel liquide
1 cuillerée à soupe de graines de sésame
4 mandarines
1 cuillerée à café de maïzena
sel, poivre noir fraîchement moulu

1 Préchauffez le four à 180 °C (350 °F). Avec une fourchette, piquez partout la peau des morceaux de canard. Incisez-la également en diagonale avec un couteau effilé.

2 Posez le canard sur une grille dans une lèchefrite. Faites rôtir pendant 1 heure. Mélangez 1 cuillerée à soupe de sauce de soja à 2 cuillerées à soupe de miel. Badigeonnez les morceaux de canard de ce mélange. Parsemez de graines de sésame. Faites rôtir 15 à 20 minutes encore, jusqu'à ce que le canard soit bien doré.

3 Entre-temps, râpez l'écorce d'une mandarine et pressez le jus de deux. Incorporez la maïzena, puis le reste de sauce de soja et de miel. Faites chauffer en remuant jusqu'à ce que la préparation soit claire et épaissie. Salez et poivrez selon votre goût. Pelez les 2 mandarines restantes et coupez-les en rondelles. Servez le canard avec les rondelles de mandarine et la sauce.

APPORT NUTRITIONNEL

Par portion :

Valeur énergétique	624 Cal ou 2 621 kJ
Lipides	48,63 g
Acides gras saturés	12,99 g
Cholestérol	256 mg
Fibres	0,95 g

POULET AU YAOURT ET À LA MENTHE

INGRÉDIENTS

Pour 4 personnes

8 cuisses de poulet sans peau
2 cuillerées à soupe de jus de citron
1 cuillerée à soupe de miel liquide
2 cuillerées à soupe de yaourt nature
4 cuillerées à soupe de menthe hachée
sel, poivre noir fraîchement moulu

1 Incisez les morceaux de poulet en plusieurs endroits. Mettez-les dans un saladier.

2 Mélangez le jus de citron, le miel, le yaourt et la moitié de la menthe. Salez et poivrez.

3 Étalez cette préparation sur le poulet et laissez mariner pendant 30 minutes. Garnissez un plat à gril avec une feuille d'aluminium. Faites griller les morceaux de poulet, en les retournant de temps en temps, jusqu'à ce qu'ils soient bien cuits et dorés.

4 Parsemez du reste de menthe. Servez avec des pommes de terre cuites à la vapeur et de la salade de tomates.

APPORT NUTRITIONNEL

Par portion :

Valeur énergétique	171 Cal ou 719 kJ
Lipides	6,74 g
Acides gras saturés	2,23 g
Cholestérol	97,90 mg
Fibres	0,01 g

BOULETTES DE DINDE À LA TOMATE

Comment résister à ces délicieuses
boulettes de dinde accompagnées de
sauce tomate ?

INGRÉDIENTS

Pour 4 personnes

25 g (1 oz) de pain blanc, sans la croûte
2 cuillerées à soupe de lait écrémé
1 gousse d'ail, écrasée
1/2 cuillerée à café de graines de carvi
225 g (8 oz) de dinde, émincée
sel et poivre noir
1 blanc d'œuf
35 cl (12 fl oz) de bouillon de poule
400 g (14 oz) de tomates en boîte
1 cuillerée à soupe de purée de tomates
90 g (3 1/2 oz) de riz
basilic frais, pour décorer
rubans de carotte et de courgette, pour
   servir

1 Coupez le pain en petits dés et mettez-les
dans un saladier. Mouillez avec le lait et
laissez le pain s'imbiber pendant 5 minutes.

2 Ajoutez la gousse d'ail, les graines de carvi,
la dinde et incorporez au pain. Mélangez
bien le tout. Salez et poivrez selon votre goût.

3 Battez le blanc d'œuf en neige, puis
incorporez-le au mélange à la dinde.
Laissez reposer au réfrigérateur 10 minutes.

4 Pendant ce temps, mettez le bouillon, les
tomates et la purée de tomates dans une
grande casserole et portez à ébullition.

5 Incorporez le riz, remuez et faites cuire à
feu vif pendant 5 minutes. Baissez le feu et
laissez mijoter.

6 Façonnez le mélange à la dinde en
16 petites boulettes. Mettez-les
délicatement dans la sauce tomate et laissez
mijoter encore 8 à 10 minutes. Les boulettes et
le riz doivent être cuits. Décorez avec le basilic
et les rubans de carotte et de courgette. Servez
aussitôt.

ASTUCES

Pour obtenir des rubans de carotte et de
courgette, coupez les légumes dans le sens
de la longueur en fines lamelles avec un
épluche-légumes, puis blanchissez-les ou
faites-les cuire très légèrement à la vapeur.

Les filets de dinde sont pauvres en lipides,
mais riches en protéines. Ils constituent
donc la base idéale pour un dîner
savoureux et peu calorique. On peut les
remplacer par des filets de poulet.

APPORT NUTRITIONNEL

Par portion :

Calories	190 kcal/798 kJ
Protéines	18,04 g
Lipides	1,88 g
Acides gras saturés	0,24 g
Fibres	10,4 g

PAUPIETTES DE DINDE

Un plat raffiné, simple à préparer, qui relève subtilement la saveur de la dinde.

────── INGRÉDIENTS ──────

Pour 4 personnes

4 fines escalopes de dinde (environ 100 g [3 1/2 oz] chacune)

4 cuillerées à café de concentré de tomates

1 grosse poignée de feuilles de basilic

1 gousse d'ail écrasée

sel, poivre noir fraîchement moulu

1 cuillerée à soupe de lait écrémé

2 cuillerées à soupe de farine

sauce tomate fraîche

pâtes parsemées de feuilles de basilic

1 Posez les escalopes sur un plan de travail. Si elles sont trop épaisses, aplatissez-les légèrement avec un rouleau à pâtisserie.

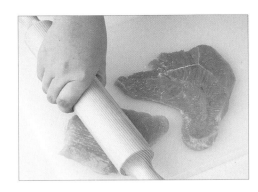

2 Sur chaque escalope, étalez du concentré de tomates. Surmontez de quelques feuilles de basilic et d'un peu d'ail écrasé. Salez et poivrez.

3 Roulez les escalopes autour de leur farce et fixez les paupiettes avec un cure-dent. Badigeonnez de lait et saupoudrez légèrement de farine.

4 Posez les paupiettes sur un plat à gril garni d'une feuille d'aluminium. Faites-les griller pendant 15 à 20 minutes, en les retournant de temps en temps, jusqu'à ce qu'elles soient parfaitement cuites. Coupez les paupiettes en tranches fines et servez chaud avec 1 ou 2 cuillerées de sauce tomate et des pâtes parsemées de basilic.

NOTE
Pour aplatir les escalopes de dinde avec un rouleau, placez-les entre deux feuilles de film étirable.

────── APPORT NUTRITIONNEL ──────

Par portion :

Valeur énergétique	123 Cal ou 518 kJ
Lipides	1,21 g
Acides gras saturés	0,36 g
Cholestérol	44,17 mg
Fibres	0,87 g

BROCHETTES DE POULET À L'ANTILLAISE

Ces délicieuses brochettes rappellent les saveurs et les arômes des îles. Grâce à la marinade, nul besoin de les badigeonner d'huile. Servez-les avec une salade riche en couleurs et du riz.

INGRÉDIENTS

Pour 4 personnes

550 g (1 1/4 lb) de blancs de poulet sans os ni peau

zeste finement râpé de 1 citron vert

2 cuillerées à soupe de jus de citron vert

1 cuillerée à soupe de rhum ou de sherry

1 cuillerée à soupe de sucre en poudre roux

1 cuillerée à café de cannelle en poudre

2 mangues pelées et taillées en dés

riz et salade

1 Découpez les blancs de poulet en cubes moyens. Dans un saladier, mélangez soigneusement le poulet, le zeste et le jus de citron vert, le rhum, le sucre et la cannelle. Couvrez. Laissez mariner pendant 1 heure.

2 Réservez la marinade. Enfilez les morceaux de poulet et de mangue, en les alternant, sur quatre brochettes en bois.

3 Faites cuire les brochettes au gril ou au barbecue pendant 8 à 10 minutes, en les retournant et en les arrosant de temps en temps, jusqu'à ce que le poulet soit bien tendre et doré. Servez aussitôt, avec du riz et de la salade.

NOTE

Le rhum ou le sherry relèvent subtilement la saveur des brochettes. Mais vous pouvez les omettre si vous préférez ne pas ajouter d'alcool.

APPORT NUTRITIONNEL

Par portion :

Valeur énergétique	218 Cal ou 918 kJ
Lipides	4,17 g
Acides gras saturés	1,33 g
Cholestérol	53,75 mg
Fibres	2,26 g

POULET EN ROBE DE FLOCONS À LA SAUGE

Les flocons d'avoine enrobent parfaitement les viandes cuites au four. Leur apport en fibres est précieux.

INGRÉDIENTS

Pour 4 personnes

3 cuillerées à soupe de lait écrémé
2 cuillerées à café de moutarde de Dijon
120 g (1/2 tasse) de flocons d'avoine
3 cuillerées à soupe de sauge hachée
sel, poivre noir fraîchement moulu
8 cuisses de poulet sans peau
12 cl (1/2 tasse) de fromage frais maigre
*1 cuillerée à café de moutarde à
  l'ancienne*
quelques feuilles de sauge

1 Préchauffez le four à 200 °C (400 °F). Mélangez le lait et la moutarde de Dijon.

2 Dans une assiette, mélangez les flocons d'avoine avec 2 cuillerées à soupe de sauge hachée. Salez et poivrez. Badigeonnez le poulet avec le lait, puis enrobez-le du mélange de flocons d'avoine.

3 Disposez les morceaux de poulet sur une tôle. Enfournez pendant environ 40 minutes, jusqu'à ce que les jus soient clairs.

4 Entre-temps, mélangez le fromage frais, la moutarde à l'ancienne et le reste de sauge. Salez et poivrez. Nappez le poulet cuit de cette sauce et décorez de feuilles de sauge. Servez chaud ou froid.

NOTE
Si vous ne trouvez pas de sauge fraîche, servez-vous d'une autre herbe aromatique comme le thym ou le persil. Évitez les herbes séchées.

APPORT NUTRITIONNEL

Par portion :

Valeur énergétique	214 Cal ou 898 kJ
Lipides	6,57 g
Acides gras saturés	1,81 g
Cholestérol	64,64 mg
Fibres	0,74 g

POULET À L'ORANGE

Un poulet dont la sauce à la texture veloutée ne doit rien à la crème fraîche – elle est en fait préparée à base de fromage frais maigre dont la teneur en matières grasses est pratiquement nulle. Le cognac en relève subtilement le parfum, mais il est facultatif.

INGRÉDIENTS

Pour 4 personnes

8 cuisses de poulet sans peau
3 cuillerées à soupe de cognac
30 cl (1 1/4 tasse) de jus d'orange
3 oignons nouveaux hachés
2 cuillerées à café de maïzena
6 cuillerées à soupe de fromage frais
  maigre
sel, poivre noir fraîchement moulu

1 Dans une poêle à fond épais, faites dorer le poulet sans matière grasse.

2 Ajoutez le cognac, le jus d'orange et les oignons. Portez à ébullition. Couvrez et laissez mijoter pendant environ 15 minutes, jusqu'à ce que le poulet soit bien tendre et ses jus parfaitement clairs.

3 Diluez la maïzena avec un peu d'eau, puis mélangez-la au fromage frais. Incorporez ce mélange à la sauce dans la poêle, et portez lentement à ébullition sur feu modéré.

4 Salez et poivrez selon votre goût. Servez avec du riz ou des pâtes, et de la salade verte.

NOTE
La maïzena stabilise le fromage frais et l'empêche de cailler.

APPORT NUTRITIONNEL

Par portion :

Valeur énergétique	227 Cal ou 951 kJ
Lipides	6,77 g
Acides gras saturés	2,23 g
Cholestérol	87,83 mg
Fibres	0,17 g

FAISAN AUX POMMES

Le faisan est une volaille intéressante, car peu grasse et très savoureuse. Cuisiné de cette façon, il ne se dessèche jamais.

——— INGRÉDIENTS ———

Pour 4 personnes

1 faisan
2 petits oignons coupés en quatre
3 branches de céleri émincées
2 pommes à couteau rouges, coupées en
  tranches épaisses
12 cl (1/2 tasse) de bouillon
1 cuillerée à soupe de miel liquide
2 cuillerées à soupe de sauce worcester
1 pincée de noix muscade râpée
sel, poivre noir fraîchement moulu
2 cuillerées à soupe de noisettes grillées

1 Préchauffez le four à 180 °C (350 °F). Dans une poêle, faites dorer le faisan sans matière grasse, en le retournant de temps en temps. Retirez de la poêle et réservez.

2 Dans la même poêle, faites blondir les oignons et le céleri. Disposez-les dans le fond d'une cocotte. Posez le faisan par-dessus et entourez-le de tranches de pommes.

3 Mouillez avec le bouillon, le miel et la sauce worcester. Parsemez de noix muscade, salez et poivrez. Couvrez et faites cuire au four environ 1 heure et demie. Parsemez de noisettes grillées et servez chaud.

——— APPORT NUTRITIONNEL ———

Par portion :

Valeur énergétique	387 Cal ou 1 624 kJ
Lipides	16,97 g
Acides gras saturés	4,28 g
Cholestérol	126 mg
Fibres	2,72 g

LAPIN AU CIDRE

Le lapin est une viande maigre et économique. Vous pouvez aussi, dans cette recette, le remplacer par du poulet.

——— INGRÉDIENTS ———

Pour 4 personnes

450 g (1 lb) de lapin coupé en morceaux
1 cuillerée à soupe de farine
1 cuillerée à café de moutarde en poudre
  (anglaise)
3 poireaux moyens coupés en rondelles
25 cl (1 tasse) de cidre brut
quelques brins de romarin
sel, poivre noir fraîchement moulu

1 Préchauffez le four à 180 °C (350 °F). Dans un saladier, saupoudrez les morceaux de lapin de farine et de moutarde en poudre. Enrobez bien.

2 Disposez les morceaux de lapin en une seule couche dans le fond d'un plat à four. Faites blanchir les poireaux à l'eau bouillante. Égouttez et disposez sur le lapin.

3 Ajoutez le cidre et quelques brins de romarin. Salez et poivrez. Couvrez et enfournez pendant 1 heure environ, jusqu'à ce que le lapin soit bien tendre. Décorez de romarin et servez avec des pommes de terre cuites au four et des légumes.

——— APPORT NUTRITIONNEL ———

Par portion :

Valeur énergétique	162 Cal ou 681 kJ
Lipides	4,22 g
Acides gras saturés	1,39 g
Cholestérol	62,13 mg
Fibres	1,27 g

SALADE DE POULET À LA CHINOISE

INGRÉDIENTS

Pour 4 personnes

4 blancs de poulet sans os (environ 180 g
[6 oz] chacun)

4 cuillerées à soupe de sauce de soja

1 pincée de cinq-épices

2 cuillerées à soupe de jus de citron

1/2 concombre pelé et coupé en bâtonnets

1 cuillerée à café de sel

3 cuillerées à soupe d'huile de tournesol

2 cuillerées à soupe d'huile de sésame

1 cuillerée à soupe de graines de sésame

2 cuillerées à soupe de sherry sec

8 oignons nouveaux émincés

200 g environ (1 tasse) de germes de soja

2 carottes coupées en bâtonnets

Pour la sauce

4 cuillerées à soupe de beurre de
cacahuète

2 cuillerées à café de jus de citron

2 cuillerées à café d'huile de sésame

1 pincée de piment en poudre

1 oignon nouveau émincé

1 Mettez les morceaux de poulet dans une grande casserole. Couvrez-les d'eau. Ajoutez 1 cuillerée à soupe de sauce de soja, le cinq-épices et le jus de citron. Couvrez. Portez à ébullition et laissez mijoter environ 20 minutes.

2 Entre-temps, placez les bâtonnets de concombre dans une passoire. Saupoudrez de sel, couvrez d'une assiette lestée. Laissez dégorger pendant environ 30 minutes (placez la passoire au-dessus d'un bol ou d'une assiette creuse pour recueillir le liquide).

3 Sortez le poulet de la casserole avec une écumoire et laissez-le légèrement refroidir. Enlevez et jetez la peau. Avec un rouleau à pâtisserie, tapez légèrement sur la chair de poulet pour en relâcher les fibres. Émincez et réservez.

4 Faites chauffer les huiles dans une grande poêle ou un wok. Ajoutez les graines de sésame, faites-les revenir pendant 30 secondes, puis incorporez les 3 cuillerées à soupe restantes de sauce de soja et le sherry. Retirez la poêle ou le wok du feu et réservez.

5 Rincez bien le concombre. Séchez-le avec un papier absorbant et mettez-le dans un grand bol. Ajoutez les oignons, les germes de soja, les carottes cuites, les jus de la poêle et le poulet émincé. Mélangez bien. Versez dans un saladier. Couvrez et réfrigérez pendant 1 heure, en remuant une ou deux fois.

6 Préparez la sauce. Fouettez le beurre de cacahuète avec le jus de citron, l'huile de sésame et le piment en poudre. Ajoutez un peu d'eau pour obtenir une pâte, puis incorporez les oignons. Présentez la salade de poulet sur un grand plat, accompagnée de sauce aux cacahuètes.

APPORT NUTRITIONNEL	
Par portion :	
Valeur énergétique	534 Cal ou 2 241 kJ
Lipides	36,86 g
Acides gras saturés	4,96 g
Cholestérol	68,8 mg
Fibres	2,91 g

POULET BIRYANI

Pour 4 personnes

300 g (1 1/2 tasse) de riz basmati rincé

1/2 cuillerée à café de sel

5 gousses de cardamome entières

2 ou 3 clous de girofle

1 bâton de cannelle

3 cuillerées à soupe d'huile de tournesol

3 oignons émincés

700 g (1 1/2 lb) de blancs de poulet sans os ni peau, coupés en cubes

1 pincée de clou de girofle en poudre

5 gousses de cardamome épépinées et broyées

1 pincée de piment en poudre

1 cuillerée à café de cumin en poudre

1 cuillerée à café de coriandre en poudre

1/2 cuillerée à café de poivre noir moulu

3 gousses d'ail finement hachées

1 cuillerée à café de racine de gingembre finement hachée

jus de 1 citron

4 tomates coupées en rondelles

2 cuillerées à soupe de coriandre hachée

25 cl (1 tasse) de yaourt nature maigre

1/2 cuillerée à café de stigmates de safran trempés dans 2 cuillerées à café de lait écrémé chaud

3 cuillerées à soupe d'amandes grillées effilées

quelques feuilles de coriandre fraîche

2 Dans une poêle, faites dorer les oignons dans l'huile environ 8 minutes. Ajoutez le poulet, puis toutes les épices en poudre, l'ail, le gingembre et le jus de citron. Faites revenir en remuant sans cesse pendant 5 minutes.

3 Placez la préparation de poulet dans une cocotte. Disposez les rondelles de tomates par-dessus. Parsemez de coriandre fraîche, nappez de yaourt et surmontez avec le riz égoutté.

4 Parsemez le riz avec les stigmates de safran et le lait. Mouillez avec 15 cl (2/3 tasse) d'eau.

5 Couvrez hermétiquement. Faites cuire au four 1 heure environ. Disposez la préparation sur un grand plat préalablement chauffé, et retirez les aromates entiers du riz. Décorez d'amandes grillées et de feuilles de coriandre fraîche, et servez avec un petit bol de yaourt.

APPORT NUTRITIONNEL	
Par portion :	
Valeur énergétique	650 Cal ou 2 730 kJ
Lipides	21,43 g
Acides gras saturés	3,62 g
Cholestérol	74,11 mg
Fibres	2,95 g

1 Préchauffez le four à 190 °C (375 °F). Portez à ébullition une casserole remplie d'eau. Jetez-y le riz, le sel, les gousses de cardamome, les clous de girofle et le bâton de cannelle. Laissez cuire environ 2 minutes, puis égouttez en laissant les aromates entiers dans le riz.

ÉMINCÉ DE DINDE AUX POIS GOURMANDS

Un plat savoureux et facile à préparer, servi avec du riz au safran.

INGRÉDIENTS

Pour 4 personnes

2 cuillerées à soupe d'huile de sésame

6 cuillerées à soupe de jus de citron

1 gousse d'ail écrasée

1 petit morceau de racine de gingembre râpé

1 cuillerée à café de miel liquide

450 g (1 lb) de filet de dinde maigre coupé en fines lamelles

200 g (1 tasse) de pois gourmands épluchés

2 cuillerées à soupe d'huile d'arachide

200 g (3/4 tasse) de noix de cajou

6 oignons nouveaux émincés

240 g (8 oz) de châtaignes d'eau en boîte égouttées et coupées en fines lamelles

1 pincée de sel

riz au safran

1 Dans un bol, mélangez l'huile de sésame, le jus de citron, l'ail, le gingembre et le miel. Versez sur la dinde et enrobez bien. Couvrez et laissez mariner pendant 3 à 4 heures.

2 Faites blanchir les pois gourmands dans de l'eau bouillante salée pendant 1 minute. Égouttez, puis rafraîchissez à l'eau froide.

3 Sortez la viande de la marinade, égouttez-la. Réservez la marinade. Dans une grande poêle ou un wok, faites chauffer l'huile d'arachide. Faites revenir les noix de cajou, en remuant sans cesse, pendant 1 à 2 minutes.

APPORT NUTRITIONNEL	
Par portion :	
Valeur énergétique	311 Cal ou 1 307 kJ
Lipides	18,51 g
Acides gras saturés	2,90 g
Cholestérol	55,12 mg

4 Ôtez les noix de cajou avec une écumoire et réservez.

5 Dans la poêle ou le wok, faites dorer la dinde pendant 3 à 4 minutes, en remuant souvent. Ajoutez les pois gourmands, les oignons et les châtaignes d'eau, puis la marinade réservée. Laissez mijoter jusqu'à ce que la viande soit bien tendre et la sauce légèrement écumeuse. Salez, puis incorporez les noix de cajou. Servez aussitôt avec du riz au safran.

CURRY DE POULET À LA DIABLE

Un curry dans une délicieuse sauce veloutée, où les poivrons rouges et verts apportent leur superbe touche de couleur. Servez-le avec des chapatis ou du riz nature.

INGRÉDIENTS

Pour 4 personnes

2 cuillerées à soupe d'huile de maïs
1 pincée de graines de fenugrec
1 pincée de graines d'oignon
2 oignons hachés
1 gousse d'ail écrasée
1/2 cuillerée à café de racine de
   gingembre râpée
1 cuillerée à café de coriandre en poudre
1 cuillerée à café de piment en poudre
1 cuillerée à café de sel
420 g (14 oz) de tomates en conserve
2 cuillerées à soupe de jus de citron
360 g (12 oz) de poulet sans os ni peau,
   coupé en cubes
2 cuillerées à soupe de coriandre fraîche
   hachée
3 piments verts hachés
1/2 poivron rouge coupé en petits morceaux
1/2 poivron vert coupé en petits morceaux
quelques feuilles de coriandre fraîche

1 Dans une casserole de taille moyenne, faites chauffer l'huile et dorer les graines de fenugrec et d'oignon. Ajoutez les oignons, l'ail et le gingembre. Laissez cuire environ 5 minutes, jusqu'à ce que les oignons aient doré. Baissez à feu très doux.

2 Entre-temps, dans un bol, mélangez la coriandre en poudre, le piment en poudre, le sel, les tomates et le jus de citron.

3 Versez le mélange dans la casserole. Faites revenir à feu modéré pendant environ 3 minutes, en remuant sans cesse.

4 Ajoutez le poulet et faites cuire quelques minutes, toujours en remuant. Ne laissez pas le poulet cuire trop longtemps.

5 Ajoutez la coriandre fraîche, les piments verts et les morceaux de poivrons. Baissez le feu, couvrez et laissez mijoter environ 10 minutes. Décorez de feuilles de coriandre fraîche. Servez chaud.

NOTE
Pour une version moins épicée de ce curry, il suffit d'omettre une partie ou la totalité des piments verts.

APPORT NUTRITIONNEL	
Par portion :	
Valeur énergétique	205 Cal ou 861 kJ
Lipides	9,83 g
Acides gras saturés	2,03 g
Cholestérol	48,45 mg

POISSONS
ET FRUITS DE MER

La diversité des poissons proposés sur le marché
est impressionnante. Profitez-en, d'autant que le poisson
est idéal si vous recherchez une alimentation pauvre
en lipides. La plupart des variétés, en particulier les poissons
blancs, sont peu gras, mais très riches en protéines.
Les poissons huileux sont plus gras, mais contiennent des
acides saturés indispensables à notre santé.
D'une préparation rapide et facile, le poisson s'accompagne
bien de légumes frais. Faites-en l'expérience avec
quelques-unes des recettes proposées dans ce chapitre :
cabillaud à la cajun, beignets de poisson à la sauce au citron,
brochettes de moules et de lotte ou poisson cuit à la vapeur
à la sauce pimentée.

CABILLAUD À LA CAJUN

Cette recette convient bien à la préparation de tous les poissons à chair ferme, peu gras, du type haddock.

INGRÉDIENTS

Pour 4 personnes

4 tranches de cabillaud, de 175 g (6 oz) chacune
2 cuillerées à soupe de yaourt nature maigre
1 cuillerée à soupe de jus de citron vert ou jaune
1 gousse d'ail, écrasée
1 cuillerée à café de cumin en poudre
1 cuillerée à café de paprika
1 cuillerée à café de moutarde en poudre
1/2 cuillerée à café de piment de Cayenne
1/2 cuillerée à café de thym séché
1/2 cuillerée à café d'origan séché
spray de cuisson antiadhérent
demi-rondelles de citron, pour décorer
pommes de terre nouvelles et salade mélangée, pour servir

APPORT NUTRITIONNEL	
Par portion :	
Calories	137 kcal/577 kJ
Protéines	28,42 g
Lipides	1,75 g
Acides gras saturés	0,26 g
Fibres	0,06 g

1 Essuyez les tranches de poisson avec du papier absorbant. Mélangez le yaourt et le jus de citron et badigeonnez-en légèrement les tranches, sur les deux côtés.

2 Mélangez l'ail écrasé, les épices et les herbes. Passez les tranches dans le mélange, en les frottant bien.

3 Arrosez légèrement la plaque du gril avec le spray de cuisson et faites chauffer. Lorsqu'il est très chaud, déposez dessus les tranches de cabillaud et laissez griller à feu vif pendant 4 minutes. Le poisson doit être brun doré sur le côté posé contre la plaque.

4 Retournez les tranches et faites-les griller encore pendant 4 minutes. Servez immédiatement, décoré de demi-rondelles de citron et accompagné de pommes de terre nouvelles et d'une salade mélangée.

FILETS DE CARRELET À LA PROVENÇALE

INGRÉDIENTS

Pour 4 personnes

4 gros filets de carrelet
2 petits oignons rouges
12 cl (4 fl oz) de bouillon de légumes
4 cuillerées à soupe de vin rouge sec
1 gousse d'ail, écrasée
2 courgettes, coupées en fines rondelles
*1 poivron jaune, épépiné et coupé en fines
    lanières*
400 g (14 oz) de tomates, concassées
1 cuillerée à soupe de thym frais, émietté
sel et poivre noir
gratin de pommes de terre, pour servir

1 Faites préchauffer le four à 180 °C (350 °F). Pour retirer la peau des carrelets, faites une incision à la hauteur de la queue et tirez d'un seul coup en maintenant fermement le poisson.

2 Coupez les oignons en huit morceaux et mettez-les dans une casserole à fond épais avec le bouillon. Couvrez et laissez mijoter pendant 5 minutes. Découvrez et continuez à faire cuire, en remuant de temps en temps, jusqu'à ce que le bouillon ait complètement réduit. Ajoutez le vin et l'ail, et faites cuire jusqu'à ce que les oignons soient parfaitement transparents.

3 Ajoutez les courgettes, le poivron jaune, les tomates et le thym. Salez et poivrez selon votre goût. Laissez mijoter pendant 3 minutes. Versez la sauce dans une grande cocotte.

ASTUCE
Les filets de poisson dépiautés, pauvres en lipides, constituent une base idéale, savoureuse et nutritive, à quantité de recettes.

4 Repliez chaque filet en deux et mettez-les sur la sauce. Couvrez et laissez cuire au four pendant 15 à 20 minutes, jusqu'à ce que le poisson soit opaque et se détache facilement. Servez accompagné d'un gratin de pommes de terre.

APPORT NUTRITIONNEL

Par portion :

Calories	191 kcal/802 kJ
Protéines	29,46 g
Lipides	3,77 g
Acides gras saturés	0,61 g
Fibres	1,97 g

BROCHETTES DE CREVETTES ET DE LÉGUMES

Un plat léger et nourrissant, que l'on sert sur un lit de salade verte, avec du riz nature ou des chapatis.

INGRÉDIENTS

Pour 4 personnes

2 cuillerées à soupe de coriandre fraîche hachée

1 cuillerée à café de sel

2 piments verts égrenés

3 cuillerées à soupe de jus de citron

2 cuillerées à soupe d'huile végétale

20 grosses crevettes ou gambas cuites et décortiquées

1 courgette découpée en grosses rondelles

1 oignon coupé en 8 morceaux

8 tomates cerises

8 mini-épis de maïs

salade mélangée

1 Mettez la coriandre hachée, le sel, les piments verts, le jus de citron et l'huile dans le bol d'un mixer. Travaillez pendant quelques secondes.

3 Ajoutez les crevettes et mélangez soigneusement pour bien les enrober. Laissez mariner pendant environ 30 minutes.

4 Préchauffez le gril à très haute température, puis baissez à température moyenne.

APPORT NUTRITIONNEL

Par portion :

Valeur énergétique	109 Cal ou 458 kJ
Lipides	6,47 g
Acides gras saturés	0,85 g
Cholestérol	29,16 mg

2 Versez cette préparation dans un saladier.

5 Enfilez successivement légumes et crevettes sur quatre brochettes. Faites-les griller pendant 5 à 7 minutes, jusqu'à ce qu'elles soient bien dorées.

6 Servez aussitôt sur un lit de salade mélangée.

NOTE
Les gambas sont un luxe, à réserver aux grandes occasions ! Dans cette recette, vous pouvez les remplacer par 350 g (2 1/2 tasses) de crevettes ordinaires.

FILETS DE POISSON GRILLÉS

Le poisson s'accommode parfaitement d'une cuisson au gril, sans perdre la moindre saveur. Cette recette ne demande que quelques gouttes d'huile pour le badigeonnage.

INGRÉDIENTS

Pour 4 personnes

4 filets de poisson plat (limande, sole, flétan) d'environ 120 g (4 oz) chacun
1 gousse d'ail écrasée
1 cuillerée à café de garam masala
1 cuillerée à café de piment en poudre
1 pincée de curcuma
1/2 cuillerée à café de sel
1 cuillerée à soupe de coriandre hachée
1 cuillerée à soupe d'huile végétale
2 cuillerées à soupe de jus de citron

1 Garnissez un plat à gratin d'une feuille d'aluminium. Rincez et séchez les filets de poisson. Posez-les dans le plat.

2 Dans un bol, mélangez l'ail, le garam masala, le piment en poudre, le curcuma, le sel, la coriandre hachée, l'huile et le jus de citron.

3 Avec un pinceau, badigeonnez soigneusement les filets de cette préparation.

NOTE

On peut se servir de poisson surgelé pour cette recette, mais le poisson frais est plus savoureux.

4 Préchauffez le gril à très haute température, puis baissez à température modérée. Faites griller les filets pendant environ 10 minutes, en les retournant et en les arrosant de temps en temps, jusqu'à ce qu'ils soient bien dorés.

5 Servez aussitôt sur une assiette joliment décorée : carottes râpées, quartiers de tomates, rondelles de citron vert...

APPORT NUTRITIONNEL

Par portion :

Valeur énergétique	143 Cal ou 599 kJ
Lipides	5,63 g
Acides gras saturés	0,84 g
Cholestérol	47,25 mg

Brochettes de moules et de lotte

Riche en protéines, la lotte est un poisson peu gras dont la texture ferme convient bien à la confection de brochettes de fruits de mer, arrosées d'une légère marinade. Cuites au gril ou au barbecue, elles seront accompagnées de riz aux fines herbes et d'une salade mélangée.

Ingrédients

Pour 4 personnes

450 g (1 lb) de lotte, la peau et les arêtes retirées
1 cuillerée à café d'huile d'olive
2 cuillerées à soupe de jus de citron
1 cuillerée à café de paprika
1 gousse d'ail, écrasée
sel et poivre noir
4 filets de dinde
8 moules cuites
8 crevettes crues
1 cuillerée à soupe d'aneth fraîche ciselée
quartiers de citron, pour décorer
riz sauvage à longs grains et salade mélangée, pour servir

1 Coupez la lotte en dés et mettez-les dans un saladier en verre. Dans un bol, mélangez bien l'huile, le jus de citron, le paprika, l'ail. Salez et poivrez selon votre goût.

2 Versez la marinade sur le poisson et remuez soigneusement. Couvrez et laissez mariner dans un endroit frais 30 minutes.

3 Coupez les filets de dinde en deux et enveloppez chaque moule d'une moitié de filet. Enfilez sur des brochettes, en alternant avec les dés de lotte et les crevettes. Faites préchauffer le gril à feu vif.

4 Faites griller les brochettes pendant 7 à 8 minutes, en les retournant une fois et en les badigeonnant avec la marinade. Parsemez d'aneth ciselée et de sel. Décorez avec des quartiers de citron et servez accompagné de riz et de salade.

Apport nutritionnel	
Par portion :	
Calories	133 kcal/560 kJ
Protéines	25,46 g
Lipides	3,23 g
Acides gras saturés	0,77 g
Fibres	0,12 g

LIMANDES-SOLES SAUCE HOLLANDAISE EN PAPILLOTES

Pour 4 personnes

*4 filets de limande-sole, d'environ 150 g
(5 oz) chacun
1/2 petit concombre, coupé en rondelles
4 rondelles de citron
4 cuillerées à soupe de vin blanc sec
brins d'aneth frais, pour décorer
pommes de terre nouvelles et céleri braisé,
pour servir*

Pour la sauce hollandaise

*15 cl (1/4 pt) de yaourt nature maigre
1 cuillerée à café de jus de citron
2 jaunes d'œufs
1 cuillerée à café de moutarde de Dijon
sel et poivre noir*

1 Faites préchauffer le four à 180 °C
(385 °F). Coupez quatre morceaux en
forme de cœur dans du papier sulfurisé
(20 x 15 cm [8 x 6 po] environ).

2 Mettez un filet de limande-sole sur un côté
de chaque cœur de papier. Garnissez les
filets avec les rondelles de concombre et de
citron. Arrosez avec le vin et fermez les
papillotes en tortillant fermement le papier aux
deux extrémités. Mettez sur la plaque du four
et laissez cuire pendant 15 minutes.

3 Pendant ce temps, préparez la sauce
hollandaise. Battez ensemble au fouet le
yaourt, le jus de citron et les jaunes d'œufs
dans une petite casserole, au bain-marie. Faites
cuire pendant 15 minutes, en remuant avec le
fouet, jusqu'à ce que la sauce épaississe
suffisamment (après 10 minutes de cuisson, la
sauce se liquéfie pour épaissir de nouveau
ensuite).

ASTUCE
Vérifiez que le papier sulfurisé est bien
scellé, pour éviter que le jus ne s'échappe
en cuisant.

4 Retirez la sauce du feu et incorporez la
moutarde. Salez et poivrez selon votre goût.
Ouvrez les papillotes, décorez avec un peu
d'aneth et servez accompagné de sauce, de
pommes de terre nouvelles et de céleri braisé.

APPORT NUTRITIONNEL	
Par portion :	
Calories	185 kcal/779 kJ
Protéines	29,27 g
Lipides	4,99 g
Acides gras saturés	1,58 g
Fibres	0,27 g

GRATIN DE CABILLAUD

Un plat rapide à préparer, idéal pour les repas simples.

— INGRÉDIENTS —

Pour 4 personnes

4 filets de cabillaud sans peau (environ 120 g [4 oz] chacun)
2 tomates moyennes coupées en rondelles
60 g (1 tasse) de chapelure fraîche
2 cuillerées à soupe de persil frais haché
zeste finement râpé et jus de 1/2 citron
1 cuillerée à café d'huile de tournesol
sel, poivre noir fraîchement moulu

2 Placez par-dessus les rondelles de tomates. Dans un bol, mélangez la chapelure, le persil, le zeste et le jus de citron et l'huile. Salez et poivrez selon votre goût.

1 Préchauffez le four à 200 °C (400 °F). Disposez les filets de poisson dans le fond d'un plat à gratin.

3 Recouvrez le plat d'une couche régulière de cette préparation. Enfournez pendant 15 à 20 minutes. Servez chaud.

APPORT NUTRITIONNEL	
Par portion :	
Valeur énergétique	130 Cal ou 546 kJ
Lipides	2,06 g
Acides gras saturés	0,32 g
Cholestérol	52,90 mg
Fibres	1,40 g

GRATIN DE HADDOCK AUX CREVETTES

Un gratin appétissant, léger et très simple à préparer. Pour une version plus économique, remplacez les crevettes par une quantité supplémentaire de filets de poisson.

— INGRÉDIENTS —

Pour 4 personnes

360 g (12 oz) de filets de haddock sans peau
2 cuillerées à soupe de maïzena
120 g (4 oz) de crevettes cuites décortiquées
210 g (7 oz) de maïs en grains en conserve, égoutté
180 g (3/4 tasse) de petits pois surgelés
15 cl (2/3 tasse) de lait écrémé
15 cl (2/3 tasse) de fromage frais maigre
sel, poivre noir fraîchement moulu
90 g (1 1/2 tasse) de chapelure fraîche
120 g (1/2 tasse) de fromage maigre du type cheddar grossièrement râpé

3 Mélangez la chapelure et le fromage râpé. Saupoudrez le plat de cette préparation. Enfournez pendant 25 à 30 minutes, jusqu'à ce que le gratin soit bien doré. Servez chaud avec des légumes frais.

2 Dans un plat à gratin, disposez le poisson, les crevettes, le maïs et les petits pois. Mélangez en fouettant le lait et le fromage frais. Salez et poivrez. Versez dans le plat.

1 Préchauffez le four à 190 °C (375 °F). Coupez le haddock en petits morceaux et enrobez-le de maïzena.

APPORT NUTRITIONNEL	
Par portion :	
Valeur énergétique	290 Cal ou 1 218 kJ
Lipides	4,87 g
Acides gras saturés	2,10 g
Cholestérol	63,91 mg
Fibres	2,61 g

Marmite de haddock aux brocolis

Rien de meilleur qu'une riche soupe de poisson pour réveiller les appétits.

Ingrédients

Pour 4 personnes

4 oignons nouveaux émincés

450 g (1 lb) de pommes de terre nouvelles coupées en dés

30 cl (1 1/4 tasse) de court-bouillon ou d'eau

30 cl (1 1/4 tasse) de lait écrémé

1 feuille de laurier

200 g (2 tasses) de bouquets de brocolis émincés

450 g (1 lb) de filets de haddock fumé sans peau

200 g (7 oz) de maïs en grains

poivre noir fraîchement moulu

quelques oignons nouveaux hachés

1 Dans une grande casserole, mettez les oignons émincés et les pommes de terre. Ajoutez le bouillon, le lait et la feuille de laurier. Portez à ébullition. Couvrez, puis laissez mijoter pendant 10 minutes.

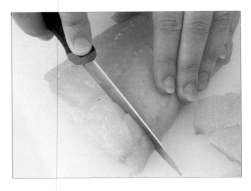

2 Ajoutez les brocolis. Coupez le poisson en petits morceaux et ajoutez-le à la casserole avec les grains de maïs.

3 Poivrez. Couvrez, puis laissez mijoter encore 5 minutes, jusqu'à ce que le poisson soit bien cuit. Ôtez la feuille de laurier et parsemez d'oignons nouveaux hachés. Servez bien chaud avec du pain croustillant.

NOTE
Si vous ne trouvez pas de pommes de terre nouvelles, utilisez-en de plus anciennes, mais choisissez-les fermes (roseval ou bintje).

Apport nutritionnel

Par portion :

Valeur énergétique	268 Cal ou 1 124 kJ
Lipides	2,19 g
Acides gras saturés	0,27 g
Cholestérol	57,75 mg
Fibres	3,36 g

TAGINE DE POISSON

INGRÉDIENTS

Pour 4 personnes

2 gousses d'ail écrasées

2 cuillerées à soupe de cumin en poudre

2 cuillerées à soupe de paprika

1 petit piment rouge (facultatif)

2 cuillerées à soupe de concentré de tomates

4 cuillerées à soupe de jus de citron

4 darnes de merlan ou de cabillaud (environ 180 g [6 oz] chacune)

360 g (12 oz) de tomates coupées en rondelles

2 poivrons verts égrenés et coupés en fines lanières

sel, poivre noir fraîchement moulu

1 petite poignée de coriandre fraîche ciselée

1 Posez les tranches de poisson sur une grande assiette. Dans un bol, mélangez l'ail, le cumin, le paprika, le piment, le concentré de tomates et le jus de citron. Étalez cette préparation sur les darnes de poisson, couvrez, puis réfrigérez pendant 30 minutes environ pour laisser la chair s'imprégner des différentes saveurs.

2 Préchauffez le four à 200 °C (400 °F). Disposez la moitié des rondelles de tomates et des lanières de poivron dans le fond d'un plat à gratin.

3 Posez par-dessus les darnes de poisson, puis constituez une nouvelle couche avec le reste de tomates et de poivrons. Couvrez le plat d'une feuille d'aluminium. Faites cuire au four environ 45 minutes, jusqu'à ce que le poisson soit bien cuit de tous côtés. Parsemez avec la coriandre ciselée. Servez aussitôt.

NOTE

Vous pouvez, si ce plat est destiné à un dîner entre amis, le préparer à l'avance, le réserver au réfrigérateur et le faire cuire au dernier moment.

APPORT NUTRITIONNEL

Par portion :	
Valeur énergétique	203 Cal ou 855 kJ
Lipides	3,34 g
Acides gras saturés	0,29 g
Cholestérol	80,50 mg
Fibres	2,48 g

BEIGNETS DE POISSON À LA SAUCE AU CITRON

L'irremplaçable saveur de ces beignets de poisson tient à la présence des fines herbes fraîches.

INGRÉDIENTS

Pour 4 personnes

350 g (12 oz) de pommes de terre, coupées en morceaux
5 cuillerées à soupe de lait écrémé
sel et poivre noir
350 g (12 oz) de filets de haddock, sans la peau
1 cuillerée à soupe de jus de citron
1 cuillerée à soupe de sauce au raifort
2 cuillerées de persil frais ciselé
farine
115 g (4 oz) de chapelure complète
brins de persil plat, pour décorer
mange-tout, salade de tomates et d'oignons, pour servir

Pour la sauce au citron et à la ciboulette

le zeste et le jus de 1/2 citron
12 cl (4 fl oz) de vin blanc sec
2 petites lamelles de racine de gingembre frais
sel et poivre noir
2 cuillerées à café de farine de maïs
2 cuillerées à soupe de ciboulette ciselée

APPORT NUTRITIONNEL

Par portion :

Calories	232 kcal/975 kJ
Protéines	19,99 g
Lipides	1,99 g
Acides gras saturés	0,26 g
Fibres	3,11 g

ASTUCE
Le vin blanc sec est savoureux et ne contient pas de lipides. Vous pouvez, si vous préférez, le remplacer par du cidre.

1 Faites cuire les pommes de terre dans une grande casserole d'eau salée pendant 15 à 20 minutes. Égouttez-les, réduisez-les en purée avec le lait. Salez et poivrez selon votre goût.

2 Avec un mixeur, réduisez en purée le poisson avec le jus de citron et la sauce au raifort. Mélangez avec les pommes de terre et le persil.

3 Avec les mains farinées, façonnez le mélange en huit beignets, puis passez-les dans la chapelure. Mettez à glacer au réfrigérateur pendant 30 minutes.

4 Faites préchauffer le gril à feu moyen, puis faites cuire les beignets pendant 5 minutes de chaque côté. Ils doivent être bien dorés.

5 Pour préparer la sauce, coupez le zeste de citron en fine julienne et mettez-le dans une grande casserole avec le jus de citron, le vin et le gingembre. Salez et poivrez selon votre goût.

6 Laissez frissonner, à découvert, pendant 6 minutes. Mélangez la farine avec 1 cuillerée à soupe d'eau froide, ajoutez à la casserole et laissez mijoter. Lorsque la sauce est homogène, incorporez la ciboulette et servez aussitôt.

7 Servez la sauce bien chaude avec les beignets, décorés de brins de persil et accompagnés de mange-tout et d'une salade de tomates et d'oignons.

POISSON CUIT À LA VAPEUR À LA SAUCE PIMENTÉE

La cuisson à la vapeur est l'une des méthodes les plus appropriées pour cuire du poisson, et l'une des plus légères. En gardant le poisson entier, avec l'arête, vous lui conserverez toute sa saveur et son onctuosité.

INGRÉDIENTS

Pour 6 personnes

*1 gros poisson, ou 2 moyens, du type loup
   ou mérou, écaillés et vidés*
*1 feuille de bananier fraîche ou 1 grand
   morceau de papier aluminium*
2 cuillerées à soupe de vin de riz
*3 piments rouges, épépinés et finement
   hachés*
2 gousses d'ail, finement hachées
*1 morceau de racine de gingembre frais,
   finement haché, de 2 cm (3/4 po)*
*2 brins de citronnelle, écrasés et finement
   hachés*
2 ciboules, finement hachées
2 cuillerées à soupe de nuoc-mâm
le jus de 1 citron vert

Pour la sauce pimentée

10 piments rouges, épépinés et hachés
4 gousses d'ail, hachées
4 cuillerées à soupe de nuoc-mâm
1 cuillerée à soupe de sucre en poudre
5 cuillerées à soupe de jus de citron vert

1 Rincez le poisson à l'eau froide, puis séchez-le avec du papier absorbant. Avec un couteau bien aiguisé, entaillez la peau du poisson en plusieurs endroits de chaque côté.

2 Disposez le poisson sur une feuille de bananier ou d'aluminium. Mélangez le reste des ingrédients et parsemez-en le poisson.

3 Placez une assiette à l'envers au fond d'un wok ou d'une grande poêle, puis ajoutez 5 cm (2 po) d'eau bouillante. Mettez la feuille de bananier avec le poisson sur l'assiette et couvrez. Laissez cuire à la vapeur de 10 à 15 minutes, jusqu'à ce que le poisson soit cuit.

4 Pendant ce temps, mettez les ingrédients de la sauce pimentée dans le bol du mixeur, et réduisez en une pâte onctueuse. Si nécessaire, ajoutez un peu d'eau froide.

5 Servez le poisson bien chaud, sur la feuille de bananier, accompagné de la sauce pimentée.

APPORT NUTRITIONNEL	
Par portion :	
Calories	170 kcal/721 kJ
Lipides	3,46 g
Acides gras saturés	0,54 g
Cholestérol	106 mg
Fibres	0,35 g

CABILLAUD AU FOUR À LA TOMATE

Pour obtenir un plat vraiment savoureux, utilisez de préférence des tomates mûries au soleil, et veillez à ce que la sauce soit suffisamment épaisse avant d'en garnir le poisson.

INGRÉDIENTS

Pour 4 personnes

1 cuillerée à soupe d'huile d'olive
1 oignon, haché
2 gousses d'ail, finement hachées
450 g (1 lb) de tomates, pelées, épépinées et
*   concassées*
1 cuillerée à café de purée de tomates
sel et poivre noir
4 cuillerées à soupe de vin blanc sec
4 cuillerées à soupe de persil plat ciselé
4 tranches de cabillaud
2 cuillerées à soupe de chapelure
pommes de terres nouvelles et salade verte,
*   pour servir*

APPORT NUTRITIONNEL

Par portion :	
Calories	151 kcal/647 kJ
Lipides	1,5 g
Acides gras saturés	0,2 g
Cholestérol	52,2 mg
Fibres	2,42 g

ASTUCE
Pour gagner du temps, vous pouvez remplacer les gousses d'ail et les tomates fraîches par 400 g (14 oz) de tomates en boîte et deux cuillerées à café d'ail séché.

1 Faites préchauffer le four à 190 °C (375 °F). Faites chauffer l'huile dans une poêle et faites-y rissoler l'oignon pendant 5 minutes environ. Puis ajoutez l'ail, les tomates, la purée de tomates et le vin. Salez et poivrez selon votre goût.

2 Portez la sauce à ébullition puis réduisez légèrement le feu et laissez cuire, à découvert, de 15 à 20 minutes, jusqu'à ce qu'elle ait suffisamment épaissi. Incorporez le persil.

3 Huilez un plat à four, mettez-y les tranches de cabillaud et répartissez la sauce sur les tranches de poisson. Parsemez le dessus avec la chapelure.

4 Faites cuire au four de 20 à 30 minutes, en badigeonnant le poisson de temps en temps avec la sauce, jusqu'à ce que le poisson soit bien cuit et la chapelure brun doré. Servez accompagné de pommes de terre nouvelles et de salade verte.

PAELLA

Un bon plat unique, chaleureux et savoureux. Pour une occasion particulière, remplacez le jus d'orange par du vin blanc sec.

── INGRÉDIENTS ──

Pour 4 personnes

2 cuillerées à café d'huile d'olive

300 g (1 1/4 tasse) de riz long grain

1 cuillerée à café de curcuma en poudre

1 poivron rouge épépiné et coupé en petits morceaux

1 petit oignon émincé

2 courgettes moyennes coupées en rondelles

200 g (2 tasses) de champignons de Paris coupés en deux

sel, poivre noir fraîchement moulu

35 cl (1 1/2 tasse) de court-bouillon ou de bouillon de volaille

15 cl (2/3 tasse) de jus d'orange

360 g (12 oz) de filets de poisson blanc

12 moules d'Espagne dans leur coquille

zeste râpé de 1 orange

1 Dans une grande poêle, faites chauffer l'huile. Jetez-y le riz et le curcuma. Faites revenir à feu doux pendant environ 1 minute.

2 Ajoutez le poivron, l'oignon, les courgettes et les champignons. Poivrez. Incorporez le bouillon et le jus d'orange. Portez à ébullition.

3 Baissez le feu et ajoutez le poisson. Couvrez et laissez mijoter doucement environ 15 minutes, jusqu'à ce que le riz soit tendre et le liquide absorbé. Incorporez les moules. Vérifiez l'assaisonnement, parsemez avec le zeste d'orange et servez bien chaud.

── APPORT NUTRITIONNEL ──

Par portion :

Valeur énergétique	370 Cal ou 1 555 kJ
Lipides	3,84 g
Acides gras saturés	0,64 g
Cholestérol	61,25 mg
Fibres	2,08 g

PÂTES AU SAUMON SAUCE PERSILLÉE

── INGRÉDIENTS ──

Pour 4 personnes

450 g (1 lb) de filet de saumon sans peau

sel, poivre noir fraîchement moulu

500 g (3 tasses) de pâtes (penne ou ziti)

180 g (6 oz) de tomates cerises coupées en deux

15 cl (2/3 tasse) de crème fraîche allégée

3 cuillerées à soupe de persil frais finement haché

zeste finement râpé de 1/2 orange

── APPORT NUTRITIONNEL ──

Par portion :

Valeur énergétique	452 Cal ou 1 902 kJ
Lipides	17,40 g
Acides gras saturés	5,36 g
Cholestérol	65,63 mg
Fibres	2,56 g

1 Coupez le filet de saumon en plusieurs morceaux. Disposez les morceaux sur une assiette en Pyrex et recouvrez d'une feuille d'aluminium.

2 Portez à ébullition une grande casserole d'eau salée. Jetez-y les pâtes et portez de nouveau à ébullition. Posez l'assiette de saumon sur la casserole et laissez cuire à petit bouillon pendant 10 à 12 minutes, jusqu'à ce que les pâtes et le saumon soient cuits.

3 Égouttez les pâtes. Incorporez les tomates et le saumon. Dans un bol, mélangez la crème fraîche, le persil et le zeste d'orange. Poivrez selon votre goût. Nappez les pâtes de cette sauce. Servez chaud ou froid.

DARNES DE POISSON À LA MÉDITERRANÉENNE

Ces tranches de poisson maigre se servent avec des pommes de terre, des brocolis et des carottes cuits à la vapeur.

INGRÉDIENTS

Pour 4 personnes

4 darnes de poisson blanc, d'environ 150 g (5 oz) chacune

15 cl (1/4 pt) de fumet ou de vin blanc (voire un mélange des deux) pour pocher le poisson

1 feuille de laurier, quelques grains de poivre noir et 1 zeste de citron, pour l'arôme

persil ciselé, pour décorer

Pour la sauce tomate

400 g (14 oz) de tomates concassées, en boîte

1 gousse d'ail, écrasée

1 cuillerée à soupe de pastis ou autre liqueur anisée

1 cuillerée à soupe de câpres, égouttées

12-16 olives noires

sel et poivre noir

1 Pour préparer la sauce, mettez les tomates, l'ail, le pastis, les câpres et les olives dans une casserole. Salez et poivrez selon votre goût, puis faites cuire, à feu doux, pendant 15 minutes environ, en remuant de temps en temps.

2 Mettez le poisson dans une poêle, mouillez avec le bouillon et/ou le vin, puis ajoutez la feuille de laurier, les grains de poivre et le zeste de citron. Couvrez et laissez mijoter pendant 10 minutes. Le poisson doit être cuit.

3 Avec une écumoire, transférez le poisson dans un plat chaud. Tamisez le fumet dans la sauce tomate et portez à ébullition pour la faire réduire légèrement. Salez et poivrez la sauce, versez sur le poisson et servez immédiatement, décoré de persil.

ASTUCE

Pour réduire l'apport en lipides et en calories, retirez la peau du poisson et divisez par deux la quantité d'olives. Vous pouvez remplacer les tomates en boîte par 450 g (1 lb) de tomates fraîches, pelées, épépinées et concassées.

APPORT NUTRITIONNEL

Par portion :

Calories	165 kcal/685 kJ
Lipides	3,55 g
Acides gras saturés	0,5 g
Cholestérol	69 mg

POISSON DANS UNE FEUILLE DE BANANIER

Le poisson préparé selon cette méthode est particulièrement succulent. Dans cette recette, on a préféré utiliser des filets, car dépourvus d'arêtes, plutôt qu'un poisson entier. La cuisson au barbecue est idéale pour ce plat.

INGRÉDIENTS

Pour 4 personnes

25 cl (8 fl oz) de lait de noix de coco
2 cuillerées à soupe de pâte de curry rouge
3 cuillerées à soupe de nuoc-mâm
2 cuillerées à soupe de sucre en poudre·
5 feuilles de lime kaffir, déchirées en
*   morceaux*
4 filets de poisson de 175 g (6 oz) chacun,
*   du type bar*
175 g (6 oz) de légumes, du type carottes et
*   poireaux, coupés en petits morceaux*
4 feuilles de bananier ou papier aluminium
2 cuillerées à soupe de ciboules, hachées,
*   2 piments rouges, finement hachés, pour*
*   décorer*

APPORT NUTRITIONNEL

Par portion :

Calories	258 kcal/1 094 kJ
Lipides	4,31 g
Acides gras saturés	0,7 g
Cholestérol	64,75 mg
Fibres	1,23 g

ASTUCE

Le lait de noix de coco est pauvre en lipides et en calories, et par conséquent idéal pour réaliser sauces et marinades. Pour colorer ce plat, choisissez des légumes variés, tels carottes, poireaux et poivrons rouges.

1 Mélangez le lait de noix de coco, la pâte de curry, le nuoc-mâm, le sucre et les feuilles de lime dans un plat creux.

2 Faites mariner le poisson dans ce mélange pendant 15 à 30 minutes environ. Faites préchauffer le four à 200 °C (400 °F).

3 Mélangez les légumes et mettez-en une portion au milieu d'une feuille de bananier ou de papier aluminium. Placez un morceau de poisson sur les légumes avec de la marinade.

4 Enveloppez le poisson en repliant la feuille de bananier sur les côtés et à chaque extrémité, puis en la maintenant en place avec des cure-dents (une précaution inutile avec la feuille de papier aluminium). Répétez l'opération avec le reste de poisson.

5 Faites cuire au four de 20 à 25 minutes, jusqu'à ce que le poisson soit cuit. Ou bien faites griller au barbecue ou au gril. Avant de servir, décorez le poisson avec les ciboules et les piments hachés.

ROULADES DE SOLE

Les filets de sole, dont le goût est très fin, sont faciles à cuisiner et n'ont pas beaucoup d'arêtes. Un excellent choix pour un excellent repas ! Faites lever les filets par votre poissonnier.

INGRÉDIENTS

Pour 4 personnes

2 carottes moyennes râpées

1 courgette moyenne râpée

4 cuillerées à soupe de chapelure fraîche

1 cuillerée à soupe de jus de citron ou de citron vert

sel, poivre noir fraîchement moulu

4 filets de sole

1 Préchauffez le four à 200 °C (400 °F). Dans un saladier, mélangez les carottes et la courgette râpées. Ajoutez la chapelure, puis le jus de citron ou de citron vert. Salez et poivrez selon votre goût.

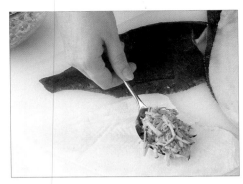

2 Posez les filets sur un plan de travail, côté peau sur le dessus. Répartissez la farce et étalez-la soigneusement.

3 Roulez les filets pour enfermer la farce. Disposez les roulades dans un plat à four. Couvrez et faites cuire au four environ 30 minutes, jusqu'à ce que le poisson s'effeuille facilement. Servez chaud avec des pommes de terre nouvelles.

NOTE
Cette recette dégage ses propres jus, qui sont délicieux. Mais si vous souhaitez une autre sauce d'accompagnement, incorporez du persil frais finement haché à un peu de fromage frais maigre et servez avec le poisson.

APPORT NUTRITIONNEL

Par portion :

Valeur énergétique	158 Cal ou 665 kJ
Lipides	3,22 g
Acides gras saturés	0,56 g
Cholestérol	50,40 mg
Fibres	1,94 g

BROCHETTES DE MAQUEREAU

Les poissons gras comme le maquereau sont excellents au gril : ils cuisent rapidement et n'ont besoin d'aucune matière grasse ajoutée.

INGRÉDIENTS

Pour 4 personnes

450 g (1 lb) de filets de maquereau
zeste finement râpé et jus de 1 citron
3 cuillerées à soupe de persil frais haché
sel, poivre noir fraîchement moulu
12 tomates cerises
8 olives noires dénoyautées

1 Coupez les filets en cubes. Placez-les dans un petit saladier avec la moitié du zeste et du jus de citron et la moitié du persil. Salez et poivrez un peu. Couvrez et laissez mariner pendant 30 minutes.

2 Sur huit longues brochettes en bois ou en métal, enfilez tour à tour les morceaux de poisson, les tomates et les olives. Faites cuire à gril chaud pendant 3 à 4 minutes, en retournant les brochettes de temps en temps.

3 Dans un bol, mélangez le reste de zeste et de jus de citron et le reste de persil. Salez et poivrez selon votre goût. Arrosez les brochettes de cette sauce. Servez chaud, avec du riz nature ou des pâtes, et une belle salade verte.

NOTE
Si vous vous servez de brochettes en bois ou en bambou, n'oubliez pas de les faire préalablement tremper dans de l'eau froide pendant quelques minutes, afin qu'elles ne brûlent pas.

APPORT NUTRITIONNEL

Par portion :

Valeur énergétique	268 Cal ou 1 126 kJ
Lipides	19,27 g
Acides gras saturés	4,50 g
Cholestérol	61,88 mg
Fibres	1 g

CURRY D'ANANAS AUX FRUITS DE MER

La délicate saveur aigre-douce de ce curry tient à la présence de l'ananas et des feuilles de lime.

INGRÉDIENTS

Pour 4 personnes

60 cl (1 pt) de lait de noix de coco
2 cuillerées à soupe de pâte de curry rouge
2 cuillerées à soupe de nuoc-mâm
1 cuillerée à soupe de sucre en poudre
225 g (8 oz) de grosses crevettes,
  décortiquées
450 g (1 lb) de moules, ébarbées et
  soigneusement nettoyées
175 g (6 oz) d'ananas frais, finement haché
5 feuilles de lime kaffir, déchirées en
  morceaux
2 piments rouges hachés et des feuilles de
  coriandre, pour décorer

1 Dans une grande cocotte, portez la moitié du lait de noix de coco à ébullition et faites chauffer, tout en remuant, jusqu'à ce qu'il se désagrège.

2 Ajoutez la pâte de curry et continuez à faire cuire. Lorsque le curry commence à dégager une odeur, incorporez le nuoc-mâm et le sucre et laissez cuire encore 2 à 3 minutes.

3 Mouillez avec le reste de lait de noix de coco et portez de nouveau à ébullition. Ajoutez les crevettes, les moules, l'ananas et les feuilles de lime.

4 Portez une dernière fois à ébullition, puis laissez frissonner de 3 à 5 minutes, jusqu'à ce que les crevettes soient cuites et les moules bien ouvertes. Retirez toutes les moules restées fermées. Servez décoré de piment et de coriandre.

APPORT NUTRITIONNEL	
Par portion :	
Calories	187 kcal/793 kJ
Lipides	3,5 g
Acides gras saturés	0,53 g
Cholestérol	175,5 mg
Fibres	0,59 g

CURRY DE CREVETTES AU LAIT DE NOIX DE COCO

Dans ce curry, les crevettes sont cuites dans une sauce épicée au lait de noix de coco, à laquelle la tomate ajoute une saveur aigre-douce.

INGRÉDIENTS

Pour 4 personnes

60 cl (1 pt) de lait de noix de coco
2 cuillerées à soupe de pâte de curry thaï
1 cuillerée à soupe de nuoc-mâm
1/2 cuillerée à café de sel
1/2 cuillerée à café de sucre en poudre
450 g (1 lb) de grosses crevettes,
  décortiquées mais sans retirer la queue
225 g (8 oz) de tomates cerises
1 piment, épépiné et haché
le jus de 1/2 citron vert, pour servir
piment et coriandre, pour décorer

1 Versez la moitié du lait de noix de coco dans une casserole ou un wok et portez à ébullition.

2 Incorporez la pâte de curry au lait de noix de coco en remuant bien, puis laissez mijoter pendant 10 minutes.

3 Ajoutez le nuoc-mâm, le sel, le sucre et le reste de lait de noix de coco. Laissez mijoter pendant encore 5 minutes.

4 Ajoutez les crevettes, les tomates cerises et le piment. Laissez mijoter, à feu doux, pendant 5 minutes. Les crevettes doivent être roses.

5 Servez arrosé de jus de citron vert et décoré de piments hachés et de feuilles de coriandre ciselées.

APPORT NUTRITIONNEL	
Par portion :	
Calories	184 kcal/778 kJ
Lipides	3,26 g
Acides gras saturés	0,58 g
Cholestérol	315 mg
Fibres	0,6 g

FILETS DE POISSON SAUCE PIMENT

Les filets de poisson marinés, puis grillés et servis avec une sauce au piment, sont absolument délicieux accompagnés d'un riz au safran.

INGRÉDIENTS

Pour 4 personnes

4 filets de poisson plat (limande, sole, flétan) d'environ 120 g (4 oz) chacun
2 cuillerées à soupe de jus de citron
1 cuillerée à soupe de coriandre fraîche finement hachée
1 cuillerée à soupe d'huile végétale
6 quartiers de citron vert
quelques feuilles de coriandre fraîche

Pour la sauce piment

1 cuillerée à café de racine de gingembre râpée
2 cuillerées à soupe de concentré de tomates
1 cuillerée à café de sucre en poudre
1 cuillerée à café de sel
1 cuillerée à soupe de sauce au piment
1 cuillerée à soupe de vinaigre de malt
30 cl (1 1/4 tasse) d'eau

1 Rincez et séchez les filets de poisson. Placez-les dans un saladier. Ajoutez le jus de citron, la coriandre et l'huile. Frottez le poisson avec cette préparation et laissez mariner pendant 1 heure au moins, et plus longtemps si vous le pouvez.

2 Préparez la sauce. Mélangez tous les ingrédients. Versez le mélange dans une petite casserole et faites mijoter sur feu très doux environ 6 minutes, en remuant de temps en temps.

3 Préchauffez le gril à température moyenne. Faites griller les filets pendant 5 à 7 minutes.

4 Lorsque les filets sont cuits, sortez-les du gril et disposez-les dans un plat préalablement chauffé.

5 La sauce doit avoir atteint la consistance d'une soupe épaisse. Nappez-en les filets, décorez avec des quartiers de citron vert et des feuilles de coriandre. Servez avec du riz.

APPORT NUTRITIONNEL	
Par portion :	
Valeur énergétique	140 Cal ou 586 kJ
Lipides	5,28 g
Acides gras saturés	0,78 g
Cholestérol	47,25 mg

MOULES SAUCE DIABLE

INGRÉDIENTS

Pour 4 personnes

5 cuillerées à soupe de lentilles roses
2 petites miches de pain de campagne
environ 2 kg (4-4 1/2 tasses) de moules de
*   bouchot*
5 cuillerées à soupe de vin blanc sec

Pour la sauce diable

2 cuillerées à soupe d'huile de tournesol
1 petit oignon émincé
1/2 branche de céleri émincée
1 grosse gousse d'ail écrasée
1 cuillerée à café de pâte de curry

1 Dans un saladier rempli d'eau froide, faites tremper les lentilles jusqu'à utilisation. Préchauffez le four à 150 °C (300 °F) et enfournez les miches pour les rendre croustillantes. Grattez et lavez les moules à l'eau froide. Jetez celles qui sont abîmées et celles qui ne se ferment pas lorsqu'on les manipule.

2 Dans un faitout, mettez les moules, puis le vin blanc. Couvrez et faites cuire pendant environ 8 minutes à feu vif.

4 Préparez la sauce. Faites chauffer l'huile de tournesol dans une casserole. Ajoutez l'oignon et le céleri. Laissez blondir pendant 3 à 4 minutes. Passez au chinois le jus de cuisson des moules pour en éliminer d'éventuels grains de sable. Il doit vous rester environ 40 cl (1 2/3 tasse) de liquide.

5 Versez le jus de cuisson dans la casserole. Ajoutez l'ail, le curry et les lentilles. Portez à ébullition et laissez mijoter pendant 10 à 12 minutes, jusqu'à ce que les lentilles soient très tendres.

6 Versez les moules sur quatre assiettes. Servez avec la sauce d'accompagnement et du pain chaud croustillant. N'oubliez pas de poser sur la table un grand saladier pour les coquilles vides.

3 Versez les moules dans une grande passoire posée au-dessus d'un saladier pour en recueillir le jus de cuisson. Maintenez au chaud.

NOTE

Achetez les moules chez un poissonnier de qualité. Veillez à ce qu'elles soient bien fermées. Les moules de bouchot sont plus petites que les moules ordinaires, mais réputées pour leur saveur.

APPORT NUTRITIONNEL

Par portion :	
Valeur énergétique	627 Cal ou 2 634 kJ
Lipides	12,68 g
Acides gras saturés	2,24 g
Cholestérol	135 mg
Fibres	3,85 g

PÂTES AU THON ET AUX LÉGUMES

INGRÉDIENTS

Pour 4 personnes

2 cuillerées à soupe d'huile d'olive
115 g (4 oz) de champignons, émincés
1 gousse d'ail, écrasée
1/2 poivron rouge, épépiné et haché
1 cuillerée à soupe de pâte de tomate
30 cl (1/2 pt) de jus de tomate
115 g (4 oz) de petits pois congelés
1-2 cuillerées à soupe de grains de poivre
*   vert en pickle, égouttés et concassés*
350 g (12 oz) de pâtes complètes
200 g de thon en boîte, égoutté
6 ciboules, coupées en petits morceaux

1 Faites chauffer l'huile dans une poêle, puis faites-y revenir, à feu doux, les champignons, l'ail et le poivron. Lorsqu'ils commencent à fondre, incorporez la pâte de tomate, le jus de tomate, les petits pois et un peu du poivre concassé, selon que vous souhaitez une sauce plus ou moins épicée. Portez à ébullition, baissez le feu et laissez mijoter.

2 Portez à ébullition une grande casserole d'eau froide légèrement salée et faites-y cuire les pâtes *al dente*, selon les indications portées sur le paquet. Lorsqu'elles sont presque cuites, incorporez le thon à la sauce et faites chauffer à feu doux. Ajoutez les ciboules. Égouttez les pâtes, transférez-les dans un plat de service chaud et arrosez avec la sauce. Remuez bien. Servez immédiatement.

APPORT NUTRITIONNEL	
Par portion :	
Calories	354 kcal/1 514 kJ
Lipides	4, 5 g
Acides gras saturés	0,67 g
Cholestérol	22,95 mg
Fibres	10,35 g

POISSON À LA SAUCE AIGRE-DOUCE

Le poisson blanc est riche en protéines, en vitamines et en minéraux, mais pauvre en lipides. Servez ce plat savoureux, nutritif, accompagné de riz complet et de chou ou d'épinards sautés.

INGRÉDIENTS

Pour 4 personnes

4 cuillerées à soupe de vinaigre de cidre
3 cuillerées à soupe de sauce de soja légère
50 g (2 oz) de sucre en poudre
1 cuillerée à soupe de purée de tomates
1 1/2 cuillerée à soupe de farine de maïs
25 cl (8 fl oz) d'eau
1 poivron vert, épépiné et coupé en lanières
225 g (8 oz) de morceaux d'ananas en boîte,
*   dans leur jus*
225 g (8 oz) de tomates, pelées et
*   concassées*
225 g (8 oz) de champignons, émincés
sel et poivre noir
675 g (1 1/2 lb) de filets de haddock en
*   morceaux, sans la peau*

1 Faites préchauffer le four à 180 °C (350 °F). Dans une casserole, mélangez le vinaigre, la sauce de soja, le sucre et la purée de tomates. Versez la farine dans une jatte, mouillez avec l'eau, puis incorporez au mélange dans la casserole en remuant bien. Portez à ébullition, en remuant constamment, jusqu'à épaississement de la sauce. Baissez le feu et laissez mijoter pendant 5 minutes.

3 Mettez le poisson en une seule couche dans un plat à four, arrosez avec la sauce, puis recouvrez avec du papier aluminium. Faites cuire au four de 15 à 20 minutes, jusqu'à ce que le poisson soit cuit. Servez immédiatement.

2 Ajoutez le poivron vert, les morceaux d'ananas (avec leur jus) et les tomates et remuez bien. Incorporez les champignons. Salez et poivrez selon votre goût.

APPORT NUTRITIONNEL	
Par portion :	
Calories	255 kcal/1 070 kJ
Lipides	2 g
Acides gras saturés	0,5 g
Cholestérol	61 mg

FILETS DE HARENG À LA SAUCE ROUGE

Les harengs sont extrêmement économiques et nourrissants. Demandez à votre poissonnier d'en lever les filets, ils sont ainsi plus faciles à manger.

INGRÉDIENTS

Pour 4 personnes

2 cuillerées à soupe de lait écrémé
2 cuillerées à café de moutarde de Dijon
160 g (2/3 tasse) de flocons d'avoine
2 gros harengs en filets
poivre noir fraîchement moulu

Pour la sauce

1 petit poivron rouge épépiné
4 tomates moyennes
1 oignon nouveau haché
1 cuillerée à soupe de jus de citron vert
1 cuillerée à café de sucre cristallisé
sel, poivre noir fraîchement moulu

1 Préchauffez le four à 200 °C (400 °F). Préparez la sauce. Mettez le poivron, les tomates, l'oignon, le jus de citron vert et le sucre dans le bol d'un mixer. Salez et poivrez. Réduisez en fin hachis.

2 Dans une assiette, mélangez le lait et la moutarde. Dans une autre, versez les flocons d'avoine. Poivrez. Trempez les filets dans le lait, puis enrobez-les de flocons d'avoine.

3 Posez les filets sur une tôle et enfournez pendant 20 minutes. Servez avec la sauce.

APPORT NUTRITIONNEL

Par portion :

Valeur énergétique	261 Cal ou 1 097 kJ
Lipides	15,56 g
Acides gras saturés	3,17 g
Cholestérol	52,65 mg
Fibres	2,21 g

TRUITES ARC-EN-CIEL

Les truites arc-en-ciel issues de la pisciculture sont très économiques. Elles cuisent rapidement au gril ou au barbecue. Cette recette convient également aux harengs et aux maquereaux.

INGRÉDIENTS

Pour 4 personnes

4 gros filets de truite arc-en-ciel (environ 150 g [5 oz] chacun)
1 cuillerée à soupe de coriandre en poudre
1 gousse d'ail écrasée
2 cuillerées à soupe de menthe fraîche finement ciselée
1 cuillerée à café de paprika
20 cl (3/4 tasse) de yaourt nature
salade verte
pitas

1 Avec un couteau effilé, incisez franchement la peau des filets en plusieurs endroits.

2 Mélangez la coriandre, l'ail, la menthe, le paprika et le yaourt. Étalez soigneusement ce mélange sur la peau des filets et laissez mariner environ 1 heure.

3 Faites cuire le poisson sous un gril modérément chaud ou au barbecue, en retournant de temps en temps, jusqu'à ce que la peau soit bien dorée et croustillante. Servez chaud, avec une belle salade verte et les pitas réchauffés.

NOTE
Si vous cuisez les filets au gril, n'oubliez pas, avant la cuisson, de garnir la plaque d'une feuille d'aluminium.

APPORT NUTRITIONNEL

Par portion :

Valeur énergétique	188 Cal ou 792 kJ
Lipides	5,66 g
Acides gras saturés	1,45 g
Cholestérol	110,87 mg
Fibres	0,05 g

BOULETTES DE POISSON À LA SAUCE TOMATE

Un repas rapide à préparer qui convient particulièrement aux petits enfants, car vous pouvez être certaine qu'il n'y aura pas d'arêtes. Si vous le souhaitez, ajoutez un trait de sauce au piment.

INGRÉDIENTS

Pour 4 personnes

450 g (1 lb) de filets de poisson blanc (cabillaud, flétan) sans peau

4 cuillerées à soupe de chapelure fraîche

2 cuillerées à soupe de ciboulette ou d'oignons nouveaux ciselés

sel, poivre noir fraîchement moulu

420 g (14 oz) de tomates concassées en boîte

200 g (3/4 tasse) de champignons de Paris émincés

1 Coupez les filets en cubes. Mettez-les dans le bol d'un mixer. Ajoutez la chapelure et la ciboulette ou les oignons. Salez et poivrez. Travaillez jusqu'à obtenir un hachis très fin.

2 Façonnez seize boulettes de taille égale.

3 Dans une poêle profonde, faites cuire les tomates et les champignons à feu modéré jusqu'à ébullition. Ajoutez les boulettes de poisson et laissez mijoter environ 10 minutes. Servez chaud.

> **NOTE**
> Les boulettes de poisson peuvent être préparées plusieurs heures à l'avance. Il suffit de les couvrir et de les garder au réfrigérateur.

APPORT NUTRITIONNEL

Par portion :

Valeur énergétique	138 Cal ou 580 kJ
Lipides	1,38 g
Acides gras saturés	0,24 g
Cholestérol	51,75 mg
Fibres	1,89 g

GALETTES DE THON AU MAÏS

Ces petites galettes sont économiques et vite prêtes. Si vous n'avez pas le temps de préparer une purée de pommes de terre maison, choisissez la solution des purées minute.

INGRÉDIENTS

Pour 4 personnes

450 g (1 1/4 tasse) de purée de pommes de terre

200 g (7 oz) de thon à l'huile égoutté

60 g (1/4 tasse) de maïs en grains, en conserve ou surgelé

2 cuillerées à soupe de persil frais haché

sel, poivre noir fraîchement moulu

60 g (1 tasse) de chapelure fraîche

quelques quartiers de citron

1 Mettez la purée dans un saladier. Incorporez le thon, le maïs et le persil haché.

2 Salez et poivrez selon votre goût. Façonnez huit galettes.

3 Dans une assiette couverte de chapelure, roulez les galettes pour bien les enrober. Posez les galettes sur une plaque.

4 Faites cuire les galettes au gril modérément chaud, en les retournant une fois, jusqu'à ce qu'elles soient dorées. Servez aussitôt, avec des quartiers de citron et des légumes frais.

NOTE

Pour des variantes tout aussi délicieuses et nourrissantes, remplacez le thon par des sardines, du saumon rouge ou rose en boîte, ou bien encore du maquereau fumé.

APPORT NUTRITIONNEL

Par portion :

Valeur énergétique	203 Cal ou 852 kJ
Lipides	4,62 g
Acides gras saturés	0,81 g
Cholestérol	21,25 mg
Fibres	1,82 g

BROCHETTES DE POISSON AUX LÉGUMES

───── INGRÉDIENTS ─────

Pour 4 personnes

*300 g (10 oz) de filets de cabillaud ou
    d'un autre poisson blanc et ferme*

3 cuillerées à soupe de jus de citron

*1 cuillerée à café de racine de gingembre
    râpée*

2 piments verts émincés

*1 cuillerée à soupe de coriandre fraîche
    finement ciselée*

*1 cuillerée à soupe de menthe fraîche
    finement ciselée*

1 cuillerée à café de coriandre en poudre

1 cuillerée à café de sel

1 poivron rouge

1 poivron vert

1/2 chou-fleur

8 champignons de Paris

1 cuillerée à soupe d'huile de soja

1 citron vert coupé en quartiers

───── APPORT NUTRITIONNEL ─────

Par portion :

Valeur énergétique	130 Cal ou 546 kJ
Lipides	4,34 g
Acides gras saturés	0,51 g
Cholestérol	32,54 mg

1 Avec un couteau effilé, coupez les filets en cubes.

2 Dans un saladier, mélangez le jus de citron, le gingembre, les piments verts hachés, la coriandre fraîche, la menthe et la coriandre en poudre. Salez. Ajoutez les morceaux de poisson et laissez mariner environ 30 minutes.

3 Coupez les poivrons en grosses lamelles. Divisez le chou-fleur en petits bouquets.

4 Préchauffez le gril à haute température. Sur quatre brochettes, enfilez tour à tour les légumes et les cubes de poisson.

5 Badigeonnez les brochettes avec l'huile et le reste de marinade. Posez-les sur une plaque et faites-les griller pendant 7 à 10 minutes, jusqu'à ce que le poisson soit cuit de tous côtés. Décorez avec les quartiers de citron vert et servez tel quel ou sur un lit de riz au safran.

NOTE
Vous pouvez utiliser d'autres légumes selon votre goût. Essayez les mini-épis de maïs à la place des champignons et des bouquets de brocolis au lieu de chou-fleur.

CREVETTES SAUTÉES À L'AIL

Pour ce plat simple et rapide à préparer, les crevettes décortiquées à l'avance sont préférables, elles s'imprègnent mieux de la saveur des épices et des aromates.

INGRÉDIENTS

Pour 4 personnes

1 cuillerée à soupe d'huile de tournesol

3 gousses d'ail grossièrement hachées

3 tomates hachées

1 cuillerée à café de piment rouge séché broyé

1 cuillerée à café de jus de citron

1 cuillerée à soupe de chutney à la mangue

1 piment vert haché

1/2 cuillerée à café de sel

15 à 20 grosses crevettes cuites décortiquées

quelques feuilles de coriandre fraîche

2 oignons nouveaux coupés en fines rondelles

APPORT NUTRITIONNEL

Par portion :	
Valeur énergétique	90 Cal ou 380 kJ
Lipides	3,83 g
Acides gras saturés	0,54 g
Cholestérol	30,37 mg

1 Dans une casserole de taille moyenne, versez l'huile et faites chauffer à feu vif. Jetez-y l'ail.

2 Baissez le feu. Ajoutez les tomates, les piments broyés, le jus de citron, le chutney à la mangue et le piment haché. Salez.

3 Ajoutez alors les crevettes, remettez à feu vif et faites sauter quelques minutes en remuant sans cesse.

4 Disposez dans un plat de service. Garnissez de feuilles de coriandre et parsemez de rondelles d'oignon. Servez aussitôt.

MORUE À L'ANTILLAISE

INGRÉDIENTS

Pour 4 personnes

450 g (1 lb) de filets de morue sans peau

*1 cuillerée à soupe de jus de citron ou de
citron vert*

2 cuillerées à café d'huile d'olive

1 oignon moyen finement haché

*1 poivron vert épépiné et coupé en
lamelles*

1/2 cuillerée à café de poivre de Cayenne

1/2 cuillerée à café de sel à l'ail

*420 g (14 oz) de tomates concassées en
boîte*

APPORT NUTRITIONNEL

Par portion :

Valeur énergétique	130 Cal ou 546 kJ
Lipides	2,61 g
Acides gras saturés	0,38 g
Cholestérol	51,75 mg
Fibres	1,61 g

1 Coupez les filets de morue en petits
morceaux. Arrosez-les du jus de citron ou
de citron vert.

2 Dans une grande poêle, faites chauffer
l'huile d'olive. Jetez-y l'oignon et le
poivron, et faites revenir à feu modéré, jusqu'à
ce qu'ils aient ramolli. Ajoutez le poivre de
Cayenne et le sel à l'ail.

3 Incorporez les morceaux de morue et les
tomates concassées. Portez à ébullition.
Couvrez, puis laissez mijoter environ
5 minutes, jusqu'à ce que le poisson s'effeuille
facilement. Servez avec du riz nature ou des
pommes de terre à l'eau.

POISSON AUX CINQ-ÉPICES

Le poisson s'adapte parfaitement
aux mélanges chinois de saveurs
aigres-douces et épicées.

INGRÉDIENTS

Pour 4 personnes

*4 filets de poisson blanc (cabillaud,
haddock, flétan) d'environ 180 g (6 oz)
chacun*

1 cuillerée à café de cinq-épices

4 cuillerées à café de maïzena

*1 cuillerée à soupe d'huile de sésame ou
de tournesol*

3 oignons nouveaux émincés

*1 cuillerée à café de gingembre finement
haché*

*150 g (5 oz) de champignons de Paris
coupés en fines lamelles*

*120 g (4 oz) de mini-épis de maïs coupés
en rondelles*

2 cuillerées à soupe de sauce de soja

*3 cuillerées à soupe de sherry sec ou de
jus de pomme*

1 cuillerée à café de sucre en poudre

sel, poivre noir fraîchement moulu

1 Dans un saladier, enrobez le poisson d'un
mélange de cinq-épices et de maïzena.

2 Dans une poêle ou un wok, faites chauffer
l'huile. Faites-y revenir les oignons, le
gingembre, les champignons et le maïs pendant
environ 1 minute, en remuant sans cesse.
Ajoutez le poisson et faites cuire 2 à 3 minutes
encore, en retournant une fois.

3 Dans un bol, mélangez la sauce de soja, le
sherry et le sucre. Versez sur le poisson.
Laissez mijoter pendant 2 minutes. Salez et
poivrez selon votre goût. Servez avec des
nouilles et des légumes sautés.

APPORT NUTRITIONNEL

Par portion :

Valeur énergétique	213 Cal ou 893 kJ
Lipides	4,41 g
Acides gras saturés	0,67 g
Cholestérol	80,50 mg
Fibres	1,08 g

DAURADES GRILLÉES À LA MANGUE

INGRÉDIENTS

Pour 4 personnes

350 g (12 oz) de pommes de terre

3 œufs

120 g (4 oz) de haricots verts épluchés et
*   coupés en deux*

4 daurades roses de 350 g (12 oz)
*   chacune, écaillées et vidées*

2 cuillerées à soupe d'huile d'olive

180 g (6 oz) de salade mélangée

sel, poivre noir fraîchement moulu

10 tomates cerises

Pour la sauce à la mangue

3 cuillerées à soupe de coriandre hachée

1 mangue bien mûre pelée, coupée en dés

1/2 piment rouge épépiné et haché

1 petit morceau de racine de gingembre
*   frais râpé*

jus de 2 citrons verts

1 bonne pincée de sel au céleri

APPORT NUTRITIONNEL

Par portion :

Valeur énergétique	405 Cal ou 1 702 kJ
Lipides	15,59 g
Acides gras saturés	2,06 g
Cholestérol	163,62 mg
Fibres	2,03 g

1 Dans une grande casserole, faites cuire à point les pommes de terre à l'eau bouillante salée pendant 20 à 25 minutes. Égouttez et réservez.

2 Portez à ébullition une autre casserole d'eau salée. Faites-y cuire les œufs pendant 4 minutes.

3 Ajoutez les haricots verts et laissez bouillir encore 6 minutes, afin que les œufs cuisent 10 minutes au total. Sortez les œufs de la casserole et laissez-les refroidir. Écalez-les et coupez-les en quatre. Égouttez les haricots verts. Réservez.

4 Préchauffez le gril à température modérée. Incisez chaque daurade trois fois sur l'un des côtés. Badigeonnez d'huile et passez au gril pendant 12 minutes, en retournant une fois les poissons.

5 Préparez la sauce. Mettez la coriandre fraîche dans le bol d'un mixer. Ajoutez la mangue, le piment, le gingembre, le jus de citron vert et le sel au céleri. Travaillez jusqu'à obtenir un mélange lisse et homogène.

6 Humectez d'huile d'olive les feuilles de salade. Répartissez sur quatre grandes assiettes.

7 Disposez une daurade sur chaque assiette de salade. Salez et poivrez selon votre goût. Coupez en deux les pommes de terre et les tomates. Répartissez-les, avec les haricots verts et les œufs durs, autour du poisson. Servez avec la sauce à la mangue.

RISOTTO AU SAUMON ET AU CONCOMBRE

Tous les types de riz conviennent à la préparation d'un risotto. Les riz ronds d'Italie sont cependant les plus moelleux. L'estragon frais et le concombre s'accordent parfaitement dans cette recette pour révéler la saveur subtile du saumon.

INGRÉDIENTS

Pour 4 personnes

2 cuillerées à soupe de margarine au tournesol

1 petite botte d'oignons nouveaux hachés (têtes seulement)

1/2 concombre pelé, épépiné et grossièrement haché

250 g environ (1 3/4 tasse) de riz rond d'Italie

1 l environ (3 3/4 tasses) de bouillon de volaille ou de court-bouillon

15 cl (2/3 tasse) de vin blanc sec

450 g (1 lb) de filet de saumon sans peau coupé en dés

3 cuillerées à soupe d'estragon frais finement ciselé

> **NOTE**
> On peut se servir de riz long grain pour ce risotto. Dans ce cas, réduisez légèrement la quantité de bouillon.

1 Faites fondre la margarine dans une grande casserole. Ajoutez les oignons et le concombre. Faites-les revenir pendant 2 à 3 minutes sans laisser roussir.

2 Ajoutez le riz, le bouillon et le vin. Portez de nouveau à ébullition.

3 Laissez mijoter environ 10 minutes, en remuant de temps en temps. Incorporez alors les dés de saumon et l'estragon. Continuez la cuisson 5 minutes encore. Retirez du feu, couvrez et laissez reposer 5 minutes avant de servir.

APPORT NUTRITIONNEL	
Par portion :	
Valeur énergétique	653 Cal ou 2 742 kJ
Lipides	19,88 g
Acides gras saturés	6,99 g
Cholestérol	70,63 mg
Fibres	0,91 g

CABILLAUD JAMAÏCAIN À LA PURÉE DE POTIRON

Un plat savoureux et relevé, qui nous vient tout droit de Kingston.

INGRÉDIENTS

Pour 4 personnes

zeste finement râpé de 1/2 orange
2 cuillerées à soupe de poivre noir en grains
1 cuillerée à soupe de quatre-épices ou de poivre de la Jamaïque
1/2 cuillerée à café de sel
4 darnes de cabillaud de 180 g (6 oz) chacune environ
2 cuillerées à soupe d'huile d'arachide
quelques pommes de terre nouvelles
3 cuillerées à soupe de persil frais haché

Pour la purée de potiron

2 cuillerées à soupe d'huile d'arachide
1 oignon haché
1 petit morceau de racine de gingembre frais, pelé et râpé
450 g (1 lb) de potiron pelé, égrené et coupé en dés
3 ou 4 traits de tabasco
2 cuillerées à soupe de sucre en poudre roux
1 cuillerée à soupe de vinaigre

1 Commencez par la purée de potiron. Faites chauffer l'huile dans une casserole à fond épais. Ajoutez l'oignon et le gingembre. Faites revenir pendant 3 à 4 minutes, en remuant de temps en temps.

2 Ajoutez les dés de potiron, le tabasco, le sucre et le vinaigre. Couvrez et laissez mijoter 10 à 12 minutes.

3 Mélangez le zeste d'orange, les grains de poivre, le quatre-épices ou le poivre de la Jamaïque et le sel. Écrasez grossièrement dans un mortier avec un pilon. (vous pouvez également utiliser un moulin pour moudre grossièrement les grains de poivre et les mélanger au zeste et aux épices).

4 Parsemez les darnes de ce mélange, sur les deux faces. Arrosez de quelques gouttes d'huile.

5 Dans une grande poêle chauffée, faites cuire le poisson sans matière grasse pendant 12 minutes, en le retournant une fois.

6 Servez les darnes de cabillaud avec de la purée de potiron et, si vous le désirez, quelques pommes de terre nouvelles. Parsemez la purée de persil haché.

APPORT NUTRITIONNEL	
Par portion :	
Valeur énergétique	324 Cal ou 1 360 kJ
Lipides	14,90 g
Acides gras saturés	2,75 g
Cholestérol	80,50 mg
Fibres	1,92 g

NOTE

On peut varier cette recette en choisissant d'autres poissons à chair rose ou blanche : haddock, merlan, lotte, flétan, thon.

SALADE DE FLAGEOLETS AU THON

Avec deux boîtes de thon, un délicieux plat froid pour les dîners d'été.

INGRÉDIENTS

Pour 4 personnes

6 cuillerées à soupe de mayonnaise allégée

1 cuillerée à café de moutarde

2 cuillerées à soupe de câpres

3 cuillerées à soupe de persil frais haché

1 pincée de sel au céleri

420 g (14 oz) de thon au naturel en boîte égoutté

3 petites romaines

420 g (14 oz) de flageolets en conserve égouttés

12 tomates cerises coupées en deux

420 g (14 oz) de petits cœurs d'artichauts en boîte coupés en deux

quelques tranches de pain au sésame ou gressins

APPORT NUTRITIONNEL

Par portion :	
Valeur énergétique	299 Cal ou 1 255 kJ
Lipides	13,91 g
Acides gras saturés	2,12 g
Cholestérol	33 mg
Fibres	6,36 g

1 Dans un grand bol, mélangez la mayonnaise, la moutarde, les câpres et le persil. Salez selon votre goût avec le sel au céleri.

2 Effeuillez le thon dans cette sauce et mélangez soigneusement.

3 Disposez les feuilles de romaine sur quatre assiettes. Remplissez les feuilles avec le mélange au thon.

4 Ajoutez, sur chaque assiette, quelques cuillerées de flageolets, puis les tomates et les cœurs d'artichauts.

5 Servez avec des tranches grillées de pain au sésame ou des gressins.

NOTE
Si vous ne trouvez pas de flageolets, vous pouvez utiliser des haricots blancs.

LÉGUMES
ET PLATS VÉGÉTARIENS

La cuisine végétarienne est à la fois savoureuse,
nutritive et d'une faible teneur en lipides. Vous pourrez
ainsi opter pour de délicieuses recettes de légumes,
tels le ragoût de champignons,
les tartelettes aux oignons entiers et les courgettes
à la sauce aux agrumes ou, pour des plats végétariens
tout aussi succulents, comme le potiron automnal,
les crêpes à la ratatouille ou le curry au tofu
et aux haricots verts.

Tomates aux fines herbes au four

Ingrédients

Pour 4-6 personnes

675 g (1 1/2 lb) de grosses tomates rouges
(et jaunes éventuellement)
2 cuillerées à café de vinaigre de vin
1/2 cuillerée à café de moutarde de Meaux
1 gousse d'ail, écrasée
sel et poivre noir
2 cuillerées à café de persil frais ciselé
2 cuillerées à café de ciboulette fraîche
ciselée
25 g (1 oz) de chapelure de pain blanc

1 Faites préchauffer le four à 200 °C (400 °F). Coupez les tomates en rondelles épaisses et mettez-en la moitié dans un plat à four rond de 90 cl (1 1/2 pt).

Apport nutritionnel

Par portion :

Calories	37 kcal/156 kJ
Lipides	0,49 g
Acides gras saturés	0,16 g
Cholestérol	0
Fibres	1,36 g

Astuces

Vous pouvez réaliser ce plat en n'utilisant que des tomates rouges.
Utilisez de la chapelure complète pour rehausser encore la couleur, la texture et la teneur en fibres. Vous pouvez remplacer les fines herbes fraîches par une à deux cuillerées à café d'herbes séchées.

2 Mélangez le vinaigre, la moutarde, l'ail, un peu de sel et de poivre. Incorporez 2 cuillerées à café d'eau froide. Parsemez les tomates avec la moitié du persil et de la ciboulette ciselés, puis arrosez avec la moitié de l'assaisonnement.

3 Mettez le reste des tomates sur le dessus, en les faisant se chevaucher légèrement. Arrosez avec le reste d'assaisonnement.

4 Parsemez avec la chapelure. Faites cuire au four pendant 25 minutes, le temps que le dessus soit bien doré. Décorez avec le reste de persil et de ciboulette ciselés. Servez immédiatement.

GRATIN DE POMMES DE TERRE

Le parmesan possède une saveur particulièrement forte et s'utilise en petites quantités. À éviter si l'on veut préparer un plat très peu gras.

INGRÉDIENTS

Pour 4 personnes

1 gousse d'ail

5 grosses pommes de terre, épluchées

3 cuillerées à soupe de parmesan, râpé

sel et poivre noir

60 cl (1 pt) de bouillon de légumes ou de poule

1 pincée de noix muscade, râpée

1 Faites préchauffer le four à 200 °C (400 °F). Coupez la gousse d'ail en deux et frottez-en le fond et les bords d'un plat à gratin.

2 Coupez les pommes de terre en rondelles très fines et mettez-en un tiers au fond du plat. Parsemez avec un peu de parmesan râpé, salez et poivrez selon votre goût. Mouillez avec une petite quantité de bouillon pour éviter que les pommes de terre ne noircissent.

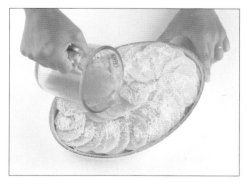

3 Continuez à superposer les rondelles de pommes de terre et le fromage comme précédemment, puis arrosez avec le reste de bouillon. Saupoudrez avec la noix muscade râpée.

> ASTUCE
> Pour préparer un gratin aux oignons et aux pommes de terre, émincez finement un oignon moyen et mélangez aux couches de pommes de terre.

4 Faites cuire au four pendant 1 heure à 1 heure 30, jusqu'à ce que les pommes de terre soient cuites et le dessus du gratin bien doré.

APPORT NUTRITIONNEL	
Par portion :	
Calories	178 kcal/749 kJ
Protéines	9,42 g
Lipides	1,57 g
Acides gras saturés	0,30 g
Fibres	1,82 g

Ragoût de champignons

Ces champignons seront délicieux servis chauds ou froids. Ils peuvent se préparer deux jours à l'avance.

Ingrédients

Pour 4 personnes

1 petit oignon, finement haché
1 gousse d'ail, écrasée
1 cuillerée à café de graines de coriandre, écrasées
2 cuillerées à soupe de vinaigre de vin
1 cuillerée à soupe de sauce de soja
1 cuillerée à soupe de xérès sec
2 cuillerées à café de purée de tomates
2 cuillerées à café de cassonade
15 cl (1/4 pt) de bouillon de légumes
115 g (4 oz) de petits champignons de Paris
115 g (4 oz) de petits cèpes, coupés en quartiers
115 g (4 oz) de pleurotes, émincés
sel et poivre noir
brins de coriandre, pour décorer

Apport nutritionnel

Par portion :	
Calories	41 kcal/172 kJ
Protéines	2,51 g
Lipides	0,66 g
Acides gras saturés	0,08 g
Fibres	1,02 g

Astuce
Les variétés de champignons comestibles sont très nombreuses. Très pauvres en calories et en lipides, ils offrent saveur et couleur à des plats très peu gras comme ce ragoût.

1 Mettez les neuf premiers ingrédients dans une grande casserole. Portez à ébullition et réduisez le feu. Couvrez et laissez mijoter pendant 5 minutes.

2 Découvrez la casserole et laissez mijoter encore pendant 5 minutes. Le liquide doit avoir réduit de moitié.

3 Ajoutez les champignons de Paris et les cèpes, et laissez suer pendant 3 minutes. Incorporez les pleurotes et faites cuire encore 2 minutes.

4 Retirez les champignons avec une écumoire et transférez-les dans un plat de service. Gardez au chaud si nécessaire.

5 Faites bouillir les jus de cuisson pendant 5 minutes afin qu'ils se réduisent à 5 cuillerées à soupe. Salez et poivrez selon votre goût.

6 Laissez refroidir pendant 2 à 3 minutes, puis versez sur les champignons. Servez chaud ou froid, décoré de brins de coriandre.

Tartelettes aux oignons entiers

Vous pouvez remplacer les petits
oignons nouveaux qui garnissent ici de
petites tartelettes de pain de mie avec
divers mélanges de légumes, de la
ratatouille par exemple.

Ingrédients

Pour 4 personnes

12 fines tranches de pain blanc ou complet
225 g (8 oz) de petits oignons ou
  d'échalotes
15 cl (1/4 pt) de bouillon de légumes
1 cuillerée à soupe de vin blanc ou de xérès
  sec
1 filet de dinde, coupé en fines lanières
2 cuillerées à café de sauce Worcestershire
1 cuillerée à café de purée de tomates
1/4 cuillerée de café de moutarde à
  l'anglaise
sel et poivre noir
brins de persil plat, pour décorer

1 Faites préchauffer le four à 200 °C
(400 °F). Découpez des ronds dans des
tranches de pain de mie avec un emporte-pièce
de 7,5 cm (3 po) de diamètre, puis tapissez-en
un moule à biscuits.

2 Couvrez chaque fond de pain avec un
morceau de papier sulfurisé et remplissez
de haricots. Faites cuire au four pendant
5 minutes. Retirez le papier et les haricots et
faites cuire de nouveau pendant 5 minutes,
jusqu'à ce que le pain soit doré et croustillant.

3 Pendant ce temps, mettez les oignons
nouveaux ou les échalotes dans un saladier
et couvrez avec de l'eau bouillante. Laissez
reposer pendant 3 minutes, puis rincez sous
l'eau froide. Épluchez soigneusement les
oignons en coupant les extrémités.

4 Faites mijoter les oignons et le bouillon
dans une casserole, à couvert, pendant
5 minutes. Découvrez et laissez cuire, à
découvert, en remuant de temps en temps,
jusqu'à ce que le bouillon ait complètement
réduit. Incorporez tous les autres ingrédients, à
l'exception du persil plat, et faites cuire
pendant 2 à 3 minutes.

5 Remplissez les coupelles de pain de mie
avec les oignons. Servez chaud, décoré de
brins de persil plat.

Apport nutritionnel

Par portion :

Calories	178 kcal/749 kJ
Protéines	9,42 g
Lipides	1,57 g
Acides gras saturés	0,30 g
Fibres	1,82 g

CHOUX-RAVES FARCIS AUX POIVRONS

La chair blanche de ce chou ressemble à celle du navet et s'accommmode de la même manière. La saveur plus marquée du poivron est idéale pour relever celle un peu fade de ce légume.

─── INGRÉDIENTS ───

Pour 4 personnes

*4 petits choux-raves, d'environ 175-225 g
    (6-8 oz) chacun (on en trouve dans les
    épiceries asiatiques)*
*40 cl (14 fl oz) environ de bouillon de
    légumes chaud*
1 cuillerée à soupe d'huile de tournesol
1 oignon, haché
*1 petit poivron rouge, épépiné et coupé en
    lanières*
*1 petit poivron vert, épépiné et coupé en
    lanières*
sel et poivre noir
persil plat, pour décorer (facultatif)

─── APPORT NUTRITIONNEL ───

Par portion :	
Calories	112 kcal/470 kJ
Lipides	4,63 g
Acides gras saturés	0,55 g
Cholestérol	0
Fibres	5,8 g

1 Faites préchauffer le four à 180 °C (350 °F). Équeutez les choux-raves et mettez-les au fond d'un plat à four.

2 Arrosez avec le bouillon jusqu'à ce qu'il arrive à mi-hauteur des choux. Couvrez et laissez braiser au four pendant 30 minutes environ, jusqu'à ce que les choux soient cuits. Transférez dans un plat et laissez refroidir, en réservant le bouillon.

3 Faites chauffer l'huile dans une poêle, puis faites-y revenir les oignons pendant 3 à 4 minutes à feu doux, en remuant de temps en temps. Ajoutez les poivrons et laissez cuire encore 2 à 3 minutes, jusqu'à ce que les oignons soient légèrement brun doré.

4 Mouillez avec le bouillon réservé, salez et poivrez un peu, puis laissez mijoter, à découvert, à feu modéré, jusqu'à la presque totale évaporation du bouillon.

5 Creusez l'intérieur des choux et hachez grossièrement la chair. Incorporez-la au mélange d'oignons et de poivrons, goûtez et réajustez l'assaisonnement si nécessaire. Disposez les coquilles de choux dans un plat à four creux.

6 Remplissez les choux avec la farce aux poivrons. Faites réchauffer au four pendant 5 à 10 minutes, puis servez, décoré d'un brin de persil plat.

COURGETTES À LA SAUCE AUX AGRUMES

Si vous ne trouvez pas de petites courgettes, vous pouvez en utiliser de plus grosses, mais vous devrez les cuire entières pour éviter qu'elles n'absorbent trop d'eau. Après cuisson, coupez-les en deux dans le sens de la longueur, puis en morceaux de 10 cm (4 po). Ces courgettes servies dans une sauce à très faible teneur en lipides constituent un accompagnement idéal pour des filets de poisson grillés.

APPORT NUTRITIONNEL	
Par portion :	
Calories	33 kcal/138 kJ
Lipides	2,18 g
Acides gras saturés	0,42 g
Cholestérol	0,09 g
Fibres	0,92 g

INGRÉDIENTS

Pour 4 personnes

350 g (12 oz) de petites courgettes

4 ciboules, finement émincées

2,5 cm (1 po) de racine de gingembre frais, râpé

2 cuillerée à soupe de vinaigre de cidre

1 cuillerée à soupe de sauce de soja légère

1 cuillerée à café de cassonade

3 cuillerées à soupe de bouillon de légumes

le zeste finement râpé et le jus de 1/2 citron et de 1/2 orange

1 cuillerée à café de farine de maïs

1 Faites cuire les courgettes dans une casserole remplie d'eau bouillante légèrement salée pendant 3 à 4 minutes. Égouttez bien.

2 Pendant ce temps, versez tous les ingrédients, à l'exception de la farine de maïs, dans une petite casserole et portez à ébullition. Laissez mijoter pendant 3 minutes.

3 Mélangez la farine avec 2 cuillerées à café d'eau froide et incorporez à la sauce. Portez à ébullition, en remuant constamment, jusqu'à épaississement de la sauce.

4 Versez la sauce sur les courgettes et faites chauffer, à feu doux, en remuant la poêle pour que la sauce recouvre bien les courgettes. Transférez sur un plat chaud et servez.

> **ASTUCE**
> Vous pouvez remplacer les courgettes par des mini-épis de maïs ou des petites aubergines.

COURGETTES ET ASPERGES EN PAPILLOTES

Pour en apprécier tout l'arôme, ces papillotes doivent être ouvertes par les convives, dans leur assiette.

INGRÉDIENTS

Pour 4 personnes

2 courgettes de grosseur moyenne
1 poireau de grosseur moyenne
225 g (8 oz) d'asperges vertes, nettoyées
4 brins d'estragon
4 gousses d'ail entières, non pelées
sel et poivre noir
1 œuf battu, pour glacer

APPORT NUTRITIONNEL

Par portion :	
Calories	110 kcal/460 kJ
Protéines	6,22 g
Lipides	2,29 g
Acides gras saturés	0,49 g
Fibres	6,73 g

1 Faites préchauffer le four à 200 °C (400 °F). Avec un épluche-légumes, coupez les courgettes en fines lamelles dans le sens de la longueur.

2 Coupez le poireau en très fine julienne et les asperges en petits tronçons de 5 cm (2 po).

3 Coupez quatre feuilles de papier sulfurisé de 30 x 38 cm (12 x 15 po), puis pliez-les en deux. Dessinez une large courbe pour que la papillote ait la forme d'un cœur une fois dépliée. Découpez le papier le long de cette ligne et dépliez-le.

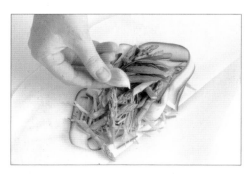

4 Répartissez les courgettes, les asperges et le poireau dans les papillotes, en mettant les légumes sur un côté de la pliure, puis ajoutez sur le dessus un brin d'estragon et une gousse d'ail non épluchée. Salez et poivrez selon votre goût.

5 Badigeonnez les bords avec un peu d'œuf battu et repliez.

6 Retournez les bords de manière à fermer complètement chaque papillote. Rangez les papillotes sur une plaque à four et laissez cuire pendant 10 minutes. Servez immédiatement.

ASTUCE
Vous pouvez essayer cette recette avec d'autres légumes.

POTIRON AUTOMNAL

Le potiron symbolise les couleurs et les saveurs de l'automne et l'écorce de ce légume est trop belle pour ne pas chercher à la mettre en valeur. Pulpe de potiron et pâtes mélangées font merveille, surtout lorsqu'elles sont servies dans l'écorce.

INGRÉDIENTS

Pour 4 personnes

1 potiron, d'environ 2 kg (4-4 1/2 lb)
1 oignon, émincé
2,5 cm (1 po) de racine de gingembre frais
1 cuillerée à café d'huile d'olive extra vierge
1 courgette, coupée en rondelles
115 g (4 oz) de champignons, émincés
400 g (14 oz) de tomates concassées, en boîte
75 g (3 oz) de pâtes (oreillettes)
45 cl (3/4 pt) de bouillon de légumes
sel et poivre noir
4 cuillerées à soupe de fromage blanc
2 cuillerées à soupe de basilic frais ciselé

APPORT NUTRITIONNEL

Par portion :

Calories	140 kcal/588 kJ
Lipides	4,29 g
Acides gras saturés	1,17 g
Cholestérol	2,5 mg
Fibres	4,45 g

ASTUCE
Utilisez du fromage blanc maigre pour réduire la teneur en calories et en lipides. Faites cuire l'oignon, le gingembre et la pulpe du potiron dans deux à trois cuillerées à soupe de bouillon de légumes (à la place de l'huile).

1 Faites préchauffer le four à 180 °C (350 °F). Coupez le trognon du potiron avec un grand couteau, puis évidez le potiron avec une cuillère pour éliminer les graines.

2 Avec un petit couteau et une cuillère suffisamment solide, retirez le maximum de pulpe de l'écorce, puis réduisez-la en morceaux.

3 Faites cuire l'écorce du potiron avec son couvercle au four de 45 minutes à 1 heure, jusqu'à ce que l'intérieur commence à ramollir.

4 Pendant ce temps, préparez la farce. Faites revenir l'oignon, le gingembre et les morceaux de pulpe dans l'huile d'olive, à feu doux, pendant 10 minutes, en remuant de temps en temps.

5 Ajoutez la courgette et les champignons, et faites cuire encore 3 minutes, puis incorporez les tomates, les pâtes et le bouillon. Salez et poivrez généreusement, portez à ébullition, puis couvrez et laissez mijoter pendant 10 minutes.

6 Incorporez le fromage blanc et le basilic aux pâtes, remuez bien et transférez le mélange dans l'écorce de potiron. Si la quantité de farce est trop importante, servez le reste à part.

Légumes à la grecque

Cette salade très simple, composée ici de légumes d'hiver, varie selon les saisons. Elle accompagne très bien les viandes ou la volaille grillées, mais peut aussi se déguster avec du pain frais, croustillant.

Ingrédients

Pour 4 personnes

17,5 cl (6 fl oz) de vin blanc
1 cuillerée à café d'huile d'olive
2 cuillerées à soupe de jus de citron
2 feuilles de laurier
brins de thym frais
4 baies de genièvre
450 g (1 lb) de poireaux, nettoyés et coupés
   en tronçons de 2,5 cm (1 po)
1 petit chou-fleur, divisé en bouquets
4 branches de céleri, coupées en tronçons
2 cuillerées à soupe de persil frais ciselé
sel et poivre noir

1 Mettez le vin, l'huile, le jus de citron, les feuilles de laurier, le thym et les baies de genièvre dans une grande casserole à fond épais. Portez à ébullition, puis couvrez et laissez mijoter pendant 20 minutes.

Apport nutritionnel

Par portion :	
Calories	88 kcal/368 kJ
Protéines	4,53 g
Lipides	2,05 g
Acides gras saturés	0,11 g
Fibres	4,42 g

2 Ajoutez les poireaux, le chou-fleur et le céleri. Laissez mijoter encore 5 à 6 minutes. Ils doivent être juste cuits.

3 Retirez les légumes avec une écumoire et transférez-les dans un plat de service. Faites bouillir à gros bouillons l'eau de cuisson pendant 15 à 20 minutes, le temps qu'elle réduise de moitié. Tamisez.

4 Incorporez le persil dans le bouillon, salez et poivrez selon votre goût. Versez sur les légumes et laissez refroidir. Mettez à rafraîchir au réfrigérateur pendant au moins 1 heure avant de servir.

> **Astuce**
> Choisissez de préférence un vin blanc sec ou demi-sec.

Légumes au four à la méditerranéenne

Pour le plaisir des yeux et du palais, essayez ce plat braisé dans l'huile d'olive avec de l'ail et du romarin. Ses arômes sont incomparables.

Ingrédients

Pour 6 personnes

1 poivron rouge et 1 poivron jaune
2 oignons doux
2 grosses courgettes
1 grosse aubergine ou 4 petites, les
    extrémités retirées
1 fenouil, grossièrement coupé
2 tomates
8 gousses d'ail
2 cuillerées à soupe d'huile d'olive
brins de romarin frais
poivre noir
quartiers de citron et olives noires
    (facultatif), pour décorer

1 Coupez les poivrons en deux, épépinez-les, puis coupez-les en gros morceaux. Pelez les oignons et coupez-les en morceaux.

Apport nutritionnel

Par portion :	
Calories	120 kcal/504 kJ
Lipides	5,2 g
Acides gras saturés	0,68 g
Cholestérol	0

2 Coupez les courgettes et les aubergines en grosses rondelles.

3 Faites préchauffer le four à 220 °C (425 °F). Rangez les poivrons, les oignons, les courgettes, les aubergines et le fenouil dans un plat à four creux, légèrement huilé. Vous pouvez aussi disposer les légumes en rangs pour une présentation plus esthétique.

4 Coupez chaque tomate en deux et disposez-les, le côté coupé vers le haut, au milieu des légumes.

5 Glissez les gousses d'ail au milieu des légumes, puis badigeonnez le tout avec l'huile d'olive. Mettez quelques brins de romarin sur le dessus du plat et saupoudrez de poivre noir fraîchement moulu, en particulier sur les tomates.

6 Faites braiser au four, pendant 20 à 25 minutes, en retournant les légumes à mi-cuisson. Servez dans le plat de cuisson, décoré de quartiers de citron et d'olives noires, si vous le souhaitez.

CRÊPES À LA RATATOUILLE

Ces crêpes doivent être un peu épaisses pour contenir la farce aux légumes. L'utilisation d'un spray de cuisson vous permettra de réduire encore la teneur en lipides de ce plat.

INGRÉDIENTS

Pour 4 personnes

75 g (3 oz) de farine
1 pincée de sel
25 g (1 oz) de flocons d'avoine
1 œuf
30 cl (1/2 pt) de lait écrémé
spray de cuisson antiadhérent
salade mélangée, pour servir

Pour la farce

1 grosse aubergine, coupée en dés de 2,5 cm
*   (1 po)*
1 gousse d'ail, écrasée
2 courgettes de grosseur moyenne, coupées
*   en rondelles*
1 poivron vert, épépiné et coupé en lanières
1 poivron rouge, épépiné et coupé en
*   lanières*
5 cuillerées à soupe de bouillon de légumes
200 g (7 oz) de tomates concassés, en boîte
1 cuillerée à café de farine de maïs
sel et poivre noir

APPORT NUTRITIONNEL

Par portion :	
Calories	182 kcal/767 kJ
Protéines	9,36 g
Lipides	3,07 g
Acides gras saturés	0,62 g
Fibres	4,73 g

ASTUCE
Les flocons d'avoine renforcent la pâte tout en lui donnant saveur et couleur. Si vous le souhaitez, vous pouvez remplacer la farine ordinaire par de la farine complète.

1 Versez la farine et le sel en pluie dans un saladier. Incorporez les flocons d'avoine. Faites un puits au centre, ajoutez l'œuf et la moitié du lait, puis battez doucement avec un fouet. Sans cesser de battre, incorporez peu à peu le reste de lait. Couvrez et laissez reposer pendant 30 minutes.

2 Graissez le fond d'une poêle de 18 cm (7 po) de diamètre avec le spray de cuisson. Faites chauffer, puis versez une petite quantité de pâte dans la poêle en l'inclinant pour napper régulièrement le fond. Laissez cuire de 2 à 3 minutes. Dès que les bords se décollent, retournez la crêpe avec une spatule et laissez cuire encore 1 minute.

3 Faites glisser la crêpe sur un plat tapissé de papier sulfurisé. Répétez l'opération jusqu'à épuisement de la pâte, en empilant les crêpes les unes sur les autres. Veillez à intercaler entre chaque crêpe une feuille de papier sulfurisé. Gardez au chaud.

4 Pour préparer la farce, mettez l'aubergine dans une passoire et saupoudrez généreusement de sel. Laissez reposer sur une assiette pendant 30 minutes. Rincez et égouttez soigneusement.

5 Mettez la gousse d'ail, les courgettes, les poivrons, le bouillon et les tomates dans une grande casserole. Faites mijoter, à découvert, en remuant de temps en temps, pendant 10 minutes. Ajoutez l'aubergine et faites cuire pendant encore 15 minutes. Mélangez la farine de maïs à 2 cuillerées à café d'eau et incorporez à la casserole. Laissez mijoter pendant 2 minutes. Salez et poivrez selon votre goût.

6 Mettez un peu de ratatouille au centre de chaque crêpe. Repliez les crêpes en deux, puis de nouveau en deux pour former un triangle. Servez chaud accompagné de salade mélangée.

POMMES DE TERRE CONCERTINA À L'AIL

Une présentation originale pour des pommes de terre qui pourront accompagner un poisson ou une viande grillée, ou se déguster en plat unique avec une salade.

INGRÉDIENTS

Pour 4 personnes

4 pommes de terre
2 gousses d'ail, coupées en fines lamelles
4 cuillerées à soupe de fromage blanc maigre
4 cuillerées à soupe de yaourt nature maigre
2 cuillerées à soupe de ciboulette ciselée
6-8 branches de cresson, finement ciselées (facultatif)

APPORT NUTRITIONNEL

Par portion :

Calories	195 kcal/815 kJ
Lipides	3,5 g
Acides gras saturés	2 g
Cholestérol	10 mg

1 Faites préchauffer le four à 200 °C (400 °F). Pratiquez des fentes à 5 mm (1/4 po) d'intervalle dans chaque pomme de terre, sans les couper entièrement, afin qu'elles conservent leur forme. Glissez une lamelle d'ail dans chaque fente.

ASTUCE
Certaines variétés de pommes de terre conviennent bien à la cuisson au four, notamment les roseval ou les belles de Fontenay.

2 Disposez les pommes de terre aillées dans un plat à four et laissez cuire pendant 1 heure à 1 heure 15. Vérifiez la cuisson en les piquant avec la pointe d'un couteau. Pendant ce temps, mélangez le fromage blanc et le yaourt dans un bol, puis incorporez la ciboulette et le cresson.

3 Servez les pommes de terre dans des assiettes individuelles, en les décorant d'une bonne cuillerée de dip au fromage blanc.

POMMES DE TERRE, POIREAUX ET TOMATES AU FOUR

INGRÉDIENTS

Pour 4 personnes

675 g (1 1/2 lb) de pommes de terre
2 poireaux, coupés en rondelles
3 tomates, coupées en rondelles
quelques brins de romarin frais, écrasés
1 gousse d'ail, écrasée
30 cl (1/2 pt) de bouillon de légumes
sel et poivre noir
1 cuillerée à soupe d'huile d'olive

APPORT NUTRITIONNEL

Par portion :

Calories	180 kcal/740 kJ
Lipides	3,5 g
Acides gras saturés	0,5 g
Cholestérol	0

1 Faites préchauffer le four à 180 °C (350 °F) et graissez légèrement un plat à four creux de 1,2 litre (2 pt). Épluchez les pommes de terre et coupez-les en fines rondelles. Rangez-les en couches avec les poireaux et les tomates dans le plat, en parsemant de romarin entre chaque couche. Finissez par une couche de pommes de terre.

2 Ajoutez l'ail au bouillon, salez et poivrez si nécessaire, puis versez sur les légumes. Badigeonnez la couche de pommes de terre, sur le dessus, avec de l'huile d'olive.

3 Faites cuire au four de 1 heure 15 à 1 heure 30. Les pommes de terre doivent être cuites et le dessus doré et légèrement croustillant.

CURRY AUX CHAMPIGNONS ET AUX GOMBOS

Les gombos sont disponibles frais, toute l'année, dans les magasins de produits exotiques. Riches en minéraux, mais peu énergétiques, ils sont généralement utilisés comme ingrédients dans la cuisine créole, africaine et asiatique.

INGRÉDIENTS

Pour 4 personnes

4 gousses d'ail, grossièrement écrasées
1 morceau de racine de gingembre frais, de 2,5 cm (1 po), pelé et grossièrement haché
1-2 piments rouges, épépinés et hachés
17,5 cl (6 fl oz) d'eau
1 cuillerée à soupe d'huile de tournesol
1 cuillerée à café de graines de coriandre
1 cuillerée à café de graines de cumin
1 cuillerée à café de cumin en poudre
2 cosses de cardamome écrasées
1 pincée de curcuma en poudre
400 g (14 oz) de tomates, concassées
450 g (1 lb) de champignons
225 g (8 oz) de gombos, équeutés et coupés en morceaux de 1 cm (1/2 po)
2 cuillerées à soupe de coriandre ciselée
riz basmati, pour servir

Pour l'achard à la mangue

1 mangue mûre, d'environ 500 g (1 1/4 lb)
1 petite gousse d'ail, écrasée
1 oignon, finement haché
2 cuillerées à café de racine de gingembre fraîche, râpée
1 piment rouge frais, épépiné et finement haché
une pincée de sel et de sucre

1 Pour préparer l'achard à la mangue, pelez le fruit, puis détachez la chair du noyau. Mettez la chair dans un bol et réduisez-la en pommade avec une fourchette ou au mixeur.

2 Ajoutez le reste des ingrédients de l'achard à la mangue, mélangez bien et réservez.

3 Mettez l'ail, le gingembre, les piments et 3 cuillerées à soupe d'eau dans le bol du mixeur et réduisez en une pâte lisse et onctueuse. Faites chauffer l'huile dans une grande poêle. Ajoutez les graines de coriandre et de cumin et laissez griller quelques secondes, puis incorporez le cumin en poudre, les graines écrasées de cardamome et le curcuma, et laissez cuire encore 1 minute.

4 Ajoutez à la pâte au gingembre les tomates, le reste d'eau, les champignons et les gombos. Remuez bien et portez à ébullition. Puis réduisez le feu, couvrez et laissez mijoter pendant 5 minutes. Découvrez, remontez légèrement le feu et laissez cuire encore 10 à 15 minutes. Les gombos doivent être cuits. Incorporez la coriandre fraîche et servez accompagné de riz et d'achard à la mangue.

APPORT NUTRITIONNEL	
Par portion :	
Calories	139 kcal/586 kJ
Lipides	4,6 g
Acides gras saturés	0,63 g
Cholestérol	0
Fibres	6,96 g

CURRY AU TOFU ET AUX HARICOTS VERTS

Ce curry est simple et rapide à préparer. Vous pouvez remplacer les haricots verts et les champignons par les légumes les plus divers, notamment l'aubergine, les pousses de bambou ou les brocolis.

INGRÉDIENTS

Pour 4 personnes

35 cl (12 fl oz) de lait de noix de coco
1 cuillerée à soupe de pâte de curry rouge
3 cuillerées à soupe de nuoc-mâm
2 cuillerées à café de sucre en poudre
225 g (8 oz) de champignons
115 g (4 oz) de haricots verts, équeutés
175 g (6 oz) de fromage de soja (tofu), rincé
  et coupé en dés de 2 cm (3/4 po)
4 feuilles de lime kaffir, déchirées en
  morceaux
2 piments rouges, épépinés et coupés en
  rondelles
feuilles de coriandre, pour décorer

APPORT NUTRITIONNEL

Par portion :	
Calories	100 kcal/420 kJ
Lipides	3,36 g
Acides gras saturés	0,48 g
Cholestérol	0
Fibres	1,35 g

1 Versez un tiers du lait de noix de coco dans un wok ou une casserole. Faites cuire jusqu'à ce qu'il commence à se désagréger et qu'une couche huileuse se forme.

2 Ajoutez la pâte de curry, le nuoc-mâm et le sucre au lait de noix de coco. Mélangez vigoureusement.

3 Ajoutez les champignons. Remuez et laissez cuire pendant 1 minute.

4 Incorporez le reste de lait de noix de coco et portez de nouveau à ébullition.

ASTUCE
À défaut de piments frais, vous pouvez utiliser une à deux cuillerées à café de piment en poudre. Lorsque vous préparez des piments frais, portez des gants en caoutchouc, puis lavez soigneusement vos mains, le plan de travail et les ustensiles lorsque vous avez terminé. Les piments contiennent en effet des huiles volatiles très irritantes pour les zones sensibles, en particulier les yeux.

5 Ajoutez les haricots verts et le fromage de soja, puis laissez mijoter pendant encore 4 à 5 minutes.

6 Incorporez les feuilles de lime kaffir et les piments. Servez décoré de feuilles de coriandre.

CASSOULET VÉGÉTARIEN

Chaque ville du sud-ouest de la France possède sa version du cassoulet. Servez du pain chaud pour accompagner ce cassoulet végétarien pauvre en lipides.

INGRÉDIENTS

Pour 4-6 personnes

400 g (14 oz) de haricots blancs secs
1 feuille de laurier
2 oignons
3 clous de girofle
2 gousses d'ail, écrasées
1 cuillerée à café d'huile d'olive
2 poireaux, coupés en petits morceaux
12 carottes nouvelles
115 g (4 oz) de champignons
400 g (14 oz) de tomates concassées, en boîte
1 cuillerée à soupe de purée de tomates
1 cuillerée à café de paprika
1 cuillerée à soupe de thym frais, émietté
2 cuillerées à soupe de persil frais ciselé
sel et poivre noir
115 g (4 oz) de chapelure de pain blanc frais

APPORT NUTRITIONNEL

Par portion :	
Calories	325 kcal/1 378 kJ
Lipides	3,08 g
Acides gras saturés	0,46 g
Cholestérol	0
Fibres	15,68 g

ASTUCE
Si vous disposez de peu de temps, utilisez des haricots en boîte (deux boîtes de 400 g [14 oz] chacune). Égouttez-les en réservant le jus que vous ajouterez au bouillon de légumes pour obtenir 4 dl (14 fl oz) de liquide.

1 Faites tremper les haricots toute une nuit dans l'eau froide. Égouttez et rincez à l'eau froide. Mettez-les ensuite dans une casserole avec 1,75 litre (3 pt) d'eau et la feuille de laurier. Portez à ébullition et faites cuire pendant 10 minutes.

2 Pelez un des oignons et piquez-le de clous de girofle. Incorporez-le aux haricots, puis réduisez le feu. Couvrez et laissez mijoter à feu doux pendant 1 heure. Les haricots doivent être presque cuits. Égouttez, en réservant le bouillon, mais jetez la feuille de laurier et l'oignon.

3 Hachez les oignons restants et mettez-les dans une cocotte avec l'ail écrasé et l'huile d'olive. Faites cuire à feu doux pendant 5 minutes.

4 Faites préchauffer le four à 160 °C (325 °F). Mettez les poireaux, les carottes, les champignons, les tomates concassées, la purée de tomates, le paprika et le thym dans la cocotte, puis arrosez avec 4 dl (14 fl oz) de bouillon réservé.

5 Portez à ébullition, couvrez et laissez mijoter, à feu doux, pendant 10 minutes. Incorporez les haricots et le persil. Salez et poivrez selon votre goût.

6 Parsemez le dessus avec la chapelure et faites cuire au four, à découvert, pendant 35 minutes. La mie de pain doit être dorée et croustillante.

RUBANS DE LÉGUMES

Une très bonne idée pour encourager les « petits appétits » à manger des légumes !

INGRÉDIENTS

Pour 4 personnes

3 carottes moyennes
3 courgettes moyennes
12 cl (1/2 tasse) de bouillon de volaille
2 cuillerées à soupe de persil frais haché
sel, poivre noir fraîchement moulu

1 Avec un épluche-légumes ou un couteau effilé, découpez les carottes et les courgettes en très fines lamelles.

2 Dans une grande casserole, portez le bouillon à ébullition. Ajoutez les carottes. Portez de nouveau à ébullition, puis ajoutez les courgettes. Faites cuire à feu vif pendant 2 à 3 minutes, jusqu'à ce que les rubans de légumes soient cuits mais encore légèrement croquants.

3 Incorporez le persil. Salez et poivrez légèrement. Servez chaud.

APPORT NUTRITIONNEL	
Par portion :	
Valeur énergétique	35 Cal ou 144 kJ
Lipides	0,53 g
Acides gras saturés	0,09 g
Cholestérol	0
Fibres	2,19 g

GALETTES DE LÉGUMES

INGRÉDIENTS

Pour 4 personnes

120 g (4 oz) de champignons émincés
1 petit oignon haché
1 petite courgette hachée
1 carotte hachée
30 g (1 oz) de cacahuètes non salées
120 g (2 tasses) de chapelure fraîche
2 cuillerées à soupe de persil haché
1 cuillerée à café d'extrait de levure
sel, poivre noir fraîchement moulu
un peu de farine de blé ou d'avoine
un peu d'huile végétale

1 Dans une poêle, faites cuire les champignons sans matière grasse pendant 8 à 10 minutes, en remuant souvent, pour en réduire tous les jus.

2 Dans un mixer, travaillez l'oignon, la courgette, la carotte et les cacahuètes jusqu'à ce qu'ils commencent à former une pâte.

3 Incorporez les champignons, la chapelure, le persil et l'extrait de levure. Salez et poivrez. Avec un peu de farine, façonnez quatre galettes. Réfrigérez.

4 Faites cuire les galettes de chaque côté dans une poêle avec très peu d'huile, ou au gril bien chaud, pendant 8 à 10 minutes, jusqu'à ce qu'elles soient bien cuites et dorées. Servez chaud avec une bonne salade.

APPORT NUTRITIONNEL	
Par portion :	
Valeur énergétique	126 Cal ou 530 kJ
Lipides	3,80 g
Acides gras saturés	0,73 g
Cholestérol	0
Fibres	2,21 g

SALADE DE COUSCOUS AU FENOUIL

Une délicieuse salade à la saveur aigre-douce que l'on peut servir en accompagnement, ou en hors-d'œuvre avec un pita chaud.

INGRÉDIENTS

Pour 4 personnes

120 g (3/4 tasse) de semoule à couscous
1 gros bulbe de fenouil finement haché
120 g (4 oz) de haricots verts coupés grossièrement et blanchis
1 petite orange
1 gousse d'ail écrasée
2 cuillerées à soupe d'huile de tournesol
1 cuillerée à soupe de vinaigre de vin blanc
sel, poivre noir fraîchement moulu
1/2 poivron rouge ou orange épépiné et finement haché

APPORT NUTRITIONNEL	
Par portion :	
Valeur énergétique	180 Cal ou 755 kJ
Lipides	6,32 g
Acides gras saturés	0,80 g
Cholestérol	0
Fibres	2,31 g

1 Mettez le couscous dans un saladier. Couvrez-le d'eau bouillante. Laissez reposer pendant 10 à 15 minutes. Égouttez et pressez pour éliminer tout l'excédent d'eau.

2 Alors que le couscous est encore chaud, incorporez le fenouil haché et les haricots verts. Dans un bol, râpez finement le zeste de l'orange. Pelez l'orange et coupez-la en petits morceaux. Incorporez à la salade.

3 Mélangez l'ail au zeste d'orange. Ajoutez alors l'huile de tournesol et le vinaigre. Salez et poivrez selon votre goût. Fouettez légèrement. Versez cette sauce sur la salade. Mélangez bien. Réfrigérez 1 à 2 heures.

4 Parsemez la préparation avec le hachis de poivron et servez.

> **NOTE**
> Choisissez toujours des haricots verts très fins et très frais.

PAN BAGNA PROVENÇAL

Une baguette de pain garnie avec des crudités et des sardines vous apportera des protéines, des fibres, des vitamines et des sels minéraux : un repas complet, équilibré et parfaitement sain.

INGRÉDIENTS

Pour 3 personnes

1 baguette ou 3 petits pains complets
2 gousses d'ail écrasées
3 cuillerées à soupe d'huile d'olive
1 petit oignon finement émincé
2 tomates coupées en tranches
un tronçon de concombre de 7 cm
  environ, finement émincé
115 g de sardines en boîte à la tomate
2 cuillerées à soupe de persil frais ciselé
poivre noir fraîchement moulu

1 Coupez la baguette en trois longueurs égales que vous couperez ensuite au milieu. Si vous utilisez des petits pains, coupez-les au milieu dans le sens de la longueur. Évidez la mie des demi-morceaux de pain afin de pouvoir y loger la garniture. Mélangez l'ail et l'huile d'olive, puis versez quelques gouttes du mélange à l'intérieur de vos demi-morceaux de pain.

2 Sur 3 moitiés de morceau de pain, superposez des rondelles d'oignon, de tomate et de concombre. Recouvrez avec les sardines à la sauce tomate. Si vous craignez les arêtes, ouvrez les sardines, et enlevez la grosse arête du milieu. Pourtant, il est préférable de la garder car les arêtes de sardine sont très riches en calcium.

3 Saupoudrez les sardines de persil ciselé, et poivrez bien. Refermez chaque pan bagna avec le demi-morceau de pain qui lui correspond, et enveloppez en serrant bien dans du papier d'aluminium ou du film transparent. Placez au réfrigérateur au moins 30 minutes avant de les déguster.

APPORT NUTRITIONNEL

Par portion :

Valeur énergétique	320 kcal ou 1 340 kJ
Lipides	17,5 g
Acides gras saturés	3,5 g
Cholestérol	30,5 mg

PURÉE DE POMMES DE TERRE MASALA

Une purée savoureuse et légère, pour égayer les repas les plus simples.

INGRÉDIENTS

Pour 4 personnes

3 pommes de terre épluchées
1 cuillerée à soupe de menthe et de
*   coriandre fraîches hachées*
1 cuillerée à café de mangue en poudre
1 piment rouge haché
1 piment vert haché
4 cuillerées à soupe de margarine allégée
1 cuillerée à café de sel
1 cuillerée à café de poivre en grains
*   concassé*

APPORT NUTRITIONNEL

Par portion :	
Valeur énergétique	94 Cal ou 394 kJ
Lipides	5,80 g
Acides gras saturés	1,25 g
Cholestérol	0, 84 mg

1 Mettez les pommes de terre dans une grande casserole d'eau froide. Portez à ébullition et laissez cuire jusqu'à ce qu'elles soient bien tendres. Égouttez et réduisez en purée fine.

2 Dans un bol, mélangez la menthe, la coriandre, la mangue en poudre, les piments et la margarine. Salez et poivrez.

3 Incorporez ce mélange à la purée. Remuez bien avec une fourchette.

4 Servez chaud en accompagnement de plats de viande ou de plats végétariens.

> **NOTE**
> On trouve de la mangue en poudre dans les épiceries indiennes.

CHOU À LA DIABLE

Un délicieux mélange de légumes et d'épices, à servir en accompagnement.

INGRÉDIENTS

Pour 4 personnes

4 cuillerées à soupe de margarine allégée
1/2 cuillerée à café de graines de cumin
*   blanc*
3 à 8 piments rouges séchés, selon le goût
1 petit oignon émincé
350 g (2 1/2 tasses) de chou ciselé
2 carottes râpées
1/2 cuillerée à café de sel
2 cuillerées à soupe de jus de citron

APPORT NUTRITIONNEL

Par portion :	
Valeur énergétique	92 Cal ou 384 kJ
Lipides	6,06 g
Acides gras saturés	1,28 g
Cholestérol	0,84 mg

1 Dans une casserole, faites fondre la margarine. Ajoutez les graines de cumin blanc et les piments rouges, et faites-les revenir pendant environ 30 secondes.

2 Ajoutez l'oignon et faites-le dorer pendant environ 2 minutes. Ajoutez le chou et les carottes. Faites sauter en remuant constamment, pendant 5 minutes environ, jusqu'à ce que le chou soit tendre.

3 Salez. Incorporez le jus de citron et servez chaud ou tiède.

CHOU ROUGE AUX DEUX VINS

Un plat relevé, aux saveurs aigres-douces, que les noix rendent croquant sous la dent.

INGRÉDIENTS

Pour 6 personnes

1 cuillerée à soupe d'huile de noix
1 oignon émincé
2 anis étoilés entiers
1 cuillerée à café de cannelle en poudre
1 pincée de clous de girofle en poudre
700 g (5 tasses) de chou rouge finement ciselé
2 cuillerées à soupe de sucre en poudre roux
3 cuillerées à soupe de vinaigre de vin rouge
30 cl (1 1/4 tasse) de vin rouge
15 cl (2/3 tasse) de porto
2 poires coupées en petits cubes
120 g (2/3 tasse) de raisins secs
sel, poivre noir fraîchement moulu
100 g (1/2 tasse) de cerneaux de noix

APPORT NUTRITIONNEL	
Par portion :	
Valeur énergétique	336 Cal ou 1 409 kJ
Lipides	15,41 g
Acides gras saturés	1,58 g
Cholestérol	0
Fibres	4,31 g

1 Faites chauffer l'huile dans une cocotte. Ajoutez l'oignon et laissez-le cuire doucement 5 minutes environ.

2 Ajoutez l'anis étoilé, la cannelle, les clous de girofle et le chou. Faites cuire encore 3 minutes.

3 Incorporez le sucre, le vinaigre, le vin rouge et le porto. Couvrez. Laissez mijoter pendant 10 minutes, en remuant de temps en temps.

4 Incorporez les morceaux de poire et les raisins secs. Continuez de cuire pendant 10 minutes, jusqu'à ce que le chou soit bien tendre. Salez et poivrez selon votre goût. Ajoutez les cerneaux de noix et servez aussitôt.

> **NOTE**
> Si vous ne trouvez pas de cerneaux en sachet, achetez des noix que vous écalerez.

Gratin de poireaux et de carottes

Des poireaux jeunes et tendres, enrobés d'une sauce onctueuse parfumée aux graines de carvi et surmontés d'une délicieuse croûte aux carottes.

Ingrédients

Pour 4 à 6 personnes

700 g (1 1/2 lb) de poireaux coupés en morceaux

8 cl (2/3 tasse) de bouillon de légumes ou d'eau

3 cuillerées à soupe de vin blanc sec

1 cuillerée à café de graines de carvi

1 pincée de sel

25 cl environ (1 tasse) de lait écrémé

2 cuillerées à soupe de margarine au tournesol

30 g (1/4 tasse) de farine

300 g (2 tasses) de chapelure

300 g (2 tasses) de carottes râpées

2 cuillerées à soupe de persil frais haché

175 g (3/4 tasse) d'emmenthal grossièrement râpé

2 cuillerées à soupe d'amandes effilées

Apport nutritionnel

Par portion :

Valeur énergétique	314 Cal ou 1 320 kJ
Lipides	15,42 g
Acides gras saturés	6,75 g
Cholestérol	30,75 mg
Fibres	6,98 g

2 Avec une écumoire, mettez les poireaux dans un plat à gratin. Réduisez le liquide de cuisson à environ la moitié de sa quantité initiale. Ajoutez alors le lait écrémé.

4 Laissez la sauce mijoter pendant 5 minutes, en remuant constamment pour la faire épaissir. Versez sur les poireaux.

5 Mélangez la chapelure, les carottes, le persil, le fromage et les amandes. Parsemez de ce mélange. Enfournez pendant 20 à 25 minutes, jusqu'à ce que le gratin soit bien doré.

3 Préchauffez le four à 180 °C (350 °F). Dans une petite cocotte, faites fondre la margarine. Incorporez la farine et laissez cuire pendant 1 à 2 minutes, sans laisser roussir. Incorporez lentement le mélange de bouillon et de lait, en remuant soigneusement, jusqu'à obtenir une sauce bien lisse et homogène.

1 Mettez les poireaux dans une grande casserole. Versez l'eau ou le bouillon et le vin. Ajoutez les graines de carvi. Salez. Portez à ébullition, couvrez, puis laissez mijoter pendant 5 à 7 minutes, jusqu'à ce que les poireaux soient tendres.

Pommes farcies au four

Ingrédients

Pour 2 à 4 personnes

2 belles pommes de terre
1 cuillerée à café d'huile de tournesol
1 petit oignon émincé
1 petit morceau de racine de gingembre
 frais râpé
1 cuillerée à café de cumin en poudre
1 cuillerée à café de coriandre en poudre
1/2 cuillerée à café de curcuma en poudre
1 pincée de sel à l'ail
quelques cuillerées de yaourt nature
quelques brins de coriandre fraîche

1 Préchauffez le four à 190 °C (375 °F). Piquez les pommes de terre avec une fourchette. Faites-les cuire au four environ 40 minutes.

2 Partagez-les en deux dans le sens de la longueur. Évidez-les. Faites chauffer l'huile dans une poêle. Ajoutez l'oignon et faites-le blondir pendant quelques minutes. Incorporez le gingembre, le cumin, la coriandre et le curcuma.

3 Laissez cuire à feu doux environ 2 minutes, en remuant constamment. Ajoutez alors la chair de pomme de terre. Salez selon votre goût.

4 Laissez cuire le mélange de pommes de terre encore 2 minutes, en remuant de temps en temps. Farcissez les fonds de pommes de terre. Nappez d'une cuillerée de yaourt et décorez d'un ou deux brins de coriandre. Servez chaud.

Apport nutritionnel

Par portion :

Valeur énergétique	212 Cal ou 890 kJ
Lipides	2,54 g
Acides gras saturés	0,31 g
Cholestérol	0,4 mg
Fibres	3,35 g

Poêlée provençale aux deux haricots

Ingrédients

Pour 4 personnes

1 cuillerée à café d'huile d'olive
1 petit oignon émincé
1 gousse d'ail écrasée
250 g (8 oz) de haricots mange-tout
250 g (8 oz) de haricots verts
2 tomates pelées et hachées
sel, poivre noir fraîchement moulu

Apport nutritionnel

Par portion :

Valeur énergétique	68 Cal ou 286 kJ
Lipides	1,76 g
Acides gras saturés	0,13 g
Cholestérol	0
Fibres	5,39 g

1 Dans une grande poêle, faites chauffer l'huile. Ajoutez l'oignon et faites-le blondir à feu doux.

2 Ajoutez l'ail, les haricots et les tomates. Salez et poivrez généreusement. Couvrez hermétiquement.

3 Laissez cuire à feu très modéré 30 minutes, en remuant de temps en temps. Servez chaud.

ASSIETTE AUX NEUF LÉGUMES

Un ravissant mélange de légumes primeurs doux et frais.

INGRÉDIENTS

Pour 4 personnes

1 cuillerée à soupe d'huile d'arachide

1 gousse d'ail écrasée

1 petit morceau de racine de gingembre frais finement haché

300 g (2 tasses) de carottes nouvelles

120 g (4 oz) de petits pâtissons

200 g (1 1/4 tasse) de mini-épis de maïs

120 g (4 oz) de haricots verts épluchés

200 g (1 1/4 tasse) de pois gourmands épluchés

120 g (4 oz) de jeunes asperges coupées en morceaux

8 ciboules coupées en petits morceaux

120 g (4 oz) de tomates cerises

jus de 2 citrons verts

1 cuillerée à soupe de miel

1 cuillerée à soupe de sauce de soja

1 cuillerée à café d'huile de sésame

APPORT NUTRITIONNEL	
Par portion :	
Valeur énergétique	106 Cal ou 444 kJ
Lipides	4,38 g
Acides gras saturés	0,63 g
Cholestérol	0
Fibres	3,86 g

1 Faites chauffer l'huile d'arachide dans un wok ou une grande poêle. Ajoutez l'ail et le gingembre. Faites-les sauter environ 1 minute en remuant constamment.

2 Ajoutez les carottes, les pâtissons, le maïs et les haricots verts. Faites revenir encore 3 à 4 minutes, toujours en remuant.

3 Ajoutez les pois gourmands, les asperges, les ciboules et les tomates. Faites revenir de nouveau 1 à 2 minutes, sans cesser de remuer.

4 Mélangez le jus de citron vert, le miel, la sauce de soja et l'huile de sésame. Versez dans la poêle.

5 Remuez bien. Couvrez. Laissez mijoter de 2 à 3 minutes, jusqu'à ce que les légumes soient cuits, mais encore légèrement croquants.

GRATIN DE BETTERAVES AU CÉLERI

Pour 6 personnes

360 g (12 oz) de betteraves rouges crues

360 g (12 oz) de céleri-rave

4 branches de thym

6 baies de genièvre écrasées

12 cl (1/2 tasse) de jus d'orange frais

12 cl (1/2 tasse) de bouillon de légumes

quelques baies de genièvre et 1 branche de thym

APPORT NUTRITIONNEL

Par portion :	
Valeur énergétique	37 Cal ou 157 kJ
Lipides	0,31 g
Acides gras saturés	0
Cholestérol	0
Fibres	3,28 g

1 Préchauffez le four à 190 °C (375 °F). Pelez et coupez en tranches fines les betteraves et le céleri-rave.

2 Dans une poêle en fonte de 25 cm de diamètre, disposez des couches successives de betteraves et de céleri. Parsemez chaque couche de thym et de genièvre. Salez et poivrez au fur et à mesure.

3 Mélangez le jus d'orange et le bouillon. Versez sur le gratin. Mettez la poêle à feu modéré. Portez à ébullition. Laissez cuire environ 2 minutes.

4 Couvrez d'une feuille d'aluminium. Enfournez pendant 15 à 20 minutes. Ôtez alors la feuille d'aluminium et portez la température du four à 200 °C (400 °F). Faites cuire encore 10 minutes. Décorez de quelques baies de genièvre et d'une branche de thym.

POMMES DE TERRE À L'INDIENNE

Un plat indien, parfumé d'un mélange subtil d'épices en grains et moulues. Vous trouverez les graines de moutarde et d'oignon dans les épiceries asiatiques.

— INGRÉDIENTS —

Pour 4 personnes

4 grosses pommes de terre taillées en cubes
4 cuillerées à soupe d'huile de tournesol
1 gousse d'ail finement hachée
2 cuillerées à café de graines de moutarde
1 cuillerée à café de graines d'oignon noires (facultatif)
1 cuillerée à café de curcuma
1 cuillerée à café de cumin en poudre
1 cuillerée à café de coriandre en poudre
1 cuillerée à café de graines de fenouil
sel, poivre noir fraîchement moulu
jus de 1/2 citron
quelques brins de coriandre hachés
quelques quartiers de citron

1 Portez à ébullition une grande casserole d'eau salée. Mettez-y les pommes de terre et faites-les cuire à feu doux environ 4 minutes. Égouttez bien.

2 Faites chauffer l'huile dans une grande poêle. Jetez-y l'ail et toutes les épices. Faites revenir doucement pendant 1 à 2 minutes, en remuant sans cesse, jusqu'à ce que les graines de moutarde commencent à éclater.

3 Ajoutez les pommes de terre. Faites revenir pendant environ 5 minutes à feu modéré, en remuant constamment. Veillez à ce que les pommes de terre soient bien enrobées de l'huile piquante.

4 Salez et poivrez selon votre goût. Arrosez de jus de citron. Parsemez de coriandre hachée. Décorez de quartiers de citron. Servez en accompagnement de currys ou d'autres plats fortement épicés.

— APPORT NUTRITIONNEL —

Par portion :

Valeur énergétique	373 Cal ou 1 149 kJ
Lipides	12,49 g
Acides gras saturés	1,49 g
Cholestérol	0
Fibres	2,65 g

POMMES DE TERRE À L'ESPAGNOLE

— INGRÉDIENTS —

Pour 4 personnes

1 kg (2 1/4 lb) de pommes de terre nouvelles
2 cuillerées à soupe d'huile d'olive
1 oignon finement haché
2 gousses d'ail écrasées
1 cuillerée à soupe de concentré de tomates
200 g (7 oz) de tomates concassées en boîte
1 cuillerée à soupe de vinaigre de vin rouge
2 à 3 petits piments rouges séchés, épépinés et finement hachés, ou 1 à 2 cuillerées à café de piment en poudre
1 cuillerée à café de paprika
sel, poivre noir fraîchement moulu
quelques brins de persil plat

1 Coupez en deux les pommes de terre les plus grosses. Mettez-les toutes dans une grande casserole et couvrez-les d'eau. Portez à ébullition et laissez cuire pendant 10 à 12 minutes. Égouttez bien. Laissez refroidir, puis coupez-les en deux. Réservez.

2 Faites chauffer l'huile dans une grande casserole. Ajoutez l'oignon et l'ail. Faites revenir doucement pendant 5 à 6 minutes. Incorporez les cinq ingrédients suivants et laissez mijoter environ 5 minutes.

3 Ajoutez les pommes de terre. Remuez pour bien les enrober de sauce. Couvrez. Laissez mijoter pendant 8 à 10 minutes, jusqu'à ce que les pommes de terre soient bien tendres. Salez et poivrez. Disposez dans un plat préalablement chauffé. Décorez de persil.

— APPORT NUTRITIONNEL —

Par portion :

Valeur énergétique	301 Cal ou 1 266 kJ
Lipides	12,02 g
Acides gras saturés	1,60 g
Cholestérol	0
Fibres	3,54 g

GRATIN DE CHOU-FLEUR ET DE BROCOLI

Ces deux légumes s'accordent ici parfaitement, nappés d'une sauce beaucoup plus légère que la béchamel au fromage classique.

INGRÉDIENTS

Pour 4 personnes

1 petit chou-fleur (environ 300 g [9 oz])

1 petite tête de brocoli (environ 300 g [9 oz])

12 cl (1/4 tasse) de yaourt nature maigre

1 petit bol de fromage maigre du type emmenthal grossièrement râpé

1 cuillerée à café de moutarde à l'ancienne

sel, poivre noir fraîchement moulu

2 cuillerées à soupe de chapelure

1 Détaillez le chou-fleur et la tête de brocoli en bouquets. Faites-les cuire dans de l'eau bouillante légèrement salée pendant 8 à 10 minutes. Égouttez bien. Disposez-les dans un plat à gratin.

2 Mélangez le yaourt, le fromage râpé et la moutarde. Salez et poivrez. Nappez les légumes de cette sauce.

3 Parsemez de chapelure. Passez au gril chaud jusqu'à ce que vous obteniez une belle couleur dorée. Servez chaud.

> **NOTE**
> En épluchant le chou-fleur et le brocoli, prenez soin, pour une cuisson régulière, d'ôter la partie ligneuse des tiges et de couper des bouquets de taille égale.

APPORT NUTRITIONNEL	
Par portion :	
Valeur énergétique	144 Cal ou 601 kJ
Lipides	6,05 g
Acides gras saturés	3,25 g
Cholestérol	16,50 mg
Fibres	3,25 g

MARMITE DE FENOUIL ET CHAMPIGNONS

Il s'agit d'une préparation très agréablement parfumée que vous servirez en plat principal ou en accompagnement d'une viande. Les champignons contiennent des vitamines, des sels minéraux et des fibres en quantités très importantes.

INGRÉDIENTS

Pour 4 personnes

25 g (1 oz) de champignons chinois séchés
1 petit fenouil ou 4 branches de céleri
2 cuillerées à soupe d'huile d'olive
12 échalotes pelées
225 g (8 oz) de petits champignons de Paris nettoyés, parés et coupés en deux
30 cl (1 1/4 de tasse) de cidre sec
25 g (1 oz) de tomates séchées à l'huile
2 cuillerées à café de concentré de tomates
1 feuille de laurier
persil frais ciselé pour garnir

1 Mettez à tremper 10 minutes les champignons séchés dans un bol d'eau bouillante couvert.

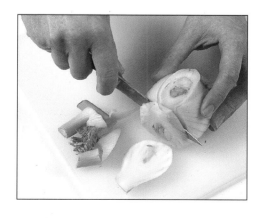

2 Émincez grossièrement le fenouil ou les branches de céleri. Dans un faitout à revêtement anti-adhésif, faites chauffer l'huile. Ajoutez les échalotes et le fenouil ou le céleri, et faites revenir 10 minutes environ à feu modéré. Le mélange doit devenir souple et dorer légèrement. Ajoutez les champignons et faites revenir encore 2 à 3 minutes.

3 Égouttez les champignons chinois et gardez leur eau de trempage. Recoupez-les s'ils sont gros, et ajoutez-les au mélange de légumes dans le faitout.

APPORT NUTRITIONNEL	
Par portion :	
Valeur énergétique	170 kcal ou 715 kJ
Lipides	11,5 g
Acides gras saturés	1,5 g
Cholestérol	0

4 Arrosez avec le cidre, incorporez les tomates séchées et le concentré de tomates, puis la feuille de laurier. Amenez à ébulliton, et baissez le feu. Couvrez le faitout, et laissez frissonner doucement environ 30 minutes.

5 Si la préparation vous paraît un peu sèche, ajoutez un peu d'eau de trempage des champignons chinois. Au moment de servir, retirez la feuille de laurier et saupoudrez abondamment de persil frais ciselé.

Marmite de légumes à l'orientale

INGRÉDIENTS

Pour 4 à 6 personnes

*3 cuillerées à soupe de bouillon de
  légumes ou de volaille*
1 poivron vert égrené et coupé en lamelles
*2 courgettes moyennes coupées en
  rondelles*
2 carottes moyennes coupées en rondelles
*2 branches de céleri coupées en fines
  lamelles*
*2 pommes de terre moyennes taillées en
  dés*
*420 g (14 oz) de tomates concassées en
  boîte*
1 cuillerée à café de piment en poudre
*2 cuillerées à soupe de menthe fraîche
  hachée*
1 cuillerée à soupe de cumin en poudre
*420 g (14 oz) de pois chiches en boîte
  égouttés*
sel, poivre noir fraîchement moulu
quelques brins de menthe

1 Dans une cocotte, portez le bouillon à
ébullition. Ajoutez le poivron, les
courgettes, les carottes et le céleri. Faites cuire
à feu vif pendant 2 à 3 minutes, en remuant
constamment, jusqu'à ce que les légumes
commencent à fondre.

2 Ajoutez alors les pommes de terre, les
tomates, le piment, la menthe et le cumin.
Incorporez les pois chiches. Portez à ébullition.

3 Baissez le feu et couvrez. Laissez mijoter
environ 30 minutes. Salez et poivrez selon
votre goût. Servez chaud, décoré de feuilles de
menthe.

> **NOTE**
> Les pois chiches sont traditionnels
> dans ce type de plat méditerranéen.
> Vous pouvez cependant les remplacer
> par des haricots rouges ou blancs.

APPORT NUTRITIONNEL

Par portion :

Valeur énergétique	168 Cal ou 703 kJ
Lipides	3,16 g
Acides gras saturés	0,12 g
Cholestérol	0
Fibres	6,13 g

SAUTÉ DE LÉGUMES « BELLE SAISON »

Les légumes jeunes et tendres conviennent parfaitement à ce plat rapide à préparer, cuit à l'étuvée. Choisissez ceux que vos convives préfèrent.

INGRÉDIENTS

Pour 4 personnes

350 g (2 1/2 tasses) de carottes nouvelles
300 g (2 tasses) de pois gourmands
200 g (1 1/4 tasse) de mini-épis de maïs
6 cuillerées à soupe de bouillon de
  légumes
2 cuillerées à café de jus de citron vert
sel, poivre noir fraîchement moulu
1 petit bol de persil haché et de ciboulette
  ciselée

1 Mettez les carottes, les pois et les mini-épis de maïs dans une grande casserole. Versez le bouillon et le jus de citron vert. Portez à ébullition.

2 Couvrez. Baissez le feu et laissez mijoter pendant 6 à 8 minutes, en remuant de temps en temps, jusqu'à ce que les légumes soient tout juste tendres.

3 Salez et poivrez selon votre goût. Incorporez le persil et la ciboulette. Laissez cuire pendant encore quelques secondes, en remuant une ou deux fois pour bien mélanger les herbes. Servez aussitôt, avec des côtes d'agneau grillées ou du poulet rôti.

NOTE
Vous pouvez également servir ce plat en hiver, mais n'oubliez pas de couper en plus petits morceaux les légumes les plus coriaces et faites-les cuire plus longtemps.

APPORT NUTRITIONNEL

Par portion :

Valeur énergétique	36 Cal ou 152 kJ
Lipides	0,45 g
Acides gras saturés	0
Cholestérol	0
Fibres	2,35 g

PETITES POMMES DE TERRE AU FOUR

On peut préparer ces délicieuses pommes de terre en portions individuelles.

INGRÉDIENTS

Pour 4 personnes

3 cuillerées à soupe d'huile d'olive
16 à 20 très petites pommes de terre non pelées
quelques brins de thym, d'estragon et d'origan, ou 1 cuillerée à soupe d'herbes de Provence séchées
sel, poivre noir fraîchement moulu

APPORT NUTRITIONNEL

Par portion :

Valeur énergétique	206 Cal ou 866 kJ
Lipides	11,49 g
Acides gras saturés	1,54 g
Cholestérol	0
Fibres	1,50 g

1 Préchauffez le four à 200 °C (400 °F). Graissez légèrement une grande feuille ou quatre petites feuilles d'aluminium.

2 Mettez les pommes de terre dans un saladier. Ajoutez les herbes. Salez et poivrez. Mélangez soigneusement afin que les pommes de terre soient bien enrobées.

3 Enveloppez les pommes de terre avec la feuille d'aluminium. Posez sur une tôle et enfournez pendant 40 à 50 minutes. Les pommes de terre dans l'aluminium resteront chaudes pendant assez longtemps.

> **NOTE**
> On peut également faire cuire les pommes de terre de la même façon au barbecue.

POÊLÉE DE CHOU-FLEUR ET DE BROCOLI

INGRÉDIENTS

Pour 4 personnes

300 g (1 1/2 tasse) de bouquets de chou-fleur
300 g (1 1/2 tasse) de bouquets de brocoli
1 cuillerée à soupe d'huile de tournesol
60 g (1/4 tasse) de noisettes broyées
1/4 de piment rouge finement haché ou 1 cuillerée à café de piment en poudre (facultatif)
sel, poivre noir fraîchement moulu
4 cuillerées à soupe de crème fraîche à 0 % ou de ricotta maigre
1 ou 2 pincées de paprika

APPORT NUTRITIONNEL

Par portion :

Valeur énergétique	146 Cal ou 614 kJ
Lipides	11,53 g
Acides gras saturés	0,94 g
Cholestérol	0,15 mg
Fibres	2,84 g

1 Veillez à ce que tous les bouquets soient de taille égale. Dans une poêle ou un wok, faites chauffer l'huile. Jetez-y les bouquets et faites-les revenir à feu vif pendant 1 minute, en remuant constamment.

2 Baissez le feu. Continuez la cuisson encore 5 minutes, en remuant toujours. Ajoutez alors les noisettes et, éventuellement, le piment. Salez et poivrez selon votre goût.

3 Faites sauter les bouquets de chou-fleur et de brocoli jusqu'à ce qu'ils soient bien cuits mais encore légèrement croquants. Incorporez alors la crème fraîche ou la ricotta. Servez très chaud, parsemé de paprika.

> **NOTE**
> Les bouquets de chou-fleur et de brocoli sont absolument délicieux s'ils restent croquants. Ne prolongez donc pas trop leur cuisson, mais donnez-leur le temps de s'imprégner des différentes saveurs.

POMMES AU ROMARIN

Ces pommes de terre, dont la cuisson demande très peu de matière grasse, gardent grâce à leur peau toute leur merveilleuse saveur naturelle.

INGRÉDIENTS

Pour 4 personnes

1 kg (2 lb) de pommes de terre nouvelles (roseval, par exemple)
2 cuillerées à café d'huile de noix ou de tournesol
2 cuillerées à soupe de feuilles de romarin frais
sel, paprika

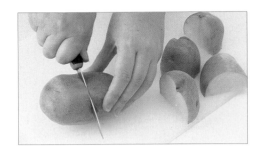

1 Préchauffez le four à 250 °C (475 °F). N'épluchez pas les pommes de terre, coupez les plus grosses en deux. Plongez-les dans une grande casserole d'eau froide. Portez à ébullition, puis égouttez bien.

2 Arrosez les pommes de terre d'huile de noix ou de tournesol. Secouez la casserole pour bien les enrober.

3 Disposez dans un plat à gratin. Parsemez de romarin. Salez et ajoutez le paprika. Enfournez pendant environ 30 minutes, jusqu'à ce que les pommes de terre soient bien dorées. Servez très chaud.

APPORT NUTRITIONNEL

Par portion :

Valeur énergétique	205 Cal ou 865 kJ
Lipides	2,22 g
Acides gras saturés	0,19 g
Cholestérol	0
Fibres	3,25 g

COURGETTES À LA SAUCE TOMATE

INGRÉDIENTS

Pour 4 personnes

1 cuillerée à café d'huile d'olive
3 grosses courgettes coupées en rondelles fines
1/2 petit oignon rouge finement haché
30 cl (1 1/4 tasse) de sauce tomate
2 cuillerées à soupe de thym frais haché
sel à l'ail, poivre noir fraîchement moulu
quelques brins de thym

1 Préchauffez le four à 190 °C (375 °F). Badigeonnez d'huile d'olive le fond d'un plat à gratin. Rangez la moitié des rondelles de courgettes et de l'oignon dans le plat.

2 Nappez cette préparation de la moitié de la sauce tomate. Parsemez de thym. Salez et poivrez selon votre goût.

3 Disposez le reste de courgettes et d'oignons sur la sauce, puis salez et poivrez de nouveau. Nappez du reste de sauce tomate.

4 Couvrez le plat d'une feuille d'aluminium. Mettez au four pendant 40 à 45 minutes, jusqu'à ce que les courgettes soient bien tendres. Décorez de brins de thym et servez très chaud.

APPORT NUTRITIONNEL

Par portion :

Valeur énergétique	49 Cal ou 205 kJ
Lipides	1,43 g
Acides gras saturés	0,22 g
Cholestérol	0
Fibres	1,73 g

CHOUX DE BRUXELLES À LA CHINOISE

Si les choux de Bruxelles cuits à l'eau ne vous tentent pas beaucoup, essayez cette recette chinoise qui, avec très peu d'huile, leur donnera une saveur beaucoup plus intéressante.

INGRÉDIENTS

Pour 4 personnes

450 g (1 lb) de choux de Bruxelles

1 cuillerée à café d'huile de sésame ou de tournesol

2 oignons nouveaux émincés

1/2 cuillerée à café de cinq-épices

1 cuillerée à soupe de sauce de soja

1 Épluchez les choux de Bruxelles. Émincez-les avec un couteau effilé ou un hachoir électrique.

2 Dans une grande poêle, faites chauffer l'huile. Jetez-y les choux de Bruxelles et les oignons. Faites revenir environ 2 minutes, en remuant constamment, sans laisser roussir.

3 Incorporez le cinq-épices et la sauce de soja. Continuez la cuisson pendant 2 à 3 minutes, jusqu'à ce que les légumes soient tendres mais encore légèrement croquants.

4 Servez chaud avec de la viande ou du poisson grillés, ou bien avec un plat chinois.

> NOTE
> Grâce à cette méthode de cuisson, les choux de Bruxelles conservent toute leur teneur en vitamine C. Choisissez-les plutôt gros. Vous pouvez également, dans cette recette, les remplacer par du chou.

APPORT NUTRITIONNEL

Par portion :

Valeur énergétique	58 Cal ou 243 kJ
Lipides	2,38 g
Acides gras saturés	0,26 g
Cholestérol	0
Fibres	4,67 g

LÉGUMES EN PAPILLOTES

INGRÉDIENTS

Pour 4 personnes

2 carottes moyennes
1 petit céleri-rave
1 gros navet
1 poireau coupé en rondelles
zeste finement râpé de 1/2 citron
1 cuillerée à soupe de jus de citron
1 cuillerée à soupe de moutarde à
  l'ancienne
sel, poivre noir fraîchement moulu
1 cuillerée à café d'huile de noix ou de
  tournesol

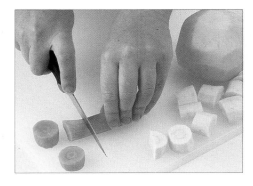

1 Préchauffez le four à 190 °C (375 °F). Pelez les légumes et coupez-les en petits cubes. Dans un saladier, mélangez-les aux rondelles de poireau.

2 Incorporez le zeste et le jus de citron, puis la moutarde. Mélangez bien. Salez et poivrez selon votre goût.

3 Découpez douze carrés de 30 cm de côté dans du papier sulfurisé. Badigeonnez-les légèrement d'huile.

5 Posez les papillotes sur une tôle. Enfournez pendant 50 à 55 minutes, jusqu'à ce que les légumes soient bien cuits. Servez chaud, avec une viande grillée ou rôtie.

4 Déposez des légumes sur chaque carré. Repliez le papier et formez des papillotes, en tire-bouchonnant les extrémités.

APPORT NUTRITIONNEL	
Par portion :	
Valeur énergétique	78 Cal ou 326 kJ
Lipides	2,06 g
Acides gras saturés	0,08 g
Cholestérol	0
Fibres	5,15 g

RAGOÛT DE LÉGUMES D'HIVER

Pommes de terre, carottes et panais sont des hydrates de carbone à structure complexe. Cuisinés en ragoût, ces légumes feront un plat d'hiver roboratif, riche en fibres et en vitamine C.

INGRÉDIENTS

Pour 4 personnes

225 g (8 oz) de carottes
225 g (8 oz) de panais
1 cuillerée à soupe d'huile de tournesol
1 noix de beurre
1 cuillerée à soupe de sucre roux cristallisé
450 g (1 lb) de pommes de terre nouvelles
225 g (8 oz) d'oignons grelots pelés
40 cl (1 1/3 tasse) de bouillon de légumes
1 cuillerée à soupe de sauce Worcestershire
1 cuillerée à soupe de concentré de tomates
1 cuillerée à café de moutarde à l'ancienne
2 feuilles de laurier
sel et poivre noir
persil frais ciselé pour garnir

ASTUCE
Vous pouvez ajouter d'autres légumes à ce plat : poireaux, champignons, patates douces ou céleri. En saison, des châtaignes décortiquées conviennent également.

1 Épluchez les carottes et les panais, et coupez-les en gros tronçons.

2 Dans une cocotte, faites chauffer l'huile, le beurre et le sucre. Remuez pour que le sucre fonde.

3 Ajoutez les pommes de terre, les oignons, les carottes et les panais. Faites revenir 10 minutes. Il faut que les légumes dorent légèrement.

APPORT NUTRITIONNEL	
Par portion :	
Valeur énergétique	215 kcal ou 895 kJ
Lipides	5,5 g
Acides gras saturés	1 g
Cholestérol	3 mg

4 Dans un bol, mélangez le bouillon de légumes, la sauce Worcestershire, le concentré de tomates et la moutarde. Versez le mélange sur les légumes, et ajoutez les feuilles de laurier. Amenez à ébullition, puis diminuez le feu et couvrez pour laisser cuire doucement 30 minutes environ. Les légumes doivent être tendres.

5 Retirez les feuilles de laurier. Salez et poivrez à votre goût et servez saupoudré de persil haché.

SAUTÉ DE LÉGUMES HIVERNAL

On boude souvent les choux de Bruxelles : ils sont pourtant absolument délicieux quand on les fait rapidement sauter après les avoir cuits à la vapeur. De plus, cuisinés comme nous vous le proposons ici, ils conservent leurs vitamines B et C.

INGRÉDIENTS

Pour 4 personnes

350 g (12 oz) de choux de Bruxelles
2 courgettes
1 cuillerée à soupe d'huile de noix ou de tournesol
12 échalotes pelées, 1 gousse d'ail écrasée
1 petit morceau de gingembre frais épluché et finement haché
25 g (1 oz) de cerneaux de noix

1 Parez les choux de Bruxelles. Enlevez les feuilles abîmées.

2 Coupez les courgettes légèrement en diagonale comme ci-dessus, en tranches relativement épaisses.

3 Mettez les choux de Bruxelles à cuire à la vapeur 7 à 10 minutes. Il faut qu'ils deviennent tendres. Égouttez-les si nécessaire, et réservez.

4 Chauffez l'huile dans une poêle ou un wok. Faites revenir à feu vif 2 à 3 minutes les échalotes et les courgettes.

5 Ajoutez les choux de Bruxelles, l'ail et le gingembre, et faites sauter encore 2 minutes. Saupoudrez de cerneaux de noix, mélangez bien et servez immédiatement.

APPORT NUTRITIONNEL

Par portion :

Valeur énergétique	125 kcal ou 530 kJ
Lipides	8,5 g
Acides gras saturés	1 g
Cholestérol	0

ASTUCE

Choisissez des choux de Bruxelles petits et bien serrés, vous n'aurez pas à les parer ni à enlever leurs feuilles extérieures. Celles-ci, de couleur plus sombre, sont très riches en vitamines et sels minéraux. Vous pouvez préparer ce plat avec du chou vert émincé à la place des choux de Bruxelles, et le parsemer de châtaignes, plutôt que de noix. On trouve des châtaignes sous vide en sachet ou en bocal.

POÊLÉE DE LÉGUMES AUX ÉPICES

Pour qu'une alimentation soit saine, il faut qu'elle comporte beaucoup de fibres ainsi que des vitamines et des sels minéraux.

INGRÉDIENTS

Pour 4 personnes

675 g (1 1/2 lb) de petites pommes
   de terre nouvelles
1 petit chou-fleur
175 g (6 oz) de haricots verts
115 g (4 oz) de petits pois surgelés
1 petit morceau de racine de gingembre
2 cuillerées à soupe (3 cl) d'huile
   de tournesol
2 cuillerées à café de cumin
2 cuillerées à café de graines de moutarde
2 cuillerées à soupe de graines de sésame
jus d'un citron
poivre noir fraîchement moulu
coriandre fraîche pour garnir (facultatif)

1 Épluchez les pommes de terre, coupez le chou-fleur en petits bouquets, équeutez les haricots verts et coupez-les en deux.

2 Faites cuire les légumes dans des casseroles différentes d'eau bouillante salée, 15 à 20 minutes pour les pommes de terre, 8 à 10 minutes pour le chou-fleur, et 4 à 5 minutes pour haricots verts et les petits pois. Égouttez.

3 Avec un petit couteau d'office, coupez finement le gingembre.

4 Chauffez l'huile dans une poêle. Faites sautez gingembre et graines.

5 Ajoutez les légumes dans la poêle, et faites-les revenir vivement 2 à 3 minutes. Arrosez ensuite avec le jus de citron, et poivrez. Garnissez avec la coriandre fraîche, si vous le désirez.

ASTUCE
Vous pouvez ajouter à ce plat d'autres légumes : courgettes, poireaux ou brocolis. L'essentiel est que les légumes soient bien frais. Ne les conservez jamais trop longtemps une fois achetés, car ils perdraient de leurs vitamines.

APPORT NUTRITIONNEL

Par portion :

Valeur énergétique	285 kcal ou 1 200 kJ
Lipides	12,5 g
Acides gras saturés	1,5 g
Cholestérol	0

CHAMPIGNONS FARCIS AUX FLOCONS D'AVOINE

Les champignons sont riches en vitamines du groupe B. Très parfumés, ils sont nourrissants et délicieux lorsqu'ils sont farcis.

INGRÉDIENTS

Pour 4 personnes

2 cuillerées à soupe d'huile de tournesol
*8 gros champignons de Paris préparés et
    nettoyés*
1 oignon haché
1 gousse d'ail écrasée
25 g (1 oz) de flocons d'avoine
*225 g (8 oz) de tomates en conserve
    concassées*
*1/2 cuillerée à café de sauce forte
    au piment*
25 g (1 oz) de pignons de pin
25 g (1 oz) de parmesan râpé
sel et poivre noir fraîchement moulu

1 Préchauffez le four à 190 ° C (375 ° F). Huilez légèrement un plat creux allant au four, assez grand pour contenir les chapeaux des champignons sans les superposer. Ôtez les pieds des champignons, hachez-les grossièrement et réservez. Gardez les chapeaux entiers.

2 Faites chauffer l'huile dans une petite sauteuse, et mettez à revenir les oignons, l'ail et les pieds des champignons. Incorporez les flocons d'avoine et laissez cuire 1 minute de plus.

3 Ajoutez les tomates et la sauce au piment, salez et poivrez à votre goût. Disposez les chapeaux des champignons, côté ouvert sur le dessus, dans le plat que vous avez préparé. Garnissez-les avec le mélange de légumes que vous répartirez de façon égale.

4 Saupoudrez avec les pignons et le parmesan. Enfournez 25 minutes environ. Il faut que les champignons deviennent tendres et que la farce soit dorée.

APPORT NUTRITIONNEL	
Par portion :	
Valeur énergétique	190 kcal ou 785 kJ
Lipides	13,5 g
Acides gras saturés	3 g
Cholestérol	6,5 mg

RISOTTO AUX POIREAUX, CHAMPIGNONS ET NOIX DE CAJOU

INGRÉDIENTS

Pour 4 personnes

225 g (8 oz) de riz brun

*90 cl (1 1/2 pinte) de bouillon de légumes
ou d'un mélange de fond de viande et
de vin blanc sec dans la proportion
de 5 pour 1*

1 cuillerée à soupe d'huile de noix

2 poireaux émincés

*225 g (8 oz) d'un assortiment de
champignons sauvages et de souche,
nettoyés et émincés*

50 g (2 oz) de noix de cajou

zeste d'un citron râpé

2 cuillerées à soupe de thym frais effeuillé

25 g (1 oz) de graines de courge

sel et poivre noir fraîchement moulu

thym frais et quartiers de citron pour garnir

1 Versez le riz dans une grande
casserole et recouvrez-le avec le
bouillon de légumes ou le mélange de
fond de viande et vin blanc, amenez à
ébullition. Diminuez le feu et laissez
cuire doucement 30 minutes environ. Il
faut que tout le liquide soit absorbé.

2 À peu près 6 minutes avant la fin de
la cuisson du riz, faites chauffer l'huile
dans une grande poêle, ajoutez les poireaux
et les champignons et faites revenir
doucement 3 à 4 minutes.

3 Ajoutez aux légumes les noix de
cajou, le zeste de citron, le thym et
laissez cuire encore 1 à 2 minutes. Salez
et poivrez.

4 Égouttez bien le riz et incorporez-le
au mélange de légumes dans la poêle.
Versez dans un plat de service. Saupoudrez
de graines de courge et garnissez de
branches de thym frais et de quartiers de
citron. Servez immédiatement.

APPORT NUTRITIONNEL	
Par portion :	
Valeur énergétique	395 kcal ou 1 645 kJ
Lipides	14 g
Acides gras saturés	2,5 g
Cholestérol	0

PAIN AUX CHAMPIGNONS ET AUX NOIX

Pour 4 personnes

3 cuillerées à soupe de graines de tournesol

3 cuillerées à soupe de graines de sésame

*2 cuillerées à soupe d'huile de tournesol,
et un peu plus pour graisser le moule*

1 oignon grossièrement haché

2 tiges de céleri grossièrement hachées

1 poivron vert épépiné et haché

*225 g (8 oz) de champignons mélangés
hachés*

1 gousse d'ail écrasée

115 g (4 oz) de chapelure

*115 g (4 oz) de noix et noisettes
concassées*

50 g (2 oz) de raisins secs

*un petit morceau de gingembre frais
épluché et finement haché*

*2 cuillerées à café de graines de coriandre
écrasées*

2 cuillerées à soupe de sauce soja légère

1 œuf battu

sel et poivre noir fraîchement moulu

*feuilles de céleri et de coriandre
pour garnir*

Pour la sauce

400 g (14 oz) de tomates concassées

3 petits oignons frais hachés

*2 cuillerées à soupe de coriandre fraîche
ciselée*

APPORT NUTRITIONNEL

Par portion :	
Valeur énergétique	460 kcal ou 1 925 kJ
Lipides	37,5 g
Acides gras saturés	4,5 g
Cholestérol	53 mg

1 Graissez un moule à cake de 22 x 15 cm environ (contenance 1 1/2 lb). Versez les graines de tournesol et de sésame au fond.

2 Préchauffez le four à 190 °C (375 °F). Dans une poêle, faites chauffer l'huile, ajoutez l'oignon, le céleri, les champignons et l'ail, et faites revenir doucement 5 minutes environ. Il faut que l'oignon devienne tendre.

3 Dans un saladier, mélangez la chapelure, les noix et les noisettes. Versez ensuite dans la poêle, et incorporez les raisins secs, le gingembre, les graines de coriandre et la sauce soja. Liez avec l'œuf et assaisonnez.

4 Versez le mélange dans le moule, tassez avec une cuiller et faites cuire au four 45 minutes. Préparez la sauce : faites chauffer les tomates dans une petite casserole, ajoutez les oignons, la coriandre, salez et poivrez.

5 Quand le pain est cuit, décollez-le des bords du moule avec la lame d'un couteau, et laissez refroidir quelques minutes. Démoulez sur un plat de service et décorez avec des feuilles de céleri et de coriandre frais. Servez tiède avec la sauce à la tomate.

SALADES

Les salades sont saines, rafraîchissantes
et peuvent se servir en accompagnement ou comme
plats uniques. Un large choix de salades vous
est présenté ici : salades végétariennes – salade de
concombres marinés, salade aux fruits,
carottes et flageolets –, salades aux fruits de mer
– salade de fruits de mer aux herbes odorantes,
salade de crevettes et de pâtes au melon –,
salades complètes – salade de semoule de couscous
à l'orange et salade de riz complet aux fruits.
Chacune d'elles constitue un véritable repas complet.

SALADE DE CONCOMBRES MARINÉS

Saupoudrez les concombres avec du sel pour les faire dégorger, les ramollir et éliminer toute amertume.

INGRÉDIENTS

Pour 6 personnes

2 concombres de grosseur moyenne
1 cuillerée à soupe de sel
90 g (3 1/2 oz) de sucre en poudre
17,5 cl (6 fl oz) de cidre sec
1 cuillerée à soupe de vinaigre de cidre
3 cuillerées à soupe d'aneth frais ciselé
1 pincée de poivre

1 Émincez les concombres en fines rondelles, puis mettez-les dans une passoire, en saupoudrant de sel entre chaque couche. Posez la passoire sur un saladier et laissez dégorger pendant 1 heure.

2 Rincez soigneusement les concombres à l'eau froide pour éliminer l'excédent de sel, puis séchez-les avec du papier absorbant.

APPORT NUTRITIONNEL

Par portion :

Calories	111 kcal/465 kJ
Lipides	0,14 g
Acides gras saturés	0,01 g
Fibres	0,62 g

> **ASTUCE**
> Pour gagner du temps, vous pouvez ne pas respecter la première étape.

3 Faites chauffer le sucre, le cidre et le vinaigre dans une casserole à feu doux, jusqu'à dissolution du sucre. Retirez du feu et laissez refroidir. Mettez les rondelles de concombre dans un saladier, arrosez avec le mélange au cidre et laissez mariner pendant 2 heures environ.

4 Égouttez le concombre et parsemez avec l'aneth et le poivre. Mélangez bien et transférez dans un plat de service. Laissez au réfrigérateur jusqu'au moment de servir.

SALADE DE RADIS AU RAIFORT

La saveur très marquée du radis se marie bien à celle du raifort et des graines de carvi. Cette salade est particulièrement délicieuse avec du rosbif froid ou de la truite fumée.

INGRÉDIENTS

Pour 4 personnes

350 g (12 oz) de radis, de grosseur moyenne
2 ciboules, la partie blanche uniquement, hachées
1 cuillerée à soupe de sucre en poudre
sel
2 cuillerées à soupe de sauce au raifort
2 cuillerées à café de graines de carvi

APPORT NUTRITIONNEL

Par portion :

Calories	48,25 kcal/204 kJ
Lipides	1,26 g
Acides gras saturés	0,09 g
Cholestérol	1 mg
Fibres	2,37 g

1 Pelez, émincez et coupez les radis en fine julienne. Vous pouvez aussi les râper.

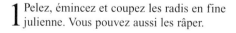

ASTUCE
Vous pouvez remplacer les radis roses par un gros radis noir et les ciboules par des oignons rouges, d'une saveur plus sucrée.

2 Ajoutez les ciboules, le sucre et le sel, puis mélangez le tout avec les mains pour ramollir les radis.

3 Incorporez la sauce au raifort, les graines de carvi et servez.

SALADE AUX FRUITS, CAROTTES ET FLAGEOLETS

Cette salade fraîche, et rapide à préparer, est idéale pour un dîner ou un en-cas.

INGRÉDIENTS

Pour 6 personnes

225 g (8 oz) de chou blanc ou rouge, ou un
*   mélange des deux*
3 carottes, de grosseur moyenne
1 poire
1 pomme Starking delicious
200 g (7 oz) de flageolets en boîte, égouttés
50 g (2 oz) de dattes hachées

Pour l'assaisonnement

1/2 cuillerée à café de moutarde à
*   l'anglaise*
2 cuillerées à café de miel liquide
2 cuillerées à soupe de jus d'orange
1 cuillerée à café de vinaigre de vin blanc
1/2 cuillerée à café de paprika
sel et poivre noir

1 Émincez finement le chou rouge, en supprimant le trognon et les côtes.

2 Coupez les carottes en fine julienne, d'environ 5 cm (2 po) de long.

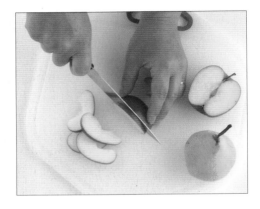

3 Coupez la poire et la pomme en fines lamelles en conservant la peau.

4 Mettez les fruits et les légumes dans un saladier avec les haricots et les dattes. Mélangez bien.

5 Mélangez la moutarde et le miel jusqu'à l'obtention d'une pâte lisse. Ajoutez le jus d'orange, le vinaigre, le paprika, du sel et du poivre, et mélangez bien.

6 Versez l'assaisonnement sur la salade et remuez énergiquement. Mettez à rafraîchir au réfrigérateur pendant 30 minutes avant de servir.

APPORT NUTRITIONNEL

Par portion :

Calories	137 kcal/574 kJ
Lipides	0,87 g
Acides gras saturés	0,03 g
Fibres	6,28 g

ASTUCE

Vous pouvez remplacer les flageolets par des haricots rouges ou des pois chiches en boîte. Pour donner plus de saveur à ce plat, ajoutez une demi-cuillerée à café d'épices en poudre (piment, cumin ou coriandre), voire une cuillerée à café de zeste d'orange ou de citron finement râpé.

SALADE D'AUBERGINES

Cette salade originale enchantera tous les gourmets.

INGRÉDIENTS

Pour 6 personnes

2 aubergines

1 cuillerée à soupe d'huile

2 cuillerées à soupe de crevettes séchées, trempées et égouttées

1 cuillerée à soupe d'ail, grossièrement haché

2 cuillerées à soupe de jus de citron vert

1 cuillerée à café de sucre de palme

2 cuillerées à soupe de nuoc-mâm

1 œuf dur, haché

4 échalotes, coupées en fines rondelles

feuilles de coriandre, 2 piments rouges, épépinés et coupés en rondelles, pour décorer

> **ASTUCE**
> Vous pouvez remplacer l'œuf haché par un œuf de cane ou par des œufs de caille, coupés en deux.

1 Faites griller les aubergines jusqu'à ce qu'elles soient bien noires et molles.

2 Lorsqu'elles ont suffisamment refroidi, pelez-les et coupez la chair en gros morceaux.

3 Faites chauffer l'huile dans une poêle, ajoutez les crevettes et l'ail, et faites frire jusqu'à ce que le mélange soit brun doré. Retirez de la poêle et réservez.

4 Pour préparer l'assaisonnement, mélangez au fouet dans un petit bol le jus de citron vert, le sucre de palme et le nuoc-mâm.

5 Au moment de servir, mettez les aubergines sur un plat. Garnissez-les avec le hachis d'œuf dur, les échalotes et le mélange aux crevettes. Arrosez avec l'assaisonnement et décorez avec la coriandre et les piments rouges.

APPORT NUTRITIONNEL	
Par portion :	
Calories	70,5 kcal/295 kJ
Lipides	3,76 g
Acides gras saturés	0,68 g
Cholestérol	57 mg
Fibres	1,20 g

SALADE DE POUSSES DE BAMBOU

Cette salade, à la saveur forte, est originaire du nord-est de la Thaïlande. Utilisez de préférence des pousses de bambou frais, mais les pousses en boîte conviennent également.

INGRÉDIENTS

Pour 4 personnes

400 g (14 oz) de pousses de bambou, en boîte
25 g (1 oz) de riz gluant
2 cuillerées à soupe d'échalotes, hachées
1 cuillerée à soupe d'ail, haché
3 cuillerées à soupe de ciboules, hachées
2 cuillerées à soupe de nuoc-mâm
2 cuillerées à soupe de jus de citron vert
1 cuillerée à café de sucre en poudre
1/2 cuillerée à café de piment séché en éclats
20-25 petites feuilles de menthe
1 cuillerée à soupe de graines de sésame, grillées

1 Rincez, puis égouttez les pousses de bambou, émincez-les et réservez.

2 Faites griller, à sec, le riz dans une poêle jusqu'à ce qu'il devienne brun doré. Retirez et broyez dans un mortier avec un pilon.

3 Versez le riz en pluie dans un saladier, puis ajoutez les échalotes, l'ail, la ciboule, le nuoc-mâm, le jus de citron vert, le sucre, les piments et la moitié des feuilles de menthe.

4 Mélangez vigoureusement, puis versez sur les pousses de bambou. Remuez et servez parsemé de graines de sésame et du reste des feuilles de menthe.

ASTUCE
Pour réduire la teneur en calories et en lipides, éliminez les graines de sésame.
Vous pouvez aussi remplacer l'ail frais par de l'ail séché.

APPORT NUTRITIONNEL	
Par portion :	
Calories	73,5 kcal/308 kJ
Lipides	2,8 g
Acides gras saturés	0,41 g
Cholestérol	0
Fibres	2,45 g

SALADE DE SEMOULE DE COUSCOUS À L'ORANGE

La semoule de couscous offre une excellente alternative au riz et aux pâtes dans la confection des salades.

INGRÉDIENTS

Pour 6 personnes

1 petit poivron vert
150 g (5 oz) de semoule de couscous
60 cl (1 pt) d'eau
1/2 concombre, coupé en dés
15 g (1/2 oz) de menthe fraîche ciselée
40 g (1 1/2 oz) d'amandes effilées, grillées
le zeste et le jus de 1 citron
2 oranges
sel et poivre noir
brins de menthe, pour décorer

1 Avec un petit couteau à légumes, coupez le poivron en deux et épépinez-le. Coupez ensuite la chair en petits dés et réservez.

2 Versez la semoule dans une casserole, puis mouillez avec l'eau. Portez à ébullition, baissez le feu, couvrez et laissez mijoter de 10 à 15 minutes jusqu'à ce qu'elle soit cuite. Vous pouvez aussi mettre la semoule dans un récipient résistant à la chaleur, l'arroser d'eau bouillante et la laisser reposer pendant 30 minutes. Les graines doivent avoir entièrement absorbé l'eau. Sinon, égouttez soigneusement la semoule.

3 Dans un grand saladier, mélangez la semoule avec le concombre, le poivron vert, la menthe et les amandes effilées. Incorporez le zeste râpé et le jus de citron.

4 Retirez la peau des oranges avec un couteau, puis coupez les fruits en pétales, au-dessus du saladier, pour en recueillir le jus. Incorporez les pétales à la salade en mélangeant doucement, puis salez et poivrez selon votre goût. Décorez avec des feuilles de menthe.

APPORT NUTRITIONNEL	
Par portion :	
Calories	160 kcal/672 kJ
Lipides	4,3 g
Acides gras saturés	0,33 g
Cholestérol	0

SALADE DE RIZ COMPLET AUX FRUITS

L'assaisonnement à l'orientale donne à cette salade de riz une saveur épicée irremplaçable. Le riz complet, aux grains non décortiqués, est riche en fibres naturelles, en vitamines et en minéraux.

INGRÉDIENTS

Pour 4-6 personnes

115 g (4 oz) de riz complet

4 ciboules, pour décorer

1 petit poivron rouge, épépiné et coupé en dés

200 g (7 oz) de grains de maïs, égouttés

3 cuillerées à soupe de raisins de Smyrne

225 g (8 oz) de morceaux d'ananas dans leur jus

1 cuillerée à soupe de sauce de soja légère

1 cuillerée à café d'huile de tournesol

2 cuillerées à café d'huile de noisette

1 gousse d'ail, écrasée

1 cuillerée à café de racine de gingembre frais, finement hachée

sel et poivre noir

ASTUCE

Très riche en acides gras mono-insaturés, l'huile de noisette donnera à ce plat une saveur incomparable.

1 Faites cuire le riz dans une grande casserole d'eau bouillante légèrement salée pendant 30 minutes. Égouttez-le soigneusement et laissez-le refroidir. Pendant ce temps, coupez les ciboules, légèrement en diagonale. Réservez.

2 Versez le riz dans un saladier, puis ajoutez le poivron rouge, le maïs et les raisins de Smyrne. Égouttez les morceaux d'ananas, en réservant le jus, et ajoutez-les au riz en remuant légèrement.

3 Versez le jus d'ananas réservé dans un récipient à fermeture hermétique. Ajoutez la sauce de soja, les huiles de tournesol et de noisette, l'ail et le gingembre. Salez et poivrez un peu, puis fermez le récipient et secouez énergiquement pour bien mélanger le tout.

4 Versez l'assaisonnement sur la salade et remuez bien. Parsemez les morceaux de ciboule sur la salade.

APPORT NUTRITIONNEL

Par portion :

Calories	245 kcal/1 029 kJ
Lipides	4,25 g
Acides gras saturés	0,6 g
Cholestérol	0

SALADE DE FRUITS DE MER AUX HERBES ODORANTES

INGRÉDIENTS

Pour 6 personnes

25 cl (8 fl oz) de fumet ou d'eau

*250 g (12 oz) d'encornets, nettoyés et
coupés en rondelles*

12 grosses crevettes crues, décortiquées

12 coquilles Saint-Jacques

*50 g (2 oz) de cheveux d'ange, trempés
dans l'eau chaude pendant 30 minutes*

1/2 concombre, coupé en grosse julienne

1 brin de citronnelle finement ciselé

2 feuilles de lime kaffir finement ciselées

2 échalotes, finement émincées

le jus de 1-2 citrons verts

2 cuillerées à soupe de nuoc-mâm

2 cuillerées à soupe de ciboule, hachées

2 cuillerées à soupe de feuilles de coriandre

12-15 feuilles de menthe, déchirées

*4 piments rouges, épépinés et coupés en
rondelles*

brins de coriandre, pour décorer

1 Versez le bouillon ou l'eau dans une
casserole et portez à ébullition, à feu vif.

2 Faites cuire séparément les encornets, les
crevettes et les coquilles Saint-Jacques dans
le bouillon. Ne les faites pas trop cuire,
seulement 3 à 4 minutes. Retirez et réservez.

3 Égouttez les cheveux d'ange et coupez-les
en petits morceaux de 5 cm (2 po).
Mélangez-les aux fruits de mer préalablement
cuits.

4 Ajoutez le reste des ingrédients, mélangez
bien et servez décoré de brins de coriandre.

APPORT NUTRITIONNEL

Par portion :

Calories	78 kcal/332 kJ
Lipides	1,12 g
Acides gras saturés	0,26 g
Cholestérol	123 mg
Fibres	0,37 g

ASTUCE

Vous pouvez remplacer les crevettes et les
coquilles Saint-Jacques par des moules et
des coques. Si vous ne disposez pas de
piments frais, utilisez deux à trois
cuillerées à café de piment en poudre.

SALADE DE PAPAYE VERTE

Il existe plusieurs variantes de cette salade en Asie du Sud-Est. Si vous ne trouvez pas de papaye verte, vous pouvez la remplacer par un mélange de carottes, de concombre et de pomme râpés. Servez cette salade accompagné de chou cru et de riz.

INGRÉDIENTS

Pour 4 personnes

1 papaye verte, de grosseur moyenne
4 gousses d'ail
1 cuillerée à soupe d'échalotes, hachées
3-4 piments rouges, épépinés et coupés en rondelles
1/2 cuillerée à café de sel
2-3 haricots verts, coupés en tronçons de 2 cm (3/4 po)
2 tomates, coupées en quartiers
3 cuillerées à soupe de nuoc-mâm
1 cuillerée à soupe de sucre en poudre
le jus de 1 citron vert
2 cuillerées à soupe de cacahuètes grillées, écrasées
rondelles de piments rouges, pour décorer

1 Pelez la papaye et coupez-la en deux dans le sens de la longueur. Épépinez-la avec une cuillère, puis émincez finement la chair.

2 Écrasez l'ail, les échalotes, les piments et le sel dans un grand mortier avec un pilon.

APPORT NUTRITIONNEL

Par portion :

Calories	96 kcal/402 kJ
Lipides	4,2 g
Acides gras saturés	0,77 g
Cholestérol	0

3 Incorporez la papaye par petites quantités et écrasez-la jusqu'à ce qu'elle devienne légèrement molle.

4 Ajoutez les tronçons de haricots verts et les tomates, et écrasez légèrement le tout. Assaisonnez avec le nuoc-mâm, le sucre et le jus de citron vert.

5 Transférez la salade dans un plat de service, parsemez avec les cacahuètes écrasées et décorez avec les piments.

ASTUCE
Si vous ne disposez pas d'un mortier et d'un pilon, vous pouvez utiliser un bol en écrasant la papaye avec le bout d'un rouleau à pâtisserie ou un attendrisseur en bois pour la viande.

SALADE DE POULET À LA THAÏLANDAISE

Cette salade vient de Chiangmai, ville du nord-est de la Thaïlande. Merveilleux mélange d'arômes, elle est épicée et relevée. Choisissez des feuilles de salades vertes à la saveur amère, telles la chicorée, la scarole et la frisée.

INGRÉDIENTS

Pour 6 personnes

450 g (1 lb) de blanc de poulet, émincé
1 brin de citronnelle finement ciselé
3 feuilles de lime kaffir finement ciselées
4 piments rouges, épépinés et hachés
4 cuillerées à soupe de jus de citron vert
2 cuillerées à soupe de nuoc-mâm
1 cuillerée à soupe de riz pilé, grillé
2 ciboules, hachées
2 cuillerées à soupe de feuilles de coriandre
feuilles de salade mélangée, rondelles de
   concombre et de tomate, pour servir
brins de menthe, pour décorer

1 Faites chauffer une poêle à revêtement antiadhésif. Ajoutez le poulet émincé et faites cuire avec un peu d'eau.

2 Remuez constamment jusqu'à cuisson complète du poulet, de 7 à 10 minutes.

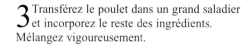

3 Transférez le poulet dans un grand saladier et incorporez le reste des ingrédients. Mélangez vigoureusement.

4 Servez sur un lit de salade mélangée, de rondelles de concombre et de tomate, décoré de brins de menthe.

ASTUCE

Pour ce plat, vous pouvez utiliser du riz gluant. Faites-le griller, à sec, dans une poêle, jusqu'à ce qu'il devienne brun doré. Retirez-le et réduisez-le en poudre avec un pilon et un mortier, ou au mixeur. Conservez-le dans un récipient en verre, dans un endroit frais, jusqu'à son utilisation.

APPORT NUTRITIONNEL

Par portion :

Calories	106 kcal/446 kJ
Lipides	1,13 g
Acides gras saturés	0,28 g
Cholestérol	52,5 mg
Fibres	0,7 g

SALADE DE CREVETTES ET DE PÂTES AU MELON

Le melon charentais ou le cantaloup rend cette salade spectaculaire. Vous pouvez aussi les mélanger avec de la pastèque.

INGRÉDIENTS

Pour 6 personnes

175 g (6 oz) de pâtes
225 g (8 oz) de crevettes, décongelées et
*   égouttées*
1 gros melon ou 2 petits
2 cuillerées à soupe d'huile d'olive
1 cuillerée à soupe de vinaigre d'estragon
2 cuillerées à soupe de ciboulette fraîche ou
*   de persil ciselés*
salade chinoise grossièrement hachée, pour
*   servir*
brins de ciboulette (ou persil), pour décorer

APPORT NUTRITIONNEL

Par portion :

Calories	167 kcal/705 kJ
Lipides	4,72 g
Acides gras saturés	0,68 g
Cholestérol	105 mg
Fibres	2,08 g

1 Faites cuire les pâtes *al dente* dans une grande casserole d'eau bouillante salée, selon les instructions du paquet. Égouttez bien et laissez refroidir.

ASTUCE
Vous pouvez utiliser des pâtes complètes et remplacer les crevettes par des moules ou des coquilles Saint-Jacques.

---

2 Décortiquez les crevettes. Jetez les carapaces et les têtes.

3 Coupez le ou les melons en deux, et retirez les pépins avec une cuillère à café. Avec une cuillère à melon, prélevez ensuite des petites boules de chair et mélangez-les aux crevettes et aux pâtes.

4 Mélangez l'huile, le vinaigre et les fines herbes au fouet. Versez sur le mélange aux crevettes et remuez vigoureusement. Couvrez et laissez au réfrigérateur pendant au moins 30 minutes.

5 Pendant ce temps, hachez les feuilles de salade et tapissez-en un saladier ou les moitiés de melon. Remplissez avec le mélange aux crevettes et décorez avec des brins de persil ou de ciboulette.

SALADE DE NOUILLES AUX CREVETTES

Cette salade légère et rafraîchissante offre toutes les saveurs de la mer. Vous pouvez remplacer les crevettes par des calmars, des moules ou du crabe.

INGRÉDIENTS

Pour 4 personnes

115 g (4 oz) de nouilles transparentes, ramollies dans l'eau chaude
16 crevettes cuites, décortiquées
1 petit poivron rouge, épépiné et coupé en lanières
1/2 concombre, coupé en julienne
1 tomate, coupée en julienne
2 échalotes, finement émincées
sel et poivre noir
feuilles de coriandre, pour décorer

Pour l'assaisonnement

1 cuillerée à soupe de vinaigre de riz
2 cuillerées à soupe de nuoc-mâm
2 cuillerées à soupe de jus de citron vert
1 pincée de sel
1/2 cuillerée à café de gingembre râpé
1 brin de citronnelle finement ciselé
1 piment rouge, épépiné en fines rondelles
2 cuillerées à soupe de menthe ciselée
quelques brins d'estragon, hachés
1 cuillerée à soupe de ciboulette ciselée

1 Préparez l'assaisonnement en mélangeant tous les ingrédients dans un petit bol. Remuez vigoureusement avec un fouet.

2 Égouttez les nouilles, puis plongez-les dans une casserole d'eau bouillante pendant 1 minute. Égouttez, rincez à l'eau froide et égouttez de nouveau très soigneusement.

3 Dans un grand saladier, mélangez les nouilles avec les crevettes, le poivron rouge, le concombre, la tomate et les échalotes. Salez et poivrez légèrement puis incorporez l'assaisonnement en mélangeant bien.

4 Répartissez la salade dans des assiettes individuelles. Décorez avec quelques feuilles de coriandre et servez immédiatement.

APPORT NUTRITIONNEL

Par portion :

Calories	164,5 kcal/697 kJ
Lipides	2,9 g
Acides gras saturés	0,79 g
Cholestérol	121 mg
Fibres	1,86 g

ASTUCE
Faites cuire les crevettes dans l'eau bouillante pendant 5 minutes. Laissez-les reposer dans l'eau de cuisson, puis décortiquez-les délicatement. Toutefois, les crevettes roses sont souvent vendues déjà cuites, voire décortiquées.

CACHUMBAR

Cette salade accompagne généralement les curries indiens. Il en existe de multiples variantes. Celle présentée ici est particulièrement agréable et fraîche avec un repas épicé.

INGRÉDIENTS

Pour 4 personnes

3 tomates mûres

2 ciboules, hachées

1/4 de cuillerée à café de sucre en poudre

sel

3 cuillerées à soupe de coriandre fraîche ciselée

APPORT NUTRITIONNEL	
Par portion :	
Calories	9,5 kcal/73,5 kJ
Lipides	0,23 g
Acides gras saturés	0,07 g
Cholestérol	0
Fibres	0,87 g

1 Avec un petit couteau pointu, évidez les tomates de la partie dure à l'emplacement de la queue.

> ASTUCE
> Le cachumbar sert aussi à accompagner le crabe frais, le homard et les crustacés.

2 Coupez les tomates en deux, épépinez-les et émincez la chair.

3 Mélangez les tomates avec les ciboules, le sucre, le sel et la coriandre. Servez à température ambiante.

Salade aux foies de volaille tièdes

Les salades tièdes peuvent paraître un peu démodées. Pourtant, il est des moments où elles sont fort agréables. Servez celle que nous vous proposons ici soit comme entrée soit comme plat unique pour un repas léger, accompagnée d'un bon pain frais.

Ingrédients

Pour 4 personnes

115 g (4 oz) de petites pousses d'épinards frais, de roquette et de salade de Trévise
2 pamplemousses roses
6 cuillerées à soupe d'huile de tournesol
2 cuillerées à café d'huile de sésame
2 cuillerées à café de sauce soja
225 g (8 oz) de foies de volaille hachés
sel et poivre noir fraîchement moulu

1 Lavez toutes les salades et mélangez-les dans un grand saladier.

2 Décortiquez soigneusement la chair des pamplemousses puis découpez-la en quartiers en récupérant le jus dans un bol. Ajoutez les quartiers de pamplemousse à la salade.

3 Préparez la sauce : mélangez 4 cuillerées à soupe d'huile de tournesol avec l'huile de sésame, la sauce soja et le jus des pamplemousses. Assaisonnez à votre goût.

4 Dans une petite poêle, faites chauffer le reste d'huile de tournesol et faites cuire les foies en remuant de temps en temps. Il faut qu'ils dorent légèrement.

5 Disposez les foies sur la salade et nappez avec la sauce. Servez sans attendre.

Apport nutritionnel	
Par portion :	
Valeur énergétique	266 kcal ou 1 107 kJ
Lipides	20,10 g
Acides gras saturés	2,74 g
Cholestérol	213,75 mg

SALADE DE POMMES DE TERRE AU CRESSON

Les pommes de terre nouvelles sont délicieuses chaudes ou froides. Voici une salade aux couleurs éclatantes pour en apprécier toute la saveur.

INGRÉDIENTS

Pour 4 personnes

*450 g (1 lb) de pommes de terre nouvelles
    non pelées*
1 botte de cresson
*300 g (1 1/2 tasse) de tomates cerises
    coupées en deux*
2 cuillerées à soupe de graines de potiron
*3 cuillerées à soupe de fromage frais
    maigre*
1 cuillerée à soupe de vinaigre de cidre
1 cuillerée à café de cassonade
sel, paprika

1 Faites cuire les pommes de terre à l'eau bouillante légèrement salée. Égouttez et passez sous l'eau froide.

2 Mélangez les pommes de terre, le cresson, les tomates et les graines de potiron.

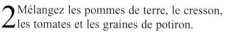

3 Dans un bocal hermétique, mélangez en secouant le fromage frais, le vinaigre, la cassonade, le sel et le paprika. Versez sur la salade juste avant de servir.

APPORT NUTRITIONNEL	
Par portion :	
Valeur énergétique	150 Cal ou 630 kJ
Lipides	4,15 g
Acides gras saturés	0,81 g
Cholestérol	0,11 mg
Fibres	2,55 g

NOTE
Si vous destinez cette salade à un pique-nique, emportez la sauce dans le bocal et assaisonnez à la dernière minute.

SALADE DE CHOU AU FENOUIL ET AUX HERBES

Servez cette délicieuse salade
végétarienne en accompagnement ou
en plat principal. Vous pouves ajouter
du fromage blanc maigre, égoutté, et
des tranches fines de pommes.

INGRÉDIENTS

1 fenouil
2 ciboules
1/2 chou blanc
3 branches de céleri
2 carottes
50 g de raisins secs blancs
1/2 cuillerée à café de graines de carvi
  (facultatif)
1 cuillerée à soupe de persil haché
3 cuillerées à soupe de vinaigrette allégée
1 cuillerée à café de jus de citron
sel et poivre noir
ciboulette hachée pour décorer

ASTUCE
Utilisez de la mayonnaise allégée au
lieu de la vinaigrette.

1 A l'aide d'un couteau aiguisé, coupez le
fenouil et les ciboules en fins petits
morceaux.

APPORT NUTRITIONNEL

Par portion :	
Valeur énergétique	74 kcal ou 315 kJ
Lipides	0,5 g
Acides gras saturés	0,05 g
Cholestérol	0

2 Emincez fin le chou, le céleri et les
carottes. Mettez dans un grand bol avec
les autres légumes. Ajoutez les raisins secs et
les graines de carvi. Mélangez délicatement.

3 Ajoutez le persil, la vinaigrette, le jus de
citron et mélangez bien. Assaisonnez.
Couvrez et laissez réfrigérer 3 heures.
Servez avec de la ciboulette hachée.

PATATE DOUCE ET CAROTTES EN SALADE

INGRÉDIENTS

Pour 4 personnes

1 patate douce pelée et taillée en dés

2 carottes coupées en rondelles épaisses

3 tomates

8 à 10 feuilles de romaine

175 g (3/4 tasse) de pois chiches en
conserve égouttés

Pour la sauce

1 cuillerée à soupe de miel

6 cuillerées à soupe de yaourt nature
maigre

1/2 cuillerée à café de sel

1 cuillerée à café de poivre noir
fraîchement moulu

Pour la garniture

1 cuillerée à soupe de noix

1 cuillerée à soupe de raisins secs blonds

1 petit oignon en rondelles

APPORT NUTRITIONNEL	
Par portion :	
Valeur énergétique	176 Cal ou 741 kJ
Lipides	4,85 g
Acides gras saturés	0,58 g
Cholestérol	0, 85 mg

1 Plongez les dés de patate douce dans une grande casserole d'eau froide. Portez à ébullition et laissez cuire jusqu'à ce qu'ils soient tendres. Couvrez et réservez. Faites bouillir les carottes pendant quelques minutes, jusqu'à ce qu'elles soient cuites mais résistent encore sous la dent. Ajoutez-les à la patate.

3 Coupez les tomates comme on coupe un œuf à la coque. Évidez-les et récupérez leur chair. Jetez les pépins. Hachez grossièrement la chair.

5 Mélangez bien tous les ingrédients de la sauce. Fouettez légèrement avec une fourchette.

2 Égouttez le mélange de carottes et de patate douce. Mettez-le dans un saladier.

4 Tapissez un saladier de feuilles de romaine. Mélangez la patate douce, les carottes, les pois chiches et les tomates. Versez dans le saladier.

6 Versez cette sauce sur la salade ou dans un petit bol. Décorez avec les noix, les raisins secs et les rondelles d'oignon.

SALADE TRICOLORE

Une salade rafraîchissante qui accompagne parfaitement les viandes ou les poissons grillés. Vous pouvez également la servir en hors-d'œuvre.

— INGRÉDIENTS —

Pour 4 personnes

2 betteraves moyennes cuites, taillées en dés

2 endives coupées en rondelles

1 grosse orange

4 cuillerées à soupe de yaourt nature maigre

2 cuillerées à café de moutarde à l'ancienne

sel, poivre noir fraîchement moulu

1 Dans un saladier, mélangez les betteraves et les endives.

2 Râpez finement le zeste de l'orange. Avec un couteau effilé, pelez soigneusement le fruit en ne laissant aucune écorce. Détaillez en quartiers, en recueillant le jus dans un bol. Ajoutez les quartiers d'orange dans le saladier.

3 Dans le bol de jus d'orange, ajoutez le zeste, le yaourt et la moutarde. Salez et poivrez. Mélangez bien. Versez sur la salade.

> **NOTE**
> Vous pouvez remplacer les endives par de jeunes épinards ou de la roquette.

— APPORT NUTRITIONNEL —

Par portion :

Valeur énergétique	41 Cal ou 172 kJ
Lipides	0,60 g
Acides gras saturés	0,08 g
Cholestérol	0,60 mg
Fibres	1,42 g

SALADE DE POIVRONS GRILLÉS

Une délicieuse salade haute en couleur, relevée d'une sauce subtilement aigre-douce. Vous pouvez la préparer jusqu'à 24 heures à l'avance.

— INGRÉDIENTS —

Pour 4 personnes

3 gros poivrons (jaune, rouge, vert) coupés en deux et égrenés

120 g (4 oz) de feta, en dés ou émiettée

1 cuillerée à soupe de vinaigre de xérès ou de vin rouge

1 cuillerée à soupe de miel liquide

sel, poivre noir fraîchement moulu

1 Disposez les moitiés de poivrons sur une plaque, la peau sur le dessus. Passez-les au gril chaud jusqu'à ce que la peau soit boursouflée et noircie.

2 Laissez-les refroidir sur une assiette. Pelez et jetez les peaux.

3 Disposez les poivrons sur un grand plat. Parsemez de dés de feta. Dans un bol, mélangez le vinaigre et le miel. Salez et poivrez. Arrosez la salade de cette sauce. Réfrigérez jusqu'au moment de servir.

— APPORT NUTRITIONNEL —

Par portion :

Valeur énergétique	110 Cal ou 462 kJ
Lipides	6,15 g
Acides gras saturés	3,65 g
Cholestérol	20,13 mg
Fibres	1,84 g

SALADE DE CHOU AUX DATTES ET AUX POMMES

Dans cette recette, le mélange des trois espèces de choux crus assure le maximum de vitamine C, et vous aurez également une salade originale et très amusante.

INGRÉDIENTS

Pour 6-8 personnes
1/4 de petit chou blanc émincé
1/4 de petit chou rouge émincé
1/4 de petit chou vert émincé
175 g (6 oz) de dattes dénoyautées
3 pommes
le jus d'un citron
2 cuillerées à café de graines de carvi

Pour la sauce
4 cuillerées à soupe d'huile d'olive
1 cuillerée à soupe de vinaigre de cidre
1 cuillerée à café de miel liquide
sel et poivre noir du moulin

1 Émincez finement les choux et mettez-les dans un grand saladier.

2 Hachez grossièrement les dattes et ajoutez-les aux choux.

3 Coupez les pommes en quartiers, évidez le cœur et coupez-les en tranches. Placez-les dans un bol. Arrosez-les de jus de citron et mélangez pour que les tranches de pommes ne noircissent pas. Puis ajoutez-les aux choux.

4 Préparez la sauce : mettez l'huile, le vinaigre et le miel dans un bocal hermétique prévu à cet effet. Ajoutez le sel et le poivre, fermez et agitez bien. Versez la sauce sur la salade, remuez un peu, et saupoudrez de graines de carvi. Mélangez à nouveau.

> **ASTUCE**
> Choisissez trois pommes d'espèces différentes : votre salade sera encore plus savoureuse.

APPORT NUTRITIONNEL	
Par portion :	
Valeur énergétique	200 kcal ou 835 kJ
Lipides	8 g
Acides gras saturés	1 g
Cholestérol	0

SALADE CRAQUANTE AUX GERMES

Cette salade est d'un apport nutritionnel conséquent. De plus, elle est délicieuse, craquante et fraîche à souhait.

INGRÉDIENTS

Pour 4 personnes
2 pommes
115 g (4 oz) de germes de luzerne
115 g (4 oz) de germes de soja
115 g (4 oz) de germes de lentilles
1/4 de concombre émincé
1 bouquet de cresson équeuté et nettoyé

Pour la sauce
15 cl (1/4 pinte) de yogourt nature maigre
le jus d'1/2 citron
un bouquet de ciboulette ciselée
2 cuillerées à soupe de fines herbes ciselées
poivre noir fraîchement moulu

1 Coupez les pommes en quartiers, ôtez le cœur et émincez-les. Mélangez-les aux autres ingrédients de la salade.

2 Mélangez les ingrédients de la sauce dans un bol, puis versez sur la salade et mélangez bien avant de servir.

APPORT NUTRITIONNEL	
Par portion :	
Valeur énergétique	85 kcal ou 355 kJ
Lipides	1,5 g
Acides gras saturés	0,5 g
Cholestérol	1,5 mg

FATTOUSH

Cette salade nous vient du Moyen Orient. On la sert traditionnellement avec des croûtons de pain non levé disposés sur le dessus afin qu'ils s'imprègnent de sauce. C'est une excellente manière d'utiliser des pitas un peu rassises.

INGRÉDIENTS

Pour 4 personnes
2 pitas
1 laitue
1 poivron vert épépiné
1 morceau de concombre de 10 cm (4 in)
4 tomates
4 oignons frais
quelques olives noires pour garnir

Pour la sauce
4 cuillerées à soupe d'huile d'olive
3 cuillerées à soupe de jus de citron frais
2 gousses d'ail écrasées
3 cuillerées à soupe de persil frais finement ciselé
2 cuillerées à soupe de menthe fraîche finement ciselée
quelques gouttes de harissa ou de sauce chili (facultatif)
sel et poivre noir fraîchement moulu

ASTUCE
Toutes les salades conviennent à cette préparation, et pas seulement la laitue : essayez les pousses d'épinards ou la Trévise.

2 Disposez la laitue dans un grand saladier. Émincez le poivron vert, le concombre, les tomates et les oignons frais. Il faut que les morceaux soient à peu près tous de la même épaisseur. Ajoutez-les à la laitue et mélangez.

4 Juste avant de servir, versez la sauce sur la salade et mélangez bien. Disposez les morceaux de pitas sur le dessus, et garnissez avec des olives noires.

APPORT NUTRITIONNEL	
Par portion :	
Valeur énergétique	225 kcal ou 935 kJ
Lipides	13 g
Acides gras saturés	2 g
Cholestérol	0

1 Faites griller les pitas des deux côtés. Il faut qu'elles soient dorées et croustillantes. Coupez-les en gros carrés et réservez.

3 Préparez la sauce : mélangez tous les ingrédients dans un bocal hermétique et secouez-le.

SALADE BIEN VERTE

Vous pouvez préparer cette délicieuse salade, même en hiver si vous utilisez des légumes importés ou surgelés. Elle n'en sera pas moins appétissante, saine et fort originale.

INGRÉDIENTS

Pour 4 personnes

175 g (6 oz) de fèves
115 g (4 oz) de haricots verts ou cocos coupés en morceaux
115 g (4 oz) de pois mange-tout
8 à 10 petites feuilles de menthe fraîche
3 petits oignons frais émincés
4 cuillerées à soupe d'huile d'olive
1 cuillerée à soupe de vinaigre de cidre
1 cuillerée à soupe de menthe fraîche ciselée ou 1 cuillerée à café de menthe séchée
1 gousse d'ail écrasée
sel et poivre noir fraîchement moulu

1 Plongez les fèves dans une casserole d'eau bouillante, et amenez à ébullition. Ôtez la casserole du feu immédiatement, et rafraîchissez les fèves sous l'eau froide. Égouttez. Faites de même avec les haricots verts et les pois mange-tout.

APPORT NUTRITIONNEL	
Par portion :	
Valeur énergétique	153 kcal ou 635 kJ
Lipides	11,5 g
Acides gras saturés	1,65 g
Cholestérol	0

2 Mélangez les fèves, les pois et les haricots, ajoutez les feuilles de menthe et les oignons frais.

3 Battez ensemble l'huile d'olive, le vinaigre, la menthe et l'ail. Salez et poivrez, puis versez cette sauce sur la salade et mélangez. Réfrigérez.

SALADE DE CREVETTES À LA MANGUE ET AUX TOMATES

Pour 4 personnes
1 grosse mangue
225 g (8 oz) de grosses crevettes roses
cuites et décortiquées
16 petites tomates cerises
menthe fraîche pour garnir

Pour la sauce
1 cuillerée à soupe de vinaigre de vin blanc
1/2 cuillerée à café de miel liquide
1 cuillerée à soupe de chutney de mangue
1 cuillerée à soupe de menthe fraîche
1 cuillerée à soupe de citronnelle hachée
3 cuillerées à soupe d'huile d'olive
sel et poivre noir fraîchement moulu

APPORT NUTRITIONNEL	
Par portion :	
Valeur énergétique	230 kcal ou 960 kJ
Lipides	10 g
Acides gras saturés	1,5 g
Cholestérol	5,5 mg

1 À l'aide d'un couteau bien aiguisé, épluchez la mangue, dénoyautez-la et coupez-la en petits dés. Mélangez-la ensuite dans un bol avec les crevettes et les tomates cerises. Mélangez délicatement et mettez au frais.

2 Préparez la sauce : mélangez dans un bol le vinaigre, le miel liquide, le chutney et les herbes. Incorporez progressivement l'huile, puis salez et poivrez à votre goût.

3 Versez le mélange de crevettes dans la sauce et mélangez délicatement, puis répartissez dans les assiettes de service. Garnissez avec des feuilles de menthe fraîche et servez.

ASTUCE
Si vous utilisez des crevettes congelées, faites-les dégeler dans une passoire, puis épongez-les bien avec du papier absorbant sinon l'eau qu'elles rendent diluerait la sauce de la salade, et celle-ci serait moins parfumée.

SALADE DE POULET AUX AIRELLES

Pour 4 personnes
4 blancs de poulet d'un poids total
  d'environ 675 g (1 1/2 lb)
30 cl (1 1/4 tasse) de bouillon de viande,
  ou de bouillon mélangé à du vin blanc
fines herbes
200 g (7 oz) de salade mélangée
50 g (2 oz) de noix ou noisettes concassées

Pour la sauce
2 cuillerées à soupe d'huile d'olive
1 cuillerée à soupe d'huile de noix ou
  de noisettes
1 cuillerée à soupe de vinaigre
  de framboise ou de vin rouge
2 cuillerées à soupe d'airelles au naturel
sel et poivre fraîchement moulu

1 Ôtez la peau des blancs de poulet. Dans un faitout à bords bas, versez le bouillon. Ajoutez les herbes et amenez le liquide à ébullition. Quand il frémit, pochez-y les blancs de poulet que vous laisserez cuire 15 minutes environ. Il faut qu'ils soient bien cuits. Vous pouvez aussi conserver la peau et les mettre sur le gril du four ou les faire rôtir. Ôtez la peau une fois cuits.

2 Répartissez la salade sur quatre assiettes. Émincez les morceaux de poulet et disposez-les sur chaque assiette, en gardant les tranches bien rapprochées, comme vous le voyez ci-contre.

3 Préparez la sauce en mélangeant tous les ingrédients dans un bocal hermétique. Arrosez chaque assiette d'un peu de sauce, et saupoudrez avec les noix ou les noisettes.

APPORT NUTRITIONNEL	
Par portion :	
Valeur énergétique	365 kcal ou 1 530 kJ
Lipides	22 g
Acides gras saturés	3,5 G
Cholestérol	64,5 mg

SALADE AUX POIRES

INGRÉDIENTS

Pour 4 personnes

2 *courgettes râpées*
2 *avocats*
2 *poires bien mûres*
1 *grosse carotte*

Pour la sauce

25 *cl (1 tasse) de yogourt nature maigre*
4 *cuillerées à soupe de mayonnaise allégée*
zeste d'un citron râpé
8 *à 10 oignons frais émincés*
2 *cuillerées à soupe de menthe fraîche ciselée*
poivre noir fraîchement moulu
4 *feuilles de menthe pour garnir*

1 Répartissez les courgettes râpées dans quatre assiettes de service.

2 Coupez les avocats en deux, enlevez les noyaux, et pelez-les. Coupez encore en deux dans le sens de la longueur. Enlevez les cœurs des poires et émincez-les. Disposez les avocats et poires sur les courgettes râpées.

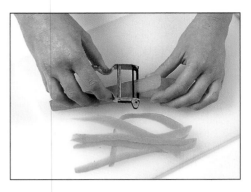

3 Épluchez la carotte. À l'aide d'un économe, découpez de fines lanières.

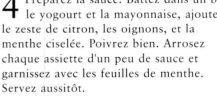

4 Préparez la sauce. Battez dans un bol le yogourt et la mayonnaise, ajoutez le zeste de citron, les oignons, et la menthe ciselée. Poivrez bien. Arrosez chaque assiette d'un peu de sauce et garnissez avec les feuilles de menthe. Servez aussitôt.

ASTUCE

Si vous voulez préparer cette salade à l'avance, arrosez les morceaux d'avocat de jus de citron pour qu'ils ne s'oxydent pas.

APPORT NUTRITIONNEL

Par portion :

Valeur énergétique	260 kcal ou 1 090 kJ
Lipides	19,5 g
Acides gras saturés	3 g
Cholestérol	2,5 g

SALADE DES QUATRE SAISONS

Les salades de légumes frais sont très riches en vitamine C. Ajoutez-y des aliments protéinés et servez-les avec un bon pain complet frais. Vous aurez un repas de déjeuner équilibré et délicieux.

— INGRÉDIENTS —

Pour 4 personnes
4 feuilles de chicorée
115 g (4 oz) de haricots verts à peine cuits
un tronçon de concombre de 7,5 cm (3 in) coupé en bâtonnets
6 tomates cerises
1 œuf dur coupé en deux

Salade de carottes et radis
2 carottes
2 radis
1 cuillerée à soupe de noix et noisettes concassées

Salade de betteraves et oignons
2 ou 3 betteraves cuites et coupées en tranches
1 cuillerée à soupe de vinaigre de vin ou balsamique
2 ou 3 oignons frais finement hachés
2 cuillerées à soupe de persil frais ciselé

Salade de champignons au thym
75 g (3 oz) de petits champignons de Paris émincés
2 cuillerées à soupe de jus de citron
1 cuillerée à soupe de thym effeuillé

Salade de haricots au thon
90 g (3 1/2 oz) de thon à l'huile en conserve
200 g (7 oz) de haricots blancs en conserve
1/2 oignon rouge finement émincé
2 cuillerées à soupe de persil frais ciselé

— APPORT NUTRITIONNEL —

Par portion :	
Valeur énergétique	405 kcal ou 1 690 kJ
Lipides	13,5 g
Acides gras saturés	2,5 g
Cholestérol	122,5 g

1 Râpez les carottes et les radis. Dans un bol, mélangez-les avec les noix.

2 Arrosez les betteraves de vinaigre, ajoutez les oignons frais et le persil, mélangez.

3 Mélangez les champignons avec le jus de citron et le thon.

4 Égouttez le thon et les haricots, mettez-les dans un bol, et ajoutez l'oignon et le persil. Mélangez.

5 Répartissez les feuilles de chicorée sur deux grandes assiettes plates. Disposez une portion de chaque salade sur les feuilles, en les arrangeant joliment et en les séparant avec les haricots verts, les bâtonnets de concombre, les tomates et l'œuf dur. Servez avec du pain complet.

SALADE AUX AGRUMES ET CROÛTONS

Des croûtons de pain complet ajoutent une note croustillante délicieuse à une salade. Les kumquats ou les quartiers d'orange lui donneront un parfum original, tout en assurant un solide apport en vitamine C.

— INGRÉDIENTS —

Pour 4-6 personnes

4 kumquats ou deux oranges sans pépins
200 g (7 oz) de salade verte mélangée
4 tranches de pain complet débarrassées
de leur croûte
3 cuillerées à soupe de pignons de pin
légèrement grillés

Pour la sauce

zeste râpé d'un citron et 1 cuillerée
à soupe de son jus
3 cuillerées à soupe d'huile d'olive
1 cuillerée à soupe de moutarde
à l'ancienne
1 gousse d'ail écrasée

1 Émincez finement les kumquats ou épluchez les oranges et séparez-en les quartiers.

APPORT NUTRITIONNEL

Par portion :

Valeur énergétique	250 kcal ou 1 000 kJ
Lipides	15 g
Acides gras saturés	2 g
Cholestérol	0

2 Recoupez les feuilles de salade pour qu'elles ne soient pas trop grandes, et mélangez-les dans un grand saladier.

3 Faites griller les tranches de pain sur les deux côtés, et détaillez-les en petits cubes. Dispersez-les sur la salade ainsi que les lamelles de kumquats ou les quartiers d'oranges.

4 Mélangez les ingrédients de la sauce dans un bocal hermétique. Versez-la sur la salade juste avant de servir, et agrémentez de pignons de pin.

SALADE DE HARICOTS À LA TOMATE

Les légumineuses sont une source très riche de protéines et de sels minéraux.

— INGRÉDIENTS —

Pour 4 personnes

115 g (4 oz) de haricots verts
425 g (15 oz) de haricots mélangés en
conserve, égouttés et rincés
2 tiges de céleri finement hachées
1 petit oignon finement haché
3 tomates concassées
4 cuillerées à soupe de persil frais haché
pour garnir

Pour la sauce

3 cuillerées à soupe d'huile d'olive
2 cuillerées à café de vinaigre de vin rouge
1 gousse d'ail écrasée
1 cuillerée à soupe de confiture de tomate
sel et poivre noir fraîchement moulu

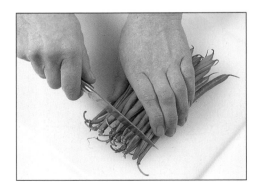

1 Équeutez les haricots verts, puis faites-les cuire 5 à 6 minutes dans de l'eau bouillante salée (pour la cuisson à la vapeur, prévoir 10 minutes). Il faut qu'ils soient tendres. Égouttez-les et rafraîchissez-les sous l'eau froide avant de les couper en trois.

2 Dans un grand saladier, mélangez les haricots verts et ceux en conserve. Ajoutez le céleri, l'oignon et les tomates. Remuez pour mélanger.

3 Mélangez les ingrédients de la sauce dans un bocal hermétique et versez sur la salade. Agrémentez de persil haché.

ASTUCE

Dans les conserves de haricots mélangés, on trouve des pois chiches, des lentilles, des haricots rouges, des germes de soja, etc. Choisissez des haricots en conserve plutôt que secs car ces derniers devront cuire très longtemps après avoir trempé toute une nuit.

APPORT NUTRITIONNEL

Par portion :

Valeur énergétique	175 kcal ou 740 kJ
Lipides	9,5 g
Acides gras saturés	1,5 g
Cholestérol	0

DESSERTS CHAUDS

Les desserts sont souvent synonymes de plats riches,
crémeux, sucrés et très énergétiques,
dont la dégustation est malheureusement proscrite
dans une alimentation à faible teneur en lipides.
Pourtant, cet obstacle se contourne aisément,
et il n'est rien de plus facile que de préparer
de délicieux desserts, pauvres en lipides,
mais qui raviront les gourmets les plus difficiles.
Comment résister, en effet, au pudding de couscous
aux raisins de Smyrne, aux pommes au four au miel
et au citron ou aux paniers de myrtilles et à l'orange,
entre autres délices présentés dans ce chapitre?

CRUMBLE AUX FRAISES ET AUX POMMES

Cette variante, très riche en fibres, du traditionnel crumble aux pommes est beaucoup plus légère. On peut remplacer les fraises par des framboises.

INGRÉDIENTS

Pour 4 personnes

450 g (1 lb) de pommes à cuire
150 g (5 oz) de fraises
2 cuillerées à soupe de sucre en poudre
1/2 cuillerée à café de cannelle en poudre
2 cuillerées à soupe de jus d'orange
crème anglaise ou yaourt, pour servir

Pour le crumble

3 cuillerées à soupe de farine complète
50 g (2 oz) de porridge
25 g de pâte à tartiner allégée

1 Préchauffer le four à 180 °C (350 °F). Pelez, évidez et coupez les pommes en tranches. Coupez les fraises en deux.

APPORT NUTRITIONNEL

Par portion :

Calories	182 kcal/785 kJ
Lipides	4 g
Acides gras saturés	0,73 g
Cholestérol	0,5 mg
Fibres	3,87 g

2 Mélangez ensemble les pommes, les fraises, le sucre, la cannelle et le jus d'orange. Disposez le tout dans un plat à four de 1,2 litre (2 pt) ou dans quatre ramequins.

3 Mélangez la farine et le porridge dans un saladier, puis incorporez la pâte à tartiner avec une fourchette.

4 Parsemez le dessus des pommes avec le crumble. Faites cuire au four pendant 40 à 45 minutes (de 20 à 25 minutes pour les ramequins individuels), jusqu'à ce que le dessus prenne une couleur brun doré. Servez chaud accompagné de crème anglaise ou de yaourt.

PUDDING DE COUSCOUS AUX RAISINS DE SMYRNE

La plupart des semoules de couscous sont vendues aujourd'hui précuites. Pour vous en assurer, vérifiez les instructions portées sur le paquet. Servez chaud, accompagné de yaourt ou de crème anglaise au lait écrémé.

INGRÉDIENTS

Pour 4 personnes
50 g (2 oz) de raisins de Smyrne
47,5 cl (16 fl oz) de jus de pomme
90 g (3 1/2 oz) de couscous
1/2 cuillerée à café d'épices mélangées
(pour pâtisserie)

1 Graissez légèrement quatre petits moules de 25 cl (8 fl oz) ou un moule à manqué de 1 litre (1 3/4 pt). Mettez les raisins de Smyrne et le jus de pomme dans une casserole.

2 Portez le jus de pomme à ébullition, puis couvrez la casserole et laissez mijoter, à feu doux, pendant 2 à 3 minutes, pour faire gonfler les raisins. Avec une écumoire, prélevez-en la moitié et mettez-la au fond du moule à manqué.

3 Ajoutez le couscous et le mélange d'épices, puis portez de nouveau à ébullition, tout en remuant. Couvrez et laissez mijoter, à feu doux, pendant 8 à 10 minutes, jusqu'à la complète absorption du liquide.

4 Transférez le couscous dans le moule, égalisez le dessus avec une cuillère, puis couvrez le moule avec du papier aluminium. Faites cuire, au bain-marie, à couvert, pendant 30 minutes. Décollez les bords du pudding avec un couteau, retournez-le délicatement sur un plat et servez.

> **ASTUCE**
> On peut remplacer les raisins de Smyrne par des abricots ou des poires séchés (que l'on aura fait préalablement tremper), et le jus de pomme par du jus d'ananas ou du jus d'orange naturel.

APPORT NUTRITIONNEL

Par portion :

Calories	130,5 kcal/555 kJ
Lipides	0,40 g
Acides gras saturés	0
Cholestérol	0
Fibres	0,25 g

CROQUANT AUX POMMES

Ce pudding familial, économique, permet d'utiliser des restes de pain rassis – de préférence du pain complet.

── INGRÉDIENTS ──

Pour 4 personnes

450 g (1 lb) de pommes à cuire
75 g (3 oz) de pain complet
115 g (4 oz) de fromage blanc
3 cuillerées à soupe de cassonade
20 cl (7 fl oz) de lait demi-écrémé
1 cuillerée à café de sucre roux

── APPORT NUTRITIONNEL ──

Par portion :

Calories	172,5 kcal/734,7 kJ
Lipides	2,5 g
Acides gras saturés	1,19 g
Cholestérol	7,25 mg
Fibres	2,69 g

1 Faites préchauffer le four à 220 °C (425 °F). Pelez les pommes, évidez-les et coupez-les en quartiers.

2 Coupez les pommes en morceaux de taille égale, d'environ 1 cm (1/2 po) de largeur.

3 Retirez la croûte du pain, puis coupez la mie en dés de 1 cm (1/2 po).

4 Mélangez ensemble les pommes, le pain, le fromage blanc et la cassonade.

5 Incorporez le lait, puis transférez le mélange dans un grand plat à four. Saupoudrez de sucre roux.

6 Faites cuire au four de 30 à 35 minutes. Le dessus doit être brun doré et cloquer. Servez chaud.

ASTUCE
Vous devrez peut-être ajuster la quantité de lait en fonction du pain, plus ou moins sec. Plus il sera rassis, plus il absorbera le lait.

POMMES AU FOUR AU MIEL ET AU CITRON

Un mélange de saveurs traditionnel pour ce dessert familial. Servez chaud, accompagné d'une crème anglaise au lait écrémé ou de yaourt glacé maigre.

APPORT NUTRITIONNEL	
Par portion :	
Calories	61 kcal/259,5 kJ
Lipides	1,62 g
Acides gras saturés	0,42 g
Cholestérol	0,25 mg

INGRÉDIENTS

Pour 4 personnes

4 pommes à cuire de grosseur moyenne
1 cuillerée à soupe de miel liquide
le zeste râpé et le jus de 1 citron
1 cuillerée à soupe de pâte à tartiner
  allégée
crème anglaise au lait écrémé, pour servir

1 Faites préchauffer le four à 180 °C (350 °F). Évidez les pommes, mais laissez-les entières.

2 Avec un couteau pointu ou un épluche-légumes, dessinez des lignes à intervalles réguliers sur la peau des pommes. Rangez les pommes dans un plat à four.

3 Mélangez le miel, le zeste et le jus de citron et la pâte à tartiner.

4 Versez le mélange sur les pommes et couvrez le plat avec du papier aluminium ou un couvercle. Laissez cuire au four de 40 à 45 minutes. Servez avec une crème anglaise au lait écrémé.

CRÊPES AUX POMMES ET AUX CASSIS

Ces crêpes à la farine complète sont fourrées d'un délicieux mélange de fruits.

INGRÉDIENTS

Pour 10 personnes

115 g (4 oz) de farine complète
30 cl (1/2 pt) de lait écrémé
1 œuf, battu
1 cuillerée à soupe d'huile de tournesol,
  plus 1 cuillerée pour graisser le plat
crème fraîche allégée, pour servir
  (facultatif)
cacahuètes ou graines de sésame grillées,
  pour décorer (facultatif)

Pour la garniture

450 g (1 lb) de pommes à cuire
225 g (8 oz) de cassis
2 cuillerées à soupe de sucre roux

1 Pour préparer la pâte à crêpes, versez la farine en pluie dans une terrine et faites un puits au centre.

2 Ajoutez un peu de lait avec l'œuf et l'huile. Délayez à la spatule en faisant tomber la farine dans le liquide, puis incorporez peu à peu le reste de lait, en battant bien pour éviter la formation de grumeaux. Couvrez la pâte et laissez reposer au réfrigérateur pendant que vous préparez la garniture aux fruits.

> ASTUCE
> Vous pouvez remplacer pommes et cassis par d'autres mélanges de fruits.

3 Coupez les pommes en quartiers, pelez-les et évidez-les. Mettez-les dans une casserole, puis ajoutez les cassis et l'eau. Couvrez et laissez cuire, à feu doux, pendant 10 à 15 minutes. Pendant la cuisson, incorporez le sucre roux.

APPORT NUTRITIONNEL

Par portion :

Calories	120 kcal/505 kJ
Lipides	3 g
Acides gras saturés	0,5 g
Cholestérol	25 mg

4 Graissez légèrement une poêle avec une goutte d'huile. Faites-la chauffer, versez 1/2 louche de pâte et inclinez la poêle pour napper régulièrement le fond. Au bout de quelques secondes, décollez les bords de la crêpe avec une spatule et retournez-la. Faites-la glisser sur un morceau de papier absorbant et gardez au chaud pendant que vous préparez les autres crêpes.

5 Fourrez les crêpes avec la garniture aux pommes et aux cassis, et roulez-les. Servez avec une cuillerée de crème fraîche, et saupoudrez de cacahuètes et de graines de sésame à votre convenance.

SOUFFLÉS D'ABRICOTS À LA CANNELLE

Les soufflés ont la réputation d'être difficiles à préparer. Rien n'est plus faux. En outre, comme ici, leur apport calorique est particulièrement faible.

INGRÉDIENTS

Pour 4 personnes

3 œufs
115 g (4 oz) de pâte d'abricots
le zeste finement râpé de 1/2 citron
1 cuillerée à café de cannelle en poudre
cannelle, pour décorer

APPORT NUTRITIONNEL

Par portion :

Calories	102 kcal/429 kJ
Lipides	4,97 g
Acides gras saturés	1,42 g
Cholestérol	176,25 mg
Fibres	0

1 Faites préchauffer le four à 190 °C (375 °F). Graissez légèrement quatre petits moules à soufflé, puis saupoudrez-les avec un peu de farine.

2 Cassez les œufs en séparant les blancs des jaunes. Mettez les jaunes dans une terrine avec la pâte d'abricots, le zeste et la cannelle.

3 Fouettez énergiquement jusqu'à ce que le mélange épaississe.

4 Mettez les blancs dans une autre terrine, très propre, et battez-les jusqu'à ce qu'ils soient montés en neige bien ferme.

5 Avec une grande cuillère ou une spatule, incorporez délicatement les blancs à la préparation aux abricots.

6 Répartissez le mélange dans les quatre moules et faites cuire au four pendant 10 à 15 minutes. Les soufflés doivent gonfler suffisamment et prendre une belle couleur brun doré. Servez immédiatement, en saupoudrant avec un peu de cannelle.

ASTUCE
On peut remplacer la pâte d'abricots par de la purée de fruits frais ou en boîte. Assurez-vous toutefois que le mélange n'est pas trop liquide, cela empêcherait le soufflé de monter correctement.

ÎLES FLOTTANTES SUR COMPOTE DE PRUNES

Un entremets différent, beaucoup plus simple à réaliser qu'il n'y paraît. La compote de prunes peut être faite à l'avance et réchauffée juste avant de cuire les meringues.

INGRÉDIENTS

Pour 4 personnes

450 g (1 lb) de prunes rouges

30 cl (1 1/4 tasse) de jus de pomme

2 blancs d'œufs

2 cuillerées à soupe de jus de pomme concentré

noix muscade fraîchement râpée

APPORT NUTRITIONNEL

Par portion :	
Valeur énergétique	90 Cal ou 380 kJ
Lipides	0,30 g
Acides gras saturés	0
Cholestérol	0
Fibres	1,69 g

2 Portez à ébullition. Couvrez. Laissez doucement mijoter jusqu'à ce que les prunes soient bien cuites.

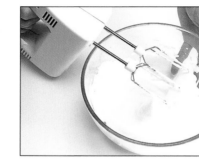

3 Entre-temps, mettez les blancs d'œufs dans un bol propre et sec. Montez-les en neige.

1 Coupez les prunes en deux et dénoyautez-les. Mettez-les dans une grande casserole avec le jus de pomme.

4 Incorporez lentement le jus de pomme concentré. Continuez de battre jusqu'à obtenir une neige très ferme.

5 Plongez des cuillerées de blancs en neige dans la compote de prunes frémissante. Il vous faudra peut-être cuire les meringues en deux fois.

6 Couvrez. Laissez mijoter doucement jusqu'à ce que les meringues aient pris. Parsemez de noix muscade fraîchement râpée. Servez aussitôt.

NOTE

Il est toujours utile de disposer d'une bouteille de jus de pomme concentré pour sucrer les aliments. Mais si vous n'en avez pas, remplacez-le par un peu de miel.

Pêches en treillis

Ingrédients

Pour 6 personnes
Pour la pâte
115 g (4 oz) de farine
3 cuillerées à soupe de beurre ou
de margarine
3 cuillerées à soupe de yogourt nature 0 %
2 cuillerées à soupe de jus d'orange
lait écrémé pour coller et glacer la pâte

Pour la garniture aux fruits
3 pêches mûres ou 3 nectarines
3 cuillerées à soupe de poudre d'amandes
2 cuillerées à soupe de yogourt nature 0 %
le zeste râpé d'une petite orange
1/4 de cuillerée à café d'extrait d'amande

Pour le coulis de fruit
1 pêche ou 1 nectarine bien mûre
3 cuillerées à soupe de jus d'orange

Apport nutritionnel

Par portion :	
Valeur énergétique	192 kcal ou 806 kJ
Lipides	9,6 g
Acides gras saturés	4,07 g
Cholestérol	5,92 mg

1 Disposez la farine en puits dans un saladier et, en travaillant avec le bout des doigts, incorporez le beurre, ensuite le yogourt, puis le jus d'orange. Votre pâte doit être ferme et lisse.

2 Étalez la moitié de la pâte et découpez des cercles d'environ 7,5 cm de diamètre. Placez-les sur une tôle du four légèrement graissée.

3 Épluchez les pêches ou les nectarines et coupez-les en deux. Mélangez les ingrédients de la garniture. Remplissez chaque moitié de fruit.

4 Disposez les fruits sur les ronds en pâte, farce contre pâte. Découpez de fins rubans de pâte et disposez-les sur les fruits, à la manière d'un treillis. Enduisez-les de lait avec un pinceau pour que les morceaux de pâte collent entre eux. Réfrigérez 30 minutes.

5 Préchauffez le four à 200 °C (400 ° F). Enduisez de nouveau les treillis de pâte avec le lait. Enfournez et laissez cuire 15 minutes.

6 Préparez le coulis. Épluchez la pêche ou la nectarine, coupez-la en deux et enlevez le noyau. Passez au mixeur avec le jus d'orange jusqu'à obtenir une purée bien lisse. Servez chaud avec le coulis de fruits froid.

PANIERS AUX MYRTILLES ET À L'ORANGE

Impressionnez vos invités avec ces succulentes crêpes garnies de fruits. Vous pouvez remplacer les myrtilles par des framboises.

INGRÉDIENTS

Pour 6 personnes

150 g (5 oz) de farine
une pincée de sel
2 blancs d'œufs
20 cl (7 fl oz) de lait écrémé
15 cl (1/4 pt) de jus d'orange
huile à friture
yaourt ou crème fraîche allégée, pour servir

Pour la farce

4 oranges de grosseur moyenne
225 g (8 oz) de myrtilles

1 Faites préchauffer le four à 200 °C (400 °F). Pour préparer la pâte à crêpes, versez la farine en pluie dans une terrine en lui ajoutant une pincée de sel, et faites un puits au centre. Incorporez les blancs d'œufs, le lait et le jus d'orange. Battez vigoureusement, jusqu'à la complète absorption du liquide et pour éviter la formation de grumeaux.

2 Graissez légèrement une poêle. Faites-la bien chauffer, versez 1/2 louche de pâte et inclinez la poêle pour napper régulièrement le fond.

3 Dès que la crêpe est dorée, décollez-en les bords avec une spatule et retournez-la. Faites-la glisser sur un morceau de papier absorbant et préparez 6 à 8 autres crêpes.

4 Rangez six petits moules dans la lèchefrite du four et mettez les crêpes dedans. Faites-les cuire pendant 10 minutes, jusqu'à ce qu'elles soient croustillantes et qu'elles aient pris forme. Retirez les « paniers » des moules.

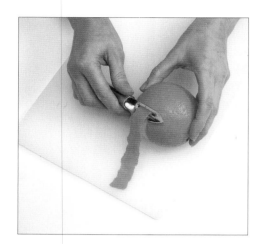

5 Prélevez le zeste d'une orange et coupez-le en fine julienne. Faites blanchir les morceaux dans l'eau bouillante pendant 30 secondes, puis rincez-les à l'eau froide et réservez. Pelez soigneusement les oranges en retirant toutes les membranes blanchâtres.

6 Divisez les oranges en pétales, en recueillant le jus dans une casserole, puis mélangez aux myrtilles et faites chauffer à feu doux. Répartissez les fruits dans les paniers et décorez avec les morceaux de zeste d'orange. Servez accompagné de yaourt ou de crème fraîche allégée.

ASTUCE

Ne remplissez les paniers qu'au moment de servir, pour éviter qu'ils n'absorbent le jus des fruits et ne ramollissent.

APPORT NUTRITIONNEL	
Par portion :	
Calories	157,3 kcal/668,3 kJ
Lipides	2,20 g
Acides gras saturés	0,23 g
Cholestérol	0,66 mg
Fibres	2,87 g

Pie filo à la rhubarbe

La pâte filo est pauvre en lipides. Conservez-en toujours un paquet au congélateur. Vous pourrez ainsi confectionner des desserts originaux comme ce pie à la rhubarbe.

Ingrédients

Pour 6 personnes
500 g (1 1/4 lb) de rhubarbe
1 cuillerée à café d'épices mélangées
le zeste finement râpé et le jus de 1 orange
1 cuillerée à soupe de sucre en poudre
15 g (1/2 oz) de beurre
3 feuilles de pâte filo

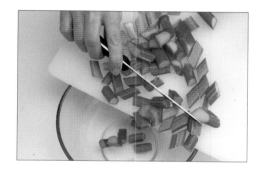

1 Faites préchauffer le four à 200 °C (400 °F). Coupez la rhubarbe en tronçons de 2 cm (1 po) et mettez-les dans un saladier.

2 Ajoutez le mélange d'épices, le zeste et le jus d'orange et le sucre. Mettez la rhubarbe dans un plat à gratin de 1 litre (1 3/4 pt).

Apport nutritionnel

Par portion :	
Calories	71 kcal/299 kJ
Lipides	2,5 g
Acides gras saturés	1,41 g
Cholestérol	5,74 mg
Fibres	1,48 g

3 Faites fondre le beurre et badigeonnez-en la pâte. Recouvrez la rhubarbe avec la pâte, le côté beurré vers le haut, en la chiffonnant légèrement.

4 Mettez le plat sur une plaque à four et faites cuire pendant 10 minutes. Lorsque le gâteau est brun doré, réduisez le feu à 180 °C (350 °F) et faites cuire encore 10 à 15 minutes. La rhubarbe doit être bien cuite.

Variante
On peut utiliser d'autres fruits pour préparer ce dessert.

POIRES AU VIN

Les poires pochées dans du vin rosé et des épices absorbent toutes les saveurs et prennent une jolie couleur rose pâle.

INGRÉDIENTS

Pour 6 personnes

6 poires bien fermes
30 cl (1/2 pt) de vin rosé
15 cl (1/4 pt) de jus d'airelles ou de pomme
zeste de 1 orange
1 bâton de cannelle
4 clous de girofle
1 feuille de laurier
5 cuillerées à soupe de sucre en poudre
petites feuilles de laurier, pour décorer

3 Faites chauffer, à feu doux, en remuant constamment, jusqu'à dissolution du sucre. Rangez les poires dans la casserole en les faisant tenir bien droites. Versez suffisamment d'eau pour qu'elles soient entièrement recouvertes. Couvrez et laissez cuire, à feu doux, pendant 20 à 30 minutes, en les tournant et en les badigeonnant de temps en temps.

6 Tamisez le sirop et versez-le sur les poires. Servez chaud ou glacé, décoré avec les feuilles de laurier.

APPORT NUTRITIONNEL

Par portion :

Calories	148 kcal/620 kJ
Lipides	0,16 g
Acides gras saturés	0
Fibres	2,93 g

1 Pelez finement les poires avec un épluche-légumes en prenant soin de conserver la queue.

4 Avec une écumoire, retirez délicatement les poires du sirop et transférez-les dans un plat de service.

ASTUCE

Pour vérifier si les poires sont cuites, piquez-les avec une brochette vers la fin de la cuisson. Servez immédiatement, ou laissez refroidir dans le sirop puis mettez à glacer.

2 Versez le vin et le jus d'airelles ou de pomme dans une grande casserole à fond épais. Ajoutez le zeste d'orange, le bâton de cannelle, les clous de girofle, la feuille de laurier et le sucre.

5 Portez le sirop à ébullition, et laissez bouillir pendant 5 à 10 minutes. Le sirop doit réduire de moitié.

POMMES AU FOUR MERINGUÉES

INGRÉDIENTS

Pour 4 personnes

4 pommes à cuire

*6 cuillerées à soupe de marmelade
d'oranges*

2 blancs d'œufs

4 cuillerées à soupe de sucre en poudre

1 Préchauffez le four à 180 °C (350 °F).
Videz le centre des pommes sans les peler.
Avec un couteau effilé, incisez la peau de
chaque pomme en son milieu.

2 Rangez les pommes dans un plat à gratin.
Remplissez le vide de chacune d'elles avec
une cuillerée à soupe de marmelade. Couvrez.
Faites cuire au four pendant 35 à 40 minutes.

3 Dans un bol, montez les blancs d'œufs en
neige ferme. Incorporez le sucre, puis le
reste de marmelade.

4 Nappez chaque pomme d'une cuillerée de
blancs en neige. Remettez au four pendant
10 à 15 minutes, jusqu'à ce que les pommes
soient bien dorées. Servez chaud.

APPORT NUTRITIONNEL

Par portion :

Valeur énergétique	165 Cal ou 694 kJ
Lipides	0,16 g
Acides gras saturés	0
Cholestérol	0
Fibres	1,90 g

TARTE AUX FRAISES ET AUX POMMES

INGRÉDIENTS

Pour 4 à 6 personnes

*200 g (1 1/4 tasse) de farine de blé à
levure incorporée*

100 g (2/3 tasse) de farine d'avoine

*4 cuillerées à soupe de margarine au
tournesol*

2 grosses pommes à cuire

*300 g (2 tasses) de fraises coupées en
deux*

4 cuillerées à soupe de sucre en poudre

1 cuillerée à soupe de maïzena

1 Préchauffez le four à 200 °C (400 °F). Dans
une terrine, mélangez la farine de blé et la
farine d'avoine. Incorporez la margarine en
l'émiettant. Ajoutez juste assez d'eau froide
pour obtenir une pâte ferme. Pétrissez
légèrement pendant quelques minutes.

2 Abaissez la pâte. Disposez-la dans un
moule à tarte. Égalisez les bords. Piquez le
fond avec une fourchette, puis recouvrez de
papier sulfurisé lesté de haricots blancs.
Pétrissez les excédents de pâte, étalez au
rouleau et découpez des petits cœurs.

3 Faites précuire le fond de tarte pendant 10
à 15 minutes. Retirez le papier et les
haricots. Remettez au four pendant 10 à
15 minutes, jusqu'à ce que la pâte soit bien
dorée. Passez les petits cœurs au four.

4 Pelez les pommes, ôtez-en le trognon et
tranchez-les finement. Mettez les tranches
de pommes dans une casserole, avec les
fraises, le sucre et la maïzena. Couvrez.
Laissez mijoter en remuant de temps en temps,
jusqu'à ce que les fruits soient cuits. Garnissez
de ce mélange le fond de tarte et décorez avec
des petits cœurs.

APPORT NUTRITIONNEL

Par portion :

Valeur énergétique	382 Cal ou 1 602 kJ
Lipides	11,93 g
Acides gras saturés	2,18 g
Cholestérol	0,88 mg
Fibres	4,37 g

COMPOTE DORÉE AU GINGEMBRE

Un dessert chaleureux, parfumé aux épices, idéal pour les journées fraîches et les grands froids.

INGRÉDIENTS

Pour 4 personnes

300 g (2 tasses) de kumquats

220 g (1 1/4 tasse) d'abricots secs

2 cuillerées à soupe de raisins secs blonds

40 cl (1 2/3 tasse) d'eau

1 orange

1 petit morceau de racine de gingembre frais

4 gousses de cardamome

4 clous de girofle

2 cuillerées à soupe de miel liquide

1 cuillerée à soupe d'amandes grillées effilées

APPORT NUTRITIONNEL	
Par portion :	
Valeur énergétique	196 Cal ou 825 kJ
Lipides	2,84 g
Acides gras saturés	0,41 g
Cholestérol	0
Fibres	6,82 g

2 Prélevez le zeste de l'orange. Pelez et râpez le gingembre. Écrasez les gousses de cardamome. Ajoutez le tout dans la casserole, avec les clous de girofle.

1 Lavez les kumquats. S'ils sont gros, coupez-les en deux. Mettez-les dans une casserole avec les abricots et les raisins secs. Couvrez d'eau. Portez à ébullition.

3 Baissez le feu. Couvrez et laissez mijoter pendant environ 30 minutes, jusqu'à ce que les fruits soient bien cuits.

4 Pressez le jus de l'orange. Versez-le dans la casserole avec le miel. Parsemez d'amandes effilées. Servez chaud.

NOTE

Vous pouvez vous servir d'abricots secs prêts à la consommation mais, dans ce cas, réduisez la quantité de liquide à 30 cl (1 1/4 tasse) et laissez mijoter 5 minutes de plus.

BRUGNONS À LA RICOTTA

Un dessert facile à réaliser à tout moment de l'année : hors saison, utilisez des fruits en conserve.

INGRÉDIENTS

Pour 4 personnes

4 brugnons ou pêches bien mûrs

120 g (1/2 tasse) de ricotta

1 cuillerée à soupe de sucre en poudre roux

1/2 cuillerée à café d'anis étoilé en poudre

APPORT NUTRITIONNEL

Par portion :

Valeur énergétique	92 Cal ou 388 kJ
Lipides	3,27 g
Acides gras saturés	0
Cholestérol	14,38 mg
Fibres	1,65 g

1 Avec un couteau effilé, coupez les fruits en deux et dénoyautez-les.

3 Mettez la ricotta dans un bol. Incorporez le sucre en poudre. Avec une petite cuillère, déposez des quantités égales de ce mélange dans le creux de chaque moitié de fruit.

4 Parsemez d'anis étoilé. Passez sous un gril modérément chaud pendant 6 à 8 minutes, jusqu'à ce que les fruits soient bien chauds. Servez aussitôt.

2 Disposez les moitiés de fruits, la chair vers le haut, dans le fond d'un plat à gratin.

NOTE

L'anis étoilé apporte une saveur très parfumée. Si vous ne pouvez en trouver, remplacez-le par des clous de girofle ou du toute-épice en poudre.

COMPOTE DE FRUITS ROUGES

INGRÉDIENTS

Pour 4 personnes

4 prunes rouges coupées en deux

*300 g (2 tasses) de fraises coupées en
deux*

250 g (1 3/4 tasse) de framboises

2 cuillerées à soupe d'eau froide

2 cuillerées à soupe de sucre roux

1 bâton de cannelle

3 anis étoilés entiers

6 clous de girofle

APPORT NUTRITIONNEL

Par portion :	
Valeur énergétique	90 Cal ou 375 kJ
Lipides	0,32 g
Acides gras saturés	0
Cholestérol	0
Fibres	3,38 g

1 Mettez les fruits rouges dans une casserole à fond épais, avec l'eau et le sucre.

2 Ajoutez le bâton de cannelle, l'anis étoilé et les clous de girofle. Faites chauffer doucement, sans porter à ébullition, jusqu'à ce que le sucre ait fondu et que les fruits aient exprimé leurs jus.

3 Couvrez. Laissez les fruits infuser à feu très doux environ 5 minutes. Retirez les épices. Servez tiède avec du yaourt nature ou du fromage frais.

ROULÉ À LA RHUBARBE

INGRÉDIENTS

Pour 4 personnes

650 g (1 1/2 lb) de rhubarbe en rondelles

4 cuillerées à soupe de sucre cristallisé

3 cuillerées à soupe de jus d'orange

200 g (1 1/3 tasse) de farine

2 cuillerées à soupe de sucre glace

25 cl environ (1 tasse) de yaourt nature

zeste râpé de 1 orange moyenne

2 cuillerées à soupe de cassonade

1 cuillerée à café de gingembre en poudre

1 Préchauffez le four à 200 °C (400 °F). Dans une casserole, mettez la rhubarbe, le sucre cristallisé et le jus d'orange. Couvrez. Faites cuire jusqu'à ce que les fruits soient tendres. Versez dans un plat à gratin.

2 Dans un grand bol, mélangez la farine et le sucre glace. Ajoutez suffisamment de yaourt pour obtenir une pâte molle.

3 Abaissez sur un plan fariné pour former un carré d'environ 25 cm de côté. Mélangez le zeste d'orange, la cassonade et le gingembre. Parsemez la pâte de ce mélange.

4 Enroulez rapidement la pâte, puis coupez-la transversalement en une dizaine de tranches. Disposez-les sur la rhubarbe.

5 Mettez au four pendant 15 à 20 minutes, jusqu'à ce que les tranches de roulé aient bien gonflé et doré. Servez chaud avec du yaourt ordinaire ou glacé.

APPORT NUTRITIONNEL

Par portion :	
Valeur énergétique	320 Cal ou 1 343 kJ
Lipides	1,20 g
Acides gras saturés	0,34 g
Cholestérol	2 mg
Fibres	3,92 g

BEIGNETS À LA NOIX DE COCO

INGRÉDIENTS

Pour 4 personnes

Pour les beignets

80 g (1/3 tasse) de fromage blanc

1 blanc d'œuf

2 cuillerées à soupe de margarine allégée

1 cuillerée à soupe de sucre en poudre roux

2 cuillerées à soupe de farine complète à levure incorporée

zeste finement râpé de 1/2 citron

2 ou 3 cuillerées à soupe de noix de coco grossièrement râpée et grillée

Pour la sauce

240 g (8 oz) d'abricots en boîte au naturel

1 cuillerée à soupe de jus de citron

APPORT NUTRITIONNEL	
Par portion :	
Valeur énergétique	162 Cal ou 681 kJ
Lipides	9,50 g
Acides gras saturés	5,47 g
Cholestérol	33,69 mg
Fibres	2,21 g

1 Remplissez à moitié d'eau bouillante une casserole à panier vapeur et maintenez à ébullition ; ou bien, posez un plat résistant à la chaleur sur une casserole d'eau bouillante.

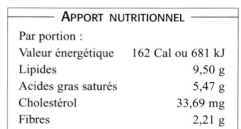

2 Dans un grand bol, fouettez le fromage blanc, le blanc d'œuf et la margarine.

3 Incorporez le sucre, la farine, le zeste de citron et la noix de coco. Mélangez bien pour obtenir une pâte relativement ferme.

4 Déposez 8 à 12 cuillerées de pâte dans le panier de cuisson ou sur le plat, en laissant un peu d'espace entre chaque beignet.

5 Couvrez hermétiquement le cuiseur ou le plat. Faites cuire à la vapeur pendant environ 10 minutes, jusqu'à ce que les beignets aient gonflé et soient fermes au toucher.

6 Entre-temps, préparez la sauce. Mettez les abricots dans le bol d'un mixer. Travaillez jusqu'à obtenir une purée lisse et homogène. Incorporez le jus de citron. Versez dans une petite casserole et faites chauffer jusqu'à ébullition. Servez avec les beignets, parsemé d'un peu de noix de coco.

CANAPÉS AUX ABRICOTS POCHÉS

INGRÉDIENTS

Pour 4 personnes

morceaux de zeste d'orange
225 g (8 oz) d'abricots secs
25 cl (1 tasse) de jus d'orange frais
1/2 cuillerée à café d'eau de fleur
d'oranger
2 petits pains ronds à la cannelle et aux
raisins
4 cuillerées à café de marmelade d'orange
allégée
4 cuillerées à soupe de crème fraîche
allégée ou de crème aigre
2 cuillerées à soupe de pistaches
concassées pour décorer

1 Coupez les zestes d'orange en fines lanières. Faites-les bouillir pour qu'ils s'assouplissent, puis égouttez-les et rafraîchissez-les sous l'eau froide.

2 Préchauffez le four à 160 °C (325 °F). Mettez les abricots dans une petite casserole, et arrosez-les avec le jus d'orange. Faites cuire doucement 10 minutes. Le jus doit prendre la consistance d'un sirop. Laissez refroidir, puis ajoutez l'eau de fleur d'oranger. Mettez les petits pains ronds sur la tôle du four et enfournez 5 à 10 minutes.

3 Coupez les petits pains en deux. Disposez une moitié sur chaque assiette de service, la croûte contre l'assiette. Tartinez l'autre côté avec la confiture d'orange.

APPORT NUTRITIONNEL	
Par portion :	
Valeur énergétique	260 kcal ou 1 090 kJ
Lipides	9 g
Acides gras saturés	4 g
Cholestérol	51,5 mg

4 Versez 1 cuillerée à soupe de crème fraîche ou aigre au milieu de chaque demi-pain, puis répartissez la préparation d'abricot à côté du pain. Saupoudrez celui-ci de zestes d'orange et de pistaches concassées, et servez immédiatement.

GRATIN DE PÊCHES

Un dessert rapide à préparer, doré et croustillant pour toute la famille.

INGRÉDIENTS

Pour 4 personnes

450 g (14 1/2 oz) de pêches en conserve
2 cuillerées à soupe de raisins secs blonds
1 bâton de cannelle
1 zeste d'orange découpé en ruban
2 cuillerées à soupe de margarine allégée
1 bol de flocons de maïs soufflé
1 cuillerée à soupe de graines de sésame

NOTE
Si vous n'avez pas de bâton de cannelle, saupoudrez de 1/2 cuillerée à café de cannelle en poudre.

APPORT NUTRITIONNEL	
Par portion :	
Valeur énergétique	184 Cal ou 772 kJ
Lipides	8,42 g
Acides gras saturés	4,26 g
Cholestérol	17,25 mg

1 Égouttez les pêches. Réservez-en le jus. Disposez les tranches de pêches dans le fond d'un plat à gratin.

2 Préchauffez le four à 200 °C (400 °F). Dans une casserole, mettez le jus des pêches, les raisins secs, le bâton de cannelle et le zeste d'orange. Portez à ébullition. Laissez mijoter à découvert pendant 3 à 4 minutes, afin que le jus réduise de moitié. Retirez la cannelle et le zeste d'orange. Nappez les pêches du sirop aux raisins secs.

3 Dans une petite casserole, faites fondre la margarine. Incorporez les flocons de maïs et les graines de sésame.

4 Étalez ce mélange sur les fruits. Faites cuire au four pendant 15 à 20 minutes, jusqu'à ce que la croûte soit bien dorée et très croustillante. Servez chaud.

TARTE AU FROMAGE ET AUX MÛRES

Une tarte au fromage allégée, à réaliser si possible avec des mûres sauvages ! Vous pouvez toutefois les remplacer par d'autres baies : framboises, myrtilles...

INGRÉDIENTS

Pour 5 personnes

180 g (3/4 tasse) de fromage blanc
8 cl (2/3 tasse) de yaourt nature maigre
1 cuillerée à soupe de farine complète
2 cuillerées à soupe de sucre en poudre roux
1 œuf
1 blanc d'œuf
zeste finement râpé et jus de 1/2 citron
300 g (2 tasses) de mûres

APPORT NUTRITIONNEL

Par portion :	
Valeur énergétique	94 Cal ou 394 kJ
Lipides	1,67 g
Acides gras saturés	1,03 g
Cholestérol	5,75 mg
Fibres	1,71 g

1 Préchauffez le four à 180 °C (350 °F). Graissez légèrement le fond d'un moule à tarte de 18 cm de diamètre. Recouvrez-le de papier sulfurisé.

2 Avec un mixer, travaillez le fromage blanc jusqu'à obtenir un mélange lisse et homogène.

3 Ajoutez le yaourt, la farine, le sucre, l'œuf et le blanc d'œuf. Mélangez bien. Ajoutez alors le zeste et le jus de citron, ainsi que les mûres. Réservez quelques mûres pour décorer.

4 Versez ce mélange dans le moule. Mettez au four pendant 30 à 35 minutes, jusqu'à ce que la pâte ait légèrement durci. Éteignez le four et laissez reposer pendant 30 minutes.

5 Avec un couteau, détachez la tarte des parois du moule. Démoulez.

6 Retirez le papier. Posez la tarte sur un plat préalablement chauffé. Décorez avec les quelques mûres réservées. Servez chaud.

NOTE

Si vous préférez utiliser des mûres en boîte, choisissez celles qui ont été conservées dans leur jus naturel. Égouttez bien les fruits avant de les ajouter au mélange de fromage. Le jus peut être servi avec la tarte, mais n'oubliez pas qu'il apporte des calories supplémentaires.

CLAFOUTIS AUX PRUNES

On peut ici remplacer les prunes par d'autres fruits de saison. Les cerises noires en conserve sont également très pratiques.

──────── INGRÉDIENTS ────────

Pour 4 personnes

450 g (1 lb) de prunes rouges bien mûres, coupées en quatre et dénoyautées

20 cl (7/8 tasse) de lait écrémé

4 cuillerées à soupe de lait écrémé en poudre

1 cuillerée à soupe de sucre en poudre roux

1 cuillerée à café d'extrait de vanille

90 g (3 oz) de farine à levure incorporée

2 blancs d'œufs

un peu de sucre glace pour saupoudrer

1 Préchauffez le four à 250 °C (425 °F). Badigeonnez légèrement d'huile un plat allant au four. Mettez-y les prunes.

2 Versez le lait, le lait en poudre, le sucre, la vanille, la farine et les blancs d'œufs dans le bol d'un mixer. Travaillez jusqu'à ce que vous obteniez une pâte onctueuse.

3 Versez cette préparation sur les prunes. Faites cuire au four pendant 25 à 30 minutes. La pâte doit être bien prise et dorée. Saupoudrez de sucre glace et servez chaud.

──── APPORT NUTRITIONNEL ────

Par portion :

Valeur énergétique	195 Cal ou 816 kJ
Lipides	0,48 g
Acides gras saturés	0,12 g
Cholestérol	2,80 mg
Fibres	2,27 g

PUDDING AUX ABRICOTS

Les puddings à l'anglaise sont souvent très riches en acides gras saturés. Celui-ci n'utilise qu'un minimum d'huile, et pas d'œufs.

──────── INGRÉDIENTS ────────

Pour 4 personnes

2 cuillerées à café de sirop d'érable

420 g (14 oz) d'oreillons d'abricots en conserve, dans leur jus

180 g (1 1/4 tasse) de farine à levure incorporée

90 g (1 1/2 tasse) de chapelure fraîche

150 g (2/3 tasse) de sucre en poudre roux

1 cuillerée à café de cannelle en poudre

2 cuillerées à soupe d'huile de tournesol

18 cl (3/4 tasse) de lait écrémé

1 Préchauffez le four à 180 °C (350 °F). Badigeonnez légèrement d'huile un bol à pudding. Versez-y le sirop.

2 Égouttez les abricots. Réservez-en le jus. Disposez environ 8 oreillons d'abricots dans le bol. Réduisez en purée le reste d'abricots avec le jus. Réservez.

3 Mélangez la farine, la chapelure, le sucre et la cannelle. Incorporez alors en fouettant l'huile et le lait. Versez dans le bol. Faites cuire au four pendant 50 à 55 minutes. Le pudding doit être ferme au toucher et bien doré. Démoulez. Servez avec la purée d'abricots.

──── APPORT NUTRITIONNEL ────

Par portion :

Valeur énergétique	364 Cal ou 1 530 kJ
Lipides	6,47 g
Acides gras saturés	0,89 g
Cholestérol	0,88 mg
Fibres	2,37 g

CRÊPES AUX CERISES

Pour 4 personnes

75 g (1/2 tasse) de farine blanche
50 g (1/3 tasse) de farine complète
1 pincée de sel
1 blanc d'œuf
16 cl (2/3 tasse) de lait écrémé
16 cl (2/3 tasse) d'eau
1 cuillerée à soupe d'huile de tournesol
1 petit bol de ricotta maigre

Pour la garniture

450 g (15 oz) de cerises noires en boîte
dans leur jus
1 1/2 cuillerée à café d'arrow-root

APPORT NUTRITIONNEL

Par portion :	
Valeur énergétique	173 Cal ou 725 kJ
Lipides	3,33 g
Acides gras saturés	0,44 g
Cholestérol	0,75 mg
Fibres	2,36 g

1 Tamisez les farines et le sel dans une terrine. Récupérez le son resté sur le tamis, et ajoutez-le dans la terrine.

2 Creusez un puits au centre de la farine. Mettez-y le blanc d'œuf. Incorporez lentement le lait et l'eau, en battant vigoureusement jusqu'à ce que tout le liquide ait été absorbé et que la pâte soit onctueuse.

3 Faites chauffer une poêle légèrement badigeonnée d'huile. Lorsqu'elle est très chaude, versez juste suffisamment de pâte pour recouvrir le fond de la poêle, en remuant pour obtenir une couche régulière.

4 Faites cuire jusqu'à ce que la crêpe soit dorée, puis retournez-la et faites cuire l'autre côté. Posez sur un papier absorbant. Faites de même avec le reste de pâte pour confectionner 8 crêpes environ.

5 Préparez la garniture. Égouttez les cerises et réservez-en le jus. Dans une petite casserole, diluez l'arrow-root avec 2 cuillerées à soupe de jus de cerise. Incorporez le reste de jus. Portez lentement à ébullition, en remuant constamment. Laissez cuire à feu modéré pendant encore 2 minutes, en remuant toujours. La sauce doit être épaisse et transparente.

6 Ajoutez les cerises et remuez jusqu'à ce qu'elles aient bien chauffé. Fourrez les crêpes de cerises et pliez-les en quatre. Servez accompagné de ricotta.

> NOTE
>
> Si les cerises sont de saison, faites-les cuire doucement, juste couvertes de jus de pomme. Liez le jus avec l'arrow-root comme au paragraphe 5. Les crêpes elles-mêmes sont faciles à congeler entre des feuilles de papier sulfurisé.

RIZ AU LAIT

INGRÉDIENTS

Pour 4 personnes

60 g (1/4 tasse) de riz rond

3 cuillerées à soupe de miel liquide

90 cl (3 2/3 tasses) de lait écrémé

1 gousse de vanille ou 1/2 cuillerée à café d'extrait de vanille

2 blancs d'œufs

1 cuillerée à café de noix muscade râpée

APPORT NUTRITIONNEL

Par portion :	
Valeur énergétique	163 Cal ou 683 kJ
Lipides	0,62 g
Acides gras saturés	0,16 g
Cholestérol	3,75 mg
Fibres	0,08 g

1 Versez le riz, le miel et le lait dans une casserole à fond épais. Portez à ébullition. Ajoutez la gousse de vanille, si vous l'utilisez.

2 Baissez le feu. Couvrez. Laissez doucement mijoter environ 1 heure et quart, en remuant de temps en temps pour éviter que le riz n'attache. Il faut que la majeure partie du liquide ait été absorbée.

3 Retirez la gousse de vanille ou, si vous utilisez de l'extrait de vanille, ajoutez-le à la préparation de riz. Préchauffez le four à 220 °C (425 °F).

4 Mettez les blancs d'œufs dans un bol propre et sec. Montez-les en neige.

5 Avec une grande cuillère ou une spatule, incorporez délicatement les blancs en neige au riz. Versez dans un plat à gratin.

6 Parsemez de noix muscade râpée et faites cuire au four pendant 15 à 20 minutes, jusqu'à ce que le riz au lait ait gonflé et bien doré. Servez chaud.

NOTE
Soyez prudente lorsque le lait écrémé mijote. Celui-ci, du fait de sa très faible teneur en graisses, déborde très vite. Utilisez du lait demi-écrémé si vous le préférez.

GRATIN DE GROSEILLES À MAQUEREAU

Les groseilles à maquereau sont idéales pour les desserts classiques comme celui-ci. Hors saison, choisissez d'autres fruits : pommes, prunes ou rhubarbe.

INGRÉDIENTS

Pour 4 personnes

750 g (5 tasses) de groseilles à maquereau
4 cuillerées à soupe de sucre en poudre
150 g (1 tasse) de farine d'avoine
120 g (3/4 tasse) de farine complète
4 cuillerées à soupe d'huile de tournesol
4 cuillerées à soupe de cassonade
2 cuillerées à soupe de noisettes concassées
1 bol de yaourt nature

1 Préchauffez le four à 200 °C (400 °F). Dans une casserole, mettez les groseilles et le sucre en poudre. Couvrez. Faites cuire à feu doux pendant environ 10 minutes. Versez dans un plat allant au four.

2 Dans un bol, mélangez soigneusement avec une fourchette la farine d'avoine, la farine complète et l'huile.

3 Incorporez la cassonade et les noisettes. Étalez cette préparation en une couche unie sur les groseilles à maquereau. Faites cuire au four pendant 25 à 30 minutes, jusqu'à ce que le gratin soit bien doré et frémissant. Servez chaud avec du yaourt.

> NOTE
> Essayez de trouver des petites groseilles à maquereau précoces, fermes et vertes.

APPORT NUTRITIONNEL	
Par portion :	
Valeur énergétique	422 Cal ou 1 770 kJ
Lipides	18,50 g
Acides gras saturés	2,32 g
Cholestérol	0
Fibres	5,12 g

PAIN D'ÉPICE À LA TATIN

Un délicieux dessert pour les dîners d'hiver. Très facile à réaliser, il fait beaucoup d'effet.

INGRÉDIENTS

Pour 4 à 6 personnes

1 cuillerée à café d'huile de tournesol
1 cuillerée à soupe de sucre en poudre roux
4 pêches moyennes, coupées en deux et dénoyautées, ou 4 oreillons de pêches en conserve
8 cerneaux de noix

Pour le fond

75 g (1/2 tasse) de farine complète
1/2 cuillerée à café de bicarbonate de soude
1 1/2 cuillerée à café de gingembre en poudre
1 cuillerée à café de cannelle en poudre
60 g (1/2 tasse) de sucre en poudre roux
1 œuf
12 cl (1/2 tasse) de lait écrémé
6 cl (1/4 tasse) d'huile de tournesol

1 Préchauffez le four à 180 °C (350 °F). Badigeonnez d'huile le fond et les parois d'un moule à gâteau de 22 cm de diamètre. Saupoudrez de sucre le fond du moule.

2 Posez dans le moule les oreillons de pêches sur leur côté coupé, en enfermant un cerneau de noix à l'intérieur de chacun d'eux.

3 Préparez la pâte. Dans un bol, tamisez la farine, le bicarbonate de soude, le gingembre et la cannelle. Incorporez le sucre. Battez ensuite l'œuf, le lait et l'huile. Incorporez ce mélange aux ingrédients secs. Travaillez jusqu'à obtenir une pâte lisse.

4 Recouvrez les fruits de cette pâte. Faites cuire au four 35 à 40 minutes. À la sortie du four, retournez le pain d'épice sur un plat. Servez-le tiède avec du yaourt ou de la glace allégée.

APPORT NUTRITIONNEL	
Par portion :	
Valeur énergétique	432 Cal ou 1 812 kJ
Lipides	16,54 g
Acides gras saturés	2,27 g
Cholestérol	48,72 mg
Fibres	4,79 g

RISSOLES DE PRUNES

──── INGRÉDIENTS ────

Pour 4 personnes

120 g (1/2 tasse) de fromage blanc maigre
1 cuillerée à soupe de sucre en poudre
  roux
1/2 cuillerée à café de clous de girofle en
  poudre
8 grosses prunes coupées en deux
8 feuilles de pâte à filo
1 cuillerée à café d'huile de tournesol
un peu de sucre cristallisé

1 Préchauffez le four à 220 °C (425 °F). Dans un bol, mélangez le fromage blanc, le sucre et les clous de girofle.

2 Mettez une cuillerée de cette préparation entre deux moitiés de prunes. Pressez pour former une sorte de sandwich.

3 Étalez la pâte à filo et découpez-la en seize carrés d'environ 22 cm de côté. Badigeonnez légèrement d'huile l'un des carrés. Posez, sur celui-ci, un deuxième carré en diagonale. Faites de même avec tous les carrés.

4 Posez une prune reconstituée sur chaque carré de pâte. Rabattez en pinçant les extrémités. Disposez les rissoles sur une tôle. Faites cuire au four pendant 15 à 18 minutes, puis saupoudrez de sucre.

──── APPORT NUTRITIONNEL ────	
Par portion :	
Valeur énergétique	188 Cal ou 790 kJ
Lipides	1,87 g
Acides gras saturés	0,27 g
Cholestérol	0,29 mg
Fibres	2,55 g

PUDDING DE COUSCOUS AUX POMMES

Un mariage original pour un succulent dessert maigre aux saveurs fruitées.

──── INGRÉDIENTS ────

Pour 4 personnes

60 cl (2 1/2 tasses) de jus de pomme
160 g (2/3 tasse) de semoule à couscous
30 g (1/4 tasse) de raisins secs
1/2 cuillerée à café de mélange d'épices
1 grosse pomme à cuire pelée et coupée en
  tranches
2 cuillerées à soupe de cassonade
quelques cuillerées de yaourt nature
  maigre

1 Préchauffez le four à 200 °C (400 °F). Dans une casserole, versez le jus de pomme, la semoule à couscous, les raisins secs et les épices. Portez à ébullition en remuant. Couvrez. Laissez mijoter pendant 10 à 12 minutes, jusqu'à absorption complète du liquide.

2 Versez la moitié de la préparation de couscous dans un plat allant au four. Recouvrez de la moitié des tranches de pommes. Surmontez du reste de couscous.

3 Disposez en dernier lieu le reste des tranches de pommes. Saupoudrez de cassonade. Faites cuire au four pendant 25 à 30 minutes, jusqu'à ce que les pommes soient bien dorées. Servez chaud avec du yaourt.

──── APPORT NUTRITIONNEL ────	
Par portion :	
Valeur énergétique	194 Cal ou 815 kJ
Lipides	0,58 g
Acides gras saturés	0,09 g
Cholestérol	0
Fibres	0,75 g

PUDDING DE PAIN AUX FRUITS SECS

Pour les repas à partager en famille, un grand classique – ici, beaucoup plus léger que d'habitude.

INGRÉDIENTS

Pour 4 personnes

120 g (2/3 tasse) de fruits secs mélangés

16 cl (2/3 tasse) de jus de pomme

300 g (1 1/4 tasse) de pain complet rassis taillé en dés

1 cuillerée à café de cannelle

1 grosse banane coupée en rondelles

16 cl (2/3 tasse) de lait écrémé

1 cuillerée à soupe de cassonade

quelques cuillerées de yaourt nature maigre

1 Préchauffez le four à 200 °C (400 °F). Mettez les fruits secs dans une petite casserole. Ajoutez le jus de pomme. Portez à ébullition.

2 Retirez la casserole du feu. Incorporez le pain, la cannelle et la banane. Versez cette préparation dans un plat à gratin. Arrosez de lait.

3 Saupoudrez de cassonade. Faites cuire au four pendant 25 à 30 minutes. Le pudding doit être bien ferme et doré. Servez chaud avec du yaourt nature.

NOTE

L'absorption de liquide peut varier en fonction de la nature du pain. Il vous faudra peut-être rectifier la quantité de lait.

APPORT NUTRITIONNEL

Par portion :

Valeur énergétique	190 Cal ou 800 kJ
Lipides	0,89 g
Acides gras saturés	0,21 g
Cholestérol	0,75 mg
Fibres	1,80 g

POIRES AU CIDRE

Toutes les qualités de poires conviennent à cette recette, il faut toutefois les choisir très fermes.

INGRÉDIENTS

Pour 4 personnes

4 poires moyennes bien fermes
25 cl (1 tasse) de cidre brut
zeste de citron finement taillé en julienne
1 bâton de cannelle
2 cuillerées à soupe de sucre en poudre
*   roux*
1 cuillerée à café d'arrow-root
quelques pincées de cannelle en poudre

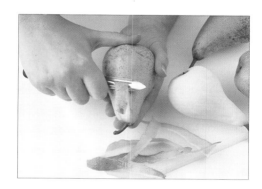

1 Épluchez les poires sans les couper et en gardant la tige. Placez-les dans une casserole. Ajoutez le cidre, le zeste de citron et la cannelle. Couvrez. Laissez doucement mijoter pendant 15 à 20 minutes.

2 Retirez les poires de la casserole. Faites bouillir le sirop afin de le réduire de moitié. Retirez le zeste de citron et la cannelle. Incorporez le sucre.

3 Dans un bol, mélangez l'arrow-root à 1 cuillerée à soupe d'eau froide. Remuez pour obtenir un mélange onctueux, puis incorporez au sirop. Portez à ébullition et remuez jusqu'à obtenir une sauce liée et transparente.

4 Versez la sauce sur les poires. Saupoudrez de cannelle en poudre. Laissez légèrement tiédir. Servez avec du fromage frais maigre.

NOTE
Les poires entières sont du plus bel effet. Mais vous pouvez, pour raccourcir le temps de cuisson, les couper en deux et en ôter le trognon.

APPORT NUTRITIONNEL

Par portion :	
Valeur énergétique	102 Cal ou 428 kJ
Lipides	0,18 g
Acides gras saturés	0,01 g
Cholestérol	0
Fibres	1,65 g

CRÊPES AUX BANANES ET AU SIROP D'ÉRABLE

Les crêpes reçoivent toujours l'accueil le plus chaleureux. Vous pouvez les préparer à l'avance et les garder au congélateur.

INGRÉDIENTS

Pour 4 personnes

150 g (1 tasse) de farine

1 blanc d'œuf

25 cl (1 tasse) de lait écrémé

6 cl (1/4 tasse) d'eau

un peu d'huile de tournesol pour la cuisson

Pour la garniture

4 bananes coupées en rondelles

3 cuillerées à soupe de sirop d'érable

2 cuillerées à soupe de jus de citron vert

quelques fins rubans de zeste de citron vert

1 Dans une terrine, mélangez au fouet la farine, le blanc d'œuf, le lait et l'eau, jusqu'à obtenir une pâte à crêpe lisse et onctueuse. Réfrigérez jusqu'au moment de cuire.

2 Dans une poêle, faites chauffer quelques gouttes d'huile. Versez juste suffisamment de pâte pour en recouvrir le fond. Secouez la poêle pour égaliser la crêpe.

3 Faites dorer d'un côté, puis retournez et faites cuire l'autre côté. Posez sur une assiette et recouvrez d'une feuille d'aluminium. Réservez au chaud pendant que vous confectionnez les autres crêpes.

4 Préparez la garniture. Dans une casserole, mettez les rondelles de banane, le sirop d'érable et le jus de citron vert. Laissez mijoter pendant 1 minute. Garnissez les crêpes de cette préparation et pliez-les en quatre. Parsemez de rubans de zeste. Servez chaud avec du yaourt ou du fromage frais.

> NOTE
> Il est facile de congeler les crêpes. Disposez-les en piles, en intercalant entre les crêpes du papier sulfurisé. Enveloppez les piles avec du film étirable et congelez. Elles se gardent parfaitement pendant trois mois.

APPORT NUTRITIONNEL	
Par portion :	
Valeur énergétique	282 Cal ou 1 185 kJ
Lipides	2,79 g
Acides gras saturés	0,47 g
Cholestérol	1,25 mg
Fibres	2,12 g

SEMOULE À L'ORANGE

Les desserts de semoule ont la réputation d'être ternes et sans intérêt. Avec cette recette, vous ne les reconnaîtrez plus !

INGRÉDIENTS

Pour 4 personnes

40 g (1/4 tasse) de semoule

60 cl (2 1/2 tasses) de lait demi-écrémé

2 cuillerées à soupe de sucre en poudre
roux

1 grosse orange

1 blanc d'œuf

1 Préchauffez le four à 200 °C (400 °F). Dans une casserole, versez la semoule, le lait et le sucre. Remuez à feu modéré, jusqu'à obtenir un mélange épais et onctueux. Retirez du feu.

2 Râpez quelques longs rubans de zeste d'orange. Réservez-les pour la décoration. Râpez finement le reste de zeste. Épluchez soigneusement l'orange et séparez-la en quartiers. Incorporez à la semoule avec le zeste.

3 Montez le blanc d'œuf en neige ferme. Incorporez-le délicatement à la préparation de semoule. Versez dans un plat allant au four et faites cuire pendant 15 à 20 minutes. La semoule doit être gonflée et dorée. Servez aussitôt.

NOTE
Si vous prélevez le zeste d'un agrume, veillez à bien laver le fruit au préalable ou bien achetez des fruits non traités.

APPORT NUTRITIONNEL	
Par portion :	
Valeur énergétique	158 Cal ou 665 kJ
Lipides	2,67 g
Acides gras saturés	1,54 g
Cholestérol	10,50 mg
Fibres	0,86 g

DESSERTS FROIDS

Il existe une grande variété de desserts tout préparés
vendus dans les supermarchés, mais rien ne saurait
remplacer les desserts que l'on a faits soi-même.
Grâce à ce chapitre, vous pourrez confectionner
des desserts froids aussi délicieux
que le sorbet à la rhubarbe et à l'orange,
la terrine de pommes aux mûres,
les mandarines au sirop ou le vacherin aux framboises.

DÉLICE AUX ABRICOTS

Cette mousse légère recouverte d'une couche de gelée d'abricots est un dessert doublement délicieux.

INGRÉDIENTS

Pour 8 personnes

2 boîtes d'abricots dans leur jus, de 400 g (14 oz) chacune
4 cuillerées à soupe de sucre en poudre
5 cuillerées à soupe de jus de citron
5 cuillerées à café de gélatine en poudre
425 g (15 g) de crème anglaise allégée
15 cl (1/4 pt) de yaourt à la grecque
1 abricot, coupé en tranches, brins de menthe fraîche et crème fouettée (facultatif), pour décorer

APPORT NUTRITIONNEL

Par portion :

Calories	155 kcal/649 kJ
Lipides	0,63 g
Acides gras saturés	0,33 g
Fibres	0,9 g

ASTUCE
Pour réduire l'apport en calories et en lipides, utilisez du yaourt à la grecque maigre. Pour rendre ce dessert plus savoureux encore, ajoutez le zeste râpé d'un citron à la préparation. Vous pouvez remplacer les abricots par des pêches ou des poires.

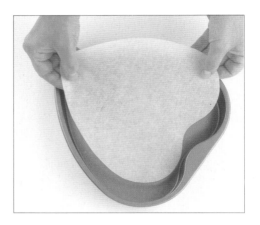

1 Tapissez de papier sulfurisé le fond d'un moule en forme de cœur ou rond de 1,2 litre (2 pt).

2 Égouttez les abricots, en réservant le jus. Déposez-les dans le bol du mixeur avec le sucre et 4 cuillerées à soupe de jus. Réduisez en une pommade lisse et onctueuse.

3 Versez 2 cuillerées à soupe de jus d'abricot dans un petit bol. Ajoutez le jus de citron et saupoudrez avec 2 cuillerées à café de gélatine. Laissez prendre 5 minutes, le temps que le mélange devienne spongieux.

4 Incorporez la gélatine dans la moitié de la pommade et versez dans le moule. Mettez à rafraîchir au réfrigérateur pendant 1 heure 30. La mousse doit être ferme.

5 Saupoudrez le reste de gélatine sur 4 cuillerées à soupe de jus d'abricot. Laissez prendre 5 minutes, le temps que le mélange devienne spongieux. Mélangez le reste de pommade aux abricots avec la crème anglaise, le yaourt et la gélatine. Versez sur la mousse et laissez au réfrigérateur pendant 3 heures.

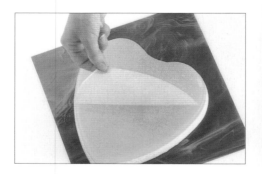

6 Plongez le moule dans l'eau chaude pendant quelques secondes, puis démoulez le délice sur un plat de service. Décollez délicatement le papier sulfurisé. Décorez avec des tranches d'abricots et un brin de menthe. Vous pouvez aussi dessiner une bordure avec de la crème fouettée.

PASTÈQUE, GINGEMBRE ET PAMPLEMOUSSE

Cette salade de fruits est
particulièrement légère et
rafraîchissante en été.

INGRÉDIENTS

Pour 4 personnes

500 g (1 1/4 lb) de pastèque, coupée en dés
2 pamplemousses roses
2 morceaux de racines de gingembre dans
du sirop
2 cuillerées à soupe de sirop de gingembre

APPORT NUTRITIONNEL	
Par portion :	
Calories	76 kcal/324,5 kJ
Lipides	0,42 g
Acides gras saturés	0,125 g
Cholestérol	0
Fibres	0,77 g

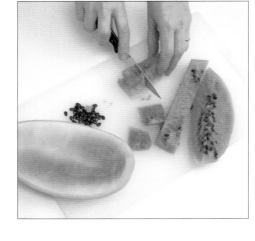

1 Retirez les pépins de la pastèque. Coupez la
pulpe en morceaux. Réservez.

2 Avec un petit couteau, pelez et retirez les
membranes blanches des pamplemousses.
Prélevez ensuite les pétales en recueillant le jus
dans un bol.

3 Hachez finement le gingembre et déposez-
le dans un saladier avec la pastèque et les
pamplemousses. Mouillez avec le jus réservé.

4 Arrosez avec le sirop de gingembre et
mélangez délicatement les fruits. Faites
rafraîchir au réfrigérateur avant de servir.

ASTUCE
Remuez délicatement les fruits. Le
pamplemousse se brise facilement et
l'aspect du plat en pâtirait.

NUAGES DE MANGUE AU GINGEMBRE

La saveur de la mangue se marie parfaitement à celle du gingembre dans cette mousse de fruits légère et pauvre en lipides.

INGRÉDIENTS

Pour 6 personnes

3 mangues mûres
3 morceaux de racine de gingembre
3 cuillerées à soupe de sirop de gingembre
75 g (3 oz) de fromage de soja (tofu)
3 blancs d'œufs
6 pistaches, concassées

1 Coupez les mangues en deux, retirez les noyaux et pelez les fruits. Hachez grossièrement la pulpe.

2 Déposez la pulpe de mangue dans le bol du mixeur avec la racine et le sirop de gingembre et le fromage de soja. Réduisez en une purée lisse et onctueuse.

3 Versez les blancs d'œufs dans un saladier et battez-les en neige très ferme. Incorporez-les délicatement à la purée de mangue.

4 Répartissez la mousse de mangue dans quatre assiettes ou coupes. Parsemez de pistaches concassées et faites rafraîchir au réfrigérateur avant de servir.

APPORT NUTRITIONNEL

Par portion :

Calories	112 kcal/472 kJ
Lipides	3,5 g
Acides gras saturés	0,52 g
Cholestérol	0
Fibres	2,25 g

ASTUCE
Ce dessert peut se servir légèrement glacé. Si vous n'aimez pas le gingembre, vous pouvez remplacer racine et sirop par trois cuillerées à soupe de miel liquide.

Coupe glacée aux groseilles à maquereau

Ingrédients

Pour 4 personnes

*500 g (1 1/4 lb) de groseilles à maquereau,
    fraîches ou décongelées*
1 petite orange
1 cuillerée à soupe de miel liquide
*250 g (9 oz) de fromage blanc (20% de
    matières grasses)*

Apport nutritionnel

Par portion :	
Calories	123 kcal/525 kJ
Lipides	1,29 g
Acides gras saturés	0,69 g
Cholestérol	3,25 mg
Fibres	3,64 g

1 Égrappez les groseilles, équeutez-les et
mettez-les dans une casserole. Râpez fin le
zeste de l'orange et pressez le jus, puis
incorporez-les à la casserole. Couvrez et faites
cuire, à feu doux, en remuant de temps en
temps.

2 Lorsque les groseilles sont cuites, retirez-
les du feu et incorporez le miel. Réduisez le
tout en purée presque lisse avec un mixeur et
laissez refroidir.

3 Pressez le formage blanc à travers un tamis.
Incorporez la moitié de la purée de
groseilles au fromage.

4 Répartissez le fromage aux groseilles dans
quatre coupes. Garnissez le dessus avec un
peu de purée de groseilles. Servez glacé.

> **Astuce**
> À défaut de groseilles à maquereau
> fraîches ou congelées, vous pouvez utiliser
> des fruits en boîte, ou les remplacer par un
> autre fruit au goût acidulé.

CITRONS VERTS GIVRÉS À LA MANGUE

On peut indifféremment présenter ce sorbet dans les écorces de citron vert ou dans une coupe.

INGRÉDIENTS

Pour 4 personnes

4 gros citrons verts
1 mangue mûre de grosseur moyenne
1/2 cuillerée à café de gélatine en poudre
2 blancs d'œufs
1 cuillerée à soupe de sucre en poudre
morceaux de zeste de citron vert, pour
*   décorer*

1 Décalottez les citrons en coupant l'écorce du côté du pédoncule. Pressez délicatement le jus puis, avec un petit couteau ou une cuillère à pamplemousse, retirez la pulpe sans percer l'écorce.

2 Coupez les mangues en deux, pelez-les, retirez le noyau et déposez la chair dans le bol du mixeur. Réduisez en purée avec 2 cuillerées à soupe du jus de citron vert. Faites dissoudre la gélatine dans 3 cuillerées à soupe de jus de citron vert et incorporez à la purée de mangue.

3 Battez les blancs d'œufs en neige très ferme. Ajoutez le sucre, puis incorporez délicatement à la purée de mangue. Répartissez le sorbet dans les écorces de citron vert (mettez le reste à givrer dans de petits ramequins au congélateur).

4 Enveloppez les citrons verts dans du film plastique et laissez-les au congélateur jusqu'à ce que le sorbet soit bien dur. Avant de servir, laissez les sorbets décongéler à température ambiante pendant 10 minutes. Décorez avec des zestes de citron vert.

ASTUCE

S'il vous reste du jus de citron vert, vous pouvez le congeler. Il se conservera pendant au moins 6 mois.

APPORT NUTRITIONNEL

Par portion :

Calories	50,5 kcal/215 kJ
Lipides	0,09 g
Acides gras saturés	0,3 g
Cholestérol	0
Fibres	1 g

Sorbet à la rhubarbe et à l'orange

Rhubarbe, orange et miel, le mélange parfait pour un sorbet succulent et hypocalorique.

Ingrédients

Pour 4 personnes

350 g (12 oz) de rhubarbe
1 orange de grosseur moyenne
1 cuillerée à soupe de miel liquide
1 cuillerée à café de gélatine en poudre
des tranches d'orange, pour décorer

1 Coupez les tiges de rhubarbe en tronçons de 2,5 cm (1 po) de long. Mettez les tronçons dans une casserole sans eau.

2 Râpez très finement le zeste de l'orange et pressez-en le jus. Ajoutez la moitié du jus et la totalité du zeste râpé à la rhubarbe, puis laissez frissonner jusqu'à ce que la rhubarbe soit presque cuite. Incorporez le miel.

Apport nutritionnel	
Par portion :	
Calories	36 kcal/155 kJ
Lipides	0,12 g
Acides gras saturés	0
Cholestérol	0
Fibres	1,9 g

Astuce
La rhubarbe rouge violacé est généralement un peu acide. Pour en adoucir le goût, vous pouvez augmenter la quantité de miel ou ajouter un édulcorant.

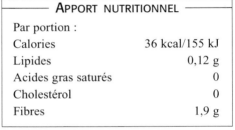

3 Faites chauffer le reste de jus d'orange, puis saupoudrez-le avec la gélatine. Lorsqu'elle est dissoute, incorporez la rhubarbe. Déposez le tout dans un bac à sorbetière et laissez au congélateur pendant 2 heures.

4 Retirez le sorbet du congélateur et battez vigoureusement pour éliminer les paillettes. Remettez au congélateur jusqu'à ce que le sorbet ait pris. Laissez-le ramollir légèrement à température ambiante avant de le servir, décoré de tranches d'orange.

ORANGES GIVRÉES

Dessert pauvre en lipides par excellence, l'orange givrée était proposée, à l'origine, dans les cafés du littoral du sud de la France.

INGRÉDIENTS

Pour 8 personnes

150 g (5 oz) de sucre en poudre
le jus de 1 citron
14 oranges de grosseur moyenne
8 feuilles de laurier fraîches, pour décorer

APPORT NUTRITIONNEL

Par portion :	
Calories	139 kcal/593 kJ
Lipides	0,17 g
Acides gras saturés	0
Cholestérol	0
Fibres	3 g

ASTUCE
Utilisez du papier absorbant chiffonné pour maintenir les oranges bien droites.

1 Versez le sucre dans une casserole à fond épais. Ajoutez la moitié du jus de citron, puis 12 cl (4 fl oz) d'eau. Faites cuire à feu doux jusqu'à la complète dissolution du sucre. Puis portez à ébullition, et laissez bouillir jusqu'à ce que le sirop soit limpide.

2 Décalottez huit oranges en coupant l'écorce du côté du pédoncule pour confectionner des « chapeaux ». Retirez la pulpe avec un couteau à pamplemousse et réservez. Mettez les écorces évidées et les chapeaux au congélateur.

3 Prélevez le zeste des oranges restantes et ajoutez-le au sirop. Pressez le jus des oranges et de la pulpe réservée. Vous devriez obtenir 75 cl (1 1/4 pt) de jus. Si nécessaire, pressez 1 ou 2 oranges supplémentaires.

4 Incorporez le jus d'orange et le reste de jus de citron, avec 6 cuillerées à soupe d'eau, au sirop. Goûtez et ajoutez du jus de citron ou du sucre si nécessaire. Versez le mélange dans le bac à glaçons et laissez au congélateur pendant 3 heures.

5 Transférez le sorbet dans un saladier et battez vigoureusement pour éliminer les paillettes de glace. Faites glacer encore 4 heures.

6 Répartissez le sorbet dans les huit écorces d'orange évidées, en formant un petit dôme, puis recouvrez avec les chapeaux. Remettez au congélateur jusqu'au moment de servir. Pour décorer, percez le dessus des chapeaux avec une brochette et piquez dans le trou une feuille de laurier.

TERRINE DE POMMES AUX MÛRES

Ce dessert automnal, aux pommes et aux mûres, se congèle bien, ce qui vous permettra d'en profiter à tout moment de l'année.

INGRÉDIENTS

Pour 6 personnes

500 g (1 1/2 lb) de pommes à cuire
30 cl (1/2 pt) de cidre doux
1 cuillerée à soupe de miel liquide
1 cuillerée à café d'essence de vanille
200 g (7 oz) de mûres fraîches ou
*   décongelées*
1 cuillerée à soupe de gélatine en poudre
2 blancs d'œufs
tranches de pomme et mûres, pour décorer

APPORT NUTRITIONNEL

Par portion :

Calories	72 kcal/306 kJ
Lipides	0,13 g
Acides gras saturés	0
Cholestérol	0
Fibres	2,1 g

ASTUCE
Pour gagner du temps, vous pouvez supprimer la présentation par couches. Réduisez en purée les pommes et les mûres, incorporez la gélatine dissoute et les blancs d'œufs en neige, versez le tout dans le moule et laissez prendre.

1 Pelez, évidez et coupez les pommes en morceaux, puis mettez-les dans une casserole avec la moitié du cidre. Portez le cidre à ébullition, puis couvrez et laissez mijoter, à feu modéré, jusqu'à ce que les pommes soient cuites.

2 Transférez les pommes dans le bol du mixeur et réduisez en purée. Incorporez le miel et la vanille. Ajoutez la moitié des mûres à la moitié de la purée de pommes, puis passez le tout au mixeur. Tamisez.

3 Faites chauffer le reste de cidre. Lorsqu'il arrive au seuil de l'ébullition, saupoudrez la gélatine et laissez cuire jusqu'à ce qu'elle soit complètement dissoute. Incorporez la moitié de la gélatine à la purée de pommes et l'autre moitié à la purée aux mûres.

4 Laissez les deux purées refroidir jusqu'à ce qu'elles aient presque complètement pris. Battez les blancs d'œufs en neige très ferme, puis incorporez à la purée de pommes. Transférez ensuite la moitié de la purée dans un autre récipient. Incorporez le reste de mûres et transvasez le tout dans un moule de 1,75 litre (3 pt).

5 Recouvrez avec la purée aux mûres en égalisant bien la surface avec le dos d'une cuillère. Ajoutez une couche de purée de pommes et égalisez de nouveau. Afin que les couches ne se mélangent pas, vous pouvez les congeler l'une après l'autre, avant d'ajouter la suivante.

6 Faites glacer. Pour servir, laisser ramollir un peu la terrine à température ambiante pendant 20 minutes, puis découpez-la en tranches épaisses, et décorez avec des mûres et des tranches de pomme.

YAOURT AUX ABRICOTS

─── INGRÉDIENTS ───

Pour 4 personnes

400 g (14 oz) de moitiés d'abricots en boîte
1 cuillerée à soupe de Grand Marnier ou de
cognac
175 g (6 oz) de yaourt nature maigre
2 cuillerées à café d'amandes, effilées

─── APPORT NUTRITIONNEL ───

Par portion :	
Calories	114 kcal/480 kJ
Lipides	4,6 g
Acides gras saturés	0,57 g
Cholestérol	0
Fibres	1,45 g

1 Égouttez les abricots en réservant le jus et mettez les fruits et le Grand Marnier (ou le cognac) dans le bol du mixeur.

2 Réduisez les abricots en une pommade parfaitement lisse.

3 Alternez les cuillerées de pommade et de yaourt dans quatre coupes en verre, en les faisant se chevaucher légèrement pour obtenir un effet marbré.

4 Faites griller les amandes jusqu'à ce qu'elles deviennent brun-doré. Laissez-les refroidir, puis parsemez-en les quatre coupes.

ASTUCE
Vous pouvez remplacer l'alcool par un peu de jus d'abricot.

MANDARINES AU SIROP

Pour préparer cette recette, vous pouvez indifféremment utiliser des mandarines, des tangerines, des clémentines ou des mineolas.

INGRÉDIENTS

Pour 4 personnes
10 mandarines
1 cuillerée à soupe de sucre glace
2 cuillerées à café d'eau de fleur d'oranger
1 cuillerée à soupe de pistaches, concassées

1 Prélevez un peu de zeste sur une mandarine et coupez-le en fine julienne pour décorer. Pressez le jus de deux mandarines et réservez.

2 Pelez le reste des fruits, en retirant les fines membranes blanchâtres. Mettez les mandarines entières dans un grand saladier.

3 Mélangez le jus des 2 mandarines, le sucre et l'eau de fleur d'oranger, puis versez le tout sur les mandarines. Couvrez et mettez à glacer pendant au moins 1 heure.

4 Faites blanchir les zestes de mandarine dans l'eau bouillante pendant 30 secondes. Égouttez-les, laissez-les refroidir, puis décorez-en les mandarines avec les pistaches au moment de servir.

APPORT NUTRITIONNEL	
Par portion :	
Calories	53,25 kcal/223,5 kJ
Lipides	2,07 g
Acides gras saturés	0,28 g
Cholestérol	0
Fibres	0,38 g

ASTUCE
Vous pouvez laisser les mandarines entières ou les diviser en quartiers.

COUPE SURPRISE AUX CÉRÉALES

INGRÉDIENTS

Pour 2 personnes

1 pêche ou 1 nectarine
75 g (3 oz) de flocons d'avoine
   croustillants
15 cl (1/4 pt) de yaourt nature maigre
1 cuillerée à soupe de confiture
1 cuillerée à soupe de jus de fruit

APPORT NUTRITIONNEL

Par portion :

Calories	240 kcal/1 005 kJ
Lipides	3 g
Acides gras saturés	1 g
Cholestérol	3 mg

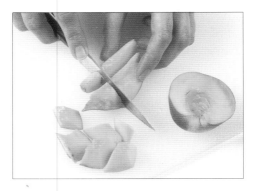

1 Retirez le noyau de la pêche ou de la nectarine et coupez le fruit en morceaux.

2 Répartissez le fruit dans deux coupes, en réservant quelques morceaux pour la décoration.

3 Versez les flocons d'avoine sur le fruit en une couche égale, puis recouvrez avec du yaourt.

4 Mélangez la confiture et le jus de fruit dans un petit pot, puis versez sur le yaourt. Décorez avec les morceaux de pêche ou de nectarine réservés et servez immédiatement.

COUPE DE MUESLI AUX FRAMBOISES

Ce délicieux mélange, riche en fibres mais d'un apport en lipides presque nul, peut se servir en dessert ou au petit déjeuner.

INGRÉDIENTS

Pour 4 personnes

225 g (8 oz) de framboises, fraîches ou décongelées
225 g (8 oz) de yaourt nature maigre
75 g (3 oz) de muesli suisse

1 Réservez quatre framboises pour la décoration, puis répartissez la moitié des framboises restantes dans quatre coupes en verre.

2 Recouvrez les framboises avec une cuillerée à soupe de yaourt.

3 Ajoutez un peu de muesli sur le yaourt.

4 Répétez l'opération avec le reste de framboises et les autres ingrédients, en finissant par le muesli. Décorez chaque coupe avec une framboise entière.

ASTUCE
Vous pouvez préparer les coupes à l'avance et les conserver au réfrigérateur plusieurs heures, voire tout une nuit si vous les servez au petit déjeuner.

APPORT NUTRITIONNEL

Par portion :

Calories	114 kcal/483 kJ
Lipides	1,7 g
Acides gras saturés	0,48 g
Cholestérol	2,25 mg
Fibres	2,6 g

YAOURT GLACÉ AUX FRUITS DE LA PASSION

Le yaourt glacé est moins riche en lipides et en calories que la crème glacée traditionnelle, et les fruits contiennent des vitamines A et C.

———— INGRÉDIENTS ————

Pour 4 personnes

*350 g (12 oz) de fraises, équeutées et
    coupées en deux*
2 fruits de la passion, coupés en deux
2 cuillerées à café de sucre glace (facultatif)
*2 pêches mûres, dénoyautées et
    grossièrement hachées*
*350 g (12 oz) de yaourt glacé à la vanille
    ou à la fraise*

> ASTUCE
> Pour réduire encore l'apport en calories et
> en lipides, choisissez un yaourt à 0% de
> matières grasses.

1 Réduisez en purée la moitié des fraises. Prélevez la pulpe des fruits de la passion avec une cuillère et ajoutez-la au coulis. Sucrez si nécessaire.

APPORT NUTRITIONNEL	
Par portion :	
Calories	135 kcal/560 kJ
Lipides	1 g
Acides gras saturés	0,5 g
Cholestérol	3,5 mg

2 Répartissez la moitié des fraises restantes et la moitié des pêches dans quatre grandes coupes. Garnissez avec une boule de yaourt glacé. Réservez quelques morceaux de fruits pour la décoration, et mettez le reste dans les coupes. Coiffez le tout avec une autre boule de yaourt glacé.

3 Versez le coulis aux fruits de la passion et décorez avec le reste de fraises et de morceaux de pêche. Servez immédiatement.

FONDUE DE FRUITS AU DIP AUX NOISETTES

———— INGRÉDIENTS ————

Pour 2 personnes

*mélange de fruits frais (kiwis, fraises,
    mandarines, physalis, raisin, etc.)*
*50 g (2 oz) de fromage blanc (20% de
    matières grasses)*
*15 cl (5 fl oz) de yaourt aux noisettes
    maigre*
1 cuillerée à café d'essence de vanille
1 cuillerée à café de sucre en poudre

APPORT NUTRITIONNEL	
Par portion (pour le dip uniquement) :	
Calories	170 kcal/714 kJ
Lipides	4 g
Acides gras saturés	2,5 g
Cholestérol	6,5 mg

1 Préparez les fruits. Pelez les mandarines et divisez-les en quartiers. Pelez les kiwis et coupez-les en morceaux. Lavez les grains de raisin et pelez les physalis.

2 Dans un saladier, mélangez le fromage blanc avec le yaourt, l'essence de vanille et le sucre. Versez le dip dans un bol en verre posé sur un plat ou dans des petits ramequins individuels.

3 Disposez les fruits préparés autour du dip et servez immédiatement.

Ananas au jus de citron vert et au quatre-épices

L'ananas frais est facile à préparer et permet de réaliser des desserts très décoratifs.

---------- Ingrédients ----------

Pour 4 personnes

1 ananas mûr, de grosseur moyenne
1 citron vert
1 cuillerée à soupe de cassonade
1 cuillerée à café de quatre-épices en
*   poudre*

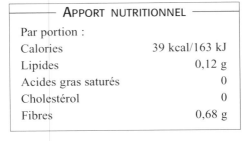

Apport nutritionnel	
Par portion :	
Calories	39 kcal/163 kJ
Lipides	0,12 g
Acides gras saturés	0
Cholestérol	0
Fibres	0,68 g

1 Coupez l'ananas en quartiers dans le sens de la longueur et évidez-les.

2 Dégagez délicatement la pulpe de l'écorce avec un couteau. Coupez la pulpe en tranches épaisses.

3 Retirez quelques morceaux de zeste de citron vert et réservez, puis pressez le jus.

4 Arrosez l'ananas avec le jus de citron vert, et parsemez avec le zeste, la cassonade et le quatre-épices. Servez immédiatement, ou mettez à glacer pendant 1 heure.

BROCHETTES DE PAPAYE AUX FRUITS DE LA PASSION

Les fruits tropicaux, naturellement sucrés, constituent un dessert simple mais savoureux.

INGRÉDIENTS

Pour 6 personnes

3 papayes mûres
10 petits fruits de la passion ou kiwis
2 cuillerées à soupe de jus de citron vert
2 cuillerées à soupe de sucre glace
2 cuillerées à soupe de rhum blanc
citron vert, pour décorer

APPORT NUTRITIONNEL

Par portion :	
Calories	83 kcal/351 kJ
Lipides	0,27 g
Acides gras saturés	0
Cholestérol	0
Fibres	2,8 g

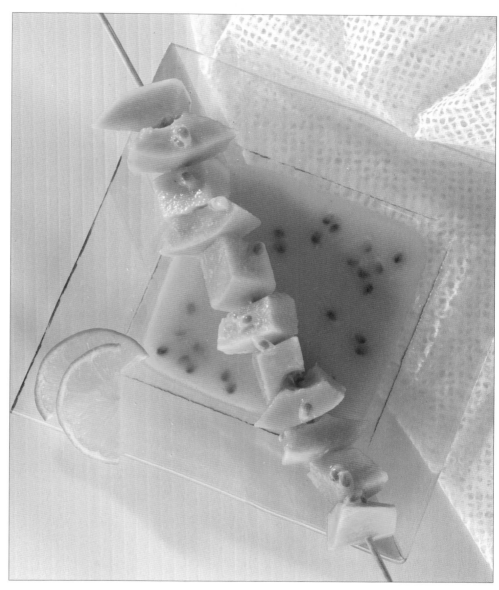

1 Coupez les papayes en deux et retirez les graines. Pelez-les et coupez la chair en morceaux de taille égale. Enfilez les morceaux sur six brochettes de bois.

2 Coupez en deux huit fruits de la passion et retirez la pulpe avec une cuillère. Réduisez en purée pendant quelques secondes au mixeur.

3 Pressez la pulpe des fruits de la passion à travers un tamis et retirez les graines. Ajoutez le jus de citron vert, le sucre glace et le rhum blanc, puis incorporez le coulis en remuant bien jusqu'à dissolution du sucre.

4 Versez un peu de coulis sur six assiettes à dessert. Mettez dessus les brochettes. Retirez la pulpe des deux fruits de la passion restants et éparpillez sur les brochettes. Décorez avec des rondelles de citron vert.

VACHERIN AUX FRAMBOISES

Le vacherin se compose d'une croûte en meringue garnie ici, non de glace, mais de fromage blanc et de framboises, pour le rendre plus léger.

INGRÉDIENTS

Pour 6 personnes
3 blancs d'œufs
175 g (6 oz) de cassonade
1 cuillerée à café d'amandes, mondées et concassées
sucre glace, pour le nappage
feuilles de framboisier, pour décorer (facultatif)

Pour la garniture
175 g (6 oz) de fromage blanc maigre
1-2 cuillerées à soupe de miel liquide
1-2 cuillerées à soupe de Cointreau
12 cl (4 fl oz) de crème fraîche allégée
225 g (8 oz) de framboises

APPORT NUTRITIONNEL	
Par portion :	
Calories	197 kcal/837,5 kJ
Lipides	1,02 g
Acides gras saturés	0,36 g
Cholestérol	1,67 mg
Fibres	1 g

ASTUCE
Battez les blancs d'œufs en neige suffisamment ferme pour qu'ils ne se décollent pas du fond lorsque vous retournerez la terrine.

1 Faites préchauffer le four à 140 °C (275 °F). Dessinez deux disques de 20 cm (8 po) de diamètre sur une feuille de papier sulfurisé très épais. Coupez cette dernière en deux.

2 Battez les blancs d'œufs en neige très ferme, puis incorporez peu à peu la cassonade, en battant toujours, pour obtenir une meringue.

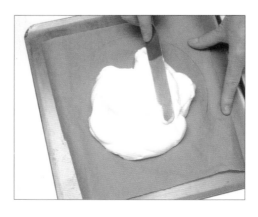

3 Répartissez la meringue entre les deux cercles de papier sulfurisé, en l'étalant bien pour qu'elle forme un disque d'épaisseur égale. Parsemez une des meringues avec les amandes.

4 Faites cuire les deux meringues au four pendant 1 heure 30 à 2 heures, puis décollez délicatement le papier sulfurisé. Laissez-les refroidir sur une grille.

5 Pour préparer la garniture, mélangez vigoureusement le fromage blanc avec le miel et le Cointreau. Incorporez peu à peu la crème fraîche et les framboises, à l'exception de trois réservées à la décoration.

6 Posez la meringue sans amandes sur un plan de travail, puis étalez dessus la garniture avec une spatule et recouvrez avec la seconde meringue. Saupoudrez de sucre glace, transférez dans un plat de service et décorez avec les framboises réservées et les feuilles de framboisier.

SALADE GLACÉE AUX FRUITS VERTS

Une salade raffinée qui peut se servir à tout moment de l'année.

INGRÉDIENTS

Pour 6 personnes

3 melons Galia
115 g (4 oz) de raisins verts, épépinés
2 kiwis
1 carambole
1 pomme (granny smith)
1 citron vert
15,5 cl (6 fl oz) de jus de raisin pétillant

1 Coupez les melons en deux et épépinez-les avec une cuillère. Sans percer l'écorce, retirez la pulpe avec une cuillère à melon, et coupez-la en petits dés. Réservez les écorces.

2 Égrappez et équeutez les raisins et, si les grains sont très gros, coupez-les en deux. Pelez et hachez les kiwis. Émincez finement la carambole. Évidez la pomme et coupez-la en fines lamelles, puis mettez-les dans un saladier, avec le raisin, les kiwis et la carambole.

APPORT NUTRITIONNEL

Par portion :

Calories	67 kcal/285 kJ
Lipides	0,27 g
Acides gras saturés	0
Cholestérol	0
Fibres	1,22 g

> **ASTUCE**
> Si vous servez cette salade par une chaude journée d'été, présentez les melons posés sur un lit de glace pilée pour qu'ils gardent toute leur fraîcheur.

3 Prélevez le zeste du citron vert et coupez-le en très fine julienne. Faites blanchir les morceaux pendant 30 secondes dans l'eau bouillante, puis égouttez-les et rincez à l'eau froide. Pressez le citron vert et versez-en le jus dans la salade de fruits. Mélangez délicatement.

4 Répartissez la salade de fruits dans les écorces de melon et mettez à glacer au réfrigérateur. Juste avant de servir, arrosez d'une cuillerée à soupe de jus de raisin pétillant et garnissez de zeste de citron vert.

COMPOTE AUX TROIS FRUITS

1 portion par compote

Compote à l'orange et aux pruneaux

1 orange
50 g de pruneaux, préalablement trempés
5 cuillerées à soupe de jus d'orange

Compote à la poire et aux kiwis

1 poire bien mûre
1 kiwi
4 cuillerées à soupe de jus de pomme ou
*   d'ananas*

Compote au pamplemousse et aux fraises

1 pamplemousse rose
115 g (4 oz) de fraises
4 cuillerées à soupe de jus d'orange

Pour servir

yaourt nature maigre et noisettes grillées

Par portion :

Orange et pruneaux
Calories	155 kcal/650 kJ
Lipides	0,5 g
Acides gras saturés	0
Cholestérol	0

Poire et kiwis
Calories	100 kcal/405 kJ
Lipides	0,5 g
Acides gras saturés	0
Cholestérol	0

Raisin et fraises
Calories	110 kcal/465 kJ
Lipides	0,5 g
Acides gras saturés	0
Cholestérol	0

ASTUCE
Privilégiez les jus de fruits fraîchement pressés.

1 Pour préparer la compote à l'orange et aux pruneaux, divisez l'orange en pétales et mettez-les dans un bol avec les pruneaux.

2 Pour la compote aux poires et kiwis, pelez la poire et coupez-la en grosses lamelles. Pelez et émincez le kiwi.

3 Pour la compote au pamplemousse et aux fraises, divisez le pamplemousse en pétales et coupez les fraises en deux.

4 Arrosez chaque compote avec le jus de fruit choisi.

5 Au moment de servir, garnissez les compotes avec une cuillerée à soupe de yaourt et décorez avec des noisettes grillées.

SOUPE DE PRUNEAUX À L'ORANGE

Ce dessert, très simple, se prépare en quelques minutes. Servez immédiatement ou faites-le glacer pendant 30 minutes avant de servir, il n'en sera que meilleur.

INGRÉDIENTS

Pour 4 personnes

225 g (8 oz) de pruneaux secs prêts à être consommés
15 cl (1/4 pt) de jus d'orange
225 g (8 oz) de yaourt nature maigre
morceaux de zeste d'orange, pour décorer

APPORT NUTRITIONNEL	
Par portion :	
Calories	112 kcal/474 kJ
Lipides	0,62 g
Acides gras saturés	0,34 g
Cholestérol	2,25 mg
Fibres	2,8 g

1 Dénoyautez les pruneaux et hachez-les grossièrement. Mettez-les dans une casserole avec le jus d'orange.

2 Portez le jus d'orange à ébullition, en remuant. Réduisez le feu, couvrez et laissez frissonner pendant 5 minutes. Le liquide doit avoir réduit de moitié.

3 Retirez du feu, laissez un peu refroidir, puis battez vigoureusement avec une cuillère de bois, pour réduire les pruneaux en purée.

ASTUCE
Ce dessert peut se préparer avec d'autres fruits secs, que l'on aura préablement fait tremper – abricots ou pêches, par exemple. On peut aussi ajouter une goutte de cognac ou de Cointreau au yaourt.

4 Transférez la purée de pruneaux dans un saladier. Incorporez le yaourt, en le mélangeant juste un peu aux pruneaux pour obtenir un effet marbré.

5 Répartissez le mélange dans quatre ramequins individuels, en lissant bien le dessus avec le dos d'une cuillère.

6 Décorez avec quelques morceaux de zeste d'orange. Faites glacer avant de servir.

COURONNE AUX FRUITS TROPICAUX

Ce dessert tropical, coloré et
spectaculaire, est également succulent.

— INGRÉDIENTS —

Pour 6 personnes

Pour la couronne au yaourt

17,5 cl (6 fl oz) de jus de fruits tropicaux
1 cuillerée à soupe de gélatine en poudre
3 blancs d'œufs
150 g (5 oz) de yaourt nature maigre
le zeste finement râpé de 1 citron

Pour la garniture

1 mangue
2 kiwis
10-12 physalis
le jus de 1 citron vert

1 Versez le jus de fruits tropicaux dans une
casserole et saupoudrez avec la gélatine.
Faites chauffer à feu doux jusqu'à dissolution
de la gélatine.

2 Battez les blancs d'œufs en neige très
ferme. Tout en continuant à fouetter,
incorporez peu à peu le yaourt et le zeste de
citron vert.

3 Continuez à battre en ajoutant la gélatine
chaude au mélange au yaourt, jusqu'à
l'obtention d'une mousse lisse et onctueuse.

4 Versez rapidement la mousse dans un moule
à manqué de 1,5 litre (2 1/2 pt). Mettez à
glacer au réfrigérateur le temps que la mousse
prenne.

5 Coupez la mangue en deux, dénoyautez-la,
pelez-la et coupez la pulpe en dés. Pelez et
émincez les kiwis. Retirez les feuilles
extérieures des physalis et coupez les fruits en
deux. Mélangez ensemble tous les fruits dans
un grand saladier en arrosant avec le jus de
citron vert.

6 Décollez délicatement la mousse du moule
avec un couteau. Plongez le moule dans
l'eau froide, puis renversez le yaourt glacé sur
un plat de service. Garnissez le centre de la
couronne avec les fruits et servez
immédiatement.

APPORT NUTRITIONNEL	
Par portion :	
Calories	83,5 kcal/355 kJ
Lipides	0,67 g
Acides gras saturés	0,27 g
Cholestérol	2,16 mg
Fibres	1,77 g

ASTUCE
Vous pouvez utiliser tous les mélanges
de fruits, en fonction de la saison. En été,
optez pour du jus de pomme pour la
couronne, et garnissez avec des fruits
rouges.

PASHKA DE FRAISES AUX PÉTALES DE ROSE

Cette version allégée d'un gâteau pascal traditionnel en Russie est idéale pour les dîners entre amis. Préparez-le un ou deux jours à l'avance, il n'en sera que meilleur.

INGRÉDIENTS

Pour 4 personnes

350 g (12 oz) de fromage blanc
175 g (6 oz) de yaourt nature maigre
2 cuillerées à soupe de miel liquide
1/2 cuillerée à café d'eau de rose
275 g (10 oz) de fraises
une poignée de pétales de roses odorantes, pour décorer

APPORT NUTRITIONNEL

Par portion :	
Calories	150,5 kcal/634 kJ
Lipides	3,83 g
Acides gras saturés	2,32 g
Cholestérol	0,13 mg
Fibres	0,75 g

ASTUCE

Autrefois, le moule à pashka était en bois, mais on utilise indifféremment, aujourd'hui, des moules à fromage à bords très hauts ou un pot à fleurs, garnis de plusieurs épaisseurs de mousseline.

1 Égouttez soigneusement le fromage blanc et mettez-le dans une passoire. Avec une cuillère de bois, tamisez-le dans un saladier.

2 Incorporez le yaourt, le miel et l'eau de rose.

3 Hachez grossièrement la moitié des fraises et incorporez-les au mélange au fromage blanc.

4 Tapissez un pot à fleurs avec de la mousseline. Versez-y le mélange. Repliez la mousseline, posez le pot dans un plat et laissez égoutter plusieurs heures.

5 Dépliez la mousseline et démoulez la pashka sur un plat de service. Décollez la mousseline avec précaution.

6 Décorez la pashka avec des fraises et des pétales de rose. Servez glacé.

MOUSSE BANANE ET ANANAS

Une mousse légère et appétissante, très facile à préparer, surtout si vous disposez d'un appareil électrique. Vous pouvez remplacer l'ananas en boîte par d'autres fruits en conserve – pêches ou abricots, par exemple.

INGRÉDIENTS

Pour 6 personnes

2 bananes mûres

240 g (1 tasse) de fromage blanc maigre

450 g (15 oz) de morceaux d'ananas en boîte, dans leur jus

1 sachet de gélatine en poudre

2 blancs d'œufs

APPORT NUTRITIONNEL

Par portion :

Valeur énergétique	110 Cal ou 464 kJ
Lipides	1,60 g
Acides gras saturés	0,98 g
Cholestérol	4,88 mg
Fibres	0,51 g

1 Disposez une double couche de papier sulfurisé autour d'un moule à charlotte de 60 cl (2 1/2 tasses), en laissant dépasser 5 cm en haut.

2 Pelez 1 banane et coupez-la en rondelles dans le bol d'un mixer. Ajoutez le fromage blanc. Travaillez jusqu'à obtenir un mélange onctueux.

3 Égouttez l'ananas. Réservez-en le jus et quelques morceaux pour décorer. Ajoutez l'ananas à la préparation du mixer. Travaillez quelques secondes pour hacher finement le fruit. Versez dans une terrine.

4 Dans un bol, mélangez la gélatine à 4 cuillerées à soupe du jus d'ananas réservé. Faites chauffer au bain-marie pour la dissoudre. Incorporez rapidement à la préparation de fruits.

5 Dans un autre bol, battez les blancs d'œufs en neige ferme. Incorporez-les délicatement au mélange de fruits. Versez la mousse dans le moule à charlotte, égalisez la surface et réfrigérez jusqu'à ce que le mélange ait bien pris.

6 Retirez alors la collerette de papier. Décorez avec les rondelles de banane et les morceaux d'ananas réservés.

NOTE

Pour plus de facilité, vous pouvez remplacer le moule à charlotte par un simple plat de 1 l de capacité et omettre la collerette.

COMPOTE DE FRUITS À LA ROSE

C'est le thé parfumé à la rose qui donne à ce dessert sa saveur subtile et raffinée.

INGRÉDIENTS

Pour 4 personnes

1 cuillerée à café de thé chinois à la rose

1 cuillerée à café d'eau de rose (facultatif)

30 g (1/4 tasse) de sucre semoule

1 cuillerée à café de jus de citron

5 pommes à cuire

200 g (1 1/2 tasse) de framboises
  (décongelées si surgelées)

APPORT NUTRITIONNEL

Par portion :	
Valeur énergétique	141 Cal ou 591 kJ
Lipides	0,34 g
Acides gras saturés	0
Cholestérol	0
Fibres	3,94 g

1 Ébouillantez une grande théière. Jetez-y le thé à la rose et 1 l d'eau frémissante, ainsi que l'eau de rose si vous le désirez. Laissez infuser environ 4 minutes.

2 Mettez le sucre et le jus de citron dans une casserole. Versez-y le thé à travers une passoire. Remuez pour dissoudre le sucre.

3 Pelez les pommes, coupez-les en quartiers et ôtez-en les trognons.

4 Jetez les pommes dans le sirop et faites-les pocher environ 5 minutes.

5 Laissez les pommes et le sirop refroidir à température ambiante.

6 Versez les pommes et le sirop dans un saladier. Ajoutez les framboises et mélangez bien. Servez dans des coupes individuelles.

NOTE
Si les framboises ne sont pas de saison, servez-vous de la même quantité de fruits surgelés, ou bien de 420 g (14 oz) de framboises en conserve bien égouttées.

GÂTEAU DE FROMAGE À LA MANGUE

Les gâteaux de fromage sont malheureusement souvent trop riches en graisses. Celui-ci est une exception.

INGRÉDIENTS

Pour 4 personnes

180 g (1 1/4 tasse) de farine d'avoine

3 cuillerées à soupe de margarine au tournesol

2 cuillerées à soupe de miel liquide

1 grosse mangue bien mûre

30 cl (1 1/4 tasse) de fromage blanc maigre

16 cl (2/3 tasse) de yaourt nature maigre

zeste finement râpé de 1 petit citron vert

3 cuillerées à soupe de jus de pomme

4 cuillerées à café de gélatine en poudre

quelques rondelles de mangue et de citron vert

1 Préchauffez le four à 200 °C (400 °F). Mélangez la farine d'avoine, la margarine et le miel. Pressez ce mélange sur le fond amovible d'un moule à gâteau de 20 cm de diamètre. Mettez au four pendant 12 à 15 minutes, jusqu'à obtenir une belle couleur dorée. Laissez refroidir.

2 Pelez et dénoyautez la mangue. Coupez-la en petits morceaux. Mettez-la dans le bol d'un mixer avec le fromage, le yaourt et le zeste de citron vert. Réduisez en purée onctueuse.

3 Dans une casserole, portez à ébullition le jus de pomme. Incorporez la gélatine. Remuez bien. Incorporez à la préparation.

4 Versez dans le moule. Réfrigérez jusqu'à ce que le gâteau soit bien pris. Démoulez sur un plat. Décorez avec des rondelles de mangue et de citron vert.

APPORT NUTRITIONNEL

Par portion :	
Valeur énergétique	422 Cal ou 1 774 kJ
Lipides	11,37 g
Acides gras saturés	2,20 g
Cholestérol	2,95 mg
Fibres	7,15 g

ASSIETTE DE FRUITS GOURMANDS ET DIP AU MIEL

INGRÉDIENTS

Pour 4 personnes

25 cl (1 tasse) de yaourt nature épais

3 cuillerées à soupe de miel liquide

choix de fruits variés : pommes, poires, mandarines, raisins, figues, cerises, fraises, kiwis...

APPORT NUTRITIONNEL

Par portion :	
Valeur énergétique	161 Cal ou 678 kJ
Lipides	5,43 g
Acides gras saturés	3,21 g
Cholestérol	7,31 mg
Fibres	2,48 g

1 Dans un bol, versez le yaourt. Battez-le à la fourchette pour le rendre parfaitement onctueux. Incorporez le miel sans trop mélanger, pour donner un effet marbré.

2 Coupez les fruits en quartiers ou en petits morceaux, laissez-en certains entiers.

3 Disposez les fruits sur un plat, autour du bol de dip au miel. Servez bien froid.

FIGUES ET POIRES AU MIEL

INGRÉDIENTS

Pour 4 personnes

1 citron
6 cuillerées à soupe de miel liquide
1 cosse de cardamome
2 poires
3 figues fraîches coupées en deux

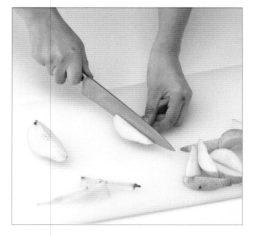

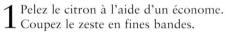

APPORT NUTRITIONNEL

Par portion :

Calories	108 kcal / 465 kJ
Protéines	0,73 g
Lipides	0,2 g
Acides gras saturés	0
Fibres	2,2 g

1 Pelez le citron à l'aide d'un économe. Coupez le zeste en fines bandes.

2 Faites bouillir le zeste, le miel et la cannelle dans une casserole, avec 35 cl d'eau, environ 10 minutes, sans couvrir, jusqu'à ce que le liquide soit réduit de moitié.

3 Coupez les poires en huit en enlevant le trognon. Incorporez-les au sirop. Ajoutez les figues. Cuisez à feu doux 5 minutes, jusqu'à ce que les fruits soient tendres.

4 Transférez les fruits dans un saladier. Laissez mijoter le liquide jusqu'à ce qu'il devienne du sirop. Otez la cannelle et versez sur les figues et les poires. Réfrigérez avant de servir.

GLACE AUX FRUITS ROUGES

Une superbe glace parfumée aux fruits d'été.

INGRÉDIENTS

Pour 6 personnes

1,200 kg (8 tasses) de fruits rouges d'été :
  framboises, fraises, groseilles, cassis
2 œufs séparés
25 cl (1 tasse) de yaourt nature maigre
  passé au chinois
18 cl (3/4 tasse) de jus de raisin noir
1 sachet de gélatine en poudre

APPORT NUTRITIONNEL

Par portion :

Valeur énergétique	133 Cal ou 558 kJ
Lipides	5,69 g
Acides gras saturés	2,72 g
Cholestérol	78,02 mg
Fibres	3,60 g

1 Réservez la moitié des fruits. Réduisez l'autre moitié en purée onctueuse, soit avec un mixer, soit manuellement au chinois.

2 Incorporez au fouet les jaunes d'œufs et le yaourt.

3 Faites chauffer le jus de raisin. Retirez-le du feu avant qu'il atteigne son point d'ébullition. Saupoudrez de gélatine. Remuez pour bien la dissoudre.

4 Incorporez au fouet la gélatine dissoute à la purée de fruits. Mettez en sorbetière et laissez au congélateur jusqu'à ce que le mélange commence à prendre.

5 Montez les blancs en neige ferme. Incorporez-les rapidement au mélange à moitié congelé.

6 Remettez au congélateur et attendez que la glace soit presque ferme. Servez en coupes individuelles décorées des fruits réservés.

NOTE

Le jus de raisin noir apporte une saveur subtile et une belle couleur. Vous pouvez cependant le remplacer par du jus d'airelle, de pomme ou d'orange.

CRÈME AU FROMAGE ET AUX RAISINS

─────── INGRÉDIENTS ───────

Pour 4 personnes

150 g (1 tasse) de raisins noirs ou blancs
*   sans pépins, plus 4 grappillons*
2 blancs d'œufs
1 cuillerée à soupe de sucre semoule
zeste finement râpé et jus de 1/2 citron
240 g (1 tasse) de fromage blanc maigre
3 cuillerées à soupe de miel liquide
2 cuillerées à soupe de cognac (facultatif)

APPORT NUTRITIONNEL	
Par portion :	
Valeur énergétique	135 Cal ou 563 kJ
Lipides	0
Acides gras saturés	0
Cholestérol	0,56 mg
Fibres	0

1 Dans une assiette, nappez légèrement de blanc d'œuf les grappillons de raisins. Saupoudrez de sucre. Laissez sécher.

2 Dans un bol, mélangez le zeste et le jus de citron, le fromage, le miel et le cognac. Hachez grossièrement le reste de raisins. Incorporez.

3 Montez les blancs d'œufs en neige ferme. Incorporez-les au mélange de raisins.

4 Servez bien froid dans des coupelles décorées des raisins glacés au sucre.

FRAISES EN GELÉE

─────── INGRÉDIENTS ───────

Pour 4 personnes

45 cl (1 7/8 tasse) de jus de raisin
1 bâton de cannelle
1 petite orange
1 sachet de gélatine en poudre
300 g (2 tasses) de fraises en petits
*   morceaux*
quelques fraises entières et zestes
*   d'orange*

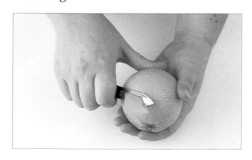

1 Dans une casserole, versez le jus de raisin. Ajoutez la cannelle et le zeste de l'orange finement pelé. Laissez infuser pendant 10 minutes à feu très doux, puis retirez la cannelle et le zeste.

2 Dans un bol, pressez le jus de l'orange. Saupoudrez de gélatine. Incorporez le jus de raisin et laissez la gélatine se dissoudre. Laissez refroidir jusqu'à ce que le mélange soit presque pris.

3 Incorporez les fraises. Versez rapidement dans un moule ou un plat. Faites prendre au réfrigérateur.

4 Pour démouler, plongez brièvement le moule dans de l'eau chaude. Retournez sur un plat. Décorez de fraises entières et de rubans de zeste d'orange.

APPORT NUTRITIONNEL	
Par portion :	
Valeur énergétique	85 Cal ou 355 kJ
Lipides	0,20 g
Acides gras saturés	0
Cholestérol	0
Fibres	1,04 g

Poires au sirop d'érable

Ingrédients

Pour 6 personnes

6 poires bien fermes

1 cuillerée à soupe de jus de citron

25 cl (1 tasse) de vin blanc doux ou de cidre doux

zeste finement épluché de 1 citron

1 bâton de cannelle

2 cuillerées à soupe de sirop d'érable

1/2 cuillerée à café d'arrow-root

16 cl (2/3 tasse) de yaourt nature maigre passé au chinois

Apport nutritionnel

Par portion :

Valeur énergétique	132 Cal ou 556 kJ
Lipides	2,40 g
Acides gras saturés	1,43 g
Cholestérol	3,25 mg
Fibres	2,64 g

2 Posez les poires dans une casserole à fond épais. Versez le vin ou le cidre, avec suffisamment d'eau froide pour presque recouvrir les fruits.

3 Ajoutez le zeste de citron et le bâton de cannelle. Portez à ébullition. Baissez le feu et laissez frémir pendant 30 à 40 minutes. Retournez les poires plusieurs fois. Sortez-les délicatement de la casserole. Égouttez et réservez.

4 Portez à ébullition le jus de cuisson des poires. Faites-le réduire à découvert jusqu'à obtenir environ 12 cl (1/2 tasse).

1 Pelez les poires en les laissant entières avec la tige. Badigeonnez-les de jus de citron afin qu'elles ne noircissent pas. Avec un petit couteau, évidez leur centre en partant du bas.

5 Passez au chinois, puis ajoutez le sirop d'érable. Faites dissoudre l'arrow-root dans un peu de ce liquide. Versez-le dans la casserole. Portez de nouveau à ébullition et laissez cuire en remuant jusqu'à obtenir un sirop épais et translucide.

6 Découpez les poires en tranches fines jusqu'aux trois quarts de leur hauteur, en laissant les tranches attachées à la tige. Disposez chaque poire en éventail sur une petite assiette.

7 Incorporez au yaourt 2 cuillerées à soupe de sirop tiède. Versez autour des poires. Arrosez du reste de sirop. Servez aussitôt.

NOTE

Faites pocher les poires à l'avance. Le sirop tiède doit être prêt juste au moment de servir. Le temps de cuisson de ce dessert variera en fonction du type et du degré de maturité des poires. Il faut que celles-ci soient mûres, mais encore fermes – les poires trop mûres ont tendance à s'écraser.

RIZ EXOTIQUE À LA PURÉE DE MANGUES

Les noix, les fruits secs, la cardamome et l'eau de rose font de ce pudding de riz à l'indienne un véritable délice.

INGRÉDIENTS

Pour 6 personnes
2 mangues bien mûres
50 g (2 oz) de riz basmati
1,5 l (2 1/2 pintes) de lait demi-écrémé
50 g (2 oz) de sucre brun cristallisé
50 g (2 oz) de raisins secs
1 cuillerée à café d'eau de rose
5 graines de cardamome
3 cuillerées à soupe de jus d'orange
20 g (3/4 oz) d'amandes effilées grillées
20 g (3/4 oz) de pistaches concassées

1 À l'aide d'un couteau pointu bien aiguisé, épluchez, dénoyautez puis coupez les mangues en morceaux.

2 Préchauffez le four à 150 °C (300 °F). Versez le riz basmati dans un plat allant au four. Faites bouillir le lait et versez-le sur le riz. Laissez cuire à découvert au four 2 heures. Il faut que le riz devienne tendre et ait absorbé tout le lait.

3 Retirez le plat du four. Incorporez au riz le sucre, les raisins secs et la moitié de l'eau de rose. Écrasez les fleurs de cardamome pour en extraire les graines que vous ajouterez au mélange. Laissez refroidir.

4 Passez la chair des mangues au mixeur avec le jus d'orange et le reste d'eau de rose pour obtenir une purée bien lisse.

5 Répartissez la purée de mangues dans six coupes de service. Remplissez chacune des coupes avec le riz, et lissez le dessus. Mettez au réfrigérateur ou dans un endroit frais.

6 Au moment de servir, décorez avec les amandes effilées grillées et les pistaches concassées.

APPORT NUTRITIONNEL	
Par portion :	
Valeur énergétique	300 kcal ou 1 260 kJ
Lipides	8 g
Acides gras saturés	3 g
Cholestérol	17,5 mg

ORANGES EN GELÉE

Les fruits frais en gelée sont absolument délicieux, totalement dénués de matières grasses et beaux à voir : l'effort en vaut la peine !

INGRÉDIENTS

Pour 4 personnes

3 oranges

1 citron

1 citron vert

30 cl (1 1/4 tasse) d'eau

65 g (1/3 tasse) de sucre en poudre roux

1 sachet de gélatine en poudre

quelques tranches de fruits pour la décoration

APPORT NUTRITIONNEL

Par portion :

Valeur énergétique	136 Cal ou 573 kJ
Lipides	0,21 g
Acides gras saturés	0
Cholestérol	0
Fibres	2,13 g

1 Avec un couteau effilé, épluchez soigneusement une orange. Détaillez-la en quartiers. Disposez les quartiers d'orange dans le fond d'un moule ou d'un plat d'environ 1 l de contenance.

2 Prélevez quelques fins rubans de zeste d'agrumes et réservez-les pour la décoration. Râpez le reste de zeste de citron et de citron vert, ainsi que celui d'une orange. Dans une petite casserole, mettez tous les zestes avec l'eau et le sucre.

3 Faites chauffer doucement jusqu'à dissoudre le sucre. Retirez du feu. Pressez le jus du reste de fruits. Ajoutez-le dans la casserole.

4 Passez ce sirop au chinois afin d'en retirer les zestes. Il doit vous rester environ 60 cl (2 1/2 tasses) de liquide : si nécessaire, complétez avec un peu d'eau. Saupoudrez de gélatine et remuez jusqu'à ce qu'elle soit dissoute.

5 Nappez les quartiers d'orange d'un peu de gelée. Réfrigérez jusqu'à ce que la gelée ait pris. Laissez refroidir le reste de gelée à température ambiante, mais ne la laissez pas prendre.

6 Dans le moule, versez le reste de gelée tiède. Réfrigérez. Juste avant de servir, démoulez et décorez avec des rubans de zeste et des tranches de fruits.

> **NOTE**
> Pour accélérer la prise des quartiers de fruits dans la gelée, posez le moule dans de la glace.

PUDDING D'AUTOMNE

On connaît bien maintenant les délicieux puddings aux fruits frais que l'on sert en été. Cette variante d'automne est un dessert riche en fibres et en vitamines.

INGRÉDIENTS

Pour 6 personnes

450 g (1 lb) de pommes

450 g (1 lb) de prunes coupées en deux et dénoyautées

225 g (8 oz) de mûres

4 cuillerées à soupe de jus de pomme

sucre ou miel pour adoucir (facultatif)

8 tranches de pain complet débarrassées de leur croûte

tige de menthe et mûre pour décorer

crème fraîche allégée pour servir

1 Coupez les pommes en quartiers, ôtez le cœur et pelez-les, puis émincez-les en tranches que vous mettrez dans une casserole. Ajoutez les prunes, les mûres et le jus de pomme. Couvrez et faites cuire doucement 10 à 15 minutes pour que les fruits deviennent tendres. Adoucissez si nécessaire avec du sucre ou du miel.

2 Prenez un moule à flan ou à charlotte d'une contenance de 1,2 l (2 pintes). Tapissez les bords et le fond avec 6 ou 7 tranches de pain. Recoupez-les pour égaliser.

3 Versez le mélange de fruits dans le moule. Il faut qu'il y ait juste assez de jus pour imbiber le pain. Réservez le reste du jus.

4 Recouvrez le mélange de fruits avec le reste du pain. Couvrez avec une assiette assez petite (elle doit reposer sur le pain) et placez un poids dessus. Si le jus des fruits risque de déborder, placez le plat sur une grande assiette. Mettez au réfrigérateur toute une nuit.

5 Démoulez le pudding sur le plat de service, et arrosez avec ce qu'il vous reste de jus en insistant sur les endroits du pain qui ont pu rester secs. Décorez avec la menthe et la mûre, et servez avec la crème fraîche.

APPORT NUTRITIONNEL	
Par portion :	
Valeur énergétique	185 kcal ou 765 kJ
Lipides	1,5 g
Acides gras saturés	0,5 g
Cholestérol	0

SALADE DE FRUITS ÉMERAUDE

INGRÉDIENTS

Pour 4 personnes

2 cuillerées à soupe de jus de citron vert
2 cuillerées à soupe de miel liquide
*2 pommes à couteau vertes sans trognon,
    coupées en petites tranches*
1 petit melon mûr coupé en dés
2 kiwis coupés en rondelles
1 carambole coupée en rondelles
quelques brins de menthe

1 Dans un saladier, mélangez le jus de citron vert et le miel. Incorporez les tranches de pomme.

2 Ajoutez le melon, les kiwis et la carambole. Réfrigérez. Disposez dans un saladier en verre.

3 Décorez de brins de menthe et servez avec du yaourt ou du fromage frais.

> NOTE
> La carambole doit être bien mûre :
> choisissez-la jaune et bien charnue.

APPORT NUTRITIONNEL

Par portion :	
Valeur énergétique	93 Cal ou 390 kJ
Lipides	0,48 g
Acides gras saturés	0
Cholestérol	0
Fibres	2,86 g

PASKHA AUX PÊCHES ET AU GINGEMBRE

Une version beaucoup plus légère d'un dessert classique que les Russes servent à Pâques.

INGRÉDIENTS

Pour 4 à 6 personnes

*340 g (1 1/2 tasse) de fromage blanc
    maigre*
2 pêches ou brugnons bien mûrs
8 cl (1/3 tasse) de yaourt nature maigre
*2 morceaux de gingembre confit égouttés
    et grossièrement hachés*
2 cuillerées à soupe de sirop de gingembre
1/2 cuillerée à café d'extrait de vanille
*quelques tranches de pêche et des
    amandes grillées effilées*

APPORT NUTRITIONNEL

Par portion :	
Valeur énergétique	142 Cal ou 600 kJ
Lipides	1,63 g
Acides gras saturés	0,22 g
Cholestérol	1,77 mg
Fibres	1,06 g

1 Égouttez le fromage blanc. Pressez-le au travers d'une passoire au-dessus d'un bol. Dénoyautez les pêches. Coupez-les en morceaux.

2 Dans le bol, mélangez les pêches, le fromage blanc, le yaourt, le gingembre, le sirop et l'extrait de vanille.

3 Garnissez un pot en terre cuite neuf et propre ou une passoire d'un morceau d'étamine propre.

4 Versez la préparation de fromage. Refermez le tissu et lestez. Laissez égoutter 24 heures dans un endroit frais. Pour servir, dénouez le tissu et renversez la pashka sur un plat. Décorez avec des tranches de pêches et des amandes.

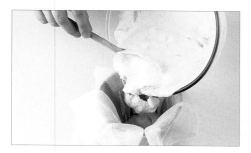

SORBET DE PRUNES AU PORTO

Ce sorbet est destiné aux adultes mais, pour les enfants, vous pouvez remplacer le porto par du jus de raisin.

INGRÉDIENTS

Pour 4 à 6 personnes

1 kg environ (2 lb) de prunes rouges
coupées en deux et dénoyautées
3 cuillerées à soupe d'eau
6 cuillerées à soupe de sucre semoule
3 cuillerées à soupe de porto rouge ou de
vin rouge
quelques biscuits

1 Dans une casserole, mettez les prunes, l'eau et le sucre. Remuez à feu doux jusqu'à ce que le sucre ait fondu. Couvrez. Faites cuire doucement environ 5 minutes.

2 Avec un mixer, réduisez les prunes en une purée onctueuse. Incorporez le porto. Laissez refroidir complètement. Versez dans une sorbetière et congelez à moitié.

3 À ce moment-là, mixez de nouveau jusqu'à obtenir un mélange très lisse. Remettez au congélateur pour une congélation complète.

4 Sortez 15 à 20 minutes avant de servir en boules, avec quelques biscuits.

APPORT NUTRITIONNEL	
Par portion :	
Valeur énergétique	166 Cal ou 699 kJ
Lipides	0,25 g
Acides gras saturés	0
Cholestérol	0
Fibres	3,75 g

CRÈME BRÛLÉE AUX FRUITS ROUGES

Une variante légère d'un dessert classique, généralement interdit dans un régime allégé. Le tofu (fromage de soja) est un produit maigre et sans cholestérol. Utilisez des fruits rouges de saison.

INGRÉDIENTS

Pour 4 personnes

330 g (11 oz) de tofu
3 cuillerées à soupe de sucre semoule
230 g (1 1/2 tasse) de fruits rouges :
*   framboises, fraises, groseilles*
5 cuillerées à soupe de cassonade

1 Mettez le tofu et le sucre dans le bol d'un mixer. Réduisez en un mélange onctueux.

2 Incorporez les fruits. Disposez dans un plat à gratin. Parsemez de suffisamment de cassonade pour bien recouvrir les fruits.

3 Passez sous un gril très chaud, jusqu'à ce que le sucre fonde et se caramélise. Réfrigérez avant de servir.

NOTE
Choisissez plutôt du tofu mou, qui donne une meilleure texture. Le tofu ferme se prête mieux à une cuisson en morceaux.

APPORT NUTRITIONNEL

Par portion :

Valeur énergétique	180 Cal ou 760 kJ
Lipides	3,01 g
Acides gras saturés	0,41 g
Cholestérol	0
Fibres	1,31 g

MOUSSE AUX ABRICOTS

Un entremets léger et parfumé, que l'on peut réaliser avec d'autres fruits secs : pruneaux, pommes ou pêches.

INGRÉDIENTS

Pour 4 personnes

270 g (1 1/2 tasse) d'abricots secs
30 cl (1 1/4 tasse) de jus d'orange frais
200 g (7/8 tasse) de fromage frais maigre
2 blancs d'œufs
quelques brins de menthe

1 Dans une casserole, mettez les abricots et le jus d'orange. Portez lentement à ébullition. Couvrez. Faites cuire à feu doux pendant 3 minutes.

2 Laissez légèrement refroidir. Travaillez au mixer jusqu'à obtenir une crème onctueuse. Incorporez le fromage frais.

3 Battez les blancs d'œufs en neige ferme. Incorporez-les aux abricots.

4 Servez très froid dans quatre verres hauts ou dans un grand plat, en décorant de quelques brins de menthe.

> **NOTE**
> Pour une version encore plus rapide à préparer, omettez les blancs d'œufs. Mélangez simplement les abricots et le fromage frais.

APPORT NUTRITIONNEL

Par portion :

Valeur énergétique	180 Cal ou 757 kJ
Lipides	0,63 g
Acides gras saturés	0,06 g
Cholestérol	0,50 mg
Fibres	4,80 g

MOUSSE À LA POMME ET AUX MÛRES

Les mûres peuvent être remplacées
par d'autres baies de saison.

Pour 4 personnes

300 g (2 tasses) de mûres
16 cl (2/3 tasse) de jus de pomme
1 cuillerée à café de gélatine en poudre
1 cuillerée à soupe de miel liquide
2 blancs d'œufs

1 Versez les mûres dans une grande casserole.
Ajoutez 4 cuillerées à soupe de jus de
pomme. Chauffez doucement pour ramollir les
fruits. Retirez du feu. Laissez refroidir.
Réfrigérez.

2 Dans une petite casserole, versez le reste de
jus de pomme. Saupoudrez de gélatine.
Remuez sur feu doux pour dissoudre la
gélatine. Incorporez le miel.

3 Montez les blancs d'œufs en neige ferme.
Versez lentement la gélatine chaude en
continuant de fouetter jusqu'à ce que le
mélange soit homogène.

4 Déposez rapidement la mousse en petits tas
sur des assiettes individuelles. Réfrigérez.
Servez entouré de mûres et nappé de leur jus.

NOTE
Veillez à dissoudre la gélatine à très
petit feu. Bouillir lui ferait perdre son
pouvoir gélifiant.

─────── **APPORT NUTRITIONNEL** ───────

Par portion :	
Valeur énergétique	49 Cal ou 206 kJ
Lipides	0,15 g
Acides gras saturés	0
Cholestérol	0
Fibres	1,74 g

GLACE YAOURT, MIEL ET BANANE

───────── INGRÉDIENTS ─────────

Pour 4 à 6 personnes

4 bananes mûres coupées en rondelles
1 cuillerée à soupe de jus de citron
2 cuillerées à soupe de miel liquide
25 cl (1 tasse) de yaourt nature épais
1/2 cuillerée à café de cannelle en poudre
quelques biscuits, rondelles de banane et
* noisettes effilées*

───────── APPORT NUTRITIONNEL ─────────

Par portion :

Valeur énergétique	138 Cal ou 580 kJ
Lipides	7,37 g
Acides gras saturés	3,72 g
Cholestérol	8,13 mg
Fibres	0,47 g

1 Mettez les bananes dans le bol d'un mixer. Ajoutez le jus de citron, le miel, le yaourt et la cannelle. Réduisez en une crème lisse.

2 Mettez en sorbetière et congelez. Avant que la glace soit complètement prise, mixez de nouveau jusqu'à obtenir une consistance très homogène.

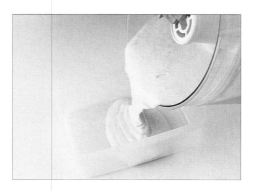

3 Finissez de congeler. Sortez 15 minutes avant de consommer. Servez en boules, avec des biscuits, des rondelles de banane et des noisettes effilées.

───────────────────────────

PUDDING D'AUTOMNE

───────── INGRÉDIENTS ─────────

Pour 6 personnes

10 tranches de pain de mie pas trop frais
1 pomme à cuire épluchée et coupée en
* tranches*
240 g (8 oz) de prunes rouges coupées en
* deux et dénoyautées*
240 g (8 oz) de mûres
4 cuillerées à soupe d'eau
6 cuillerées à soupe de sucre semoule

1 Ôtez la croûte des tranches de pain. Découpez un rond de 7,5 cm de diamètre dans l'une des tranches. Coupez les autres tranches en deux.

2 Posez le rond dans le fond d'un bol à pudding. Garnissez ses parois de tranches de pain, en en réservant quelques-unes pour le dessus.

3 Dans une casserole, mettez la pomme, les prunes, les mûres, l'eau et le sucre. Faites chauffer doucement pour que le sucre fonde, puis laissez frémir 10 minutes environ, jusqu'à ce que les fruits soient cuits. Retirez du feu.

4 Réservez le jus de cuisson. Versez les fruits dans le bol à pudding garni. Fermez avec les tranches restantes. Nappez du jus réservé.

5 Couvrez le bol avec une assiette lestée. Réfrigérez 24 heures. Démoulez sur un plat et servez avec du yaourt ou du fromage frais maigre.

───────── APPORT NUTRITIONNEL ─────────

Par portion :

Valeur énergétique	197 Cal ou 830 kJ
Lipides	1,10 g
Acides gras saturés	0,20 g
Cholestérol	0
Fibres	2,84 g

COURONNE DE RIZ AUX FRUITS

Un délicieux gâteau de riz, particulièrement resplendissant lorsqu'il est moulé en couronne. Mais vous pouvez simplement incorporer les fruits au riz et servir dans des coupes individuelles.

INGRÉDIENTS

Pour 4 personnes

5 cuillerées à soupe de riz rond
80 cl (3 1/4 tasses) de lait écrémé
1 bâton de cannelle
270 g (1 1/2 tasse) de fruits secs variés
18 cl (3/4 tasse) de jus d'orange
3 cuillerées à soupe de sucre semoule
zeste finement râpé de 1 petite orange

1 Dans une grande casserole, versez le riz et le lait. Ajoutez la cannelle. Portez à ébullition. Couvrez. Faites cuire à feu doux 1 heure et demie environ, en remuant de temps en temps, jusqu'à absorption totale du liquide.

2 Entre-temps, mettez les fruits et le jus d'orange dans une autre casserole. Portez à ébullition. Couvrez et faites cuire à feu très doux 1 heure environ, jusqu'à ce que les fruits soient tendres et le liquide absorbé.

3 Retirez le bâton de cannelle du riz. Incorporez le sucre et le zeste d'orange.

4 Versez les fruits dans un moule à savarin légèrement badigeonné d'huile. Recouvrez de riz en pressant pour égaliser. Réfrigérez.

5 Passez un couteau le long des bords du gâteau et retournez délicatement sur un plat.

APPORT NUTRITIONNEL

Par portion :

Valeur énergétique	343 Cal ou 1 440 kJ
Lipides	4,40 g
Acides gras saturés	2,26 g
Cholestérol	15,75 mg
Fibres	1,07 g

COUPES MARBRÉES

Si vous ne trouvez pas de fruits de la passion, vous pouvez n'utiliser que des framboises.

──────── INGRÉDIENTS ────────

Pour 4 personnes
380 g (2 1/2 tasses) de framboises
2 fruits de la passion
40 cl (1 2/3 tasse) de fromage frais maigre
2 cuillerées à soupe de sucre semoule
quelques framboises et brins de menthe

1 Dans un bol, écrasez les framboises avec une fourchette jusqu'à ce que les jus se dégagent. Évidez les fruits de la passion. Dans un autre bol, mélangez leur pulpe au fromage frais et au sucre.

2 Dans des coupes ou sur un plat, déposez des cuillerées successives de pulpe de framboises et de fruits de la passion. Remuez pour créer un effet marbré.

3 Décorez chaque coupe d'une framboise et d'un brin de menthe. Servez très froid.

NOTE
On peut également réaliser ce dessert avec d'autres fruits très mûrs et légèrement mous. Si vous vous servez de framboises surgelées, n'oubliez pas de les décongeler au préalable.

──────── APPORT NUTRITIONNEL ────────

Par portion :

Valeur énergétique	110 Cal ou 462 kJ
Lipides	0,47 g
Acides gras saturés	0,13 g
Cholestérol	1 mg
Fibres	2,12 g

TARTE GRATINÉE AUX FRUITS ROUGES

Confectionnez cette délicieuse tarte lorsque les fruits rouges sont de saison. Pour ravir petits et grands, servez-la tiède avec de la glace à la vanille allégée.

INGRÉDIENTS

Pour 4 personnes

un peu de margarine allégée amollie

600 g (4 tasses) de fruits rouges :
framboises, mûres, groseilles, cassis,
fraises, myrtilles

2 œufs à température ambiante

4 cuillerées à soupe (1/4 tasse) de sucre
glace, ou plus selon le goût

1 cuillerée à soupe de farine

30 g (1/4 tasse) d'amandes en poudre

glace à la vanille allégée (facultatif)

APPORT NUTRITIONNEL	
Par portion :	
Valeur énergétique	219 Cal ou 919 kJ
Lipides	11,31 g
Acides gras saturés	2,05 g
Cholestérol	112,60 mg
Fibres	4,49 g

NOTE
Les fruits rouges sont à consommer le jour même. Si vous les achetez en barquettes, choisissez celles qui ne sont pas tachées.

1 Préchauffez le four à 190 °C (375 °F). Avec un peu de margarine allégée, graissez un moule à tarte de 22 cm de diamètre. Garnissez le fond d'un rond de papier sulfurisé et parsemez-le des fruits et d'un peu de sucre s'ils sont acides.

2 Mélangez les œufs et le sucre en fouettant pendant 3 à 4 minutes, jusqu'à obtenir une consistance ferme. Mélangez la farine et les amandes. Incorporez délicatement ce mélange aux œufs battus.

3 Nappez les fruits de cette préparation. Faites cuire au four environ 15 minutes. Démoulez et présentez sur un grand plat, avec de la glace à la vanille.

NOTE
Hors saison, servez-vous de fruits en bocaux, mais veillez à ce qu'ils soient bien égouttés au préalable.

RAMEQUINS AUX FRAMBOISES ET AUX FRUITS DE LA PASSION

Un dessert remarquablement facile à réaliser : un mélange d'œufs en neige et de sucre cuit au four, servi avec quelques fruits rouges et une crème anglaise toute prête.

INGRÉDIENTS

Pour 4 personnes

2 cuillerées à soupe de margarine allégée amollie
5 blancs d'œufs
130 g (2/3 tasse) de sucre semoule
2 fruits de la passion
300 g (2 tasses) de framboises
25 cl (1 tasse) de crème anglaise prête à la consommation
lait écrémé selon les besoins
sucre glace

APPORT NUTRITIONNEL

Par portion :	
Valeur énergétique	309 Cal ou 1 296 kJ
Lipides	5,74 g
Acides gras saturés	3,30 g
Cholestérol	15,81 mg
Fibres	4,47 g

3 Coupez en deux les fruits de la passion. Prélevez-en les graines et incorporez-les aux blancs en neige.

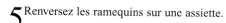

5 Renversez les ramequins sur une assiette.

1 Préchauffez le four à 180 °C (350 °F). Avec un pinceau, badigeonnez quatre ramequins d'une couche visible de margarine allégée.

2 Battez les blancs d'œufs en neige ferme (vous pouvez vous servir d'un appareil électrique). Incorporez le sucre au fur et à mesure et montez en neige très ferme.

4 Remplissez les ramequins de cette préparation. Placez-les dans une lèchefrite remplie à moitié d'eau bouillante. Mettez au four environ 10 minutes.

6 Surmontez de framboises. Diluez la crème anglaise avec un peu de lait écrémé. Versez-la dans l'assiette. Saupoudrez de sucre glace. Servez chaud ou froid.

> NOTE
> Si les framboises ne sont pas de saison, servez-vous d'autres fruits frais, en bocaux ou en conserve : fraises, myrtilles, groseilles.

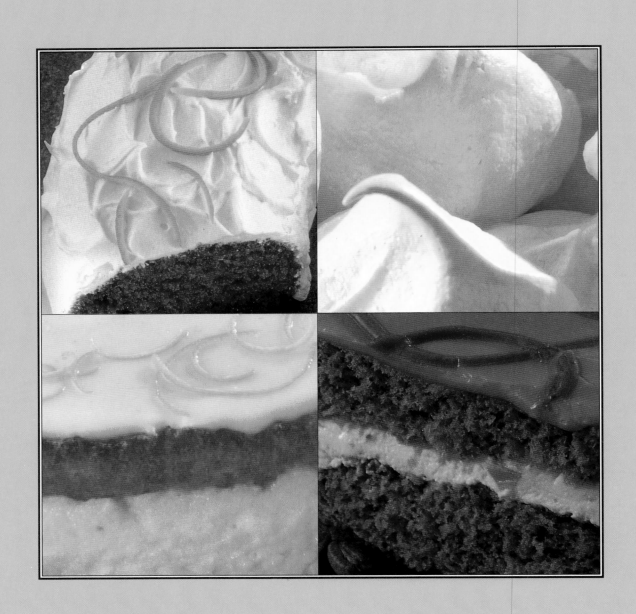

GÂTEAUX

Beaucoup de gourmands seront sans doute ravis
d'apprendre que l'on peut confectionner
de nombreux gâteaux sans utiliser de grosses quantités
de matières grasses. Il en va ainsi
pour les succulentes recettes présentées
dans ce chapitre, qu'il s'agisse du gâteau Tía María,
des biscuits de Savoie fourrés au café,
des meringues à la cassonade
ou des brownies au chocolat et à la banane.

CAKE AU WHISKY À L'IRLANDAISE

Ce délicieux cake aux fruits est arrosé
de whisky dès sa sortie du four.

INGRÉDIENTS

Pour 12 personnes

115 g (4 oz) de cerises confites
175 g (6 oz) de cassonade
115 g (4 oz) de raisins secs
115 g (4 oz) de raisins de Smyrne
115 g (4 oz) de raisins de Corinthe
30 cl (1/2 pt) de thé froid
*300 g (10 oz) de farine (avec levure
    incorporée), tamisée*
1 œuf
3 cuillerées à soupe de whisky irlandais

ASTUCE
Pour gagner du temps, faites tremper
les fruits dans du thé chaud pendant
2 heures.

1 Mélangez les cerises, la cassonade, les
fruits secs et le thé dans une grande terrine.
Laissez tremper toute la nuit. Les fruits doivent
avoir complètement absorbé le thé.

APPORT NUTRITIONNEL	
Par portion :	
Calories	265 kcal/1 115 kJ
Lipides	0,88 g
Acides gras saturés	0,25 g
Cholestérol	16 mg
Fibres	1,48 g

2 Faites chauffer le four à 180 °C (350 °F).
Graissez un moule à cake de 1 litre
(1 3/4 pt) et tapissez-le de papier sulfurisé.
Dans la terrine, incorporez la farine et l'œuf
aux fruits, puis fouettez vigoureusement.

3 Versez le mélange dans le moule, enfournez
et faites cuire pendant 1 heure 30. Lorsque
vous piquez le gâteau avec une brochette, elle
doit ressortir propre.

4 Piquez le dessus du cake avec une
brochette, puis arrosez de whisky le gâteau
encore chaud. Laissez reposer pendant
5 minutes, puis démoulez et laissez refroidir
sur une grille.

GÂTEAU DE SAVOIE À L'ORANGE

Ce succulent gâteau est idéal pour un anniversaire.

INGRÉDIENTS

Pour 10 personnes

40 g (1 1/2 oz) de farine de maïs
40 g (1 1/2 oz) de farine de blé
8 blancs d'œufs
225 g (8 oz) de sucre en poudre, plus
*   1 cuillerée à soupe pour saupoudrer*
1 cuillerée à café d'essence de vanille
6 cuillerées à soupe de glaçage parfumé à
*   l'orange, 4-6 physalis et un peu de sucre*
*   glace, pour décorer*

1 Faites préchauffer à 180 °C (350 °F). Tamisez les deux farines sur une feuille de papier sulfurisé.

2 Battez les blancs d'œufs en neige très ferme, puis incorporez peu à peu le sucre et l'essence de vanille, en continuant de fouetter jusqu'à ce que le mélange soit épais et brillant.

3 Incorporez délicatement les deux farines aux blancs en neige avec une cuillère en métal. Versez la préparation dans un moule à manqué non graissé de 25 cm (10 po), lissez la surface avec une spatule, enfournez et laissez cuire pendant 45 à 50 minutes. Lorsque vous appuyez avec le doigt, la pâte doit revenir en place.

4 Saupoudrez un morceau de papier sulfurisé avec du sucre en poudre en posant un coquetier au centre. Retournez le moule sur le papier, en le posant délicatement sur le coquetier. En refroidissant, le gâteau se démoulera de lui-même. Transférez-le ensuite sur un plat de service, versez le glaçage, décorez avec les physalis et saupoudrez de sucre glace avant de servir.

ASTUCE
Vous pouvez supprimer le glaçage et les physalis et seulement saupoudrer le gâteau avec un peu de sucre glace. Ce gâteau peut se servir au moment du café, ou pour accompagner un yaourt glacé à la vanille.

APPORT NUTRITIONNEL	
Par portion :	
Calories	139 kcal/582 kJ
Lipides	0,08 g
Acides gras saturés	0,01 g
Cholestérol	0
Fibres	0,13 g

GÂTEAU TÍA MARÍA

Génoise au café, très légère, garnie d'une crème à la liqueur.

INGRÉDIENTS

Pour 8 personnes
75 g (3 oz) de farine
2 cuillerées à soupe de café instantané en poudre
3 œufs
115 g (4 oz) de sucre en poudre
grains de café, pour décorer (facultatif)

Pour la garniture
175 g (6 oz) de fromage blanc maigre
1 cuillerée à soupe de miel liquide
1 cuillerée à soupe de liqueur Tía María
50 g (2 oz) de racine de gingembre, grossièrement hachée

Pour le glaçage
225 g (8 oz) de sucre glace, tamisé
2 cuillerées à café d'essence de café
1 cuillerée à soupe d'eau
1 cuillerée à café de cacao en poudre dégraissé

APPORT NUTRITIONNEL

Par portion :	
Calories	226 kcal/951 kJ
Lipides	3,14 g
Acides gras saturés	1,17 g
Cholestérol	75,03 mg
Fibres	0,64 g

ASTUCE
Lorsque vous incorporez la farine à l'étape 3, conservez à la préparation sa légèreté et son moelleux pour que le gâteau puisse gonfler suffisamment.

1 Faites préchauffer le four à 190 °C (375 °F). Graissez un moule rond profond, de 20 cm (8 po) de diamètre, puis tapissez-le de papier sulfurisé. Versez la farine et le café en poudre en pluie sur une feuille de papier.

2 Fouettez les œufs et le sucre dans une terrine jusqu'à ce que la préparation épaississe suffisamment et prenne l'aspect d'une mousse. (Lorsque vous soulevez le fouet, un filet de pâte doit rester à la surface pendant au moins 15 secondes.)

3 Incorporez délicatement la farine aux œufs avec une cuillère en métal. Versez la préparation dans le moule. Enfournez et faites cuire pendant 30 à 45 minutes. Lorsqu'elle est pressée avec le doigt, la génoise doit revenir en place. Démoulez sur une grille et laissez refroidir.

4 Pour préparer la garniture, mélangez le fromage avec le miel dans un bol. Fouettez jusqu'à ce que la préparation soit bien lisse, puis incorporez le Tía María et le gingembre.

5 Coupez horizontalement le gâteau en deux, nappez la première couche avec la garniture, puis recouvrez avec la seconde couche.

6 Pour préparer le glaçage, mélangez dans un bol le sucre glace et l'essence de café avec suffisamment d'eau pour obtenir une pâte épaisse, mais coulante. Versez les trois quarts du glaçage sur le gâteau, en lissant bien sur les bords avec une spatule. Incorporez le cacao au reste du glaçage en battant jusqu'à l'obtention d'une crème lisse. Versez dans une poche à douille et décorez le dessus du gâteau avec le glaçage au moka. Décorez de quelques grains de café.

GÂTEAU AU CHOCOLAT ET À L'ORANGE

Ce gâteau léger, aérien, nappé de glace est d'un apport en lipides nul, mais très savoureux.

INGRÉDIENTS

Pour 10 personnes

25 g (1 oz) de farine de blé
2 cuillerées à soupe de cacao en poudre dégraissé
2 cuillerées à soupe de farine de maïs
une pincée de sel
5 blancs d'œufs
115 g (4 oz) de sucre en poudre
le zeste de 1 orange, grossièrement haché et blanchi, pour décorer

Pour le glaçage

200 g (7 oz) de sucre en poudre
1 blanc d'œuf

APPORT NUTRITIONNEL

Par portion :	
Calories	53 kcal/644 kJ
Lipides	0,27 g
Acides gras saturés	0,13 g
Fibres	0,25 g

ASTUCE
Ne fouettez pas trop les blancs d'œufs. Ils ne doivent pas être trop fermes et rester suffisamment légers pour permettre au gâteau de gonfler pendant la cuisson.

1 Faites préchauffer le four à 180 °C (350 °F). Tamisez trois fois la farine de blé, le cacao en poudre, la farine de maïs et le sel. Battez les œufs en neige jusqu'à ce qu'ils deviennent mousseux.

2 Incorporez le sucre en poudre aux blancs d'œufs, cuillerée par cuillerée, en fouettant à chaque fois. Tamisez un tiers du mélange farine-cacao sur la meringue et mélangez délicatement. Répétez l'opération encore deux fois.

3 Versez la mousse dans un moule-couronne de 20 cm (8 po) et lissez le dessus avec une spatule. Enfournez et faites cuire pendant 35 minutes. Retournez sur une grille et laissez refroidir le gâteau dans le moule. Lorsqu'il est suffisamment froid, démoulez-le avec précaution.

4 Pour préparer le glaçage, versez le sucre dans une casserole avec 5 cuillerées à soupe d'eau. Faites cuire à feu doux jusqu'à dissolution du sucre, en remuant constamment. Puis portez à ébullition jusqu'à ce que la température du sirop atteigne 120 °C (240 °F) (mesurée à l'aide d'un thermomètre à sucre) ou lorsqu'une goutte de sirop forme une petite boule en tombant dans un bol d'eau froide. Retirez du feu.

5 Battez le blanc d'œuf en neige ferme. Incorporez le sirop en un mince filet, en fouettant constamment. Continuez de battre jusqu'à ce que la préparation soit épaisse et moelleuse.

6 Nappez le dessus et les bords du gâteau avec le glaçage. Décorez avec des morceaux de zeste d'orange et servez.

GÂTEAU DE POMMES À LA CANNELLE

Ce gâteau est parfait pour un goûter d'automne.

INGRÉDIENTS

Pour 8 personnes

3 œufs
115 g (4 oz) de sucre en poudre
75 g (3 oz) de farine
1 cuillerée à café de cannelle en poudre

Pour la garniture et le nappage

4 grosses pommes
4 cuillerées à soupe de miel liquide
1 cuillerée à soupe d'eau
75 g (3 oz) de raisins de Smyrne
1/2 cuillerée à café de cannelle en poudre
350 g (12 oz) de fromage blanc maigre
4 cuillerées à soupe de crème fraîche
*   allégée*
2 cuillerées à café de jus de citron
3 cuillerées à soupe de glaçage aux abricots
des brins de menthe, pour décorer

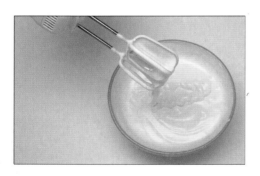

1 Faites préchauffer le four à 190 °C (375 °F). Graissez un moule rond de 23 cm (9 po) de diamètre et tapissez-le de papier sulfurisé. Cassez les œufs dans une terrine, ajoutez le sucre et battez au fouet électrique jusqu'à l'obtention d'une mousse épaisse. (Lorsque vous soulevez le fouet, un filet de pâte doit rester à la surface pendant au moins 15 secondes.)

APPORT NUTRITIONNEL	
Par portion :	
Calories	244 kcal/1 023 kJ
Lipides	4,05 g
Acides gras saturés	1,71 g
Cholestérol	77,95 mg
Fibres	1,50 g

2 Tamisez la farine et la cannelle sur la pâte, puis remuez avec une cuillère. Versez le tout dans le moule, enfournez et laissez cuire de 25 à 30 minutes. Le gâteau doit remonter immédiatement lorsqu'on le presse légèrement avec le doigt. Démoulez le gâteau sur une grille et laissez refroidir.

3 Pour préparer la garniture, pelez, évidez et coupez en lamelles trois pommes. Mettez les morceaux dans une casserole, puis ajoutez 2 cuillerées à soupe de miel et l'eau. Couvrez et laissez cuire, à feu doux, pendant 10 minutes. Incorporez les raisins de Smyrne et la cannelle, remuez bien, couvrez de nouveau et laissez refroidir.

4 Mettez le fromage blanc dans une terrine avec le reste de miel, la crème fraîche et la moitié du jus de citron. Battez jusqu'à l'obtention d'une crème onctueuse et lisse.

5 Coupez le gâteau en deux, dans l'épaisseur, posez une moitié sur un plan de travail et arrosez avec le jus de cuisson des pommes. Avec une spatule, nappez avec les deux tiers du fromage à la crème, puis recouvrez avec la préparation aux pommes. Coiffez le tout avec la seconde moitié de gâteau.

6 Étalez le reste de fromage à la crème sur le dessus du gâteau. Évidez et coupez en lamelles la pomme restante, arrosez avec du jus de citron et décorez-en le tour du gâteau. Badigeonnez les pommes avec le glaçage aux abricots et décorez avec des feuilles de menthe.

ASTUCE

Le glaçage à l'abricot sert à badigeonner toutes les garnitures ou nappages de fruits frais. Déposez quelques cuillerées de confiture d'abricots dans une petite casserole avec un filet de jus de citron. Faites chauffer la confiture, en remuant jusqu'à l'obtention d'un sirop épais et coulant. Versez dans un tamis au-dessus d'un bol. Tassez la confiture avec une cuillère en bois pour qu'elle passe plus facilement. Transférez le sirop tamisé dans la casserole. Gardez au chaud jusqu'à utilisation.

MERINGUES

Les meringues se caractérisent par leur légèreté et leur faible teneur en lipides. Elles sont idéales pour accompagner un yaourt glacé.

INGRÉDIENTS

Pour 20 meringues

2 blancs d'œufs
115 g (4 oz) de sucre en poudre
1 cuillerée à soupe de farine de maïs, tamisée
1 cuillerée à café de vinaigre de vin blanc
1/4 cuillerée à café d'essence de vanille

1 Faites préchauffer le four à 150 °C (300 °F). Tapissez deux plaques à four avec du papier sulfurisé. Dans un grand saladier, battez les blancs en neige très ferme au fouet électrique.

2 Incorporez le sucre en continuant à fouetter, jusqu'à ce que la pâte à meringue soit bien ferme. Répétez l'opération avec la farine de maïs, le vinaigre et l'essence de vanille.

3 Avec une poche à douille ou une petite cuillère, déposez des petits tas de pâte sur les plaques. Enfournez et laissez cuire pendant 30 minutes. La pâte doit sécher.

4 Retirez les plaques du four et laissez refroidir. Lorsque les meringues sont froides, décollez-les du papier sulfurisé avec une spatule.

APPORT NUTRITIONNEL	
Par portion :	
Calories	29 kcal/24 kJ
Lipides	0,01 g
Acides gras saturés	0
Cholestérol	0

MERINGUES À LA CASSONADE

Vous pouvez garnir ces meringues avec un mélange de fromage blanc et de fruits frais ou les manger sans accompagnement.

INGRÉDIENTS

Pour 20 meringues
115 g (4 oz) de cassonade
2 blancs d'œufs
1 cuillerée à café de noix, concassées

APPORT NUTRITIONNEL

Par portion :

Calories	30 kcal/124 kJ
Lipides	0,34 g
Acides gras saturés	0,04 g
Cholestérol	0
Fibres	0,02 g

1 Faites préchauffer le four à 160 °C (325 °F). Tapissez deux plaques à four avec du papier sulfurisé. Tamisez la cassonade à travers une passoire en la tassant fermement avec une cuillère de bois.

2 Dans un grand saladier, battez les blancs en neige très ferme au fouet électrique. Incorporez le sucre, cuillerée par cuillerée, en continuant à fouetter, jusqu'à ce que la pâte à meringue soit bien ferme.

3 Avec une petite cuillère, déposez des petits tas de pâte sur les plaques.

4 Décorez les meringues de noix concassées. Enfournez et laissez cuire pendant 30 minutes. Laissez refroidir pendant 5 minutes, puis décollez du papier et transférez sur une grille.

ASTUCE
Pour préparer la garniture, mélangez 115 g (4 oz) de fromage blanc (20 % de matières grasses) avec une cuillerée à soupe de sucre glace. Hachez deux tranches d'ananas frais et incorporez à la préparation. Utilisez ensuite ce mélange pour coller deux meringues ensemble.

BISCUITS À LA CUILLER

Ces biscuits en forme de bâtonnets bombés servent à accompagner les glaces et les crèmes ou, tout simplement, le café.

INGRÉDIENTS

Pour 20 biscuits

2 œufs
75 g (3 oz) de sucre en poudre
le zeste râpé de 1 citron
50 g (2 oz) de farine, tamisée
sucre en poudre, pour saupoudrer

APPORT NUTRITIONNEL	
Par portion :	
Calories	33 kcal/137 kJ
Lipides	0,57 g
Acides gras saturés	0,16 g
Cholestérol	19,30 mg
Fibres	0,08 g

1 Faites préchauffer le four à 190 °C (375 °F). Tapissez deux plaques à four avec du papier sulfurisé.

2 Battez les œufs, le sucre et le zeste de citron au fouet électrique jusqu'à l'obtention d'une mousse épaisse et onctueuse. (Lorsque vous soulevez le fouet, un filet épais doit rester à la surface pendant au moins 15 secondes.)

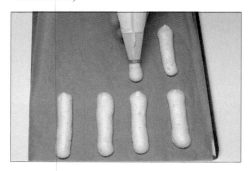

3 Incorporez avec précaution la farine avec une cuillère en métal. Introduisez la pâte dans une poche à douille et déposez de petits tas en forme de bâtonnets sur les plaques.

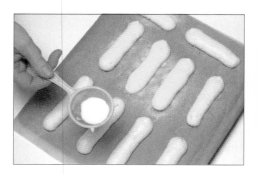

4 Saupoudrez les biscuits avec du sucre, enfournez et faites cuire de 6 à 8 minutes, jusqu'à ce qu'ils soient brun doré.

> **VARIANTE**
> On peut remplacer le zeste de citron par une cuillerée à café d'épices mélangées (pour pâtisserie).

PAVÉ AUX ABRICOTS

Ce gâteau se sert avec le thé. La présence des abricots lui conserve son moelleux pendant plusieurs jours.

INGRÉDIENTS

Pour 18 portions

225 g (8 oz) de farine (avec levure incorporée)
115 g (4 oz) de sucre roux
50 g (2 oz) de semoule
175 g (6 oz) d'abricots séchés prêts à être consommés, hachés
2 cuillerées à soupe de miel liquide
2 œufs
4 cuillerées à soupe de lait écrémé
4 cuillerées à soupe d'huile de tournesol
quelques gouttes d'essence d'amande
2 cuillerées à soupe d'amandes, effilées

1 Faites préchauffer le four à 160 °C (325 °F). Graissez légèrement un moule rectangulaire de 18 x 28 cm (7 x 11 po) et tapissez-le de papier sulfurisé.

2 Tamisez la farine dans une terrine, puis incorporez le sucre, la semoule et les abricots. Faites un puits au centre et mettez-y le miel, les œufs, le lait, l'huile et l'essence d'amande. Mélangez vigoureusement le tout jusqu'à l'obtention d'une pâte lisse.

3 Versez la pâte dans le moule, en l'étalant bien sur les bords, puis parsemez le dessus avec les amandes effilées.

4 Enfournez et faites cuire de 30 à 35 minutes. Le centre du gâteau doit remonter immédiatement lorsqu'on le presse avec le doigt. Démoulez et posez sur une grille. Divisez en 18 morceaux.

ASTUCE

Si vous ne trouvez pas d'abricots prêts à être consommés, hachez des abricots secs et faites-les tremper dans l'eau bouillante pendant 1 heure, avant de les ajouter à la préparation.

APPORT NUTRITIONNEL

Par portion :

Calories	153 kcal/641 kJ
Lipides	4,56 g
Acides gras saturés	0,61 g
Cholestérol	21,5 mg
Fibres	1,27 g

BISCUITS DE SAVOIE FOURRÉS AU CAFÉ

Ces petits biscuits peuvent se déguster seuls, mais ils sont encore meilleurs fourrés de fromage blanc au gingembre.

────── INGRÉDIENTS ──────

Pour 12 biscuits

50 g (2 oz) de farine
1 cuillerée à soupe de café instantané en poudre
2 œufs
6 cuillerées à soupe de sucre en poudre

Pour la garniture

115 g (4 oz) de fromage blanc maigre
une racine de gingembre

┌─────────────────────────────────────┐
│ ASTUCE   │
│ On peut remplacer le gingembre par des │
│ noix.   │
└─────────────────────────────────────┘

1 Faites préchauffer le four à 190 °C (375 °F). Tapissez deux plaques à four avec du papier sulfurisé. Préparez la garniture en mélangeant le fromage blanc et le gingembre. Mettez à glacer. Tamisez ensemble la farine et le café en poudre.

────── APPORT NUTRITIONNEL ──────	
Par portion :	
Calories	69 kcal/290 kJ
Lipides	1,36 g
Acides gras saturés	0,50 g
Cholestérol	33,33 mg
Fibres	0,29 g

2 Cassez les œufs dans une terrine, ajoutez le sucre et battez au fouet électrique jusqu'à l'obtention d'une mousse épaisse. (Lorsque vous soulevez le fouet, un filet de pâte doit rester à la surface pendant au moins 15 secondes.)

3 Incorporez avec précaution la farine au café avec une cuillère en métal, en évitant de tasser la préparation.

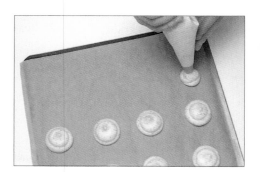

4 Introduisez la pâte dans une poche à douille et déposez des petits tas de pâte arrondis sur les deux plaques. Enfournez et laissez cuire pendant 12 minutes. Laissez refroidir sur une grille, puis collez ensemble avec la garniture.

BROWNIES AU CHOCOLAT ET À LA BANANE

On a remplacé ici les noix, qui donnent traditionnellement aux brownies leur texture compacte, par du son d'avoine qui les rend plus moelleux.

INGRÉDIENTS

Pour 9 personnes

5 cuillerées à soupe de cacao en poudre dégraissé
1 cuillerée à soupe de sucre en poudre
5 cuillerées à soupe de lait écrémé
3 grosses bananes, écrasées
215 g (7 1/2 oz) de cassonade
1 cuillerée à café d'essence de vanille
5 blancs d'œufs
75 g (3 oz) de farine (avec levure incorporée)
75 g (3 oz) de son d'avoine
1 cuillerée à soupe de sucre glace, pour décorer

APPORT NUTRITIONNEL

Par portion :	
Calories	230 kcal/968 kJ
Lipides	2,15 g
Acides gras saturés	0,91 g
Fibres	1,89 g

ASTUCES
Conservez les brownies dans un moule hermétiquement fermé pendant une journée avant dégustation, ils n'en seront que meilleurs.

Vous trouverez du cacao dégraissé dans toutes les grandes surfaces. Sinon, du cacao ordinaire fera l'affaire, mais bien évidemment sa teneur en lipides sera nettement plus élevée !

1 Faites préchauffer le four à 180 °C (350 °F). Tapissez un moule carré de 20 cm (8 po) de côté avec du papier sulfurisé.

2 Mélangez le cacao en poudre, le sucre et le lait écrémé. Ajoutez les bananes, la cassonade et l'essence de vanille.

3 Battez légèrement les blancs d'œufs avec une fourchette. Ajoutez la préparation au chocolat, sans cesser de battre. Tamisez la farine sur le mélange, puis incorporez le son d'avoine. Versez la pâte dans le moule.

4 Enfournez et faites cuire pendant 40 minutes. Laissez refroidir dans le moule pendant 10 minutes, puis démoulez sur une grille. Coupez en carrés et saupoudrez-les de sucre glace avant de servir.

BISCUIT ROULÉ À LA PÊCHE

Un délicieux gâteau à la pêche que l'on pourra servir à l'heure du thé.

INGRÉDIENTS

Pour 6-8 personnes

3 œufs
115 g (4 oz) de sucre en poudre
75 g (3 oz) de farine, tamisée
1 cuillerée à soupe d'eau bouillante
6 cuillerées à soupe de confiture de pêches
sucre glace, pour décorer (facultatif)

APPORT NUTRITIONNEL

Par portion :

Calories	178 kcal/746 kJ
Lipides	2,45 g
Acides gras saturés	0,67 g
Cholestérol	82,50 mg
Fibres	0,33 g

ASTUCE

Pour décorer ce biscuit roulé avec un glaçage, versez la préparation dans une poche à douille, puis dessinez des lignes sur le dessus du gâteau.

1 Faites préchauffer le four à 200 °C (400 °F). Graissez un moule rectangulaire, de 30 x 20 cm (12 x 8 po), puis tapissez-le de papier sulfurisé. Fouettez les œufs et le sucre dans une terrine jusqu'à ce que la préparation épaississe suffisamment et prenne l'aspect d'une mousse. (Lorsque vous soulevez le fouet, un filet de pâte doit rester à la surface pendant au moins 15 secondes.)

2 Incorporez délicatement la farine aux œufs avec une cuillère en métal. Ajoutez l'eau bouillante en prenant les mêmes précautions.

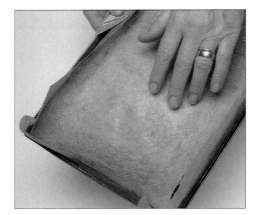

3 Versez la pâte dans le moule, étalez-la bien sur les bord, et faites cuire au four de 10 à 12 minutes. Lorsqu'elle est pressée avec le doigt, la génoise doit revenir en place.

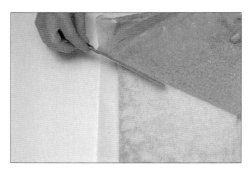

4 Étalez une feuille de papier sulfurisé sur le plan de travail. Saupoudrez-la de sucre en poudre, puis démoulez le biscuit dessus. Décollez le papier de cuisson avec précaution.

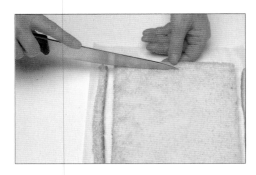

5 Coupez soigneusement les bords du biscuit. Faites une incision à environ 1 cm (1/2 po) du bord, sur tout le tour, et sur une profondeur ne dépassant pas les deux tiers du gâteau.

6 Nappez le biscuit avec la confiture de pêches et roulez-le rapidement. Maintenez-le en position pendant 1 minute, pour qu'il adhère bien. Laissez refroidir sur une grille. Décorez avec un glaçage ou saupoudrez avec du sucre glace avant de servir.

GÂTEAU AU CITRON

La mousse au citron convient bien pour fourrer cette génoise légère.

INGRÉDIENTS

Pour 8 personnes

2 œufs
75 g (3 oz) de sucre en poudre
le zeste râpé de 1 citron
50 g (2 oz) de farine, tamisée
morceaux de zeste de citron, pour décorer

Pour la garniture

2 œufs, blancs et jaunes séparés
75 g (3 oz) de sucre en poudre
le zeste râpé et le jus de 1 citron
2 cuillerées à soupe d'eau
1 cuillerée à soupe de gélatine
12,5 cl (4 fl oz) de fromage blanc maigre

Pour le glaçage

1 cuillerée à soupe de jus de citron
115 g (4 oz) de sucre glace, tamisé

1 Faites préchauffer le four à 180 °C (350 °F). Graissez un moule à manqué, à fond amovible, de 20 cm (8 po) de diamètre, puis tapissez-le de papier sulfurisé. Fouettez les œufs, le sucre et le zeste de citron dans une terrine, jusqu'à ce que la préparation épaississe suffisamment et prenne l'aspect d'une mousse. (Lorsque vous soulevez le fouet, un filet de pâte doit rester à la surface pendant au moins 15 secondes.) Incorporez délicatement la farine aux œufs avec une cuillère en métal, puis versez la pâte dans le moule.

2 Enfournez et faites cuire de 20 à 25 minutes. Démoulez sur une grille pour la laisser refroidir. Lorsqu'elle est suffisamment froide, coupez-la en deux, dans le sens horizontal, et mettez une des deux moitiés dans le moule soigneusement nettoyé.

3 Mettez les jaunes d'œufs, le sucre, le zeste et le jus de citron dans une jatte. Battez au fouet électrique jusqu'à l'obtention d'une crème épaisse, jaune-pâle et crémeuse.

4 Versez l'eau dans une terrine résistant à la chaleur, saupoudrez avec la gélatine, et faites chauffer à feu doux. Lorsque la gélatine devient spongieuse, incorporez-la à l'eau frissonnante jusqu'à sa dissolution. Laissez refroidir, puis ajoutez la crème aux œufs, tout en remuant. Incorporez le fromage blanc. Lorsque le mélange commence à prendre, battez les blancs d'œufs en neige très ferme. Incorporez-les ensuite à la crème.

5 Versez la mousse au citron dans le moule, sur la moitié de génoise en l'étalant sur les bords. Recouvrez avec la seconde moitié de génoise et mettez à glacer au réfrigérateur.

6 Glissez une spatule préalablement trempée dans l'eau chaude entre le moule et le gâteau pour décoller ce dernier, puis transférez-le sur un plat de service. Préparez ensuite le glaçage en mélangeant suffisamment de jus de citron au sucre glace pour obtenir une préparation épaisse (elle doit recouvrir la cuillère de bois). Versez sur le gâteau et nappez-le bien sur les bords. Décorez avec des morceaux de zestes de citron.

APPORT NUTRITIONNEL

Par portion :

Calories	202 kcal/849 kJ
Lipides	2,81 g
Acides gras saturés	0,79 g
Cholestérol	96,41 mg
Fibres	0,20 g

ASTUCE

Vous devez attendre que la mousse ait pris pour incorporer les blancs d'œufs en neige. Pour accélérer ce processus, placez le récipient contenant la mousse dans l'eau glacée.

PAVÉ AU GINGEMBRE ET À LA BANANE

Ce gâteau est très facile à préparer, et les bananes le rendent très onctueux.

INGRÉDIENTS

Pour 20 portions

275 g (10 oz) de farine
4 cuillerées à café de gingembre en poudre
2 cuillerées à café d'épices mélangées (pour pâtisserie)
115 g (4 oz) de sucre roux
4 cuillerées à soupe d'huile de tournesol
2 cuillerées à soupe de miel liquide
2 œufs
4 cuillerées à soupe de jus d'orange
3 bananes
115 g (4 oz) de raisins secs

APPORT NUTRITIONNEL

Par portion :

Calories	148 kcal/621 kJ
Lipides	3,07 g
Acides gras saturés	0,53 g
Cholestérol	19,30 mg
Fibres	0,79 g

VARIANTE

Si vous n'appréciez pas le gingembre, vous pouvez le remplacer par une cuillerée à café supplémentaire d'épices mélangées. Vous pouvez également remplacer les raisins secs par des abricots secs, préalablement trempés, ou des morceaux d'ananas semi-secs. Si vous choisissez l'ananas, vous pouvez aussi remplacer le jus d'orange par du jus d'ananas frais.

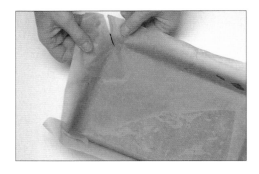

1 Faites préchauffer le four à 180 °C (350 °F). Graissez un moule de 18 x 28 cm (7 x 11 po) et tapissez-le de papier sulfurisé.

2 Tamisez la farine dans une terrine avec les épices. Mélangez le sucre à une petite quantité de farine et tamisez le mélange dans la terrine.

3 Faites un puits au centre, ajoutez l'huile, le miel, les œufs et le jus d'orange, et mélangez bien le tout.

4 Écrasez les bananes, puis incorporez-les à la préparation aux œufs avec les raisins secs. Remuez vigoureusement.

5 Versez le mélange dans le moule, enfournez et faites cuire de 35 à 40 minutes. Le centre du gâteau doit revenir immédiatement en place lorsqu'il est pressé avec le doigt.

6 Laissez le gâteau refroidir dans le moule pendant 5 minutes, puis démoulez sur une grille et laissez complètement refroidir. Découpez-le en une vingtaine de morceaux.

ASTUCE
Mieux vaut conserver ce gâteau quelques jours avant dégustation. Il n'en sera que meilleur.

GÂTEAU GREC AU MIEL ET AU CITRON

INGRÉDIENTS

Pour 16 tranches

3 cuillerées à soupe de margarine au
*   tournesol*
4 cuillerées à soupe de miel liquide
zeste finement râpé et jus de 1 citron
16 cl (2/3 tasse) de lait écrémé
180 g (1 1/4 tasse) de farine
1 1/2 cuillerée à café de levure chimique
1/2 cuillerée à café de noix muscade râpée
40 g (1/4 tasse) de semoule
2 blancs d'œufs
2 cuillerées à café de graines de sésame

1 Préchauffez le four à 200 °C (400 °F).
Badigeonnez légèrement d'huile un moule à
gâteau rond de 18 cm de diamètre. Garnissez
le fond d'une feuille de papier sulfurisé.

2 Dans une casserole, faites fondre
doucement la margarine et 3 cuillerées à
soupe de miel. Réservez 1 cuillerée à soupe de
jus de citron. Incorporez le reste avec le zeste
et le lait.

3 Mélangez la farine, la levure et la noix
muscade. Incorporez la semoule au fouet.
Battez les blancs d'œufs en neige. Incorporez-
les à la préparation.

4 Étalez cette préparation dans le fond du
moule. Parsemez de graines de sésame.
Faites cuire au four 25 à 30 minutes, jusqu'à ce
que la pâte soit dorée. Mélangez le miel et le
jus de citron réservés. Arrosez le gâteau encore
chaud de ce mélange. Laissez refroidir dans le
moule. Découpez en tranches et servez.

APPORT NUTRITIONNEL

Par portion :

Valeur énergétique	82 Cal ou 342 kJ
Lipides	2,62 g
Acides gras saturés	0,46 g
Cholestérol	0,36 mg
Fibres	0,41 g

ROULÉ AUX FRAISES

INGRÉDIENTS

Pour 6 personnes

4 blancs d'œufs
130 g (2/3 tasse) de sucre semoule
110 g (3/4 tasse) de farine
2 cuillerées à soupe de jus d'orange
150 g (1 tasse) de fraises coupées en
*   morceaux*
18 cl (3/4 tasse) de fromage frais maigre
quelques fraises

1 Préchauffez le four à 200 °C (400 °F).
Badigeonnez d'huile un moule à cake de
22 x 32 cm. Garnissez-le de papier sulfurisé.

2 Dans un grand bol, battez les blancs d'œufs
en neige. Incorporez graduellement le
sucre, puis la moitié de la farine tamisée, et
enfin le reste de farine avec le jus d'orange.

3 Étalez cette préparation dans le fond du
moule. Faites cuire au four 15 à 18 minutes,
jusqu'à ce que le gâteau soit ferme et doré.

4 Entre-temps, étalez une feuille de papier
sulfurisé et saupoudrez-la de sucre.
Démoulez le gâteau sur ce papier. Retirez le
papier du moule. Roulez le gâteau sans presser
en commençant par le côté court, en laissant le
papier à l'intérieur. Laissez refroidir.

5 Déroulez et retirez le papier. Incorporez les
fraises au fromage frais. Étalez sur le
gâteau. Roulez de nouveau, décorez de fraises
et servez.

APPORT NUTRITIONNEL

Par portion :

Valeur énergétique	154 Cal ou 646 kJ
Lipides	0,24 g
Acides gras saturés	0,05 g
Cholestérol	0,25 mg
Fibres	0,60 g

GÂTEAU ROULÉ À L'ORANGE ET AUX ABRICOTS

Un dessert raffiné, encore meilleur si vous le servez avec une cuillerée ou deux de yaourt nature.

INGRÉDIENTS

Pour 6 personnes

4 blancs d'œufs
100 g (1/2 tasse) de sucre semoule
75 g (1/2 tasse) de farine
zeste finement râpé de 1 petite orange
3 cuillerées à soupe de jus d'orange
2 cuillerées à café de sucre glace et quelques rubans de zeste d'orange

Pour la garniture

120 g (2/3 tasse) d'abricots secs
15 cl (2/3 tasse) de jus d'orange

APPORT NUTRITIONNEL

Par portion :	
Valeur énergétique	203 Cal ou 853 kJ
Lipides	10,52 g
Acides gras saturés	2,05 g
Cholestérol	0
Fibres	2,53 g

1 Préchauffez le four à 200 °C (400 °F). Graissez légèrement un moule à cake de 22 x 32 cm. Garnissez-le de papier sulfurisé. Graissez le papier.

2 Dans une terrine, battez les blancs d'œufs en neige ferme. Incorporez graduellement le sucre, en fouettant vigoureusement entre chaque addition.

3 Incorporez la farine, ainsi que le zeste et le jus d'orange. Étalez cette préparation dans le fond du moule.

4 Faites cuire au four 15 à 18 minutes, jusqu'à ce que le biscuit de Savoie soit devenu ferme et doré. Démoulez sur une feuille de papier sulfurisé et roulez sans presser en commençant par le côté court. Laissez refroidir.

5 Préparez la garniture. Hachez grossièrement les abricots secs. Mettez-les dans une casserole avec le jus d'orange. Couvrez. Faites mijoter pendant quelques minutes, jusqu'à absorption de la majeure partie du jus. Réduisez les abricots en purée.

6 Déroulez le gâteau et tartinez-le généreusement de purée d'abricots. Roulez de nouveau. Posez en diagonale des rubans de papier sulfurisé sur le rouleau. Saupoudrez de sucre glace, retirez les rubans de papier. Au moment de servir, parsemez de zestes d'orange.

> **NOTE**
> Vous pouvez préparer et faire cuire le biscuit un jour à l'avance, puis le rouler avec le papier et le conserver dans un endroit frais. Garnissez-le 2 à 3 heures avant de servir. On peut également conserver le biscuit pendant deux mois en le congelant. Dans ce cas, décongelez à température ambiante, puis garnissez.

GÂTEAU AUX NECTARINES PARFUMÉ À L'AMARETTO

Pour 8 personnes

3 œufs, jaunes et blancs séparés
175 g (6 oz) de sucre cristallisé
le jus de 1 citron et son zeste râpé
50 g (2 oz) de semoule
40 g (1 oz) d'amandes pilées
25 g (1 oz) de farine
2 nectarines coupées en deux, sans noyau
4 cuillerées à soupe de glaçage à l'abricot

Pour le sirop

75 g (3 oz) de sucre cristallisé
6 cuillerées à soupe d'eau
2 cuillerées à soupe de liqueur d'Amaretto

1 Préchauffez le four à 180 ° (350 °F). Graissez un moule à gâteau rond à fond amovible, de 20 cm (8 in). Dans un bol, battez les jaunes d'œufs avec le sucre, le zeste d'orange et son jus jusqu'à ce que le mélange devienne mousseux.

2 Incorporez la semoule, les amandes et la farine et travaillez pour obtenir un appareil bien lisse.

3 Battez les blancs d'œufs en neige ferme. Avec une cuiller en métal, incorporez-les à l'appareil de semoule, en veillant à ne pas les casser en remuant trop fort. Versez l'appareil dans le moule.

4 Faites cuire au four 30 à 35 minutes. Pour vous assurer que le gâteau est cuit, piquez son centre avec la pointe d'un couteau qui devra ressortir propre. Une fois cuit, décollez-le du moule avec la lame du couteau, et laissez-le refroidir.

5 Préparez le sirop : faites chauffer l'eau et le sucre dans une petite casserole en remuant jusqu'à ce que le sucre ait fondu. Laissez bouillir 2 minutes. Ajoutez l'Amaretto, puis versez sur le gâteau toujours dans le moule, en arrosant bien.

6 Démoulez le gâteau sur un plat de service. Décorez avec des tranches de nectarine et recouvrez celles-ci avec le glaçage à l'abricot.

APPORT NUTRITIONNEL	
Par portion :	
Valeur énergétique	264 kcal ou 1 108 kJ
Lipides	5,70 g
Acides gras saturés	0,85 g
Cholestérol	72,19 mg
Fibres	1,08 g

GÂTEAU AU GINGEMBRE ET À LA BANANE

Un gâteau qui se conserve bien et qui se bonifie avec le temps ! Vous pouvez le garder dans une boîte étanche pendant deux mois.

INGRÉDIENTS

Pour 1 gâteau

250 g (1 3/4 tasse) de farine
2 cuillerées à café de bicarbonate de soude
2 cuillerées à café de gingembre en poudre
250 g (1 3/4 tasse) de farine d'avoine
4 cuillerées à soupe de sucre en poudre roux
6 cuillerées à soupe de margarine au tournesol
16 cl (2/3 tasse) de sirop d'érable
1 œuf battu
3 bananes mûres écrasées
150 g (3/4 tasse) de sucre glace
gingembre confit

1 Préchauffez le four à 160 °C (325 °F). Graissez un moule à cake de 18 x 28 cm. Garnissez le fond de papier sulfurisé.

2 Tamisez ensemble la farine, le bicarbonate et le gingembre. Incorporez la farine d'avoine. Dans une casserole, faites fondre le sucre, la margarine et le sirop. Incorporez au mélange de farines. Ajoutez l'œuf et les bananes écrasées.

3 Versez la préparation dans le moule. Faites cuire au four 1 heure environ, jusqu'à ce que le gâteau soit ferme. Laissez-le refroidir dans le moule, démoulez. Coupez en carrés.

4 Dans un bol, tamisez le sucre glace. Incorporez juste suffisamment d'eau pour obtenir un glaçage lisse et fluide. Parsemez chaque carré de ce glaçage et surmontez d'un morceau de gingembre confit.

> **NOTE**
> Ce gâteau est extrêmement nourrissant et énergétique. Un choix excellent pour les pique-niques, car il ne se s'écrase pas facilement !

APPORT NUTRITIONNEL

Par gâteau :

Valeur énergétique	3 320 Cal ou 13 946 kJ
Lipides	83,65 g
Acides gras saturés	16,34 g
Cholestérol	197,75 mg
Fibres	20,69 g

GÂTEAU AUX DATTES ET AUX NOIX

Une alliance de saveurs classique, pour un gâteau facile à préparer, pauvre en graisses et riche en fibres.

INGRÉDIENTS

Pour 1 gâteau

380 g (2 1/2 tasses) de farine complète à levure incorporée

2 cuillerées à café de mélange d'épices

140 g (3/4 tasse) de dattes coupées en petits morceaux

80 g (1/2 tasse) de cerneaux de noix concassés

4 cuillerées à soupe d'huile de tournesol

100 g (1/2 tasse) de sucre en poudre roux

30 cl (1 1/4 tasse) de lait écrémé

quelques cerneaux de noix

1 Préchauffez le four à 180 °C (350 °F). Graissez un moule à pain rectangulaire de 1 kg. Garnissez le fond de papier sulfurisé.

2 Tamisez ensemble la farine et les épices. Réincorporez le son déposé sur le tamis. Incorporez les dattes et les noix.

3 Mélangez l'huile, le sucre et le lait. Incorporez au mélange d'ingrédients secs. Versez dans le moule. Parsemez de cerneaux de noix.

4 Faites cuire au four 45 à 50 minutes. Le gâteau doit être ferme et doré. Démoulez, retirez le papier et laissez refroidir sur une grille.

APPORT NUTRITIONNEL	
Par gâteau :	
Valeur énergétique	2 654 Cal
	ou 11 146 kJ
Lipides	92,78 g
Acides gras saturés	11,44 g
Cholestérol	6 mg
Fibres	35,10 g

NOTE
On peut ici remplacer les noix par des noix de pécan.

GÂTEAU DE NOËL

INGRÉDIENTS

Pour 1 gâteau carré de 18 cm de côté

120 g (2/3 tasse) de raisins secs blonds
120 g (2/3 tasse) de raisins secs bruns
90 g (1/2 tasse) de raisins de Corinthe
60 g (1/3 tasse) de cerises confites
coupées en deux
45 g (1/4 tasse) d'écorce confite coupée
en petits morceaux
25 cl (1 tasse) de jus de pomme
40 g (1/4 tasse) de noisettes grillées
2 cuillerées à soupe de graines de potiron
2 morceaux de gingembre confit en sirop
hachés
zeste finement râpé de 1 citron
6 cl (1/4 tasse) d'huile de tournesol
12 cl (1/2 tasse) de lait écrémé
270 g (1 3/4 tasse) de farine complète
2 cuillerées à café de cannelle en poudre
3 cuillerées à soupe de cognac ou de rhum
confiture d'abricots
fruits confits

1 Dans un grand bol, mélangez les raisins
secs, les cerises et l'écorce confite. Versez
le jus de pomme. Couvrez. Laissez tremper
jusqu'au lendemain.

2 Préchauffez le four à 150 °C (300 °F).
Graissez un moule à gâteau carré de 18 cm
de côté. Garnissez-le de papier sulfurisé.

3 Ajoutez aux fruits trempés les noisettes, les
graines de potiron, le gingembre et le zeste
de citron. Incorporez l'huile et le lait. Tamisez
ensemble la farine et la cannelle. Incorporez au
mélange de fruits, avec le cognac ou le rhum.

4 Versez cette préparation dans le moule.
Faites cuire au four environ 1 heure et
demie, jusqu'à ce que le gâteau soit bien doré
et ferme au toucher.

5 Démoulez. Laissez refroidir sur une grille.
Badigeonnez de confiture d'abricots et
décorez avec des fruits confits.

APPORT NUTRITIONNEL	
Par gâteau :	
Valeur énergétique	2 702 Cal
	ou 11 352 kJ
Lipides	73,61 g
Acides gras saturés	10,69 g
Cholestérol	2,40 mg
Fibres	29,46 g

COURONNE AUX POMMES ET AUX AIRELLES

La saveur de ce gâteau allégé est rehaussée par le goût légèrement acide des airelles. À déguster très frais.

INGRÉDIENTS

Pour 1 couronne

300 g (2 tasses) de farine à levure incorporée

1 cuillerée à café de cannelle en poudre

100 g (1/2 tasse) de sucre en poudre roux

1 pomme à couteau épluchée et coupée en dés

100 g (2/3 tasse) d'airelles fraîches ou surgelées

4 cuillerées à soupe d'huile de tournesol

16 cl (2/3 tasse) de jus de pomme

gelée d'airelles et tranches de pomme

1 Préchauffez le four à 180 °C (350 °F). Badigeonnez légèrement d'huile un moule à savarin de 1 l de contenance.

2 Tamisez ensemble la farine et la cannelle. Ajoutez le sucre.

3 Mélangez les dés de pomme et les airelles. Incorporez les fruits au mélange sec. Ajoutez alors l'huile et le jus de pomme en battant pour bien mélanger.

4 Versez cette préparation dans le moule. Faites cuire au four 35 à 40 minutes. Le gâteau doit être ferme au toucher. Démoulez. Laissez complètement refroidir sur une grille.

5 Avant de servir, nappez le gâteau de gelée d'airelles légèrement réchauffée. Décorez avec des tranches de pommes.

NOTE

On trouve les airelles fraîches en hiver. Elles peuvent également être conservées au congélateur pendant un an.

APPORT NUTRITIONNEL

Par gâteau :

Valeur énergétique	1 616 Cal
	ou 6 787 kJ
Lipides	47,34 g
Acides gras saturés	6,14 g
Cholestérol	0
Fibres	12,46 g

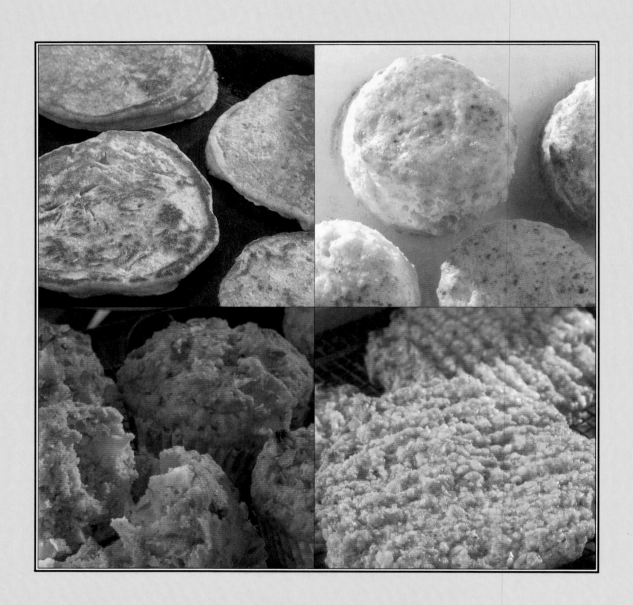

SCONES, MUFFINS, BUNS ET BISCUITS

Quantité de scones, muffins, buns et biscuits
sont pauvres en lipides et peuvent, par conséquent,
se déguster à tout moment de la journée.
Servez-les avec de la pâte à tartiner allégée, du miel
ou de la confiture (à faible teneur en sucre).
On peut les servir chauds au petit déjeuner ou à l'occasion
d'un brunch, ou froids avec du thé. Vous trouverez ici
toute une variété de gâteaux plus appétissants
les uns que les autres, des scones à l'ananas et à la cannelle
en passant par les muffins aux pommes et aux dattes
ou les buns aux abricots et à la banane.

Scones à l'ananas et à la cannelle

Remplacez le lait par du jus d'ananas pour préparer la pâte. Ces scones n'en seront que plus pauvres en lipides et plus savoureux.

Ingrédients

Pour 24 scones

115 g (4 oz) de farine complète (avec levure incorporée)
115 g (4 oz) de farine blanche (avec levure incorporée)
1 cuillerée à café de cannelle en poudre
1 cuillerée à soupe de sucre en poudre
1 œuf
30 cl (1/2 pt) de jus d'ananas
75 g (3 oz) d'ananas semi-sec, haché

Apport nutritionnel	
Par portion :	
Calories	15 kcal/215 kJ
Lipides	0,81 g
Acides gras saturés	0,14 g
Cholestérol	8,02 mg
Fibres	0,76 g

Astuce
Ces scones ne se conservent pas bien. Mieux vaut les déguster rapidement. On peut remplacer l'ananas par d'autres fruits secs, comme les abricots ou les poires.

1 Faites chauffer une plaque en fonte. Versez la farine complète dans une jatte. Tamisez la farine blanche en pluie, ajoutez la cannelle et le sucre, puis faites un puits au centre.

2 Ajoutez l'œuf à la moitié du jus d'ananas, puis incorporez peu à peu la farine en mélangeant bien pour obtenir une pâte lisse. Ajoutez le reste de jus et les morceaux d'ananas, toujours en remuant.

3 Graissez légèrement la plaque. Mettez quelques cuillerées à soupe de pâte et laissez cuire jusqu'à ce que les scones fassent des bulles.

4 Lorsque les bulles commencent à éclater, retournez les scones avec une spatule, et laissez cuire jusqu'à ce qu'ils prennent une couleur brun doré. Gardez les scones déjà cuits au chaud dans un torchon propre, tandis que vous répétez l'opération jusqu'à épuisement de la pâte.

MINI-SCONES

Ces mini-scones seront particulièrement délicieux si vous les accompagnez de confiture.

INGRÉDIENTS

Pour 18 scones
225 g (8 oz) de farine avec levure
1/2 cuillerée à café de sel
1 cuillerée à soupe de sucre en poudre
1 œuf, battu
30 cl (1/2 pt) de lait écrémé
huile à friture

1 Faites chauffer une plaque en fonte. Versez la farine et le sel dans une jatte. Incorporez le sucre et faites un puits au centre.

2 Ajoutez l'œuf à la moitié du lait, puis incorporez peu à peu la farine en mélangeant bien pour obtenir une pâte lisse. Ajoutez le reste de lait, toujours en remuant.

3 Graissez légèrement la plaque. Déposez quelques cuillerées à soupe de pâte et laissez cuire jusqu'à ce que les scones fassent des bulles.

4 Lorsque les bulles commencent à éclater, retournez les scones avec une spatule, et laissez cuire jusqu'à ce qu'ils prennent une couleur brun doré. Gardez les scones déjà cuits au chaud dans un torchon propre, tandis que vous répétez l'opération jusqu'à épuisement de la pâte.

APPORT NUTRITIONNEL	
Par portion :	
Calories	64 kcal/270 kJ
Lipides	1,09 g
Acides gras saturés	0,2 g
Cholestérol	11,03 mg
Fibres	0,43 g

ASTUCE
Vous pouvez ajouter 2 ciboules ciselées et une cuillerée à soupe de parmesan à la pâte. Servez accompagné de fromage blanc.

SCONES À LA POMME DE TERRE ET À LA CIBOULETTE

Ces petits scones doivent être peu épais, croustillants à l'extérieur mais moelleux à l'intérieur. Extrêmement faciles à réaliser, ils accompagnent agréablement le petit déjeuner ou le déjeuner.

INGRÉDIENTS

Pour 20 scones

450 g (1 lb) de pommes de terre, épluchées
115 g (4 oz) de farine, tamisée
2 cuillerées à soupe d'huile d'olive
2 cuillerées à soupe de ciboulette ciselée
sel et poivre noir
pâte à tartiner maigre (facultatif)

APPORT NUTRITIONNEL

Par portion :

Calories	50 kcal/211 kJ
Lipides	1,24 g
Acides gras saturés	0,17 g
Cholestérol	0
Fibres	0,54 g

1 Faites cuire les pommes de terre dans une casserole d'eau bouillante salée pendant 20 minutes. Égouttez-les soigneusement, puis remettez-les dans la casserole et réduisez-les en purée. Faites préchauffer une plaque en fonte, à feu doux.

ASTUCE
Faites cuire les scones à feu doux afin que l'extérieur ne brûle pas avant que la pâte, à l'intérieur, soit cuite.

2 Ajoutez la farine, l'huile d'olive, la ciboulette ciselée, une pincée de sel et de poivre à la purée de pommes de terre encore chaude. Mélangez bien pour obtenir une pâte moelleuse.

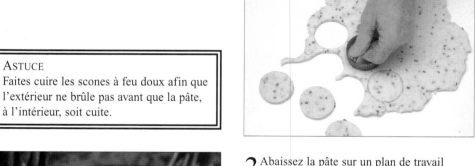

3 Abaissez la pâte sur un plan de travail fariné sur une épaisseur de 5 mm (1/4 po) et, avec un emporte-pièce, découpez-y des petits disques de 5 cm (2 po) de diamètre.

4 Faites cuire les scones, sur la plaque en fonte, pendant 10 minutes. Ils doivent prendre une belle couleur brun doré sur les deux faces. Gardez au chaud. Nappez avec un peu de pâte à tartiner allégée et servez immédiatement.

SCONES AU FROMAGE ET À LA CIBOULETTE

INGRÉDIENTS

Pour 9 scones

115 g (4 oz) de farine complète avec levure
150 g (5 oz) de farine blanche avec levure
1/2 cuillerée à café de sel
75 g (3 oz) de feta
*1 cuillerée à soupe de ciboulette fraîche
     ciselée*
*15 cl (1/4 pt) de lait écrémé, plus 1 cuillerée
     à soupe pour le glaçage*
1/4 cuillerée à café de piment de Cayenne

1 Faites préchauffer le four à 200 °C
(400 °F). Tamisez les farines et le sel dans
une jatte, en ajoutant le son resté collé sur le
tamis.

2 Réduisez la feta en miettes et incorporez-la
à la farine avec les doigts. Ajoutez ensuite
la ciboulette ciselée, puis le lait, et mélangez
bien pour obtenir une pâte moelleuse.

APPORT NUTRITIONNEL	
Par portion :	
Calories	121 kcal/507 kJ
Lipides	2,24 g
Acides gras saturés	1,13 g
Fibres	1,92 g

3 Mettez la pâte sur une surface farinée et
pétrissez-la jusqu'à ce qu'elle soit
parfaitement lisse. Abaissez-la sur une
épaisseur de 2 cm (3/4 po) et découpez-y, avec
un emporte-pièce, des disques de 6 cm
(2 1/2 po) de diamètre.

4 Transférez les scones sur la plaque du four.
Badigeonnez avec le lait écrémé, puis
saupoudrez de piment de Cayenne. Enfournez
et faites cuire pendant 15 minutes. Les scones
doivent être bien dorés.

SCONES À LA TOMATE ET AU JAMBON

Ces scones constituent un accompagnement idéal pour les soupes. Choisissez du jambon au goût très prononcé, débarrassé de sa graisse et haché très fin. Utilisez de la farine complète, ou un mélange de farine ordinaire et de farine complète, pour un complément de saveur, de texture et de fibre.

INGRÉDIENTS

Pour 12 scones

225 g (8 oz) de farine avec levure
1 cuillerée à café de moutarde en poudre
1 cuillerée à café de paprika, plus
   1 cuillerée à café, pour décorer
1/2 cuillerée à café de sel
2 cuillerées à soupe de margarine ramollie
1 cuillerée à soupe de basilic frais ciselé
50 g (2 oz) de tomates dans l'huile, séchées
   au soleil, égouttées et hachées (on les
   trouve dans les épiceries italiennes)
50 g (2 oz) de jambon cuit, haché
9-12 cl (3-4 oz) de lait écrémé, plus
   1 cuillerée à soupe pour le glaçage

1 Faites préchauffer le four à 200 °C (400 °F). Farinez une feuille de papier sulfurisé. Tamisez la farine, la moutarde, le paprika et le sel dans une jatte. Incorporez la margarine en pétrissant le tout avec les doigts pour obtenir une sorte de grosse chapelure.

APPORT NUTRITIONNEL

Par portion :

Calories	113 kcal/474 kJ
Lipides	4,23 g
Acides gras saturés	0,65 g
Cholestérol	2,98 mg
Fibres	0,65 g

2 Incorporez le basilic, les tomates séchées, le jambon, et mélangez légèrement. Versez le lait pour obtenir une pâte onctueuse.

3 Abaissez la pâte sur une surface légèrement farinée, en la pétrissant brièvement, en un rectangle de 20 x 15 cm (8 x 6 po). Coupez la pâte en carrés de 5 cm (2 po) et mettez-les sur la feuille de papier sulfurisé.

4 Badigeonnez légèrement avec du lait, saupoudrez avec du paprika, enfournez et faites cuire de 12 à 15 minutes. Transférez sur une grille et laissez refroidir.

ASTUCE
Pour réduire l'apport en calories et en lipides, choisissez des tomates séchées au soleil, en paquet plutôt que dans l'huile, que vous ferez tremper dans l'eau.

MUFFINS AUX POMMES ET AUX DATTES

Ces muffins sont très nourrissants. Un ou deux par personne seront amplement suffisants.

INGRÉDIENTS

Pour 12 muffins

150 g (5 oz) de farine complète (avec levure incorporée)
150 g (5 oz) de farine blanche (avec levure incorporée)
1 cuillerée à café de cannelle en poudre
1 cuillerée à café de levure chimique
25 g (1 oz) de margarine ramollie
75 g (3 oz) de cassonade
1 pomme
25 cl (8 fl oz) de jus de pomme
2 cuillerées à soupe de compote de pommes
1 œuf, légèrement battu
75 g (3 oz) de dattes, hachées
1 cuillerée à soupe de noix de pécan, concassées

1 Faites préchauffer le four à 200 °C (400 °F). Mettez 12 petites caissettes en papier plissé dans un moule à muffins. Versez la farine complète en pluie dans une jatte. Tamisez la farine blanche avec la cannelle et la levure dans la jatte. Incorporez la margarine en pétrissant le tout avec les doigts pour obtenir une sorte de grosse chapelure, puis ajoutez la cassonade.

APPORT NUTRITIONNEL

Par portion :

Calories	163 kcal/686 kJ
Lipides	2,98 g
Acides gras saturés	0,47 g
Cholestérol	16,04 mg
Fibres	1,97 g

2 Coupez la pomme en quartiers, évidez-la, hachez la chair en petits morceaux et réservez. Mélangez un peu de jus de pomme et de compote de pommes jusqu'à l'obtention d'une pâte lisse. Incorporez le reste du jus, toujours en remuant, puis ajoutez à la chapelure avec l'œuf. Ajoutez ensuite les morceaux de pomme et les dattes. Mélangez vigoureusement.

ASTUCE
On peut remplacer la pomme par une poire et les dattes par des abricots secs, ainsi que la cannelle par un mélange d'épices (pour pâtisserie).

3 Répartissez la préparation dans les petites caissettes en papier.

4 Parsemez avec les noix de pécan. Enfournez et faites cuire de 20 à 25 minutes. Les muffins doivent être brun doré et fermes. Démoulez sur une grille et servez quand ils sont encore chauds.

MUFFINS AUX FRAMBOISES

Ces muffins américains sont composés de levure chimique et de crème fraîche, ce qui explique leur texture moelleuse. On peut les déguster à tout moment de la journée.

INGRÉDIENTS

Pour 10-12 muffins

275 g (10 oz) de farine
1 cuillerée à soupe de levure chimique
115 g (4 oz) de sucre en poudre
1 œuf
25 cl (8 fl oz) de crème fraîche allégée
4 cuillerées à soupe d'huile de tournesol
150 g (5 oz) de framboises

1 Faites préchauffer le four à 200 °C (400 °F). Mettez 12 petites caissettes en papier plissé dans un moule à muffins. Versez la farine et la levure dans une jatte. Incorporez le sucre et faites un puits au centre.

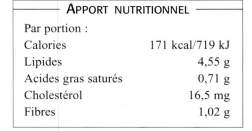

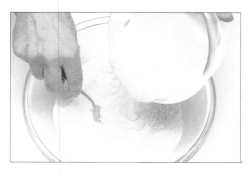

2 Mélangez l'œuf, la crème et l'huile de tournesol dans un bol, puis versez immédiatement dans la jatte contenant la farine et remuez vigoureusement.

3 Ajoutez les framboises et remuez légèrement avec une cuillère en métal. Répartissez la préparation dans les petites caissettes en papier.

4 Enfournez et faites cuire de 20 à 25 minutes. Les muffins doivent être brun-doré et fermes. Démoulez sur une grille et servez chaud ou froid.

APPORT NUTRITIONNEL	
Par portion :	
Calories	171 kcal/719 kJ
Lipides	4,55 g
Acides gras saturés	0,71 g
Cholestérol	16,5 mg
Fibres	1,02 g

MUFFINS ÉPICÉS À LA BANANE

Ces muffins à la banane, légers et délicieux, se dégustent à l'heure du thé. Vous pouvez couper un « chapeau » sur le dessus, et les fourrer de confiture.

INGRÉDIENTS

Pour 12 muffins

75 g (3 oz) de farine complète
50 g (2 oz) de farine blanche
2 cuillerées à café de levure chimique
une pincée de sel
1 cuillerée à café d'épices mélangées (pour pâtisserie)
40 g (1 1/2 oz) de sucre roux
50 g (2 oz) de margarine allégée
1 œuf, battu
15 cl (1/4 pt) de lait demi-écrémé
le zeste râpé de 1 orange
1 banane mûre
20 g (3/4 oz) de porridge
20 g (3/4 oz) de noisettes, concassées

1 Faites préchauffer le four à 200 °C (400 °F). Mettez 12 petites caissettes en papier plissé dans un moule à muffins. Tamisez ensemble les deux farines, la levure chimique, le sel et les épices mélangées dans une jatte, puis incorporez le son resté collé au tamis. Ajoutez le sucre.

APPORT NUTRITIONNEL

Par portion :	
Calories	110 kcal/465 kJ
Lipides	5 g
Acides gras saturés	1 g
Cholestérol	17,5 mg

2 Faites fondre la margarine et versez-la dans la jatte. Laissez refroidir un peu, puis incorporez l'œuf, le lait et le zeste d'orange râpé, tout en remuant.

3 Incorporez la préparation à la farine. Écrasez la banane avec une fourchette, puis incorporez cette purée avec précaution au mélange, en ne remuant pas trop.

4 Répartissez la préparation dans les caissettes en papier. Mélangez le porridge et les noisettes et saupoudrez-en chaque muffin.

5 Faites cuire au four pendant 20 minutes. Les muffins doivent avoir suffisamment gonflé et doré. Lorsque vous piquez le centre avec une brochette, elle doit ressortir propre. Transférez sur une grille et servez chaud ou froid.

BUNS AUX ABRICOTS ET À LA BANANE

Ces buns traditionnels sont pauvres en lipides, et leur garniture aux fruits les rend particulièrement appétissants.

INGRÉDIENTS

Pour 9 personnes

6 cuillerées à soupe de lait écrémé chaud
1 cuillerée à café de levure de boulanger
une pincée de sel
225 g (8 oz) de farine blanche
2 cuillerées à café d'épices mélangées (pour pâtisserie)
1/2 cuillerée à café de sel
50 g (2 oz) de sucre en poudre
25 g (1 oz) de margarine ramollie

Pour la garniture

1 grosse banane mûre
175 g (6 oz) d'abricots secs prêts à être consommés
2 cuillerées à soupe de cassonade

Pour le glaçage

2 cuillerées à soupe de sucre en poudre
2 cuillerées à soupe d'eau

ASTUCE
Ne laissez pas les buns dans le moule trop longtemps afin que le glaçage ne colle pas sur les côtés.

APPORT NUTRITIONNEL

Par portion :	
Calories	214 kcal/901 kJ
Lipides	3,18 g
Acides gras saturés	0,63 g
Cholestérol	21,59 mg
Fibres	2,18 g

1 Graissez un moule carré de 18 cm (7 po) de côté. Versez le lait chaud dans un bol et saupoudrez-le avec la levure. Ajoutez la pincée de sel pour activer l'action de la levure, mélangez et laissez reposer 30 minutes.

2 Tamisez la farine, les épices et le sel dans une jatte. Incorporez le sucre, la margarine en la réduisant en miettes, puis la préparation à la levure et l'œuf. Mélangez le tout pour obtenir une pâte lisse, en ajoutant un peu de lait si nécessaire.

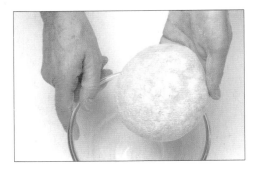

3 Abaissez la pâte sur une surface farinée et pétrissez-la pendant 5 minutes, jusqu'à ce qu'elle soit suffisamment élastique. Remettez-la dans la jatte propre, couvrez avec un linge humide et laissez dans un endroit chaud pendant 2 heures environ, afin qu'elle double de volume.

4 Pour préparer la farce, réduisez les bananes en purée dans une terrine. Avec des ciseaux, coupez les abricots en fine julienne, puis incorporez-les à la farce avec la cassonade.

5 Pétrissez la pâte sur une surface farinée pendant 2 minutes, puis étalez-la en un rectangle de 30 x 23 cm (12 x 9 po). Nappez-la ensuite avec la purée de banane et roulez la pâte comme pour un biscuit roulé.

6 Coupez le rouleau de pâte fourré en neuf buns. Mettez-les dans un moule, couvrez et laissez monter pendant 30 minutes. Faites préchauffer le four à 200 °C (400 °F), et faites cuire pendant 20 à 25 minutes. Pendant ce temps, mélangez le sucre en poudre et l'eau dans une petite casserole. Faites chauffer, en remuant, jusqu'à dissolution du sucre, puis faites bouillir pendant 2 minutes. Badigeonnez les buns au pinceau avec le sirop de sucre.

BISCUITS AUX FLOCONS D'AVOINE

Ces biscuits croustillants se servent au petit déjeuner.

INGRÉDIENTS

Pour 18 biscuits

175 g (6 oz) de flocons d'avoine
75 g (3 oz) de cassonade
1 œuf
4 cuillerées à soupe d'huile de tournesol

APPORT NUTRITIONNEL

Par portion :

Calories	86 kcal/360 kJ
Lipides	3,59 g
Acides gras saturés	0,57 g
Cholestérol	10,7 mg
Fibres	0,66 g

1 Faites préchauffer le four à 190 °C (375 °F). Graissez légèrement deux feuilles de papier sulfurisé. Mélangez les flocons d'avoine et la cassonade dans une jatte, en brisant les morceaux de sucre. Ajoutez l'œuf et l'huile, remuez bien, et laissez reposer pendant 15 minutes.

2 Avec une cuillère à café, déposez des petits tas de pâte, bien séparés les uns des autres, sur les feuilles de papier sulfurisé. Avec le dos d'une fourchette humide, pressez les tas en petits disques de 7,5 cm (3 po).

3 Enfournez et faites cuire les biscuits de 10 à 15 minutes, jusqu'à ce qu'ils soient brun doré. Laissez-les refroidir pendant 1 minute, puis retirez-les avec une spatule et déposez-les sur une grille. Ces biscuits se mangent froids.

ASTUCE
Pour donner à ces biscuits une texture plus épaisse, remplacez, partiellement ou en totalité, les flocons d'avoine par des grains. Une fois refroidis, mettez les biscuits dans un récipient hermétique pour les conserver aussi croustillants et frais que possible.

GALETTES D'AVOINE

Servez ces galettes pour accompagner des fromages à pâte dure allégés. On peut aussi les déguster nappés de miel au petit déjeuner.

INGRÉDIENTS

Pour 8 galettes

175 g (6 oz) de flocons d'avoine, plus
  1 cuillerée à soupe pour décorer
1/2 cuillerée à café de sel
15 g (1/2 oz) de beurre
5 cuillerées à soupe d'eau

1 Faites préchauffer le four à 150 °C (300 °F). Mélangez les flocons d'avoine avec le sel dans une jatte.

2 Faites fondre le beurre avec l'eau dans une petite casserole. Portez à ébullition, puis ajoutez les flocons d'avoine et mélangez pour obtenir une pâte très humide.

ASTUCE
Pour obtenir un disque de pâte parfaitement rond, placez un morceau de carton ou une assiette de 25 cm (10 po) de diamètre sur la pâte, puis découpez tout autour avec une spatule.

3 Déposez la pâte sur une surface saupoudrée de flocons d'avoine et pétrissez en une boule lisse. Retournez une feuille de papier sulfurisé, graissez-la, saupoudrez-la légèrement de flocons d'avoine et placez dessus la boule de pâte. Parsemez la pâte de flocons d'avoine, puis abaissez la pâte en un disque de 25 cm (10 po) de diamètre.

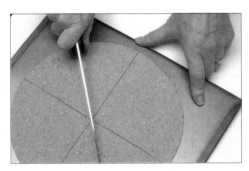

4 Découpez le disque en huit morceaux, en les séparant légèrement, enfournez et laissez cuire de 50 à 60 minutes. Les galettes doivent être bien croustillantes. Laissez refroidir sur la feuille de papier sulfurisé, puis retirez les galettes avec une spatule.

APPORT NUTRITIONNEL

Par portion :

Calories	102 kacl/427 kJ
Lipides	3,43 g
Acides gras saturés	0,66 g
Cholestérol	0,13 mg
Fibres	1,49 g

SCONES AUX RAISINS SECS

INGRÉDIENTS

Pour 10 à 12 scones

300 g (2 tasses) de farine à levure incorporée

1 cuillerée à café de levure chimique

2 cuillerées à soupe de margarine au tournesol amollie

2 cuillerées à soupe de sucre en poudre

60 g (1/3 tasse) de raisins secs

2 cuillerées à soupe de graines de tournesol

16 cl (2/3 tasse) de yaourt nature

2 à 3 cuillerées à soupe de lait écrémé

1 Préchauffez le four à 230 °C (450 °F). Badigeonnez légèrement d'huile une tôle à biscuits. Dans un grand bol, tamisez la farine et la levure. Incorporez la margarine.

2 Ajoutez le sucre, les raisins secs et la moitié des graines de tournesol. Incorporez alors le yaourt avec suffisamment de lait pour obtenir une pâte molle mais non collante.

3 Abaissez sur un plan fariné jusqu'à obtenir une épaisseur d'environ 2 cm. Dans la pâte, découpez des ronds de 7 cm de diamètre. Posez les scones sur la tôle.

4 Badigeonnez de lait. Parsemez des graines de tournesol réservées. Faites cuire au four 10 à 12 minutes, jusqu'à obtenir des scones gonflés et dorés.

5 Laissez refroidir sur une grille. Fendez en deux, tartinez de confiture ou d'un produit allégé et servez.

APPORT NUTRITIONNEL

Par portion :

Valeur énergétique	176 Cal ou 742 kJ
Lipides	5,32 g
Acides gras saturés	0,81 g
Cholestérol	0,84 mg
Fibres	1,26 g

ROCHERS AUX PRUNEAUX

INGRÉDIENTS

Pour 12 rochers

300 g (2 tasses) de farine

2 cuillerées à café de levure chimique

130 g (2/3 tasse) de cassonade

90 g (1/2 tasse) de pruneaux hachés

60 g (1/3 tasse) d'écorce de citron confite hachée

zeste finement râpé de 1 citron

6 cl (1/4 tasse) d'huile de tournesol

5 cuillerées à soupe de lait écrémé

APPORT NUTRITIONNEL

Par portion :

Valeur énergétique	135 Cal ou 570 kJ
Lipides	3,35 g
Acides gras saturés	0,44 g
Cholestérol	0,13 mg
Fibres	0,86 g

1 Préchauffez le four à 200 °C (400 °F). Badigeonnez légèrement d'huile une tôle à biscuits. Dans une terrine, tamisez ensemble la farine et la levure. Incorporez la cassonade, les pruneaux, l'écorce confite et le zeste de citron.

2 Mélangez l'huile et le lait. Incorporez à la terrine pour obtenir une pâte grumeleuse.

3 Déposez des petits tas de pâte sur la tôle. Faites cuire au four pendant 20 minutes. Laissez refroidir sur une grille.

GALETTES AUX CASSIS

INGRÉDIENTS

Pour une trentaine de galettes

225 g (8 oz) de pâte brisée

50 g (2 oz) de farine

1/4 cuillerée à café de levure chimique

40 g (1 1/2 oz) de beurre ou de margarine

2 cuillerées à soupe de chapelure

50 g (2 oz) de sucre brun

1/4 cuillerée à café de sel

50 g (2 oz) d'amandes effilées ou concassées

4 cuillerées à soupe de gelée de cassis

115 g (4 oz) de cassis frais ou surgelés

1 Préchauffez le four à 180°C (350°F). Étalez la pâte sur une surface légèrement farinée pour en tapisser un moule rectangulaire de 18 x 28 cm (7 x 11 in). Piquez l'abaisse de pâte à la fourchette pour éviter qu'elle ne gondole en cuisant.

2 Amalgamez du bout des doigts la farine, la levure, le beurre ou la margarine, la chapelure, le sucre et le sel, puis incorporez les amandes.

APPORT NUTRITIONNEL	
Par portion :	
Valeur énergétique	77 kcal ou 322 kJ
Lipides	4,16 g
Acides gras saturés	1,57 g
Cholestérol	5,84 mg

3 Étalez la gelée sur la pâte, répartissez les cassis, puis recouvrez de la mixture que vous avez faite à l'étape précédente. Tassez légèrement. Faites cuire 30 à 40 minutes au four dont vous réduirez la température à 170 °C (325 °F) au bout de 20 minutes.

4 Sortez du four quand la pâte est cuite et que le dessus est bien doré. Coupez en morceaux le gâteau encore chaud, puis laissez refroidir.

CROQUANTS AUX DATTES ET AUX POMMES

Si vous le pouvez, laissez reposer l'appareil un jour ou deux, il n'en sera que meilleur.

INGRÉDIENTS

Pour 16 croquants

115 g (4 oz) de margarine

50 g (2 oz) de sucre brun

4 cuillerées à soupe de sirop de sucre

115 g (4 oz) de dattes grossièrement hachées

115 g (4 oz) de flocons d'avoine

115 g (4 oz) de farine

225 g (8 oz) de chair de pomme épluchée et rapée

2 cuillerées à café de jus de citron

20 à 25 cerneaux de noix

1 Préchauffez le four à 190 °C (375 °F). Tapissez de papier d'aluminium un moule carré ou rectangulaire de 18-20 cm (7-8 in) de côté. Dans une casserole, faites fondre la margarine, avec le sucre, le sirop et les dattes. Remuez : les dattes doivent ramollir.

2 Ajoutez en mélangeant bien, les flocons d'avoine, la farine, la pomme et le jus de citron. Versez le mélange dans le moule, et égalisez. Répartissez les cerneaux de noix sur le dessus.

3 Faites cuire au four 30 minutes puis réduisez la température à 170 °C (325 °F), et laissez cuire encore 10 à 20 minutes. Il faut que l'appareil soit ferme, et son dessus doré. Coupez en carrés quand le gâteau est encore chaud, ou enveloppez dans du papier d'aluminium quand il est presque froid, et conservez un jour ou deux avant de consommer.

APPORT NUTRITIONNEL	
Par portion :	
Valeur énergétique	183 kcal ou 763 kJ
Lipides	0,11 g
Acides gras saturés	1,64 g
Cholestérol	0,14 mg

PAINS

Le pain peut se déguster à toute heure de la journée.
Il constitue notamment un accompagnement idéal
à l'heure du thé. Parmi les variétés
particulièrement appétissantes
présentées dans ce chapitre, nous retiendrons
le focaccia au romarin et au sel de mer,
le pain à la poire et aux raisins secs
ou le pain au jambon de Parme et au parmesan.

FOCACCIA AU ROMARIN ET AU SEL DE MER

Le focaccia est un pain italien, de forme plate, à l'huile d'olive. Pour rehausser encore sa saveur, on a ajouté ici romarin et sel marin.

INGRÉDIENTS

Pour 8 personnes

350 g (12 oz) de farine
1/2 cuillerée à café de sel
2 cuillerées à café de levure de boulanger
25 cl (8 fl oz) d'eau tiède
3 cuillerées à soupe d'huile d'olive
1 petit oignon rouge
les feuilles d'une grande branche de
*   romarin*
1 cuillerée à café de sel de mer
huile pour graisser le plat

1 Tamisez la farine et le sel dans un grand saladier. Incorporez la levure, puis faites un puits au centre. Versez l'eau et 2 cuillerées à soupe d'huile dans le saladier. Mélangez bien, en ajoutant un peu d'eau si la pâte est trop sèche.

ASTUCE

Privilégiez l'huile d'olive parfumée, aux piments ou aux fines herbes. Utilisez de la farine complète, ou un mélange de farine blanche et complète.

2 Mettez la pâte sur une surface légèrement farinée, et pétrissez-la pendant 10 minutes jusqu'à ce qu'elle soit bien lisse et élastique.

3 Mettez la pâte dans un saladier graissé, couvrez et laissez dans un endroit chaud pendant 1 heure environ, le temps qu'elle double de volume. Travaillez la pâte en l'écrasant avec le poing pendant 2 à 3 minutes.

4 Pendant ce temps, faites préchauffer le four à 220 °C (425 °F). Abaissez la pâte avec la pàume de la main sur 1 cm (1/2 po) d'épaisseur, et transférez la galette obtenue sur une feuille de papier sulfurisé. Badigeonnez au pinceau avec le reste d'huile.

5 Coupez l'oignon en deux, puis émincez-le. Parsemez sur la pâte avec le romarin et le sel de mer, en les pressant légèrement.

6 Avec un doigt, enfoncez profondément la pâte en plusieurs endroits. Couvrez la surface avec un morceau de film plastique légèrement graissé, puis laissez monter la pâte dans un endroit chaud pendant 30 minutes. Retirez le film plastique, enfournez et faites cuire de 25 à 30 minutes. Le pain doit être bien doré.

APPORT NUTRITIONNEL	
Par portion :	
Calories	191 kcal/807 kJ
Lipides	4,72 g
Acides gras saturés	0,68 g
Cholestérol	0
Fibres	1,46 g

PAIN AUX OLIVES ET À L'ORIGAN

Vraiment délicieux lorsqu'il est servi chaud, il accompagne bien les salades.

INGRÉDIENTS

Pour 8-10 personnes

30 cl (1/2 pt) d'eau chaude
1 cuillerée à café de levure de boulanger
une pincée de sucre en poudre
1 cuillerée à soupe d'huile d'olive
1 oignon, finement haché
450 g (1 lb) de farine blanche
1 cuillerée à café de sel
1/4 cuillerée à café de poivre noir
50 g (2 oz) d'olives noires, dénoyautées,
  grossièrement hachées
1 cuillerée à soupe de pâte d'olives noires
1 cuillerée à soupe d'origan frais ciselé
1 cuillerée à soupe de persil frais ciselé

APPORT NUTRITIONNEL

Par portion :

Calories	202 kcal/847 kJ
Lipides	3,28 g
Acides gras saturés	0,46 g
Cholestérol	0
Fibres	22,13 g

1 Versez la moitié de l'eau chaude dans un bol. Saupoudrez avec la levure. Ajoutez le sucre, mélangez bien et laissez prendre pendant 10 minutes.

2 Faites chauffer l'huile dans une petite poêle, puis faites-y revenir l'oignon, jusqu'à ce qu'il soit brun doré.

3 Tamisez la farine dans un saladier avec le sel et le poivre. Faites un puits au centre. Ajoutez la levure, l'oignon frit (avec l'huile), les olives, la pâte d'olives, les fines herbes et le reste d'eau. Mélangez peu à peu le tout pour obtenir une pâte homogène, en ajoutant un peu d'eau si nécessaire.

4 Mettez la pâte sur une surface farinée et pétrissez pendant 5 minutes, jusqu'à ce qu'elle soit lisse et élastique. Mettez la pâte dans un saladier, couvrez et laissez dans un endroit chaud pendant 2 heures environ, le temps qu'elle double de volume. Graissez légèrement une feuille de papier sulfurisé.

5 Pétrissez la pâte sur une surface farinée pendant quelques minutes, puis étalez-la en une galette épaisse de 20 cm (8 po) de diamètre. Avec un grand couteau, dessinez des entailles en croix sur le dessus. Couvrez et laissez dans un endroit chaud pendant 30 minutes. Faites préchauffer le four à 220 °C (425 °F).

6 Saupoudrez la miche avec un peu de farine. Enfournez et faites cuire pendant 10 minutes, puis baissez le four à 200 °C (400 °F). Laissez cuire encore 20 minutes. La miche doit sonner creux lorsqu'on tape dessous avec le doigt. Transférez sur une grille et laissez refroidir avant de servir.

> **ASTUCE**
> Vous pouvez remplacer les fines herbes fraîches par une à deux cuillerées à café d'herbes séchées. Vous pouvez aussi remplacer les olives et la pâte d'olives par des tomates séchées au soleil (on les trouve dans les épiceries italiennes), finement hachées.

Pain de seigle

Le pain de seigle est très populaire dans le nord de l'Europe et fait d'excellents sandwiches.

Ingrédients

Pour 16 personnes

350 g (12 oz) de farine complète
225 g (8 oz) de farine de seigle
115 g (4 oz) de farine blanche
1 1/2 cuillerée à café de sel
2 cuillerées à café de graines de carvi
47,5 cl (16 fl oz) d'eau chaude
2 cuillerées à café de levure de boulanger
une pincée de sucre en poudre

3 Faites un puits au centre de la farine, puis ajoutez la levure et le reste d'eau. Incorporez peu à peu à la farine, en mélangeant bien pour obtenir une pâte homogène. Mouillez avec un peu d'eau si nécessaire.

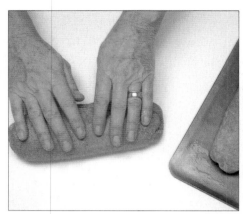

5 Pétrissez la pâte sur une surface farinée pendant 2 minutes, puis divisez-la en deux miches ovales de 23 cm (9 po) de long. Aplatissez légèrement les deux miches et mettez-les sur une feuille de papier sulfurisé.

1 Versez les trois farines et le sel dans un bol. Réservez 1 cuillerée à café de graines de carvi et ajoutez le reste aux farines.

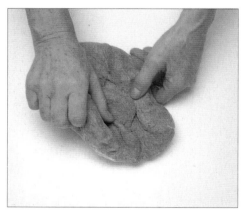

4 Mettez la pâte sur une surface farinée et pétrissez pendant 5 minutes, jusqu'à ce qu'elle soit lisse et élastique. Mettez la pâte dans un saladier, couvrez et laissez dans un endroit chaud pendant 2 heures environ, le temps qu'elle double de volume. Graissez légèrement une feuille de papier sulfurisé.

6 Badigeonnez les miches d'eau et parsemez-les avec les graines de carvi restantes. Couvrez et laissez dans un endroit chaud pendant 40 minutes environ, jusqu'à ce qu'elles aient suffisamment gonflé. Préchauffez le four à 200 °C (400 °F). Enfournez et faites cuire pendant 30 minutes. Elles doivent sonner creux lorsqu'on tape dessous avec le doigt. Transférez sur une grille et laissez refroidir avant de servir.

2 Versez la moitié de l'eau chaude dans un bol. Saupoudrez avec la levure. Ajoutez le sucre, mélangez et laissez prendre 10 minutes.

Apport nutritionnel	
Par portion :	
Calories	156 kcal/655 kJ
Lipides	1,2 g
Acides gras saturés	0,05 g
Cholestérol	0
Fibres	4,53 g

PAIN AU BICARBONATE DE SOUDE

Trouver la huche à pain vide ne sera plus un problème quand vous aurez ajouté cette recette à votre répertoire. Elle ne prend que quelques minutes, et il n'est pas nécessaire de laisser reposer la pâte. Dégustez de préférence ce pain encore chaud, directement à la sortie du four, car il se conserve assez mal.

INGRÉDIENTS

Pour 8 personnes
450 g (1 lb) de farine
1 cuillerée à café de sel
1 cuillerée à café de bicarbonate de soude
35 cl (12 fl oz) de crème fraîche

1 Faites préchauffer le four à 220 °C (425 °F). Farinez une feuille de papier sulfurisé. Tamisez tous les ingrédients secs dans un saladier et faites un puits au centre.

2 Ajoutez la crème fraîche, en mélangeant. Mettez la pâte sur une surface farinée et pétrissez rapidement. Façonnez une galette d'environ 18 cm (7 po) de diamètre et mettez-la sur la feuille de papier sulfurisé.

3 Dessinez une entaille en croix sur le dessus de la miche, puis saupoudrez avec un peu de farine. Enfournez et laissez cuire de 25 à 30 minutes, puis transférez sur une grille.

ASTUCE
Cette préparation exige une certaine dextérité. Il faut mélanger rapidement les ingrédients dans un saladier et les pétrir brièvement. Si vous pétrissez trop longtemps, vous risquez de durcir la pâte.

APPORT NUTRITIONNEL

Par portion :

Calories	230 kcal/967 kJ
Lipides	1,03 g
Acides gras saturés	0,24 g
Cholestérol	0,88 mg
Fibres	1,94 g

PAIN À LA POIRE ET AUX RAISINS SECS

Ce pain est idéal pour servir à l'heure du thé, à l'automne. Il permet d'utiliser les poires détachées de l'arbre par le vent.

INGRÉDIENTS

Pour 6-8 personnes

25 g (1 oz) de flocons d'avoine
50 g (2 oz) de cassonade
2 cuillerées à soupe de jus de poire ou de pomme
2 cuillerées à soupe d'huile de tournesol
1 grosse poire ou 2 petites
115 g (4 oz) de farine avec levure
115 g (4 oz) de raisins de Smyrne
1/2 cuillerée à café de levure chimique
2 cuillerées à café d'épices mélangées
1 œuf

1 Faites préchauffer le four à 180 °C (350 °F). Graissez un moule à cake de 1/2 litre (1 pt), puis tapissez-le de papier sulfurisé. Versez les flocons d'avoine dans un bol avec la cassonade, le jus de poire ou de pomme et l'huile. Mélangez bien et laissez reposer pendant 15 minutes.

2 Coupez en quartiers, évidez et râpez grossièrement les poires. Ajoutez aux flocons d'avoine la farine, les raisins de Smyrne, la levure chimique, les épices mélangées et l'œuf. Mélangez vigoureusement.

3 Versez le mélange dans le moule en égalisant bien le dessus. Enfournez et faites cuire de 50 à 60 minutes. Lorsqu'on plante une brochette au centre, elle doit ressortir propre.

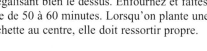

ASTUCE
Vous trouverez dans le commerce du jus de poire ou de pomme concentré, que l'on peut diluer ensuite.

4 Transférez le pain sur une grille et décollez le papier sulfurisé. Laissez bien refroidir.

APPORT NUTRITIONNEL

Par portion :

Calories	200 kcal/814 kJ
Lipides	4,61 g
Acides gras saturés	0,79 g
Cholestérol	27,50 mg
Fibres	1,39 g

PAIN AU JAMBON DE PARME ET AU PARMESAN

Ce pain très nourrissant constitue presque un repas à lui tout seul.

INGRÉDIENTS

Pour 8 personnes

225 g (8 oz) de farine complète (avec levure incorporée)
225 g (8 oz) de farine blanche (avec levure incorporée)
1 cuillerée à soupe de levure chimique
1 cuillerée à café de sel
1 cuillerée à café de poivre noir
75 g (3 oz) de jambon de Parme
25 g (1 oz) de parmesan, fraîchement râpé
2 cuillerées à soupe de persil frais ciselé
3 cuillerées à soupe de moutarde de Meaux
35 cl (12 fl oz) de crème fraîche
lait écrémé, pour le glaçage

1 Faites préchauffer le four à 200 °C (400 °F). Farinez une feuille de papier sulfurisé. Versez la farine complète dans un saladier, puis tamisez dessus la farine blanche, la levure chimique et le sel. Ajoutez le poivre et le jambon. Réservez 1 cuillerée à soupe de parmesan râpé et incorporez le reste à la farine avec le persil. Faites un puits au centre.

APPORT NUTRITIONNEL

Par portion :	
Calories	250 kcal/1 053 kJ
Lipides	3,65 g
Acides gras saturés	1,30 g
Cholestérol	7,09 mg
Fibres	3,81 g

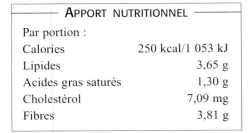

2 Mélangez la moutarde et la crème fraîche, versez dans la farine et mélangez rapidement pour obtenir une pâte homogène.

3 Abaissez la pâte sur une surface farinée et pétrissez-la pendant quelques minutes. Façonnez-la en une miche ovale, badigeonnez-la de lait et parsemez-la de parmesan râpé. Mettez la miche sur le papier sulfurisé.

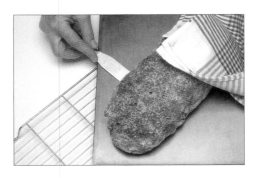

4 Enfournez et faites cuire de 25 à 30 minutes. Laissez refroidir.

GRESSINS AUX GRAINES DE CARVI

Ces gressins sont parfaits pour grignoter avec un apéritif. On peut remplacer les graines de carvi par des graines de cumin, de pavot ou de céleri.

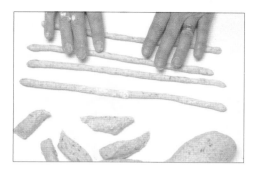

INGRÉDIENTS

Pour 20 gressins

15 cl (1/4 pt) d'eau chaude
1 cuillerée à café de levure de boulanger
une pincée de sucre en poudre
225 g (8 oz) de farine blanche
1/2 cuillerée à café de sel
2 cuillerées à café de graines de carvi

3 Faites préchauffer le four à 220 °C (425 °F). Mettez la pâte sur une surface farinée et pétrissez-la pendant 5 minutes. Lorsqu'elle est bien lisse, divisez-la en vingt morceaux, puis façonnez ces derniers en gressins de 30 cm (12 po) de long.

4 Mettez les gressins sur les deux feuilles de papier sulfurisé, en les écartant suffisamment pour qu'ils puissent lever.

5 Enfournez et laissez cuire de 10 à 12 minutes. Ils doivent être brun doré. Laissez refroidir sur le papier sulfurisé.

APPORT NUTRITIONNEL

Par portion :

Calories	45 kcal/189 kJ
Lipides	0,24 g
Acides gras saturés	0,02 g
Cholestérol	0
Fibres	0,3 g

1 Graissez deux feuilles de papier sulfurisé. Versez l'eau chaude dans un bol. Saupoudrez avec la levure, ajoutez le sucre, mélangez bien et laissez reposer 10 minutes.

2 Tamisez la farine et le sel dans une jatte, incorporez les graines de carvi, et faites un puits au centre. Ajoutez la levure et incorporez-la peu à peu à la farine pour obtenir une pâte homogène. Mouillez avec un peu d'eau si nécessaire.

BAGUETTES AU FROMAGE ET AUX FINES HERBES

Ce pain très savoureux accompagne bien les soupes et les salades. On peut utiliser du fromage fort pour le rendre encore plus goûteux.

INGRÉDIENTS

Pour 2 baguettes (4-6 personnes chacune)

30 cl (1/2 pt) d'eau chaude
1 cuillerée à café de levure de boulanger
une pincée de sucre en poudre
1 cuillerée à soupe d'huile de tournesol
1 oignon rouge, finement haché
450 g (1 lb) de farine blanche
1 cuillerée à café de sel
1 cuillerée à café de moutarde en poudre
3 cuillerées à soupe de fines herbes ciselées (thym, persil, marjolaine ou sauge)
75 g (3 oz) de cheddar maigre, râpé

APPORT NUTRITIONNEL

Par portion :

Calories	210 kcal/882 kJ
Lipides	3,16 g
Acides gras saturés	0,25 g
Cholestérol	3,22 mg
Fibres	1,79 g

ASTUCE

Pour préparer des baguettes aux oignons et à la coriandre, remplacez le fromage, les fines herbes et la moutarde par une cuillerée à soupe de coriandre en poudre et trois cuillerées à soupe de coriandre fraîche ciselée.

1 Versez l'eau chaude dans un bol. Saupoudrez avec la levure, ajoutez le sucre, mélangez bien et laissez reposer 10 minutes.

2 Faites chauffer l'huile dans une petite poêle, puis faites-y revenir l'oignon jusqu'à ce qu'il soit bien doré.

3 Mélangez la farine, le sel et la moutarde dans un saladier, puis ajoutez les fines herbes. Réservez 2 cuillerées à soupe de fromage et incorporez le reste à la farine. Faites un puits au centre. Ajoutez la levure, l'oignon frit (avec l'huile), puis incorporez peu à peu à la farine en mélangeant bien jusqu'à l'obtention d'une pâte homogène. Mouillez avec un peu d'eau si nécessaire.

4 Mettez la pâte sur une surface farinée et pétrissez pendant 5 minutes, jusqu'à ce qu'elle soit lisse et élastique. Mettez la pâte dans un saladier, couvrez et laissez dans un endroit chaud pendant 2 heures environ, le temps qu'elle double de volume. Graissez légèrement une feuille de papier sulfurisé.

5 Pétrissez brièvement la pâte sur une surface farinée, puis divisez-la en deux et façonnez les deux moitiés en baguettes de 30 cm (12 po) de long. Mettez chaque baguette sur une feuille de papier sulfurisé et faites des entailles en diagonale.

6 Parsemez les baguettes avec le fromage réservé. Couvrez et laissez lever pendant 30 minutes. Faites préchauffer le four à 220 °C (425 °F). Enfournez et laissez cuire les baguettes 25 minutes. Elles doivent sonner creux lorsqu'on tape en dessous avec un doigt.

PETITS PAINS COMPLETS

Ils sont parfaits pour les pique-niques, garnis de fromage blanc, de thon, de salade et de mayonnaise allégée. Ils sont aussi délicieux servis chauds avec une soupe.

INGRÉDIENTS

Pour 8 petits pains

30 cl (1/2 pt) d'eau chaude
1 cuillerée à café de levure de boulanger
une pincée de sucre en poudre
450 g (14 oz) de farine complète
1 cuillerée à café de sel
1 cuillerée à soupe de flocons d'avoine

APPORT NUTRITIONNEL

Par portion :	
Calories	223 kcal/939 kJ
Lipides	1,14 g
Acides gras saturés	0,16 g
Cholestérol	0
Fibres	3,10 g

ASTUCE
Pour préparer une grosse miche, façonnez la pâte en une galette très épaisse, et faites-la cuire de 30 à 40 minutes. Vérifiez la cuisson en tapant dessous avec un doigt. Elle sonne creux lorsqu'elle est cuite.

1 Versez l'eau chaude dans un bol. Saupoudrez avec la levure, ajoutez le sucre, mélangez bien et laissez reposer 10 minutes.

2 Versez la farine et le sel dans un saladier, puis faites un puits au centre. Ajoutez la levure et le reste d'eau. Incorporez peu à peu à la farine en mélangeant bien pour obtenir une pâte homogène.

3 Mettez la pâte sur une surface farinée et pétrissez pendant 5 minutes, jusqu'à ce qu'elle soit lisse et élastique. Mettez la pâte dans un saladier, couvrez et laissez dans un endroit chaud pendant 2 heures environ, le temps qu'elle double de volume.

4 Graissez légèrement une feuille de papier sulfurisé. Pétrissez la pâte sur une surface farinée pendant 2 minutes, puis divisez-la en huit morceaux. Façonnez ces derniers en boules et aplatissez-les avec la paume de la main pour obtenir des galettes de 10 cm (4 po) de diamètre.

5 Mettez les galettes sur la feuille de papier sulfurisé, couvrez sans serrer avec un grand sac en plastique et laissez reposer dans un endroit chaud pour que les galettes montent suffisamment. Faites préchauffer le four à 220 °C (425 °F).

6 Badigeonnez les petits pains avec de l'eau, saupoudrez-les de flocons d'avoine et laissez cuire de 20 à 25 minutes. Ils doivent sonner creux lorsqu'on tape en dessous avec un doigt. Laissez-les refroidir sur une grille, puis servez-les avec une garniture allégée.

PETITS PAINS AUX GRAINES DE PAVOT

Présentez ces petits pains dans un panier, au petit déjeuner ou au dîner.

INGRÉDIENTS

Pour 12 petits pains
15 cl (1/4 pt) de lait chaud écrémé
1 cuillerée à café de levure de boulanger
une pincée de sucre en poudre
450 g (1 lb) de farine blanche
1 cuillerée à café de sel
1 œuf, légèrement battu

Pour le glaçage
1 œuf, battu
graines de pavot

APPORT NUTRITIONNEL

Par portion :	
Calories	160 kcal/674 kJ
Lipides	2,42 g
Acides gras saturés	0,46 g
Cholestérol	32,58 mg
Fibres	1,16 g

1 Versez la moitié du lait chaud dans un bol. Saupoudrez avec la levure, ajoutez le sucre, mélangez bien et laissez reposer pendant 30 minutes.

2 Tamisez la farine et le sel dans un saladier. Faites un puits au centre, puis ajoutez la levure et l'œuf. Incorporez peu à peu à la farine en mélangeant bien pour obtenir une pâte homogène, en mouillant avec le reste de lait.

3 Mettez la pâte sur une surface farinée et pétrissez pendant 5 minutes, jusqu'à ce qu'elle soit lisse et élastique. Mettez la pâte dans un saladier, couvrez avec un linge humide et laissez dans un endroit chaud 1 heure environ, le temps qu'elle double de volume.

4 Graissez légèrement deux feuilles de papier sulfurisé. Pétrissez la pâte sur une surface farinée pendant 2 minutes, puis divisez-la en douze morceaux. Façonnez ces derniers en boules et en rouleaux.

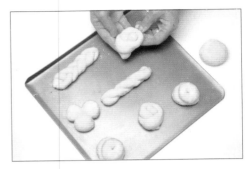

5 Mettez les petits pains sur la feuille de papier sulfurisé, couvrez sans serrer avec un grand sac en plastique et laissez reposer dans un endroit chaud pour qu'ils montent suffisamment. Faites préchauffer le four à 220 °C (425 °F).

6 Glacez les petits pains avec l'œuf battu, parsemez-les de graines de pavot et laissez cuire de 12 à 15 minutes. Ils doivent être bien dorés. Laissez-les refroidir sur une grille.

ASTUCE
Si vous préférez, utilisez de la levure chimique classique. Ajoutez-la directement aux ingrédients et mélangez avec du lait tiède. Les petits pains n'auront besoin que d'une seule levée (suivre les instructions du paquet). Variez la garniture : utilisez, par exemple, des graines de lin, de sésame, de carvi ou de cumin. Vous pouvez également intégrer ces dernières directement à la pâte, pour plus de saveur.

PAIN À LA BANANE ET À LA CARDAMOME

Le mélange de banane et de cardamome est sans équivalent. Cette miche se sert à l'heure du thé, accompagnée de pâte à tartiner allégée ou de confiture (à faible teneur en sucre). Aucune matière grasse n'est nécessaire à la confection de ce pain.

INGRÉDIENTS

Pour 6 personnes

15 cl (1/4 pt) d'eau chaude
1 cuillerée à café de levure de boulanger
une pincée de sucre en poudre
10 cosses de cardamome
400 g (14 oz) de farine blanche
1 cuillerée à café de sel
2 bananes mûres, écrasées
1 cuillerée à café de graines de sésame

1 Versez l'eau chaude dans un bol. Saupoudrez avec la levure, ajoutez le sucre, mélangez bien et laissez reposer pendant 10 minutes.

2 Retirez les graines des cosses de cardamome et hachez-les finement.

3 Versez la farine et le sel dans un saladier, puis faites un puits au centre. Ajoutez la levure, les graines de cardamome et les bananes.

4 Incorporez peu à peu à la farine en mélangeant bien pour obtenir une pâte homogène, en mouillant avec un peu d'eau si nécessaire. Mettez la pâte sur une surface farinée et pétrissez pendant 5 minutes, jusqu'à ce qu'elle soit lisse et élastique. Mettez la pâte dans un saladier, couvrez avec un linge humide et laissez dans un endroit chaud pendant 2 heures environ, le temps qu'elle double de volume.

APPORT NUTRITIONNEL	
Par portion :	
Calories	299 kcal/1 254 kJ
Lipides	1,55 g
Acides gras saturés	0,23 g
Cholestérol	0
Fibres	2,65 g

5 Graissez une feuille de papier sulfurisé. Pétrissez brièvement la pâte sur une surface farinée pendant 2 minutes, puis divisez-la en trois morceaux. Façonnez ces derniers en une tresse. Mettez la tresse sur la feuille de papier sulfurisé, couvrez sans serrer avec un grand sac en plastique et laissez reposer dans un endroit chaud pour qu'elle monte suffisamment. Faites préchauffer le four à 220 °C (425 °F).

6 Badigeonnez la tresse avec un peu d'eau et parsemez avec les graines de sésame. Enfournez et faites cuire pendant 10 minutes. Puis baissez le four à 200 °C (400 °F) et laissez cuire encore pendant 15 minutes. La miche doit sonner creux lorsqu'on tape dessous avec le doigt. Laissez refroidir sur une grille.

> **ASTUCE**
> Assurez-vous que les bananes soient vraiment mûres, afin qu'elles donnent un maximum de goût au pain. Si vous préférez, mettez la pâte à pain dans un moule à cake de 450 g (1 lb) et faites cuire au four 5 minutes supplémentaires. À faible teneur en matières grasses, les bananes sont aussi une bonne source de potassium. Par conséquent, elles constituent un élément nutritif idéal pour un repas léger.

PAIN SUÉDOIS AUX RAISINS SECS

Ce pain aux fruits est encore plus délicieux lorsqu'il est servi chaud. On peut aussi le faire griller et le déguster avec de la pâte à tartiner allégée.

INGRÉDIENTS

Pour 8-10 personnes

12 cl (1/4 pt) d'eau chaude
1 cuillerée à café de levure de boulanger
1 cuillerée à soupe de miel liquide
225 g (8 oz) de farine complète
225 g (8 oz) de farine blanche
1 cuillerée à café de sel
115 g (4 oz) de raisins de Smyrne
50 g (2 oz) de noix, finement concassées
17,5 cl (6 fl oz) de lait chaud écrémé, plus
  1 cuillerée à soupe pour le glaçage

APPORT NUTRITIONNEL

Par portion :

Calories	273 kcal/1 145 kJ
Lipides	4,86 g
Acides gras saturés	0,57 g
Cholestérol	0,39 mg
Fibres	3,83 g

1 Versez l'eau dans un bol. Saupoudrez avec la levure, ajoutez quelques gouttes de miel pour favoriser l'action de la levure et laissez reposer pendant 10 minutes.

2 Versez les deux farines dans un saladier avec le sel et les raisins de Smyrne. Réservez 1 cuillerée à soupe de noix et ajoutez le reste à la farine. Mélangez légèrement, puis faites un puits au centre.

3 Ajoutez la levure à la farine, avec le lait et le reste de miel. Incorporez peu à peu à la farine en mélangeant bien pour obtenir une pâte homogène. Si nécessaire, mouillez avec un peu d'eau.

4 Mettez la pâte sur une surface farinée et pétrissez pendant 5 minutes, jusqu'à ce qu'elle soit lisse et élastique. Mettez la pâte dans un saladier, couvrez avec un linge humide et laissez dans un endroit chaud pendant 2 heures environ, le temps qu'elle double de volume. Graissez une feuille de papier sulfurisé.

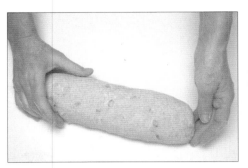

5 Pétrissez la pâte sur une surface farinée pendant 2 minutes, puis façonnez-la en un gros « saucisson » de 28 cm (11 po) de long. Mettez-le sur la feuille de papier sulfurisé et dessinez des entailles en diagonale.

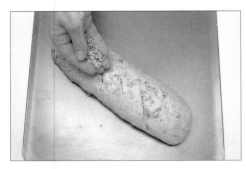

6 Badigeonnez le pain avec le lait, parsemez avec les noix réservées et laissez lever pendant 40 minutes environ. Faites préchauffer le four à 220 °C (425 °F). Enfournez et faites cuire le pain pendant 10 minutes. Baissez ensuite le four à 200 °C (400 °F) et faites cuire encore 20 minutes. Le pain doit sonner creux lorsqu'on tape dessous avec le doigt.

> **ASTUCE**
> Pour préparer un pain aux pommes et aux noisettes, il suffit de remplacer les raisins secs par deux pommes coupées en petits morceaux et les noix par des noisettes. Ajoutez une cuillerée à café de cannelle à la farine.

PAIN ROULÉ AUX FINES HERBES

Un pain délicieux et raffiné, à déguster avec une salade pour un déjeuner diététique.

INGRÉDIENTS

Pour 2 pains

2 cuillerées à soupe de levure boulangère
    superactive
60 cl (2 1/4 tasses) d'eau tiède
550 g (3 2/3 tasses) de farine blanche
520 g (3 1/2 tasses) de farine complète
3 cuillerées à café de sel
2 cuillerées à soupe de margarine au
    tournesol
1 botte de persil finement haché
1 botte d'oignons nouveaux finement
    hachés
1 gousse d'ail finement hachée
sel, poivre noir fraîchement moulu
1 œuf légèrement battu
lait écrémé

APPORT NUTRITIONNEL	
Par pain :	
Valeur énergétique	1 698 Cal ou 7 132 kJ
Lipides	24,55 g
Acides gras saturés	9,87 g
Cholestérol	144,33 mg
Fibres	30,96 g

1 Dans un bol, mélangez la levure à 6 cl d'eau environ. Remuez pour la dissoudre.

2 Dans un saladier, mélangez les farines et le sel. Faites une fontaine au centre. Versez-y la levure diluée et le reste d'eau. Avec une cuillère en bois, mélangez en tournant de l'intérieur vers l'extérieur.

3 Placez la pâte ainsi obtenue sur un plan fariné. Pétrissez jusqu'à obtenir une boule lisse et élastique. Remettez dans le saladier. Couvrez d'un torchon et laissez lever environ 2 heures. La pâte doit doubler de volume.

4 Entre-temps, dans une grande poêle, mélangez la margarine, le persil, les oignons et l'ail. Faites revenir à feu doux, en remuant, jusqu'à les amollir. Salez et poivrez. Réservez.

5 Graissez deux moules rectangulaires de 22 x 12 cm. Lorsque la pâte est levée, divisez-la en deux parts. Abaissez en rectangles d'environ 35 x 22 cm.

6 Badigeonnez-les d'œuf battu et parsemez-les de fines herbes jusqu'aux bords.

7 Roulez pour enfermer la farce et pincez les extrémités pour souder la pâte. Posez dans les moules, sur le joint de pâte.

8 Couvrez d'un torchon propre et laissez reposer dans un endroit tiède jusqu'à ce que la pâte ait levé au-delà du bord des moules.

9 Préchauffez le four à 190 °C (375 °F). Badigeonnez les pains d'un peu de lait. Faites cuire 55 minutes environ. Laissez refroidir sur une grille.

PAIN AUX NOIX

Un pain délicieux que l'on peut déguster à tout moment de la journée, tel quel ou bien tartiné de margarine ou de fromage blanc allégés.

INGRÉDIENTS

Pour 1 pain

380 g (2 1/2 tasses) de farine complète
200 g (1 1/4 tasse) de farine blanche
2 1/2 cuillerées à café de sel
55 cl (2 1/4 tasses) d'eau tiède
1 cuillerée à soupe de miel liquide
1 cuillerée à soupe de levure boulangère
*   superactive*
150 g (1 1/4 tasse) de cerneaux de noix et
*   quelques cerneaux de plus pour la*
*   décoration*
1 œuf battu

APPORT NUTRITIONNEL

Par pain :	
Valeur énergétique	2 852 Cal
	ou 11 980 kJ
Lipides	109,34 g
Acides gras saturés	12,04 g
Cholestérol	77 mg
Fibres	47,04 g

1 Dans un saladier, mélangez les farines et le sel. Faites une fontaine au centre. Versez-y 25 cl d'eau tiède. Ajoutez le miel et la levure.

2 Laissez reposer jusqu'à ce que la levure soit dissoute et le mélange légèrement écumeux.

3 Ajoutez le reste d'eau. Avec une cuillère en bois, mélangez en tournant de l'intérieur vers l'extérieur, en incorporant les farines au fur et à mesure, jusqu'à obtenir une pâte lisse. Ajoutez de la farine si la pâte est trop collante. Malaxez à la main si elle devient trop ferme pour la cuillère.

4 Posez la pâte sur un plan fariné. Pétrissez jusqu'à obtenir une consistance lisse et élastique. Placez dans un saladier graissé. Faites rouler dans le saladier pour enrober la pâte.

5 Couvrez d'un film étirable et laissez lever dans un endroit tiède 80 à 90 minutes. La pâte doit doubler de volume.

6 Une fois la pâte levée, aplatissez-la fermement et enfoncez les cerneaux de noix de façon à les répartir régulièrement.

7 Graissez une tôle. Façonnez une boule avec la pâte et posez-la sur la tôle. Décorez de quelques cerneaux en surface. Couvrez d'un torchon humide et laissez lever 25 à 30 minutes dans un endroit tiède. Le volume doit doubler.

8 Préchauffez le four à 220 °C (425 °F). Avec un couteau effilé, incisez légèrement le pain. Badigeonnez d'œuf battu. Faites cuire pendant 15 minutes. Abaissez la température à 190 °C (375 °F) et continuez de cuire 40 minutes environ. Laissez refroidir.

PAIN AUX FLOCONS D'AVOINE

Un pain sain et nourrissant, qui doit sa délicieuse texture aux flocons d'avoine.

INGRÉDIENTS

Pour 2 pains

50 cl (2 tasses) de lait écrémé

2 cuillerées à soupe de margarine allégée

250 g (1 1/4 tasse) de sucre en poudre roux

2 cuillerées à café de sel

1 cuillerée à soupe de levure boulangère superactive

6 cl (1/4 tasse) d'eau tiède

520 g (3 1/4 tasses) de flocons d'avoine

600 à 900 g (4-6 tasses) de farine blanche

1 Faites bouillir le lait. Retirez du feu. Incorporez la margarine, le sucre et le sel. Laissez tiédir.

2 Dans un saladier, mélangez la levure et l'eau tiède. Laissez reposer jusqu'à ce que la levure soit dissoute et le mélange légèrement écumeux. Incorporez la préparation de lait.

3 Ajoutez 380 g (2 1/2 tasses) de flocons d'avoine et suffisamment de farine pour obtenir une pâte molle.

4 Posez la pâte sur un plan fariné. Pétrissez jusqu'à obtenir une pâte lisse et élastique.

5 Posez la pâte dans une terrine graissée. Couvrez d'un torchon propre et laissez lever 2 à 3 heures. La pâte doit doubler de volume. Graissez une tôle.

6 Posez la pâte sur un plan légèrement fariné et façonnez deux pains ronds.

7 Posez les pains sur la tôle. Couvrez d'un torchon et laissez lever 1 heure environ. Ils doivent doubler de volume.

8 Préchauffez le four à 200 °C (400 °F). Pratiquez des incisions sur les pains. Parsemez du reste de flocons d'avoine. Faites cuire dans le four 45 à 50 minutes. Laissez refroidir sur une grille.

APPORT NUTRITIONNEL	
Par pain :	
Valeur énergétique	2 281 Cal
	ou 9 581 kJ
Lipides	34,46 g
Acides gras saturés	11,94 g
Cholestérol	39 mg
Fibres	24,11 g

PAIN AUX COURGETTES ET AUX NOIX

INGRÉDIENTS

Pour 1 pain

3 œufs

100 g (1/2 tasse) de sucre en poudre roux

6 cl (1/4 tasse) d'huile de tournesol

220 g (1 1/2 tasse) de farine complète

1 cuillerée à café de levure chimique

1 cuillerée à café de bicarbonate de soude

1 cuillerée à café de cannelle en poudre

1/2 cuillerée à café de toute-épice

1/2 cuillerée à café de gousses de cardamome verte, sans graines et concassées

150 g (1 tasse) de courgettes râpées

40 g (1/4 tasse) de cerneaux de noix concassés

40 g (1/4 tasse) de graines de tournesol

APPORT NUTRITIONNEL

Par pain :

Valeur énergétique 3 073 Cal ou 12 908 kJ

Lipides	201,98 g
Acides gras saturés	26,43 g
Cholestérol	654,50 mg
Fibres	28,62 g

1 Préchauffez le four à 180 °C (350 °F). Graissez le fond et les parois d'un moule à pain de 1 kg. Garnissez de papier sulfurisé.

2 Battez les œufs et le sucre. Incorporez graduellement l'huile.

3 Dans une terrine, tamisez la farine avec la levure, le bicarbonate de soude, la cannelle et la toute-épice.

5 Versez cette pâte dans le moule. Égalisez, puis parsemez du reste de graines de tournesol.

4 Incorporez dans le mélange d'œufs avec la cardamome, les courgettes, les noix et les graines de tournesol (dont vous réservez 1 cuillerée à soupe).

6 Faites cuire au four 1 heure environ, ou jusqu'à ce qu'une brochette enfoncée au milieu ressorte propre. Laissez légèrement tiédir, démoulez et posez sur une grille pour refroidir.

PAIN À LA SAUGE

Ce merveilleux pain, très différent des pains levés, offre une texture veloutée et un puissant parfum de sauge.

INGRÉDIENTS

Pour 1 pain

220 g (1 1/2 tasse) de farine complète
150 g (1 tasse) de farine blanche
1/2 cuillerée à café de sel
1 cuillerée à café de levure chimique
2 cuillerées à soupe de sauge fraîche ciselée ou 2 cuillerées à café de sauge séchée
30 à 40 cl (1 1/4-1 3/4 tasse) de babeurre

NOTE
Vous pouvez remplacer la sauge par du romarin ou du thym finement ciselés.

APPORT NUTRITIONNEL

Par pain :

Valeur énergétique	1 251 Cal ou 5 255 kJ
Lipides	9,23 g
Acides gras saturés	2 g
Cholestérol	7 mg
Fibres	23,81 g

1 Préchauffez le four à 220 °C (425 °F). Dans un saladier, tamisez les farines, le sel et la levure.

2 Incorporez la sauge et ajoutez suffisamment de babeurre pour obtenir une pâte molle.

3 Façonnez un pain rond. Posez-le sur une tôle légèrement badigeonnée d'huile.

4 Incisez le pain en croix. Faites cuire au four pendant 40 minutes. Il faut que le pain ait bien gonflé. Laissez refroidir sur une grille.

PAIN À L'ORANGE

Vous le servirez en tranches beurrées au petit déjeuner ou pour le goûter des enfants, avec une banane.

— INGRÉDIENTS —

Pour un pain de 450 g (1 lb)
275 g (10 oz) de farine complète
1/2 cuillerée à café de sel
25 g (1 oz) de beurre
25 g (1 oz) de sucre brun
1/2 sachet de levure
zeste râpé et jus d'1/2 orange

1 Dans un grand saladier, disposez la farine en puits. Ajoutez le sel et le beurre puis incorporez celui-ci du bout des doigts.

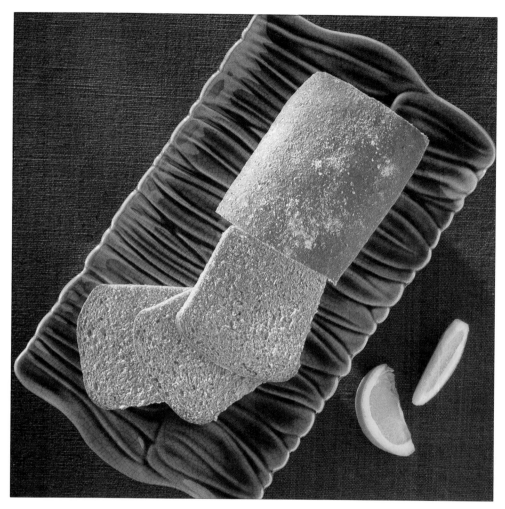

2 Ajoutez le sucre, la levure et le zeste d'orange. Versez le jus d'orange dans un bol gradué, et diluez-le avec de l'eau chaude pour obtenir 20 cl (7 fl) de liquide.

3 Versez le liquide sur la farine et travaillez pour obtenir une pâte lisse.

4 Mettez la pâte dans un moule à cake d'une contenance de 450 g (1 lb) environ, et laissez lever dans un endroit chaud. Préchauffez le four à 220 °C (425 °F).

5 Faites cuire le pain 30 à 35 minutes. En fin de cuisson, piquez avec la pointe d'un couteau pour vous assurer qu'il est cuit. Démoulez et laissez refroidir.

— APPORT NUTRITIONNEL —	
Par portion :	
Valeur énergétique	144 kcal ou 607 kJ
Lipides	3,32 g
Acides gras saturés	1,82 g
Cholestérol	7,19 mg

FOCCACIA AU SAFRAN

Un pain jaune absolument éblouissant, à la saveur très particulière.

INGRÉDIENTS

Pour 1 pain

1 pincée de stigmates de safran
16 cl (2/3 tasse) d'eau bouillante
300 g (2 tasses) de farine
sel
1/2 cuillerée à café de levure boulangère
 superactive
1 cuillerée à soupe d'huile d'olive

Pour la garniture

2 gousses d'ail émincées
1 oignon rouge en fins quartiers
quelques brins de romarin
12 olives noires dénoyautées et
 grossièrement hachées
1 cuillerée à soupe d'huile d'olive

APPORT NUTRITIONNEL	
Par pain :	
Valeur énergétique	1 047 Cal ou 4 399 kJ
Lipides	29,15 g
Acides gras saturés	4,06 g
Cholestérol	0
Fibres	9,48 g

1 Dans un bol, versez l'eau bouillante sur les stigmates de safran. Laissez infuser jusqu'à ce que l'eau ait tiédi.

2 Dans le bol d'un mixer, mettez la farine, le sel, la levure et l'huile d'olive. Travaillez. Ajoutez graduellement le safran et son jus d'infusion, jusqu'à obtenir une boule de pâte.

3 Placez la pâte sur un plan fariné. Pétrissez pendant 10 à 15 minutes. Posez la pâte dans un saladier. Couvrez et laissez lever 30 à 40 minutes. La pâte doit doubler de volume.

4 Posez la pâte levée sur un plat légèrement fariné. Abaissez au rouleau jusqu'à obtenir un ovale de 1,5 cm d'épaisseur. Posez la pâte sur une tôle légèrement graissée. Laissez lever 20 à 30 minutes.

5 Préchauffez le four à 200 °C (400 °F). Avec les doigts, enfoncez la pâte en plusieurs endroits.

6 Couvrez la pâte des ingrédients de garniture. Badigeonnez légèrement d'huile d'olive. Faites cuire au four 25 minutes environ. Laissez refroidir.

GRESSINS À LA TOMATE

Après avoir dégusté ces gressins, vous n'en achèterez plus jamais ! Servez-les en collation ou en apéritif avec un dip.

INGRÉDIENTS

Pour 16 gressins

300 g (2 tasses) de farine

1/2 cuillerée à café de sel

1/2 cuillerée à soupe de levure boulangère superactive

1 cuillerée à café de miel liquide

1 cuillerée à café d'huile d'olive

16 cl (2/3 tasse) d'eau tiède

6 moitiés de tomates séchées au soleil à l'huile d'olive, égouttées et hachées

1 cuillerée à soupe de lait écrémé

2 cuillerées à café de graines de pavot

APPORT NUTRITIONNEL

Par portion :	
Valeur énergétique	82 Cal ou 346 kJ
Lipides	3,53 g
Acides gras saturés	0,44 g
Cholestérol	0
Fibres	0,44 g

1 Mettez la farine, le sel et la levure dans le bol d'un mixer. Ajoutez le miel et l'huile d'olive. Tout en travaillant, versez lentement l'eau (selon la farine utilisée, vous n'en aurez peut-être pas besoin). Arrêtez d'ajouter de l'eau dès que la pâte commence à prendre. Travaillez 1 minute encore.

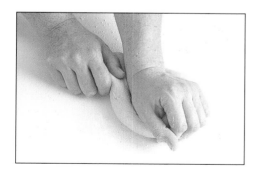

2 Posez la pâte sur un plan fariné. Pétrissez pendant 3 à 4 minutes pour obtenir une consistance lisse et élastique.

3 Incorporez les tomates séchées en pétrissant. Façonnez une boule. Placez-la dans une terrine légèrement badigeonnée d'huile. Laissez lever pendant 5 minutes.

4 Préchauffez le four à 150 °C (300 °F). Divisez la pâte en seize parts. Façonnez chaque part en un gressin d'environ 30 cm de long. Posez les gressins sur une tôle légèrement badigeonnée d'huile. Laissez lever 15 minutes dans un endroit tiède.

5 Badigeonnez les gressins de lait. Parsemez-les de graines de pavot. Faites cuire au four pendant 30 minutes. Laissez refroidir sur une grille.

> **NOTE**
> Si vous n'avez pas de tomates séchées, réalisez ces gressins avec un fromage maigre à pâte dure, des graines de sésame ou des fines herbes hachées.

CAKE AUX POMMES, ABRICOTS ET NOIX

**Pour un cake à découper en
10 à 12 tranches**

225 g (8 oz) de farine
1 cuillerée à café de levure chimique
1 pincée de sel
115 g (4 oz) de margarine végétale
175 g (6 oz) de sucre brun
2 gros œufs légèrement battus
jus d'une orange et son zeste râpé
50 g (2 oz) de noix concassées
50 g (2 oz) d'abricots secs hachés
1 grosse pomme
huile pour graisser le moule

1 Préchauffez le four à 180 °C (350 °F). Graissez un moule à cake d'une contenance de 900 g (2 lb) à peu près.

2 Dans un grand saladier, disposez la farine en puits avec, en son centre, la levure chimique. Ajoutez la margarine, le sucre, les œufs, le zeste d'orange et le jus de celle-ci. Travaillez au batteur électrique jusqu'à ce que le mélange soit lisse.

3 Incorporez les noix et les abricots. Coupez la pomme en quartiers, enlevez le cœur, épluchez et hachez grossièrement. Ajoutez au mélange, puis versez dans le moule préparé. Égalisez la surface.

4 Faites cuire au four 1 heure environ, et vérifiez que le cake est cuit en enfonçant la pointe d'un couteau au milieu. Laissez refroidir dans le moule 5 minutes à peu près, puis démoulez. Rangez dans une boîte hermétique.

APPORT NUTRITIONNEL	
Par portion :	
Valeur énergétique	290 kcal ou 1 220 kJ
Lipides	14,5 g
Acides gras saturés	2,5 g
Cholestérol	43,5 mg

CAKES AUX DATTES ET AUX NOIX

Pour 2 pains de 450 g (1 lb) environ
300 g (11 oz) de farine
275 g (10 oz) de farine complète
1 cuillerée à café de sel
5 cuillerées à soupe de sucre brun
1 sachet de levure
50 g (2 oz) de beurre ou de margarine
1 cuillerée à soupe de mélasse
4 cuillerées à soupe d'extrait de malt
25 cl (8 fl oz) de lait tiède
115 g (4 oz) de dattes grossièrement hachées
50 g (2 oz) de noix concassées
75 g (3 oz) de raisins secs
75 g (3 oz) de raisins de Smyrne
2 cuillerées à soupe de miel liquide pour le glaçage

1 Dans un grand saladier, disposez les farines en puits puis ajoutez le sucre et la levure.

APPORT NUTRITIONNEL	
Par portion :	
Valeur énergétique	261 kcal ou 1 104 kJ
Lipides	5,57 g
Acides gras saturés	2,46 g
Cholestérol	9,45 mg

2 Dans une petite casserole, faites fondre à feu très doux le beurre ou la margarine avec la mélasse et l'extrait de malt. Laissez refroidir, puis ajoutez le lait, et mélangez bien.

3 Incorporez le liquide ainsi préparé au contenu du saladier, et travaillez régulièrement pendant 15 minutes environ. Il faut que la pâte acquière de l'élasticité. (Vous pouvez aussi pétrir la pâte au mixeur, si vous disposez de l'équipement nécessaire).

4 Incorporez les fruits et les noix. Placez la pâte ainsi préparée dans un saladier et recouvrez-le de film transparent. Laissez lever dans un endroit chaud durant 30 minutes.

5 Graissez deux moules à cake de 450 g (1lb). Retravaillez doucement votre pâte, scindez en deux. Façonnez des pains et mettez-les dans les moules. Couvrez, et laissez reposer 30 minutes au chaud. Préchauffez le four à 190 °C (375 °F).

6 Faites cuire 35 à 40 minutes. Il faut que les cakes lèvent. Piquez avec la pointe d'un couteau : verifiez que c'est cuit. Laissez-les refroidir. Glacez avec le miel quand ils sont encore tièdes.

INDEX